THE THIN RED LINE

Van James Jones is eerder verschenen:

From Here to Eternity

JAMES JONES

THE THIN RED LINE

Vijfde druk

Oorspronkelijke titel: *The Thin Red Line*
Vertaling: J.F. Kliphuis
Redactionele bewerking: Yvette Cordfunke
Omslagontwerp: Wouter van der Struys
Omslagdia: Columbia Tristar Fox Films (Holland) BV

ISBN 978 90 210 0163 0

www.boekenwereld.com & www.poemapocket.com

Dit boek wordt welgemoed opgedragen aan die grootste en meest heldhaftige van alle menselijke inspanningen, oorlogvoering. Dat deze ons altijd het plezier, de opwinding en de aansporing die wij nodig hebben, zal blijven verschaffen, en ons helden, presidenten en leiders zal geven, en bovendien de monumenten en musea die wij voor hen in de naam van de vrede oprichten.

Then it's Tommy this, an' Tommy that,
an' 'Tommy 'ow's yer soul?'
But it's 'Thin red line of 'eroes'
when the drums begin to roll!
KIPLING

There's only a thin red line
between the sane and the mad.
OUD AMERIKAANS GEZEGDE

Woord vooraf

Iedereen die aanwezig was bij de strijd op Guadalcanal of deze heeft bestudeerd, zal onmiddellijk inzien dat een terrein zoals in dit boek wordt beschreven, niet werkelijk op het eiland voorkomt. 'De Dansende Olifant', 'De Reuzengarnaal', de heuvels rond 'Boola Boola' en het dorp zelf zijn alle gefantaseerd, evenals de gevechten die worden beschreven als zouden ze hier hebben plaatsgevonden. De personen die aan de strijd deelnamen zijn eveneens gefingeerd. Het zou mogelijk zijn geweest een volledig gefantaseerd eiland als achtergrond voor dit boek te creëren. Maar Guadalcanal had in de jaren 1942-1943 een zeer speciale betekenis voor de Amerikanen. Door gebruik te maken van een geheel verzonnen eiland zouden al deze speciale eigenschappen, die de naam Guadalcanal voor mijn generatie oproept, verloren zijn gegaan. Daarom ben ik zo vrij geweest er een stuk niet-bestaand gebied tussen te leggen. En natuurlijk is enige overeenkomst met *wat*, *waar dan ook*, louter toeval.

'Styron's Acres'
Roxbury, Conn.
Thanksgiving Day
1961

I

In het eerste, grijzige licht van de dageraad waren de twee transportschepen komen aansluipen uit het zuiden; geruisloos gleden hun omvangrijke rompen door het water, dat hen met zijn nog veel grotere massa zwijgend droeg; de schepen waren even grijs als de dageraad die ze camoufleerde. Nu lagen ze in de frisse vroege ochtend van een prachtige tropische dag rustig voor anker in de zeestraat, dichter bij het ene eiland dan bij het andere, dat niet meer was dan een wolkenbank aan de horizon. Voor de bemanningsleden was dit routinewerk, een karwei dat ze al zo vaak hadden gedaan: het aan land brengen van verse versterkingstroepen. Maar voor de mannen die de lading infanterie van deze reis vormden, was dit geen routineklus en voor hen was het karwei nieuw; het wekte bij hen zowel doffe angst als gespannen verwachting.

Voor de aankomst, tijdens de lange zeereis hierheen, was de houding van de mannen cynisch geweest – maar eerlijk cynisch, want het was voor hen als leden van een oude staande divisie geen pose; ze beseften heel goed dat zij als lading werden vervoerd. Hun hele leven was dat al zo geweest en ze werden altijd benedendeks gestouwd. En daar waren ze niet alleen aan gewend, ze verwachtten het zelfs. Maar nu ze hier waren, en werkelijk werden geconfronteerd met het bestaan van dit eiland waarover ze in de kranten zoveel hadden gelezen, liet hun zelfvertrouwen hen een ogenblik in de steek. Want al waren zij dan mannen van een oude vooroorlogse divisie, hier zouden ze toch maar hun vuurdoop ondergaan.

Terwijl ze zich klaarmaakten om aan land te gaan, twijfelde niemand eraan dat tenminste een zeker percentage van de mannen op dit eiland dood zou achterblijven als ze het eenmaal hadden betreden. Maar niemand verwachtte een van hen te zijn. Toch was het een neerdrukkende gedachte en toen de eerste contingenten moeizaam aan dek kwamen om zich op te stellen met hun volledige uitrusting, gingen alle blikken onmiddellijk naar dat eiland, waar ze afgezet zouden worden en achtergelaten, en dat misschien het graf van een vriend zou worden.

Het uitzicht vanaf het dek was prachtig. In de stralende zonneschijn van de vroege tropenochtend, die het rustige water van de zeestraat deed schitteren, bewoog een frisse zeebries de geveerde bladeren van de minuscule kokospalmen achter het wazige strand van het dichtstbijzijnde eiland. Het was nog te vroeg om onaangenaam heet te zijn. Hier waren ineens eindeloze verten en het uitzicht over zee werd nergens belemmerd. Dezelfde naar de zee geurende bries streek behoedzaam over de dekken, door de opbouw van de schepen en langs de oren en de gezichten van de soldaten. Na de afstompende stank tijdens het lange verblijf in de ruimen, waar de lucht verzadigd was met de uitwasemingen van menselijke longen, voeten, oksels en liezen, was de zachte wind weldadig om op te snuiven. Achter de dwergachtige kokospalmen op het eiland verrees groen oerwoud tot aan gele heuvels, die op hun beurt de uitlopers waren van massieve, in een blauw waas gehulde bergen die zich hoog verhieven in de heldere lucht.

'Zo, dit is dus Guadalcanal,' zei een man aan de reling, en hij spuwde tabakssap langs de scheepswand omlaag.

'Wat dacht je dan dat het was, verdomme? Tahiti soms?' zei een ander.

De eerste man zuchtte en spuwde nogmaals. 'Nou, het is er zeker een mooie, rustige morgen voor.'

'Jezus, mijn kont sleept over de grond,' klaagde een derde zenuwachtig. 'Al die spullen.' Hij trok de zware gevechtsbepakking hogerop.

'Wacht maar met kankeren tot je tong over de grond sleept,' zei de eerste man.

Een aantal kleine, keverachtige vaartuigjes, die de mannen herkenden als landingsvaartuigen voor infanterie, kwam al vanaf de kust aanzetten; sommige cirkelden gehaast in het rond, andere koersten regelrecht naar de schepen.

De mannen staken sigaretten op. Langzaam verzamelden ze zich, traag schuifelend over het dek. De scherpe commando's van de pelotonscommandanten en onderofficieren doorbraken hun nerveuze gesprekken en formeerden de kudde. Toen ze eenmaal opgesteld waren moesten ze, zoals gewoonlijk, afwachten.

De eerste LCI die hen bereikte, voer om het voorste transportschip heen, op een afstand van ongeveer dertig meter, hevig stampend op de lage hekgolven, bemand door twee kerels met vechtpetjes op en overhemden zonder mouwen aan. De man die niet stuurde hield zich aan de dol vast om zijn evenwicht te bewaren en keek omhoog naar het schip.

'Kijk eens wat we hier hebben. Nog meer kanonnenvoer voor de Jappen,' riep hij opgewekt uit.

De pruimende man aan de reling bewoog zijn kaken wat op en neer, als een herkauwend dier, en spoog toen zonder zich te bewegen een dunne bruine straal tabakssap omlaag. Aan dek bleven de soldaten wachten.

Beneden, in het tweede ruim van het voorschip, liepen de militairen van de derde compagnie van het eerste regiment, beter bekend als de Charlie-compagnie, door de verbindingsgang met de andere ruimen en in de kleine gangetjes tussen de kooien. Charlie was aangewezen om zich als vierde compagnie te ontschepen, via het derde klimnet op het voorschip aan bakboordzijde. De mannen wisten dat ze nog lang moesten wachten. Ze vatten de gang van zaken dan ook niet zo stoïcijns op als de soldaten van de eerste landingsgolf, die nu al aan dek stonden en het eerst van schip zouden gaan.

Bovendien was het buitengewoon heet in ruim twee. En de C-compagnie was door drie dekken van de buitenlucht afgesloten. Ook was er nauwelijks plaats om te zitten. De kooien, vijf boven elkaar en soms zes op plaatsen waar het plafond wat hoger was, lagen allemaal vol stukken infanterieuitrusting, gereed om om te hangen. Die konden nergens anders liggen. En dus was er op de kooien geen ruimte om te zitten; maar al was die er wel geweest, dan hadden ze de kooien nog niet als zitplaats kunnen gebruiken: ze waren met zo weinig tussenruimte vastgemaakt aan pijpen die aan dek en plafond waren geklonken, dat er net genoeg plek was om te kunnen liggen. Als je een poging deed om op je bed te gaan zitten, dan zakte je achterste weg in de singels die tussen het metalen frame waren gespannen en sloeg je met je hoofd tegen het frame van het bed erboven. De enige plek was het dek zelf, bezaaid met peukjes van nerveuze rokers en vol uitgestrekte ledematen. Je moest gaan liggen, of zwerven door het oerwoud van pijpleidingen die overal waar maar een beetje ruimte was waren gelegd, en telkens over de benen en lijven heen stappen. De stank van scheten, van de adem en de zwetende lichamen van zoveel mannen die door de lange zeereis last van hun ingewanden hadden, zou overweldigend zijn geweest als de reukzintuigen niet voor verlichting hadden gezorgd door steeds meer af te stompen.

In dit schemerig verlichte inferno, met een van vocht verzadigde lucht en metalen wanden die elk geluid weerkaatsten, wreef de Charlie-compagnie zich het zweet van de druipende wenkbrauwen, trok doorweekte overhemden los van natte oksels, vloekte beheerst, keek op horloges en wachtte ongeduldig af.

'Denk je dat we zo'n verrekte luchtaanval krijgen?' vroeg soldaat Mazzi aan soldaat Tills naast hem. Ze zaten samen tegen een schot, met hun knieën opgetrokken, omdat die houding iets troostends had en bovendien voorkwam dat er op hun benen werd getrapt.

'Hoe moet ik dat verdomme weten?' zei Tills nijdig. Hij was zo'n beetje Mazzi's kameraad. Tenminste, ze gingen vaak samen met verlof. 'Ik weet alleen dat die jongens van de bemanning zeiden dat ze de laatste keer toen ze deze reis maakten geen luchtaanval hebben gekregen. Maar op de reis daarvóór zijn ze bijna de lucht in gevlogen. Wat moet ik er dan van zeggen?'

'Je bent weer een grote steun, Tills. Zeg jij maar niks. He-le-maal niks. Ik zal jou 'es wat vertellen. We liggen hier midden op die grote oceaan, helemaal onbeschermd. Weet je dat zoiets een prachtdoel is?'

'Dat wist ik al, dank je.'

'Ja? Nou, denk er maar 'es over na, Tills. Stel je het even voor.' Mazzi trok zijn benen nog meer op en liet zijn wenkbrauwen heel snel op en neer gaan, een beweging waarmee hij zijn nervositeit afreageerde en die zijn gezicht een uitdrukking van strijdlustige verontwaardiging gaf.

Dezelfde vraag hield de hele Charlie-compagnie bezig. Overigens was de C-compagnie bij lange na niet de laatste die van boord ging. Er waren onderdelen die pas als zevende of achtste ontscheepten. Maar dat was een schrale troost. De Charlie-compagnie had geen medelijden met de pechvogels die nog later kwamen; die moesten maar zien dat ze zich redden. Charlie maakte zich alleen druk over de boffers die eerder mochten, lui die moesten opschieten – en hoe lang zouden zij nu nog moeten wachten?

Er was nog iets. Niet alleen stond de C-compagnie als vierde op de ontschepingslijst, iets wat wrok opwekte, maar bovendien was hun onderdeel om een of andere reden tussen niets dan vreemden geplaatst. Met uitzondering van één andere compagnie die ergens ver in het achterschip huisde, was Charlie de enige van het eerste regiment die op het eerste transportschip was geplaatst, met het resultaat dat de soldaten niemand kenden van de compagnieën die voor hen en achter hen waren ondergebracht; ook dit wekte wrevel.

'Als ik toch verdomme de lucht in vlieg,' peinsde Mazzi somber, 'dan wil ik niet graag dat mijn darmen naast die van een stel vreemden uit een ander regiment terechtkomen, zoals die klootzakken hier. Ik blijf altijd het liefst bij onze eigen groep.'

'Godallemachtig, zeg toch niet zulke dingen!' riep Tills.

'Tja,' zei Mazzi. 'Maar als ik denk aan die bommenwerpers die misschien nu al... Jij kunt gewoon de waarheid niet verdragen, Tills.'

De andere mannen van de C-compagnie trachtten ieder op hun eigen manier de opdringende beelden van hun fantasie te bestrijden. Van het schot waar ze met hun rug tegen leunden, 'konden Mazzi en Tills minstens de helft van het onderdeel bezig zien. Daar was men aan een spelletje blackjack begonnen; de spelers gaven aan of ze pasten of meegingen en keken ondertussen steeds uitvoerig op hun horloges. Op een andere plaats speelden ze *craps* op dezelfde, telkens even onderbroken wijze. Op weer een andere plek had soldaat I Nellie Coombs zijn eeuwige spel pokerkaarten te voorschijn gehaald (iedereen had zo'n vermoeden dat hij ze gemarkeerd had, maar het kon nooit bewezen worden). Hij had wat liefhebbers gevonden voor zijn onvermijdelijke spelletje *stud* met vijf kaarten, en verdiende nu op listige wijze goed geld aan de nervositeit van zijn vrienden, al had hij er zelf evenveel last van.

Elders hadden zich kleine groepjes soldaten gevormd, die staand of zittend ernstig met elkaar spraken, met de ogen wijd open en bewust gericht, terwijl ze nauwelijks verstonden wat er gezegd werd. Een paar enkelingen controleerden keer op keer met grote zorg hun wapens en uitrusting, of zaten gewoon naar de anderen te kijken. De jonge sergeant McCron, berucht om zijn moederlijke zorg, liep persoonlijk elk uitrustingsstuk van elke man in zijn groep na; deze bestond vrijwel geheel uit dienstplichtigen en hij controleerde hen alsof zijn gezondheid en zijn leven ervan afhingen. De iets oudere sergeant Beck, een fanatieke beroepsmilitair met zes dienstjaren, bracht de tijd door met het zorgvuldig inspecteren van alle geweren in zijn groep.

Er zat niets anders op dan te wachten. Door het glas van de afgesloten patrijspoorten in de scheepswand drongen enkele zwakke geluiden van klauterende, schreeuwende mannen tot hen door en ze hoorden ook iets vanaf het dek, zij het zwakker, zodat ze wisten dat de ontscheping vorderde. Vanuit de luikopening voorbij de openstaande waterdichte deur hoorden ze het gekletter en het gedempte gevloek van een andere compagnie die moeizaam de metalen trap op klom om de plaats in te nemen van een onderdeel dat al van boord was. Door de patrijspoorten konden enkele mannen die er dicht genoeg bij konden komen en zin hadden om te kijken, delen van donkere mannenfiguren ontwaren die zwaar bepakt omlaag klommen langs het net dat buiten de patrijspoorten over de scheepswand was neergelaten; van tijd tot tijd zagen ze hoe een landingsvaartuig van het schip wegvoer. Dan riepen ze iets naar achteren om hun kameraden op de hoogte te houden. Af en toe stootte een golf dwars op een LCI, zodat het vaartuig met geweld tegen de romp sloeg en het bonken en krijsen van gemarteld staal door het afgesloten, schemerige ruim weerklonk.

Soldaat I Doll, een slanke, opgeschoten zuidelijke jongen uit Virginia, stond te praten met korporaal Queen, een boom van een vent uit Texas, en korporaal Fife van de administratie.

'Nou, we zullen gauw genoeg merken hoe het voelt,' zei Queen, een vriendschappelijke reus die een paar jaar ouder was dan de andere twee, op een wat nederige toon. Queen liet zich gewoonlijk niet gemakkelijk imponeren.

'Hoe wát voelt?' vroeg Fife.

'Als ze op je schieten,' zei Queen. 'Als het menens is.'

'Jezus, op mij hebben ze al eens geschoten,' zei Doll, in een hooghartig glimlachje zijn bovenlip optrekkend. 'Op jou nog nooit, Queen?'

'Ik hoop alleen maar dat er vandaag geen vliegtuigen zijn,' zei Fife. 'Dat is alles.'

'Ja, dat hopen we allemaal,' zei Doll op iets ingetogener toon.

Doll was nog heel jong, twintig, misschien eenentwintig, net als de meeste soldaten in de Charlie-compagnie. Hij maakte nu meer dan twee jaar deel uit van de C-compagnie, evenals de meeste beroeps. Doll was een rustige jongeman met een prettig, open gezicht. Hij was nog erg naïef en praatte weinig, en dan nog verlegen. Hij had zich altijd wat op de achtergrond gehouden, maar in het laatste halfjaar was hij langzaam enigszins veranderd en meer op de voorgrond getreden. Hij was er niet sympathieker op geworden.

Nu, na die ingetogen opmerking over de vliegtuigen, toonde hij weer dat hooghartige glimlachje, waarbij zijn bovenlip wat omhoogkwam. Heel bewust trok hij een wenkbrauw op. 'Nou, als ik dat pistool nog wil krijgen, moet ik er iets aan gaan doen,' zei hij, tegen hen glimlachend. Hij keek op zijn horloge. 'Ze moeten nu wel daas genoeg, zenuwachtig genoeg zijn,' zei hij goedkeurend en hij keek weer naar de anderen. 'Is er iemand die mee wil?'

'Ik zou het maar in m'n eentje doen als ik jou was,' gromde Queen afstandelijk. 'Twee lui die achter twee pistolen aanzitten, vallen twee keer zoveel op.'

'Ja, daar heb je wel gelijk in, geloof ik,' zei Doll en hij wandelde weg, een slanke, eigenlijk heel knappe jongen met smalle heupen.

Queen staarde hem na, zijn ogen vol Texaanse afkeer van iets wat hem geaffecteerd voorkwam. Hij wendde zich weer tot Fife, de administrateur, terwijl Doll de verbindingsgang in liep.

Tegen het verste schot in deze gang geleund zaten Mazzi en Tills nog altijd met opgetrokken benen te praten. Doll hield stil toen hij voor hen stond.

'Moeten jullie er niet bij zijn om te kijken?' vroeg hij, wijzend op de groepjes toeschouwers bij de patrijspoorten.

'Geen belangstelling,' zei Mazzi somber.

'Het is er ook wel druk, ja,' zei Doll, ineens minder hooghartig dan eerst. Hij boog zijn hoofd en veegde het zweet van zijn wenkbrauwen met de rug van zijn hand.

'Al was het niet druk, ging ik nog niet kijken,' zei Mazzi, zijn knieën nog eens wat hoger optrekkend.

'Ik ga een pistool versieren,' zei Doll.

'O, ja? Veel plezier,' zei Mazzi.

'Ja, veel plezier,' zei Tills.

'Weet je het dan niet meer? We hadden het laatst over pistolen bietsen,' zei Doll.

'Werkelijk?' vroeg Mazzi op vlakke toon, hem rustig aankijkend.

'Ja zeker,' begon Doll. Toen zweeg hij, ineens begrijpend dat ze hem weg wilden hebben, hem beledigden, en weer vertoonde hij zijn hooghartige, onprettige lachje. 'Jullie zullen spijt krijgen dat je er geen hebt als we aan de wal tegenover die grote samoeraizwaarden komen te staan.'

'Alles wat ik wil is op de wal *komen*,' zei Mazzi. 'En van deze verrekte stomme rotboot af zijn, die hier ligt te wachten op een paar snuggere bommenwerpers.'

'Hé, Doll,' zei Tills, 'jij spreekt weleens iemand, denk jij dat we veel kans hebben op een luchtaanval voor we van dit kreng af zijn?'

'Hoe moet ik dat godverdomme weten?' zei Doll. Hij lachte zijn onaangename glimlachje. 'Misschien wel, misschien ook niet.'

'Bedankt,' zei Mazzi.

'Als ze komen, dan komen ze. Wat scheelt je? Ben jij soms bang, Mazzi?'

'Bang? Natuurlijk ben ik niet bang! Jij wel?'

'God, nee.'

'Goed dan. Hou je kop verder,' zei Mazzi en hij stak zijn kaak naar voren, terwijl zijn wenkbrauwen snel en strijdlustig op en neer gingen boven de ogen die Doll aankeken, zodat hij eigenlijk alleen maar komisch leek. Het kwam helemaal niet dreigend over, zoals hij bedoeld had. Doll wierp zijn hoofd in de nek en lachte.

'Tot ziens, jongelui,' zei hij en hij stapte naar buiten over de onderrand van de waterdichte deur van het schot waartegen ze leunden.

'Wat moet-ie met zijn jongelui-gezeik?' vroeg Mazzi.

'Ach, er zitten nog een paar kerels van de Australische Genie aan boord,' legde Tills uit. 'Daar zal-ie het wel van hebben.'

'Die vent is echt niet bij de tijd,' verklaarde Mazzi beslist. 'Ik mag zulke lui niet, weet je.'

'Denk je dat hij echt een pistool te pakken krijgt?' wou Tills weten.

'Jezus nee, dat lukt 'm nooit.'

'Ik weet het niet.'

'Echt niet,' zei Mazzi. 'Die vent zwetst te veel. "Jongelui"!'

'Eigenlijk kan het me geen reet schelen,' zei Tills. 'Of hij nu een pistool krijgt of niet, of iemand een pistool heeft of niet, mezelf inbegrepen, het laat me koud. Het enige dat ik graag wil, is van deze verdomde ijzeren tobbe afkomen.'

'Nou, je bent niet de enige,' zei Mazzi terwijl een volgende LCI tegen de scheepsromp beukte. 'Kijk daar maar eens.'

De twee mannen wendden hun hoofd om, keken naar de ruimte waar de kooien waren en observeerden, nerveus hun knieën optrekkend, hoe de rest van de C-compagnie bezig was met de diverse spelletjes waarmee ze hun gevoelens afreageerden.

'Alles wat ik weet,' zei Mazzi, 'is dat ik nooit hierop heb gerekend toen ik vóór de oorlog in die verrekte Bronx voor dit kloteleger tekende. Hoe wist ik dat er een pestoorlog zou komen, hè? Vertel me dat eens.'

'Vertel jij het me maar,' zei Tills. 'Jij bent hier de jongen die zo bij de tijd is, Mazzi.'

'Alles wat ik weet is dat de ouwe Charlie-compagnie altijd weer de klos is,' zei Mazzi. 'Altijd. En ik kan je nog zeggen aan wie het ligt ook. Aan ouwe Bugger Stein en niemand anders. Eerst laat hij ons op deze boot zetten waar we geen levende ziel kennen. En dan laat-ie rustig toe dat ze ons goddorie als vierde op de ontschepingslijst zetten, de stomme schoft. Denk erom. *Churchez* ouwe Bugger Stein. Wat ik je zeg.'

'Maar er zijn nog slechtere plaatsen dan vierde,' zei Tills. 'We staan tenminste niet op de godgeklaagde zevende of achtste plaats. Dat heeft-ie ze ons tenminste niet laten flikken.'

'Nou, dat ligt heus niet aan hem. Hij heeft ons in elk geval geen eerste plaats bezorgd, dat is zeker. Kijk die rotzak daar nou 'es; die doet vandaag ineens of hij een van de jongens is.' Mazzi wees met een nijdige hoofdknik naar het andere schot, aan de overkant van de verbindingsgang, waar kapitein Stein met zijn eerste luitenant en zijn vier pelotonscommandanten bijeenhurkten rondom een kaart die op de vloer was uitgespreid.

'Goed heren, dit is dus de lokatie van aankomst,' zei kapitein Stein, en hij keek op van de plek die hij met zijn potlood aanwees en richtte zijn grote, zachte, bruine ogen vragend op zijn officieren. 'Er zijn daar natuurlijk gidsen, van Leger of Mariniers, om ons zo snel mogelijk verder te leiden. Het front zelf, de huidige frontlijn loopt zoals ik u al heb gezegd, hier.' Hij wees met zijn potlood. 'Op 22 kilometer. Wij zullen een geforceerde mars moeten maken van ongeveer tien kilometer, in de andere richting.' Stein stond op en de vijf andere officieren kwamen ook overeind. 'Zijn er nog vragen, heren?'

'Ja, kapitein,' zei Whyte, tweede luitenant van het eerste peloton. 'Ik heb een vraag. Is er al een definitieve bivakorder als we daar arriveren? Blane hier van het Tweede en ik zullen waarschijnlijk voorop gaan, dus dat wilde ik graag weten, kapitein.'

'Volgens mij moeten we afwachten tot we kunnen zien hoe het terrein daar is, vind je ook niet, Whyte?' zei Stein terwijl hij een vlezige hand naar zijn bril bracht om de dikke glazen waardoor hij Whyte aanstaarde recht te zetten.

'Zeker, kapitein,' zei Whyte, naar behoren op zijn nummer gezet en enigszins rood aanlopend.

'Verder nog vragen, heren?' informeerde Stein. 'Blane? Culp?' Hij keek de kring rond.

'Nee, kapitein,' zei Blane.

'Goed, dat is dan alles, heren,' zei Stein. 'Voorlopig tenminste.' Hij bukte zich, pakte de kaart op en toen hij zich weer oprichtte, glimlachte hij warm achter de dikke brillenglazen. Dit was het sein dat het officiële kantje eraf was en dat de mannen zich mochten ontspannen. 'En, Bill, hoe gaat het?' vroeg Stein aan de jonge Whyte, hem hartelijk op de schouder kloppend. 'Voel je je goed?'

'Tikje nerveus, Jim,' zei Whyte lachend.

'En jij, Tom?' vroeg Stein aan Blane.

'Prima, Jim.'

'Nou, dan geloof ik dat jullie maar beter eens naar jullie jongens moeten gaan kijken, vind je niet?' zei Stein. Hij bleef met Band, zijn eerste luitenant, nog even staan kijken terwijl de vier officieren vertrokken. 'Het lijken me alle vier prima jongens, denk je ook niet, George?' zei hij.

'Dat denk ik ook, Jim,' zei Band.

'Heb je opgemerkt hoe Culp en Gore alles in zich opnamen?' vroeg Stein.

'Ja zeker. Maar zij lopen dan ook al langer mee dan de nieuwelingen, Jim.'

Stein nam zijn bril af, poetste de glazen in de hitte zorgvuldig schoon met een grote zakdoek en zette hem toen weer stevig op, telkens opnieuw met zijn rechterhand het montuur recht duwend, terwijl hij door de glazen tuurde. 'Naar mijn schatting nog een uur,' zei hij vaag. 'Hoogstens vijf kwartier.'

'Ik hoop alleen dat we voor die tijd niet een paar van die hoogvliegende groepen bommenwerpers over ons heen krijgen,' zei Band.

'Dat hoop ik ook, ja.' Steins grote, zachte, bruine ogen lachten achter de glazen.

Wat er ook gezegd kan worden van de kritische opmerkingen van soldaat Mazzi, en hoe juist of verkeerd ze ook waren, in één ding had Mazzi gelijk: kapitein Stein had de order gegeven dat de officieren van de Charlie-compagnie die ochtend in het ruim bij de mannen moesten blijven. Stein was van mening dat de officieren op een dag als deze bij hun manschappen hoorden te zijn, dat ze hun ontberingen en risico's moesten delen, en niet boven in de mess-hut blijven, waar ze tijdens de reis de meeste tijd hadden doorgebracht. Dat had Stein zijn officieren gezegd. En al hadden ze bij deze mededeling geen van allen erg vrolijk gekeken, toch had niemand, ook Band niet, geprotesteerd. En Stein was ervan overtuigd dat het goed was voor het moreel. Terwijl hij zijn ogen liet gaan door de overbevolkte, zwetende jungle van kooien en pijpen, waar zijn mannen rustig en zonder hysterie hun uitrusting controleerden en nakeken, raakte hij nog sterker overtuigd van zijn gelijk. Stein, die werkte als jonge rechtskundige bij een voortreffelijk, groot advocatenkantoor in Cleveland, had zich voor de aardigheid laten inschrijven voor een reserve-officierscursus toen hij nog studeerde, en was al vroeg, meer dan een jaar voor de oorlog, in zijn kraag gepakt. Gelukkig was hij niet getrouwd. Zes heel verbaasde maanden had hij doorgebracht bij een onderdeel van de Nationale Garde, voor hij was overgeplaatst naar deze staande divisie als eerste luitenant en compagniescommandant, waarna hij nog eerst een keer was gepasseerd en ze hem een versleten oude kapitein op zijn dak hadden gestuurd, voor hij zelf tot die rang was bevorderd. Al die afschuwelijke maanden had hij voortdurend machteloos bij zichzelf gezegd: 'Goeie god, wat zal mijn vader wel niet denken', want die was in de Eerste Wereldoorlog majoor geweest. Hij zette zijn bril maar weer eens recht en wendde zich tot zijn majoor, die Welsh heette en inderdaad uit Wales kwam. Hij had bijna voortdurend in de buurt gestaan toen de kapitein zijn instructies gaf, met op zijn gezicht een uitdrukking van heimelijke geamuseerdheid die Stein niet was ontgaan.

'Ik zou zo zeggen dat onze groep best een behoorlijke en bekwame indruk maakt, nietwaar, majoor?' zei hij, in zijn stem een zeker gezag leggend maar zonder het te overdrijven.

Welsh grijnsde slechts en keek hem brutaal aan. 'Och, ja; voor een stelletje slappe zakken die straks voor hun raap worden geschoten,' zei hij. De majoor was een lange, gespierde kerel met smalle heupen, en dat er Welsh bloed door zijn aderen stroomde, was aan al zijn trekken te zien: zijn donkere teint en zwarte haar; zijn zware, door de donkere baardharen vaag blauwe kaak en de wilde, koolzwarte ogen; en zelfs aan de uitdrukking van sombere voorgevoelens, die zijn gezicht nooit verliet, zelfs niet wanneer hij lachte, zoals nu.

Stein gaf hem geen antwoord, maar keek evenmin een andere kant op. Hij voelde zich niet op zijn gemak en was er zeker van dat dit hem aan te zien was. Maar het kon hem niet veel schelen. Welsh was gestoord. Hij was krankzinnig. Hij was een echte gek en Stein had hem nooit begrepen. Maar het deed er eigenlijk niet toe. Stein kon over zijn brutaliteiten heen stappen, omdat hij zo goed was in zijn werk.

'Ik voel me meer dan ooit verantwoordelijk voor ze,' zei hij.

'O ja?' vroeg Welsh zachtjes terwijl hij bleef grijnzen met die beledigende blik vol heimelijk plezier – meer wilde hij niet zeggen.

Stein merkte op dat Band met openlijke afkeer naar Welsh keek en nam zich voor hierover eens met hem te spreken. Hij moest Band duidelijk maken hoe de situatie met majoor Welsh lag. Stein zelf keek nog steeds naar Welsh, die grijnzend terugstaarde, en hoewel Stein eerder met opzet zijn blik had vastgehouden, bemerkte hij dat hij nu in de dwaze positie van een ogenduel verkeerde; dat oude, belachelijk kinderlijke spelletje van wie kijkt het eerst weg. Het was stompzinnig en dwaas bovendien. Geïrriteerd zocht hij naar een manier om deze kinderachtige impasse zonder verlies van waardigheid te doorbreken.

Juist op dat moment liep een soldaat van de Charlie-compagnie door de gang. Soepel wendde Stein zich naar hem toe en knikte bruusk.

'Zo, Doll. Hoe gaat het? Alles prima?'

'Jawel, kap'tein,' zei Doll. Hij stond stil, salueerde en keek enigszins onthutst. Bij officieren voelde hij zich altijd slecht op zijn gemak.

Stein beantwoordde de groet. 'Op de plaats rust,' mompelde hij en hij lachte de man toen toe van achter zijn brillenglazen. 'Ben je een beetje nerveus?'

'Nee, kap'tein,' zei Doll, heel ernstig.

'Goed zo, jongen,' zei Stein, hem min of meer te kennen gevend dat hij door kon lopen. Doll salueerde nogmaals en liep langs hem heen het ruim uit door de waterdichte deur. Stein draaide zich weer om naar Welsh en Band; het dwaze gefixeerde staren was, vond hij, op een keurige manier verbroken. Sergeant-majoor Welsh stond nog steeds naar hem te grijnzen, op een onbeleefde manier en zonder een woord te zeggen, maar nu met een nogal domme, kinderlijke triomf in zijn blik. Hij was echt krankzinnig, en ook kinderachtig. Opzettelijk gaf Stein hem een knipoog. 'Kom op, Band,' zei hij plotseling, een beetje geërgerd. 'We gaan eens rondkijken.'

Soldaat I Doll ging onmiddellijk naar rechts, nadat hij over de opstaande rand van de deur was gestapt, richting het luikgat van het voorste ruim. Doll was nog steeds op zoek naar een pistool. Nadat hij Tills en Mazzi had achtergelaten, had hij de lange wandeling naar het achterschip gemaakt en het gehele achtergedeelte op dit dek afgezocht, en hij begon zich nu af te vragen of hij het niet te haastig had gedaan. De moeilijkheid was dat hij niet precies wist hoeveel tijd hij nog had. Wat bedoelde Bugger Stein toen hij hem aansprak en vroeg of hij soms nerveus was? Wat was dat voor gezeik? Wist Bugger dat hij op een pistool uit was? Was het 'm dat? Of probeerde Bugger soms te doen alsof hij, Doll, laf was of zoiets. Daar leek het meer op. Woede steeg in hem op en hij voelde zich gekwetst.

Inwendig razend bleef Doll staan in de ovale deuropening naar het luikgat in het voorschip om zijn volgende jachtgebied te overzien. Het was erg klein, vergeleken met het terrein dat hij al had bestreken. Toen hij net begonnen was, had hij gehoopt dat, als hij gewoon rondwandelde en zijn ogen openhield, op het juiste ogenblik de juiste situatie zich zou aandienen en dat hij beide als vanzelf zou herkennen en ernaar handelen. Maar het was niet zo gebeurd en nu kreeg hij het wanhopige gevoel dat de tijd tegen hem was.

Om precies te zijn had Doll bij zijn rondgang over het hele achterschip maar twee rondslingerende pistolen gezien die niet werden gedragen. Dat was niet veel. Beide pistolen hadden hem voor een dilemma gesteld: Zou hij? Of zou hij niet? Het enige dat hij moest doen, was het wapen opnemen, met koppel en al omdoen en weglopen. Beide keren had Doll besloten het niet te doen. Beide keren waren er vrij veel mensen in de buurt geweest en Doll was er heel zeker van geweest dat er zich nog een betere gelegenheid zou voordoen. Maar dat was niet gebeurd en nu moest hij zich wel afvragen, met even grote stelligheid, of hij misschien niet de vergissing had gemaakt te voorzichtig te zijn omdat hij bang was geweest. Dit was een gedachte die Doll nauwelijks kon verdragen.

Zijn eigen compagnie kon nu elk ogenblik aan dek gaan. Maar hij werd gekweld door de gedachte aan Mazzi, Tills en de anderen, als ze hem zagen terugkomen zonder pistool.

Behoedzaam veegde Doll het zweet weer uit zijn ogen en stapte door de deuropening. Hij liep aan stuurboordzijde door het voorste ruim, stapte telkens even opzij om de vreemde soldaten van een ander onderdeel te ontwijken en zocht.

Doll had tijdens het laatste halfjaar van zijn leven iets geleerd. Het voornaamste was dat iedereen leefde volgens een zelfgekozen fictie. Niemand was werkelijk zoals hij zich voordeed. Het was net alsof iedereen een verhaaltje over zichzelf verzon en tegenover anderen de indruk wekte dat hij zó was en niet anders. En dan geloofden ze hem, of namen althans zijn fictie voor waar aan. Doll wist niet of iedereen die een bepaalde leeftijd had bereikt deze levensles leerde, maar hij had zo'n vermoeden van wel. Alleen was er niemand die het aan de anderen vertelde. En terecht. Want als ze dat deden, zouden de verhalen van die lui ook onwaar blijken. En dus moest iedereen het voor zichzelf leren. En vervolgens natuurlijk doen alsof hij van niets wist.

Doll dankte zijn eerste ervaring met dit verschijnsel aan een knokpartij die hij een halfjaar geleden had gehad met een van de sterkste en taaiste mannen van heel Charlie: korporaal Jenks. Ze hadden met elkaar gevochten tot ze geen van beiden meer konden, zodat het ten slotte zoiets als onbeslist-door-uitputting was genoemd. Maar dat was het eigenlijk niet, meer zijn plotselinge besef dat korporaal Jenks minstens even zenuwachtig was over die knokpartij als hijzelf en even weinig zin had om te vechten als hij; daardoor waren zijn ogen plotseling opengegaan. Toen hij het eenmaal had gezien bij Jenks, was hij het overal en bij iedereen gaan zien.

Toen Doll jonger was, had hij alles geloofd wat alle mensen hem over zichzelf vertelden. En ook wat ze hem niet vertelden, want meestal zeiden ze het je niet, ze demonstreerden het als het ware. Ze lieten het zien door hun daden. Ze deden zoals ze wilden dat jij zou denken dat ze waren, net alsof ze echt zo waren. Als Doll vroeger iemand zag die dapper was en een soort held, had hij werkelijk geloofd dat die persoon zo was. En natuurlijk had hij zich dan de mindere gevoeld van zo iemand, omdat hij wist dat hij zelf nooit zo zou kunnen zijn. Jezus, het was geen wonder dat hij zijn hele leven nooit iets had bereikt! Het was vreemd, maar het leek erop dat als je eerlijk was en toegaf niet te weten wat voor iemand je eigenlijk was, zelfs óf je wel iemand was, niemand je erg mocht en iedereen zich slecht op zijn gemak voelde als jij erbij was, zodat anderen je gezelschap vermeden. Maar als je je verzonnen verhaaltje over jezelf klaar had, over wat een geweldige bink je was, en dan net deed alsof je werkelijk zo was, dan werd je door iedereen geaccepteerd en geloofd.

Als hij dat pistool te pakken kreeg – als het lukte – zou Doll niet toegeven dat hij bang was geweest dat het niet zou lukken, of onzeker, of besluiteloos. Hij zou net doen alsof het gemakkelijk was geweest, net doen alsof het was gebeurd op de manier die hij zich had voorgesteld toen hij eraan was begonnen. Maar eerst moest hij het in handen krijgen, verdomme nog aan toe!

Hij was al bijna aan het uiteinde van het voorschip, toen hij het eerste pistool zag liggen dat niet door iemand werd gedragen. Doll stond stil en staarde er begerig naar, voor hij eraan dacht eerst de situatie eens te overzien. Het pistool hing aan het frame van een kooi. Drie kooien verderop zat een groepje soldaten bijeengehurkt, bezig met een nerveus spelletje craps. In de verbindingsgang stonden nog vier of vijf kerels te praten, ongeveer drie meter ervandaan. Alles bij elkaar was deze kans zeker niet minder riskant dan de twee die hij in het achterschip had gehad. Misschien nog wel iets riskanter.

Maar Doll kon evenmin vergeten hoe duivels snel de tijd nu voorbijging. Misschien zou hij nergens anders meer een pistool zien. In het hele achterschip had hij er immers ook maar twee ontdekt. Wanhopig besloot hij het erop te wagen. Voor zover hij zag, was er niemand in de buurt die op hem lette. Rustig deed Doll enkele stappen naar voren, leunde even tegen de kooi alsof die zijn eigen slaapplaats was, nam toen het pistool en gespte het om. Hij onderdrukte zijn instinctmatige neiging om er als een haas vandoor te gaan, maar stak een sigaret op en nam een paar diepe trekken. Toen begaf hij zich op zijn gemak naar de waterdichte deur, om terug te gaan.

Hij was halverwege en begon al de indruk te krijgen dat het hem gelukt was, toen hij achter zijn rug twee stemmen hoorde schreeuwen. Ze bedoelden ongetwijfeld hem en geen ander.

'Hé, jij daar!'

'Hé, soldaat!'

Doll draaide zich om en voelde dat er in zijn ogen al een schuldige blik lag, terwijl zijn hart hevig begon te bonken; hij zag twee mannen, een soldaat en een sergeant, die op hem afkwamen. Zouden ze hem aangeven? Zou hij een aframmeling krijgen? Geen van deze twee vooruitzichten hinderde Doll zo, als de zekerheid behandeld te zullen worden als de gauwdief die hij was. Daar was Doll werkelijk bang voor: het was net een van die nachtmerries die iedereen weleens heeft, waarin je wordt betrapt, maar waarvan niemand ooit denkt dat het nog eens in werkelijkheid zal gebeuren.

De twee mannen kwamen met onheilspellende gezichten op Doll af, verontwaardigd, vol oprechte afschuw. Doll knipperde een paar keer snel met zijn ogen en probeerde ze te bevrijden van de schuldbewuste uitdrukking. Hij merkte op dat achter het tweetal anderen zich ook hadden omgedraaid en naar hem keken.

'Dat is *mijn* pistool wat je daar draagt,' zei de soldaat. Zijn stem klonk beschuldigend en gekwetst.

Doll zei niets.

'Hij heeft het je van die kooi zien pikken,' zei de sergeant. 'Probeer je er dus maar niet uit te lullen, jongen.'

Doll verzamelde al zijn energie – of moed, of wat het ook was – en dwong zijn gezicht langzaam tot een trage, cynische grijns terwijl hij hen aanstaarde, nu zonder knipperen. Langzaam maakte hij de koppel los en gaf het pistool terug aan de eigenaar. 'Hoe lang ben jij al in dienst, jochie?' vroeg hij grinnikend. 'Je moet goddorie beter weten en je rotzooi niet overal laten slingeren. Je raakt je spullen soms kwijt op die manier.' Hij bleef ze strak aanstaren.

De twee mannen staarden terug, hun ogen verwijdden zich enigszins terwijl dit nieuwe idee, deze nieuwe houding, hun morele verontwaardiging verdrong. Door deze onverschilligheid en de opgewekte, allerminst schuldbewuste bekentenis voelden ze zich een beetje dwaas; beide mannen grijnsden ineens schaapachtig, overwonnen door die in alle legers geliefde fictie van de keiharde, bietsende, cynische soldaat die alles meeneemt wat hij ziet liggen.

'Nou, ik zou die vlugge vingers voortaan maar thuislaten, makker,' zei de sergeant, maar er klonk niet veel overtuiging in zijn stem. Hij deed zijn best om niet te gaan grinniken.

'Alles wat ergens los rondslingert en er leuk uitziet, is voor mij,' zei Doll opgewekt. 'En elke soldaat denkt er net zo over. U moet die jongen maar 'es vertellen dat hij de mensen niet zo in de verleiding moet brengen.'

Achter het tweetal werd nu ook gegrinnikt om de stomverbaasde soldaat die zich geen houding wist te geven. Hij keek als een sullige hond, alsof hij degene was die iets verkeerds had gedaan.

De sergeant wendde zich tot hem. 'Hoor je dat, Drake?' vroeg hij grinnikend. 'Je moet verdomme beter op je spullen passen.'

'Juist. Zo is het,' zei Doll. 'Anders heeft hij binnenkort niets meer over.' Hij draaide zich om en liep rustig naar de deur; niemand deed een poging om hem tegen te houden.

Toen hij door de deuropening was gekomen, bleef Doll even staan en slaakte een diepe zucht van verlichting. Daarna leunde hij tegen de wand omdat zijn benen slap waren geworden. Als hij zich had gedragen alsof hij schuldig was aan een overtreding – en zo had hij zich inderdaad gevoeld – dan zouden ze hem te grazen hebben genomen. En goed ook. Maar hij had zich erdoorheen geslagen. Hij had zich erdoorheen geslagen en de soldaat was als de schuldige partij achtergebleven. Zenuwachtig, niet al te vast op zijn benen. En het was een kolossale leugen geweest! Achter en boven zijn angst voelde hij zich opgewonden en trots. En in zeker opzicht wás hij het soort kerel dat hij zojuist had gespeeld, dacht hij ineens. Tenminste sinds kort. Vroeger was hij het niet geweest.

Maar hij had nog altijd geen pistool. Doll keek op zijn horloge en maakte zich zorgen over de beschikbare tijd. Hij had zijn dek niet willen verlaten, had zich niet zover van de C-compagnie willen verwijderen. Hoewel zijn benen nog niet al te vast waren, klom hij toch met een triomfantelijk gevoel de trappen op naar het dek boven hem, overtuigd van zijn eigen waarde.

Vanaf het moment dat Doll het kooiendek van het volgende dek betrad, werkte alles in zijn voordeel. Hij was nog steeds een beetje beverig en zeker schrikachtiger dan toen hij begon. Maar dat maakte niets uit. Alles ging naar wens. Het had niet beter kunnen gaan als hij God zelf had gevraagd de gebeurtenissen op deze wijze te laten verlopen. Doll wist niet waarom het zo ging; hij had zelf niets gedaan om deze situatie in het leven te roepen en als hij een minuut eerder of een minuut later was geweest, zou alles misschien heel anders zijn. Maar hij was niet vroeger of later. En hij was niet van plan tijd te verliezen door stil te staan bij zijn mazzel. Dit was de volmaakte gelegenheid en de situatie die hij in zijn verbeelding voor zich had gezien; hij herkende het meteen en wist dat het nu zonder aarzelen moest gebeuren.

Hij had nog geen drie stappen naar binnen gedaan toen hij niet één maar twee pistolen bij elkaar op dezelfde kooi zag liggen. Er was niemand aan deze kant van het kooiendek, behalve één man en voor Doll nog een stap had kunnen zetten, stond die man op en liep weg naar het andere einde, waar iedereen zich blijkbaar had verzameld.

Dat was alles. Het enige dat Doll te doen stond, was ernaartoe stappen, een van de pistolen pakken en omdoen. Met het pistool van de onbekende om liep hij verder over het kooiendek. Aan het andere einde liep hij de trappen af en ging naar links en een ogenblik later stond hij weer veilig temidden van de C-compagnie. De compagnie was nog niet verplaatst en alles was nog precies zoals hij het had achtergelaten. Hij liep opzettelijk dicht langs Tills en Mazzi, iets dat hij de eerste keer, toen hij met lege handen was teruggekomen, zorgvuldig had vermeden. Tills en Mazzi zaten nog op dezelfde plaats tegen het schot geleund, met hun knieën opgetrokken tegen de borst, transpirerend van de hitte. Doll bleef voor hen staan met zijn handen op zijn heupen, de rechterhand rustend op het pistool. Ze moesten het wel zien.

'Zo, mooie jongen,' zei Mazzi.

Maar Tills lachte. 'We zagen je een tijdje geleden voorbijsluipen. Bugger had je in de gaten gekregen. Waar ben je geweest?'

Geen van hen was natuurlijk bereid het pistool te noemen. Maar dat kon Doll niet schelen. Hij opende de holster, liet de klep terugklappen en herhaalde die manoeuvre een paar keer. 'Ik heb wat rondgekeken,' zei hij en lachte op zijn superieure wijze. 'Gewoon rondgekeken. Nou, wat vinden jullie ervan?'

'Waarvan?' vroeg Mazzi onnozel.

Weer lachte Doll zijn onaangename lachje. Zijn ogen straalden. 'Niks. Van de oorlog,' spotte hij, draaide zich om en liep naar zijn eigen kooi toe en naar de andere mannen van Charlie. Hij had deze reactie verwacht, maar het kon hem niet schelen. Hij had het pistool.

'Nou, wat zeg je daarvan?' vroeg Tills die Doll nakeek. 'Ik dacht dat jij alles zo goed wist?'

'Net wat ik daarstraks heb gezegd,' zei Mazzi rustig, 'die vent is een lul.'

'Maar hij heeft een pistool.'

'Nou, dan is hij een lul met een pistool.'

'En jij een verstandige jongen zonder pistool.'

'Da's waar,' zei Mazzi zonder eromheen te draaien. 'Maar wat heb ik aan zo'n rotpistool? Ik...'

'Ik zou er best een willen hebben,' zei Tills.

'... zou er gemakkelijk een kunnen krijgen als ik dat wou,' zei Mazzi, zich niets van de onderbreking aantrekkend. 'Die gek loopt te zoeken naar zo'n kutpistool terwijl wij hier zitten te wachten tot we een zooi bommen op ons kop krijgen.'

'Maar als we aan land komen, heeft hij in ieder geval een pistool,' hield Tills vol.

'Ja, *als* we aan land komen.'

'En als we dat niet doen, dan blijft het toch allemaal hetzelfde,' zei Tills. 'Hij heeft tenminste iets gedaan en is niet zoals jij en ik maar blijven zitten afwachten.'

'Tills, schei erover uit,' zei Mazzi kalm. 'Als je iets wilt doen, doe dan iets, maar hou op met zeuren.'

'Dan ga ik,' zei Tills kwaad. Hij stond op en liep weg, keerde zich toen plotseling om met een vreemde uitdrukking op zijn gelaat. 'Weet je, ik heb geen enkele vriend,' zei hij. 'Niet één! Jij ook niet, wel?' Hij rolde wild met zijn hoofd, duidend op de gehele compagnie en zei: 'Niemand in deze compagnie heeft een vriend, nietwaar? En als we er nou aan gaan, wat dan?' Tills zweeg plotseling en zijn vraag bleef lang en luid in de lucht hangen, net als de lang na-echoënde harde geluiden van gekweld staal wanneer sommige LCI's tegen de wand van het schip sloegen. 'Niet één!' herhaalde hij.

'Ik heb vrienden,' zei Mazzi.

'*Jij* hebt vrienden!' riep Tills woest uit, '*jij* en vrienden! Hahaha!' Toen daalde zijn stem terwijl hij somber zei: 'Ik ga pokeren.' Hij draaide zich om.

'Zolang als ik maar geen geld van ze leen, of geld uitleen,' zei Mazzi. 'Heb je geld nodig? Heb je geld nodig, Tills?' schreeuwde hij hem achterna en barstte in lachen uit. Hij drukte zijn knieën weer tegen zijn borst en lachte luidkeels, het hoofd in de nek, om zijn eigen geestigheid.

De eerste groep pokerspelers die Tills tegenkwam was die van Nellie Coombs. Nellie, klein, mager en blond, deelde zoals gewoonlijk de kaarten en de inzet was tien of vijfentwintig dollarcent per potje. Maar hij verstrekte iedereen die met hem speelde gratis sigaretten; niemand anders mocht delen, dat wilde hij altijd zelf doen. Tills wist niet waarom iemand ooit bereid was om met Coombs te pokeren. Tills wist ook niet waarom hij het zelf deed. Iedereen vermoedde immers dat Coombs vals speelde. Een eindje verder was een normaal spelletje aan de gang, waarbij de spelers om de beurt deelden, maar Tills haalde zijn portefeuille te voorschijn, nam er een paar biljetten uit en ging bij het groepje van Coombs zitten. Als dat vervloekte wachten nou maar eens voorbij was.

Diezelfde gedachte hield Doll bezig. Het veroveren van het pistool had hem een tijdlang zo volledig in beslag genomen dat hij geen moment had gedacht aan de mogelijkheid van luchtaanvallen. Nadat hij Mazzi en Tills had verlaten, had hij rustig tussen de wachtenden gezocht tot hij Fife en Big Queen had ontdekt. Hij had ze het pistool laten zien. In tegenstelling tot Mazzi en Tills waren zij tot zijn grote bevrediging zeer onder de indruk van zijn slimheid en van het feit dat het allemaal zo gemakkelijk was gegaan. Maar toch werd Dolls plezier bedorven door de knagende gedachte aan een eventuele luchtaanval. Stel je voor dat ze, nu hij een pistool had veroverd, werden gebombardeerd... Hij kon het idee nauwelijks verdragen. Verdomme, dan zou hij het misschien nooit kunnen gebruiken. Dat verontrustte hem zeer en gaf hem het neerslachtige gevoel dat alles in het leven doelloos was.

Zowel Queen als Fife hadden gezegd dat zij er ook opuit wilden gaan om een pistool te pakken te krijgen als dat zo gemakkelijk ging.

Doll had ze niet aangemoedigd, vanwege de tijd, zei hij. Hij wees erop dat ze het eerder hadden moeten doen. En hij zei niets over het tweede pistool dat hij boven had zien liggen. Hij had tenslotte zijn pistool ook zelf moeten zoeken, waarom zij dan niet? En als de mannen boven bemerkten dat ze één pistool misten, zouden ze zeker op hun hoede zijn en daardoor kon het weleens gevaarlijk worden voor zijn vrienden. Het was eigenlijk heel sympathiek van hem dat hij er niet over sprak. Nadat hij het ze had afgeraden, liep Doll terug naar zijn eigen kooi om zijn uitrusting te inspecteren omdat hij niets anders te doen had. Op dat ogenblik stond hij plotseling tegenover de lange gestalte, het wilde haar en het sluwe, waanzinnige, peinzende gezicht van majoor Welsh.

'Wat moet jij met dat verdomde pistool, Doll?' vroeg hij, grijnzend als een gek.

Tegenover die ogen smolt Dolls pas ontdekte zelfvertrouwen weg als sneeuw voor de zon. 'Welk pistool?' mompelde hij van zijn stuk gebracht.

'Dit pistool,' riep Welsh uit. Hij deed een stap naar voren en greep de holster op Dolls heup. Zo trok hij Doll langzaam naar zich toe, tot ze slechts enkele centimeters van elkaar stonden. Hij lachte slim en uitdagend in Dolls gezicht. Zacht, maar stevig schudde hij Doll heen en weer bij zijn holster. 'Dit is het pistool dat ik bedoel,' zei hij. 'Dit pistool.' Heel langzaam verdween het lachje van Welsh' gelaat, tot er een uitdrukking van somber, dreigend geweld achterbleef, een doordringende, moordlustige grijns die nog altijd iets sluws had.

Doll was tamelijk lang, maar Welsh was langer en dat was een nadeel. En hoewel Doll wist dat het langzame verdwijnen van Welsh' lachje opzettelijk was, zuiver dramatische aanstellerij, had het toch invloed op hem; het verlamde hem.

'Nou...' zei hij, maar hij werd in de rede gevallen. Eigenlijk was dat maar goed ook; hij wist toch niet wat hij moest zeggen.

'En als hier nou eens iemand komt, bij Bugger Stein bijvoorbeeld, die deze compagnie wil doorzoeken vanwege een gestolen pistool? Wat dan?' Langzaam duwde Welsh hem omhoog bij zijn holster totdat Doll op zijn tenen stond. 'Heb je daar aan gedacht? Hè?' Hij sprak zacht en sinister. 'Dan zou ik, omdat ik wist dat jij het pistool had, gedwongen zijn om Bugger Stein in te lichten, is 't niet? Heb je daar wel aan gedacht?'

'Zou u dat doen, majoor?' vroeg Doll zwakjes.

'Daar kan je donder op zeggen, hufter!' brulde Welsh hem met onverwachte heftigheid in het gezicht.

'Maar denkt u dat er iemand naar komt vragen?' vroeg Doll.

'Nee!' schreeuwde Welsh in zijn gezicht. 'Nee, natuurlijk niet!' En even langzaam als de sluwe, dreigende glimlach van het gelaat van de majoor was verdwenen, keerde die er nu weer op terug. Daarna zette hij Doll langzaam weer op zijn voeten en in dezelfde beweging smeet hij de holster met het pistool van zich af, alsof er niemand aan vast zat. Doll werd een halve stap achteruit gegooid, terwijl Welsh rustig met de handen op zijn heupen voor hem stond, met op zijn gezicht dat waanzinnige lachje. 'Maak het schoon,' zei Welsh, 'het zal wel vuil zijn. Een vent die zijn pistool laat slingeren is sowieso een kutsoldaat.' En hij bleef Doll gestoord grinnikend aankijken.

Doll kon hem wederom niet recht in de ogen kijken en dus wendde hij zich af en liep naar zijn kooi toe, vervuld van een zinloze woede. Hij ging er eerlijk gezegd gewoon vandoor en zijn gevoel van eigenwaarde had een lelijke knauw gekregen. Het vervelendste was dat het incident zich midden tussen de kooien had afgespeeld, waar het volstond met soldaten. En dat maakte het voor Doll nog pijnlijker, ook al was alles zo snel gebeurd en zo plotseling dat alleen de mannen die vlak bij hen hadden gestaan begrepen hadden wat er aan de hand was. Verdomme, die vent had ogen als een adelaar. Hij zag alles. Maar het idee dat hem op dit ogenblik het sterkst bezighield, was wat Welsh had gezegd over schoonmaken. Daar had Doll erg van opgekeken. Hij zou er zelf nooit aan hebben gedacht. Vreemd genoeg kon Doll eigenlijk niet kwaad zijn op Welsh, ook al wilde hij dat wel en dat maakte hem nog kwader. Het was een ongerichte, frustrerende woede. Maar wie kon er nu kwaad zijn op een waanzinnige? Iedereen wist dat hij gek was. Gewoon malend. Zijn twaalf jaren in het leger hadden hem van zijn verstand beroofd. Als Welsh hem over het pistool had willen aanvallen, waarom was hij er dan niet mee doorgegaan; waarom had hij hem het pistool niet afgenomen? Dat was wat elke gewone onderofficier zou hebben gedaan. Dat Welsh hem alleen maar even had laten schrikken, was weer een extra bewijs dat hij gek was. Op zijn kooi demonteerde Doll het pistool om te zien of het inderdaad vuil was. Het zou hem een groot plezier doen als hij kon bewijzen dat de man uit Wales ongelijk had. En hij ontdekte tot zijn voldoening dat het pistool helemaal niet vuil was, integendeel, het was brandschoon.

Sergeant-majoor Welsh was op zijn plaats blijven staan met dat sluwe grijnsje op zijn gezicht, nadat Doll zich had teruggetrokken. Hij had daar geen speciale reden voor, want Doll had al voor hem afgedaan en hij was hem vergeten, maar hij stond daar graag zo. In de eerste plaats voelden de mannen zich dan nooit op hun gemak en dat vond Welsh prettig. Welsh besloot zonder speciale aanleiding eens te zien hoe lang hij zo kon blijven staan zonder iets anders te bewegen dan zijn ogen. Hij kon zijn arm niet opheffen om op zijn horloge te kijken, want dat zou bewegen zijn; gelukkig hing er een grote elektrische klok hoog aan de wand, waarmee hij kon vaststellen hoe lang hij het uithield. Onbeweeglijk als een ijzeren beeld op een grasveld stond hij daar, alleen zijn ogen keken nu eens hier en dan weer daar. Het sluwe grijnsje op zijn gezicht veranderde niet en waar hij keek, werden de mannen plotseling rusteloos en onzeker. Ze keken hem niet aan, maar begonnen allemaal iets te doen: een riem wat strakker aan te trekken, een geweerkolf te inspecteren, iets aan hun bepakking te verschuiven. Welsh bekeek ze geamuseerd. Het was een treurig stelletje en waarschijnlijk zouden ze nagenoeg allemaal dood zijn vóór de oorlog voorbij was, hij zelf ook, maar geen van die kerels had genoeg hersens om dat in te zien. Een enkeling begreep het misschien. Ze werden bij het begin van de oorlog ingezet en zouden de gehele rest moeten meemaken. Slechts een handvol was bereid of in staat om te begrijpen hoe gering daardoor hun kans op overleving ineens was geworden. Welsh vond overigens dat ze niet beter verdienden dan wat hun te wachten stond. En dat gold net zo goed voor hem zelf. Ook een amusante gedachte.

Welsh was nooit in de vuurlinie geweest. Maar hij leefde nu al vele jaren temidden van mannen die wel aan de strijd hadden deelgenomen. En hij had zijn geloof in en zijn eerbied voor de mystiek van het gevecht van man tot man bijna geheel verloren. Jarenlang was hij omgegaan met veteranen uit de Eerste Wereldoorlog en met jongere mannen van de vijftiende divisie die in China hadden gevochten, had met hen gedronken en naar hun dronkemansverhalen en melancholieke dapperheid geluisterd. Hij had de verhalen in de loop van de jaren zien aanzwellen en er slechts één conclusie uit kunnen trekken, en wel dat elke veteraan een held was. Waardoor zoveel oude helden bleven leven en zoveel niet-helden sneuvelden, was een vraag die Welsh niet kon beantwoorden. Maar elke veteraan was een held. Als je dat niet geloofde, behoefde je het ze maar te vragen of nog beter, voer ze dronken en vraag niets. Er bestond gewoon geen ander soort. Een van de gevaren in het leven van een beroepsmilitair was dat elke twintig jaar, met de regelmaat van de klok, het deel van de mensheid waartoe je zelf behoorde in een oorlog verzeild raakte – ongeacht hun politieke opvattingen en idealen – en dat je dus zou moeten vechten. Zo'n beetje de enige kans om dit statistische risico te omzeilen, was onmiddellijk na afloop van een oorlog in dienst gaan en hopen dat je te oud zou zijn voor de volgende. Maar om dat klaar te spelen moest je op het juiste moment een bepaalde leeftijd hebben en dat kwam maar zelden goed uit. De enige andere mogelijkheid was dienst nemen bij het intendantenkorps, of zoiets. Welsh had dat allemaal reeds ingezien toen hij zich in 1930 had aangemeld, precies tussen twee oorlogen in; hij was toen twintig jaar geweest, maar had zich van zijn overwegingen niets aangetrokken en dit beroep gekozen. En hij was bij de infanterie gegaan, niet bij de intendance. En hij was in de infanterie gebleven, en ook dit vond Welsh amusant.

Welsh zag het zo: hij had geen last gehad van de grote crisis in zijn land, hij was slimmer geweest dan zijn landgenoten en nu, op tien november 1942, bereidde hij zich erop voor de prijs daarvoor te betalen. En dat vond Welsh eveneens vermakelijk.

Welsh vond alles amusant, tenminste dat hoopte hij. Het feit dat hij in de infanterie was gebleven amuseerde hem, hoewel hij – als men hem had gevraagd waarom – waarschijnlijk niet in staat zou zijn geweest daarvoor een begrijpelijke verklaring te geven. De politiek vond hij vermakelijk, religie ook, en vooral idealen en integriteit vond hij zeer geestig; maar het grappigst van alles was de menselijke deugd. Hij geloofde daar niet in en hij geloofde evenmin in een van die andere woorden. Als een van zijn vrienden er geërgerd op aandrong dat hij eens moest zeggen waarin hij dan wel geloofde, antwoordde hij steevast en zonder aarzeling: 'Bezit.' Dat maakte iedereen altijd woest, maar dat was niet de enige reden waarom Welsh het zei, hoewel hij ervan genoot als hij anderen kon ergeren. Afkomstig uit een streng protestant en keurig gezin dat veel onroerend goed bezat – zowel het protestantisme als de keurigheid waren volkomen vals – was Welsh grootgebracht met het principe van 'bezit is de basis van alles'. En hij zag in een of andere bekrompen aanbidder van het humanisme geen reden om van mening te veranderen. Bezit, in welke vorm dan ook, was waar het uiteindelijk allemaal om draaide. Welke naam de mensen er ook voor kozen. Daar was hij volkomen van overtuigd. En toch had Welsh nooit getracht voor zichzelf bezit te verwerven. Alles wat toevallig in zijn handen kwam, wierp hij onmiddellijk, bijna gehaast, van zich af. Ook dat vond Welsh amusant. Vooral de haast die hij daarbij altijd betrachtte, vermaakte hem.

Achter zich, in de gang, hoorde Welsh voetstappen naderen en toen een stem.

'Majoor, mag ik u een vraag stellen?' Het klonk als een van de dienstplichtigen. Kruiperig.

Welsh bewoog zich niet, antwoordde niet en keek slechts naar de grote klok. Hij stond daar nog maar iets meer dan een minuut en dat was beslist niet lang genoeg. Welsh bleef onbeweeglijk staan. Na enige tijd verdwenen de stem en de voetstappen. Toen de klok ten slotte aanwees dat hij het twee minuten en dertig seconden had volgehouden, begon het hem te vervelen en besloot hij ermee op te houden en zijn secretaris Fife te gaan pesten. Terwijl hij wegliep naar de plaats waar het compagniesbureau tijdelijk was ondergebracht, ging er onder de mannen om hem heen iets als een onhoorbare zucht van verlichting op. Welsh bemerkte het meteen en hij genoot ervan met dat sluwe, brutale, waanzinnige lachje.

Welsh had geen hoge dunk van Doll en evenmin van korporaal Fife, de vooruitgeschoven secretaris. Doll was een onbetekenende kwajongen die zich tenminste rustig en op de achtergrond had gehouden tot zijn gevecht met Jenks, zes maanden geleden. Maar na die zogenaamde 'triomf' was hij zichzelf gaan zien als een volwassen man en was hij een in elk opzicht vervelende klootzak geworden, aan wie iedereen zich ergerde. Fife daarentegen, ook een kwajongen en een ezel, was een lafaard. Welsh bedoelde daarmee niet dat hij het in zijn broek zou doen van angst en zou weglopen. Dat zou Fife niet doen, hij zou blijven. Hij zou beven als een hond die perzikpitten schijt en hij zou doodsbenauwd zijn, maar hij zou niet weglopen. En dat was in de ogen van Welsh de hoogste vorm van lafheid. Met lafaard bedoelde Welsh dat Fife nog niet had geleerd dat zijn leven, dat hij zelf, dat zijn Ik, voor de wereld in het algemeen niets betekende en nooit iets zou betekenen. Doll was te dom om een dergelijk idee zelfs maar te kunnen bevatten, maar Fife was verstandig genoeg om het te weten of in ieder geval te leren. Hij zou het echter nooit toegeven en dat was volgens Welsh de allerergste vorm van lafheid.

Hij trof de kleine, maar breedgeschouderde Fife in het compagniesbureau aan, temidden van een groepje koks, en hij liep naar hem toe met die sluwe en bijzonder hatelijke grijns op zijn gezicht.

Korporaal Fife luisterde naar de verhalen van de koks om zijn gedachten af te leiden van het onprettige idee van een eventueel bombardement. Hij zag Welsh aankomen en las op diens gezicht – Fife had daarmee ruime ervaring – in welke stemming de majoor verkeerde. Fifes eerste impuls was op te staan en weg te wandelen vóór Welsh hem bereikte. Maar Fife wist dat het geen zin had. Welsh zou hem gewoon nalopen of, erger nog, hem bevelen terug te komen. En dus bleef Fife zitten, terwijl op zijn gezicht steeds duidelijker stond te lezen dat hij zich niet op zijn gemak voelde. Fife had er een geweldige hekel aan als men in het openbaar de aandacht op hem vestigde en dit was precies wat Welsh, zich daar blijkbaar van bewust, voortdurend deed.

Doll had Fife het idee om een pistool te jatten uit zijn hoofd gepraat. Evenals Big Queen, de man uit Texas. Beiden waren ervan overtuigd dat ze niet genoeg tijd meer hadden. Toen Queen hem had verlaten in een poging om zijn ongerustheid over een mogelijke luchtaanval te verdrijven, was Fife op zoek gegaan naar een vriend, een van de twee echte vrienden die Fife in de Charlie-compagnie ooit had gehad. Een van die twee was overgeplaatst naar een andere compagnie en bevond zich niet eens op dit schip. De andere en verreweg de meest spectaculaire – althans volgens Fife – was een stevig gebouwde soldaat met een rustige stem en enorme handen, die Bell heette. Fife had hem aangetroffen in het gezelschap van drie of vier andere soldaten, die allemaal rustig bij elkaar zaten te wachten en hij had zich bij hen gevoegd. Maar het was hem tegengevallen. Ze spraken nauwelijks een woord. Na enige tijd was Fife weer weggegaan en hier bij de koks gaan zitten die zenuwachtig met elkaar kletsten. Die spectaculaire Bell had Fife niet bepaald op zijn gemak gesteld en Fife was in hem teleurgesteld.

Bell was een van de nieuwe dienstplichtigen, hij praatte weinig, hield zich gewoonlijk afzijdig en deed eigenlijk nooit iets uitzonderlijks. Maar wat Bell in de ogen van Fife tot een spectaculaire persoonlijkheid maakte, was dat hij een geheim had, of in ieder geval had gehad. En de twintigjarige Fife kende dat geheim. Bell was officier geweest in het leger. Hij had als eerste luitenant bij de Genie gediend, op de Filippijnen. Vóór de oorlog. En hij had ontslag genomen.

Fife zou nooit dat eerste gevoel van diep ontzag en daarna zijn plezierige verwondering vergeten waarmee hij op het compagniesbureau deze informatie in Bells dossier no. 201 had gelezen toen Bell drie maanden geleden met een groep andere dienstplichtigen bij de C-compagnie was gearriveerd. Zo'n avontuurlijke geschiedenis, had Fife uitgevonden tijdens zijn tweeëneenhalf jaar dienst in het leger, vond men hoogstens in *Argosy* of een ander tijdschrift van dat type. De officieren en manschappen die Fife kende hadden allemaal nogal onopvallende carrières gehad; slechts enkele soldaten waren vroeger misdadiger geweest of iets dat even avontuurlijk was. Geen wonder dus dat Fife verrukt was toen hij Bell ontdekte. En wat dat ontzag betrof, alle officieren boezemden Fife ontzag in. Fife mocht de officieren niet als groep, maar ze vervulden hem wel met ontzag, ook al wist hij dat ze dat niet verdienden, enkel en alleen omdat ze hetzelfde gezag over hem uitoefenden als zijn ouders en zijn onderwijzers – en nagenoeg op dezelfde wijze. Dat iemand dit gezag vrijwillig zou opgeven om zich daarna aan datzelfde gezag te onderwerpen, leek Fife zowel bijzonder romantisch als bijzonder dom.

Fife was in feite heel intelligent, al gaf hij door zijn opgewonden aard vaak de indruk van het tegenovergestelde en hij was achteraf tot de conclusie gekomen dat zijn bekendheid met Bells loopbaan op zijn gezicht te lezen moest zijn geweest, toen hij hem die dag had ontmoet in de eetzaal. Bell had hem later die middag aangeklampt, hem onderzoekend van top tot teen opgenomen, hem terzijde genomen en verzocht niets over wat hij in het dossier had gelezen tegen de mannen te zeggen. Fife, die er in ieder geval nog niet bewust aan had gedacht het verder te vertellen, had gretig beloofd erover te zwijgen, al betreurde hij dat een beetje. Misschien was hij wel te gretig geweest. Daardoor had hij de indruk gewekt dat hij graag een geheim met Bell wilde delen en dat schoot Bell duidelijk in het verkeerde keelgat. En Fife had het helemaal niet zo bedoeld, het was alleen dat hij bij dit soort dingen altijd zo opgewonden werd. Maar hoe kon hij dat aan Bell uitleggen?

In ieder geval, na Bells verzoek te hebben ingewilligd had Fife al zijn moed bijeengeschraapt en hem op de man af gevraagd hem zijn verhaal te vertellen. Dat was misschien een vuile zet geweest. Bell had hem nog eens nauwkeurig en onderzoekend aangekeken en was ten slotte blijkbaar tot de conclusie gekomen dat hij weinig keus had. Hij ging op zijn kooi zitten en kneep zijn handen op een wonderlijke, wanhopig geduldige wijze ineen, keek hem strak aan en vertelde hem toen de hele geschiedenis. De oorzaak van alles was zijn vrouw. Ze hadden allebei gestudeerd aan de Universiteit van Ohio en die ook hetzelfde jaar verlaten, hij met het ingenieursdiploma in zijn zak. Natuurlijk had hij ook de cursus voor reserve-officier gevolgd en in 1940 was hij onder de wapenen geroepen en uitgezonden naar de Filippijnen. Zijn vrouw was vanzelfsprekend met hem meegegaan. Toen ze eenmaal op de Filippijnen waren, werd hij op een van de andere eilanden de wildernis ingezonden om te werken aan een dam die daar werd gebouwd en voor het leger van strategisch belang was. Echtgenotes mochten hun mannen niet die wildernis in volgen, omdat het er ongezond was, en ze bleven dus in Manilla achter en moesten gescheiden van elkaar leven. Hij had het smerigste karwei gekregen, eenvoudig omdat hij de laatst aangekomene was.

'Je weet hoe die officiersclubs van voor de oorlog waren,' zei Bell. Hij kneep zijn grote handen ineen en staarde er geconcentreerd naar. 'En ze kende niemand in Manilla. We waren nooit eerder gescheiden geweest, weet je. Tenminste niet 's nachts. Ik hield het vier maanden uit en toen gaf ik het op en diende mijn ontslag in.'

'Juist, ja,' zei Fife hem gretig aanmoedigend.

'Het seksuele was heel belangrijk bij ons,' zei Bell.

Fife hoopte dat hij verder zou gaan en glimlachte bemoedigend.

Bell keek hem bijna woedend aan met die vreemd-wanhopige, droevige uitdrukking van geduld, een bodemloos diepe blik. 'Dat is alles.' Hij leek zich er van tevoren al mee te hebben verzoend dat Fife niet in staat zou zijn de rest te begrijpen en dat was tot op zekere hoogte ook het geval. Fife dacht diep na, want hij was nooit getrouwd geweest. Maar hij begreep echt niet wat er nu eigenlijk zo erg was, vanwaar al die drukte?

'We zijn allebei mensen die grote behoefte hebben aan lichamelijke lie...,' begon Bell, maar onderbrak zichzelf om het op een andere manier te proberen. 'Het is onwaardig,' zei hij stijfjes, '... onwaardig voor een man van mijn leeftijd om gescheiden van zijn vrouw te leven.'

'Ja natuurlijk,' zei Fife vol medeleven.

Maar Bell keek hem alleen maar weer strak aan. 'Nou goed, ik ging in Manilla werken tot ik geld genoeg had voor onze terugreis naar Amerika. En daar pikte ik mijn oude baan weer op.' Hij spreidde zijn handen. 'Dat is alles. Ze zeiden dat ik nooit weer de kans zou krijgen om officier te worden, dat ze ervoor zouden zorgen dat ik als dienstplichtige werd opgeroepen en bovendien bij de infanterie zou komen. En hier ben ik dan,' besloot hij en hij spreidde zijn handen weer. 'Het heeft acht maanden geduurd voor ze me opriepen; die acht maanden hebben we gehad.'

'Wat een vuile klootzakken!' riep Fife trouwhartig uit.

'Och, je kunt het ze niet kwalijk nemen. Ze zijn nu eenmaal zo. En ik had de draak gestoken met hun militaire gedoe. Althans, vanuit hun standpunt gezien. Daar kunnen zij niets aan doen.'

'Maar het blijven vuile schoften!'

Bell liet zich niet overhalen. 'Nee, ik kan het ze niet kwalijk nemen.'

'Waar is ze nu?'

Bell keek hem weer aan met die vreemde blik. 'Ze is thuis. In Columbus, bij haar ouders.' Bell bleef hem aanstaren, zijn ogen versluierd door een diepe en, volgens Fife, vreemd volwassen afstandelijkheid, waarachter die geweldig gekwetste, hopeloos geduldige houding lag verscholen. 'Hoe oud ben je, Fife?'

'Twintig.'

'Juist, en ik ben drieëntwintig. Snap je? Nou, dat was mijn verhaal.'

'Maar waarom wil je dat de anderen dit niet weten?'

'Nou, in de eerste plaats hebben dienstplichtigen een hekel aan officieren en daardoor zou het vervelend voor me kunnen worden. En ten tweede,' en hierbij werd Bells stem scherper, 'ten tweede vind ik het gênant om erover te praten, Fife.'

'O,' zei Fife, die zich op zijn plaats gezet voelde.

'Ik heb je dit alleen verteld omdat ik hoopte dat je zou begrijpen waarom je deze dingen niet verder moet vertellen.' En weer keek Bell hem aan met die wonderlijk gereserveerde – nu bijna bevelende – blik.

'Maak je geen zorgen,' zei Fife, 'ik zal het niemand vertellen.'

En Fife had zijn belofte gehouden. Maar dat had niet veel uitgehaald, want het kwam ten slotte toch allemaal uit. Binnen een week was de gehele compagnie op de hoogte van Bells vroegere rang. Niemand wist hoe dat gebeurd was. Maar zo ging het nu eenmaal altijd. Niemand vertelde dit soort dingen ooit verder, maar op een of andere wijze lekten ze steevast uit. Alle officieren wisten het natuurlijk al, en Welsh ook en alle andere mannen van het compagniesbureau. Bugger Stein had Bell bij hem laten komen en een zeer lang gesprek met hem gevoerd, maar van de inhoud daarvan had Fife niets vernomen. Alles bij elkaar veroorzaakte het de nodige opschudding en het speet Fife eigenlijk dat het geheim nu bij iedereen bekend was. Zolang het bewaard was gebleven, had Fife het gevoel gehad dat er een persoonlijke band tussen hem en Bell bestond. Zodra het geheim publiek was geworden was hij natuurlijk naar Bell toegegaan om hem te zeggen dat de berichten niet van hem afkomstig waren geweest. Bell had hem bedankt en hem weer met die wanhopige, geduldige blik aangestaard.

Toen hij er later over nadacht, kwam Fife tot de conclusie dat het verhaal lang niet zo avontuurlijk was geweest als hij het zich had voorgesteld. Hij had gehoopt op iets meer drama, een handgemeen met een generaal bijvoorbeeld. Fifes eigen ervaring met vrouwen was natuurlijk nog maar beperkt. Hij had in zijn leven twee serieuze vriendschappen met meisjes gesloten: een van hen woonde in zijn geboortestad en het andere studeerde in de stad waar zijn divisie gestationeerd was geweest. Hij had daar zelf ook een paar colleges gevolgd. Fife was met geen van beide naar bed geweest, maar had op betaaldag een flink aantal hoeren bezocht. Het leek hem, eerlijk gezegd, dat Bell zich als een zwakkeling had gedragen, ontslag nemen enkel omdat je verlangt naar je vrouw! Maar hij moest hem één ding nageven, Bell was zijn vrouw zonder twijfel trouw gebleven. Toen hij later met Bell bevriend was geraakt, waren ze herhaaldelijk samen met verlof gegaan en hij had bij die gelegenheden Bell nooit met een vrouw gezien of zelfs maar met eentje zien flirten. Als de anderen ervandoor gingen om een potje te neuken, bleef Bell in zijn eentje achter en dronk. Fife bewonderde Bell om zijn houding en kon niet nalaten zich af te vragen of Bells vrouw thuis even trouw was. En hij vroeg zich af of Bell daar ook aan dacht. Waarschijnlijk wel.

Zuiver theoretisch vroeg Fife zich af wat erger zou zijn. Als ze schreef en je eerlijk vertelde dat ze met kerels uitging en zich liet naaien hoewel ze nog altijd alleen van jou hield; of dat ze haar gang ging, met andere mannen neukte, maar er niets van vertelde en je gewoon bleef schrijven, alsof ze trouw was aan de theorie van wat niet weet dat niet deert. Fife wist niet waaraan hij de voorkeur zou geven. Beide mogelijkheden deden zijn hart heftiger kloppen en gaven hem een misselijk gevoel in zijn buik, al kon hij niet precies zeggen waarom. Kon een vrouw werkelijk van de ene man houden maar ervan genieten als ze met een ander naar bed ging wanneer haar echtgenoot niet beschikbaar was? Waarschijnlijk wel, meende Fife. Maar het idee stond hem zeker niet aan. Het maakte dat een man zich toch erg naakt en onbeschermd moest voelen, en Fife voelde zich helemaal niet op zijn gemak als hij dacht aan een vrouw die zoiets zou doen. En zij zaten thuis waar je gemakkelijk een vriend, een minnaar kon krijgen. Maar hier was er verdomme gewoon niets voorhanden op dat gebied. En Bell had gezegd dat zijn vrouw grote behoefte had aan lichamelijke liefde, nietwaar? Fife was blij dat hij zelf niet getrouwd was.

Er werd eigenlijk heel slap gereageerd toen Bells vroegere rang algemeen bekend werd; en de bezorgdheid vooraf van al die verschillende mensen bleek verspilde energie. De mannen hadden Bell een tijdje vreemd aangekeken omdat het een wonderlijk idee was dat ze een vroegere officier in hun midden hadden, maar leken het snel nagenoeg te zijn vergeten. Alleen de houding van majoor Welsh had Fife woedend gemaakt omdat die op zijn sterke gevoel voor rechtvaardigheid inwerkte. Welsh had het dossier even ingekeken en het toen met een minachtend gebaar op zijn bureau geworpen en een van zijn bijtende, cynische opmerkingen gemaakt, die zo verpletterend waren dat je er weinig op kon zeggen en alleen maar woedend werd. 'Wat een zak zeg. Tjonge, ik heb toch wel een fijne verzameling hier. Die dacht natuurlijk dat er geen oorlog zou komen en dat het zonde was om een paar jaar te verknoeien. Wedden dat-ie binnen een week aan het commanderen slaat, Fife?'

Dat hij er volkomen naast bleek te zitten, deed Welsh helemaal niets. Zo was de man die nu rechtstreeks op hem afstevende met dat waanzinnige, sluwe glimpje in zijn ogen. Fife zette zich schrap om de uitbrander die hij zeker zou krijgen zo stoïcijns mogelijk te verdragen. Somber keek hij naar het groepje koks dat zenuwachtig bij hun mess-sergeant zat. Fife was blij dat hij de schoft nooit iets had verteld over Bells vrouw. Dan zou hij pas echt iets hebben gehad om zijn grove humor op bot te vieren. Dat was tenminste iets waarvan Welsh niets wist.

Storm, de mess-sergeant die tussen zijn koks zat, was de uitdrukking op het gezicht van Welsh evenmin ontgaan. Storm was zesentwintig en had al voor de tweede keer bijgetekend. Hij kende de buien van de majoor evengoed als diens secretaris Fife en hij begreep wat er ging gebeuren. In zijn acht dienstjaren had Storm een groot aantal majoors leren kennen, maar geen van hen leek ook maar in de verte op Welsh. De meesten waren degelijke, solide heren geweest, die hun voornaamste taak, het werk op het kantoor, volkomen beheersten en gewend waren te bevelen en gehoorzaamd te worden. Er waren enkele oude, drankzuchtige dieven bij geweest, die zich handhaafden op basis van hun vroegere prestaties of gered werden door het goede werk van de sergeant onder hen, die hen dan op een dag zou opvolgen. En tussen die twee types in trof je er zo nu en dan één die een beetje gek was op een of ander punt. Maar nooit zo gek als Welsh.

Persoonlijk kon Storm het wel met hem vinden. Ze werkten samen in een soort gewapende vrede, meer nog deed het tweetal denken aan een stel honden die elkaar op straat achterdochtig beloeren. Storm deed zijn werk goed en Welsh liet hem met rust. En Storm wist dat zolang hij zijn taak maar degelijk vervulde, Welsh hem met rust zou blijven laten. En dat was genoeg voor Storm. Als Welsh gek wilde doen, dan was dat zijn eigen zaak.

Maar Storm begreep niet wat het uit een oogpunt van efficiency of gezonde organisatie voor zin had om een secretaris uit te kafferen, zonder daarvoor een andere reden te hebben dan dat je er gewoon voor in de stemming was. Storm kon ook fel tegen iemand uitvaren en deed dat herhaaldelijk, maar alleen met gegronde reden. Het enige nut dat het pesten van Fife nu kon hebben was dat het de gedachten van Storm en zijn koks zou afleiden van de mogelijke luchtaanval; ze zouden dus een beetje minder zenuwachtig worden. Storm had datzelfde doel met andere middelen trachten te bereiken. Maar Storm kende Welsh goed genoeg om te weten dat dit niet de enige reden was om tegen Fife uit te vallen, zelfs niet de voornaamste reden. Hij had het hem te vaak zien doen. Hij wist zelfs al precies hoe Welsh zou beginnen.

'Zo, luie hond! Waar blijft dat verdomde pelotonrooster dat je moest opstellen?'

Het feit dat de lijst al af was en ingeleverd en dat ook Welsh dit heel goed wist, maakte geen verschil.

'Die is al klaar,' zei Fife verontwaardigd. 'Ik heb hem gemaakt en aan u overhandigd, majoor.'

'Wat zeg je nou?! Klets niet, Fife, ík heb hem niet en dus heb jíj hem niet gemaakt. Godverdomme, van alle stomme excuses die ik ooit...'

Storm luisterde zwijgend naar het betoog van de majoor. Welsh was een meester in het formuleren van beledigingen naar aanleiding van denkbeeldige tekortkomingen. De vergelijkingen die hij bedacht als hij eenmaal op dreef was, waren fantastisch. Maar wanneer zou Fife nu eens afleren om woedend te worden of verontwaardigd te doen? Storms koks zaten te grinniken en vermaakten zich uitstekend.

Storm keek even de kring rond. Land was lang, mager en zwijgzaam; een efficiënt werker als hij nuchter was, maar zonder initiatief, iemand die nooit iets uit zichzelf zou doen en voor alles een bevel nodig had. Park, de andere eerste kok, was dik, lui en mopperig; hij was dol op het geven van bevelen, maar had er een hekel aan hem gegeven bevelen uit te voeren, en hij beklaagde zich voortdurend dat men zijn autoriteit niet erkende. Dale, de kleine tweede kok, was een gespierde, harde knaap, een constante werker die altijd maar doorging; maar hij deed zijn werk met een woedend gezicht, zenuwachtig en met een abnormale kwaadaardige concentratie. En hij was altijd bereid, ál te bereid om elk beetje gezag dat hem werd gegeven op zich te nemen. Dit waren de drie voornaamste persoonlijkheden uit Storms groep.

Storm mocht ze graag, met een uiterlijk harde, maar inwendig smeltende en bijna tranen oproepende sentimentaliteit voor die zakkenwassers. Hij had ze hier verzameld, omdat hij gezien had hoe zenuwachtig ze waren en slechts gedeeltelijk omdat hij hier een oogje op hen kon houden, en hij was komische anekdotes gaan vertellen uit de acht jaar die hij nu in dienst was. Alleen maar om hen, naar zijn beste vermogen, van de hoog opgeschroefde spanning te bevrijden die zich van de gehele troep had meester gemaakt door dat voortdurende wachten. En hij had zijn doel bereikt, tenminste gedeeltelijk. Maar nu had Welsh zijn taak overgenomen met zijn tegen Fife gerichte verbale afstraffing en dus hoefde Storm zich even niet in te spannen. Hij kon aan zichzelf denken.

Storm had alles gedaan om zijn eigen persoonlijke aangelegenheden in orde te brengen. In de periode voordat hij overzee werd uitgezonden had hij een grote toelage, die bijna zijn gehele wedde omvatte, overgemaakt naar zijn zuster die haar man had verloren en met een groot gezin in Texas was achtergebleven. Zij was zijn enige nog levende familielid en zijn militaire verzekering stond op haar naam. Waar hij nu naartoe ging en een hele tijd zou blijven, kon je met geld toch niets doen. Voor zijn vertrek had hij twee brieven geschreven, die hij aan vrienden op het andere transportschip had gegeven met de opdracht ze te posten als het schip waarop hij zich bevond tot zinken zou worden gebracht of gebombardeerd zou worden en hij zelf zou worden gedood. Als een van die brieven zijn zuster zou bereiken, dan zou ze weten hoe ze te werk moest gaan om de verzekering uitbetaald te krijgen en kon ze de regering alvast het leven zuur gaan maken nog voor het beruchte telegram zou arriveren. Het zou vast een hele tijd duren voor de verzekering tot uitkering overging en met al die kinderen zou ze het geld broodnodig hebben als de toelage werd gestopt. Het was geen bijzonder bevredigende of efficiënte manier van aanpak, maar onder de gegeven omstandigheden was dit het beste dat Storm kon doen. En toen hij het eenmaal in orde had gemaakt, had hij het gevoel dat hij alles had gedaan wat binnen zijn bereik lag en dat hij nu klaar was. Klaar voor alles. En dat gevoel had Storm nu nog, hoewel ook in hem de nervositeit over mogelijke luchtaanvallen groeide. Hij vond het vermakelijk dat hij telkens zijn arm wilde oplichten om te zien hoe laat het was. Hij had al zijn wilskracht nodig om zichzelf ervan te weerhouden.

Welsh schold nog steeds grof en luidruchtig op Fife, die nu helemaal rood was aangelopen en bijna buiten zichzelf van woede was. Storm vroeg zich af of hij iets moest zeggen om er een eind aan te maken en het gesprek op een ander onderwerp te brengen. Storm koesterde geen bijzondere sympathie voor Fife, maar het was geen beroerde kerel. Hij was alleen nog niet lang genoeg van huis weg. En Storm, die al op zijn veertiende tijdens de grote crisis was gaan zwerven, vond jongens als Fife nu eenmaal niet erg interessant. Maar Welsh was een vent die niet wist wanneer hij moest ophouden; hij begon een grap als deze, die soms heel humoristisch kon zijn, maar dan bleef hij er maar mee doorgaan, hoewel het allang niet meer grappig was. En ook al amuseerde het blijkbaar zijn koks en leidde het hun gedachten af van een luchtaanval, het werd nu toch tijd om er een eind aan te maken, meende Storm. Maar voordat hij kon ingrijpen, weerklonk zwaar vibrerend het enorme lawaai van de toeter. Het denderde door het oververhitte metalen ruim, alle andere geluiden overstemmend, en deed iedereen plotseling opspringen, zelfs Welsh.

Het was het teken voor de mannen in dit ruim dat zij zich moesten klaarmaken voor ontscheping en toen het geluid van de toeter losbarstte werd al het andere onbelangrijk of hield zelfs op te bestaan. De dobbelaars en pokerspelers stopten midden in een spel en ieder greep zijn deel van de pot en nog iets extra als hij de kans kreeg. Gesprekken stierven geluidloos midden in een woord, het onderwerp onmiddellijk vergeten; Welsh en Fife staarden elkaar aan zonder zich er nog van bewust te zijn dat Welsh juist bezig was geweest om Fife te beledigen om hem kwaad te maken. Na zolang te hebben gewacht in zo'n steeds stijgende spanning, leek het nu alsof het leven zelf een lijn was gepasseerd met het daverende geluid en dat alles wat daarvoor was gebeurd of had bestaan geen enkel verband hield en ook nooit meer zou hebben met wat daarna zou komen. Iedereen richtte gehaast de aandacht op zijn uitrusting en kreten als 'Oké, daar gaan we dan!' en 'Pak je spullen zonder te lullen!' stegen op uit de kelen van de onderofficieren en weerkaatsten tegen de stalen wanden. En in een enkel moment van absolute stilte, dat zich op een of andere manier tussen die wildernis van lawaai had gemengd en er plotseling uit naar voren sprong, hoorden ze allemaal de schelle, hoge stem van één man die fel en intens tegen de man naast hem riep: 'Ik garan-godverdomme-deer het je!' Toen werd iedereen weer bedolven onder het lawaai terwijl allen verder worstelden met hun uitrustingsstukken.

De soldaten met hun volle bepakking puilden uit naar alle kanten en het was bijzonder moeilijk om langs de smalle stalen trap naar boven te klimmen; na drie zenuwachtig beklommen trappen was iedereen buiten adem. Terwijl de mannen uit de ruimen het hete dek op stapten in het felle zonlicht en de frisse zeelucht, staarde kapitein Bugger Stein, hun commandant, die bij het luik stond met gevechtstas, kaartenetui, verrekijker, geweer, pistool en veldfles, naar hun intense gelaatstrekken onder de schaduw gevende helmen. De tranen sprongen in zijn ogen, tranen die hij als officier en commandant natuurlijk met geweld moest wegdrukken; hij moest immers het toonbeeld zijn van grimmige vastberadenheid. Zijn verantwoordelijkheidsgevoel was monumentaal, iets bijna heiligs. Hij koesterde het en niet alleen dat, hij was zeer tevreden over het feit dat hij dit zo intens voelde. Als zijn ouwe pa hem hier eens had kunnen zien!

Naast hem stond zijn sergeant-majoor, niet langer Welsh het individu, nu hij zijn volle uitrusting droeg en zijn helm op had. Hij keek ook naar de gezichten, maar op geheel andere wijze, sluw, berekenend, alsof hij iets wist dat geen van de anderen bekend was.

Groeps- en pelotonsgewijs klommen ze over de reling en daalden via de klimnetten af langs de vier verdiepingen hoge scheepswand naar de eindeloze keten van landingsvaartuigen die heen en weer voeren tussen het schip en de kust. Slechts één man viel en hij liep alleen een wat verrekte rug op omdat hij terechtkwam op twee andere mannen die zich al in de LCI bevonden; alle drie smakten ze met hun volle uitrusting tegen de stalen bodem en ze schreeuwden en vloekten verwoed. Maar ze hoorden van de mannen op de LCI dat het aantal gewonden van dit schip al vijftien bedroeg. Precies wat ze verwacht hadden, zeiden de roerganger en de matroos op droge, opgewekt cynische toon, want dit was allemaal oud nieuws voor hen. De Charlie-compagnie realiseerde zich met enig ontzag dat dit hun eerste gewonden waren; de eerste gewonden van de divisie in de gevechtszone. Ze hadden ten minste bommen verwacht, of machinegeweren, voor het zover zou komen. Maar omlaag vallen in een landingsboot? Ze kwamen overeind terwijl ze deze feiten probeerden te verwerken en zagen de kust, het zandstrand en de kokospalmen langzaam naderen. Toen ze er dichtbij genoeg waren, zagen ze dat de toppen van sommige palmen waren weggeschoten.

In de boot waarin de groep van Doll was afgedaald, grijnsde de matroos, die net als alle anderen van het transportkorps was, en hij zei in een fraaie imitatie van een Marine-officier: 'Welkom aan boord, heren!' Hij voegde er opgewekt aan toe: 'Jullie boffen, jongens. De Jappen komen over' – hij keek even op zijn waterdichte polshorloge – 'over ongeveer een kwartiertje.'

'Hoe weet jij dat?' vroeg Dolls groepscommandant, een sergeant die Field heette.

'We hebben het bericht zojuist van de landingsstrip gekregen.' De matroos glimlachte vriendelijk.

'Maar proberen ze dan niet om de schepen in veiligheid te brengen?'

'Nee. Te weinig tijd. We moeten gewoon doorgaan met ontschepen.' De matroos scheen zich over deze situatie niet te bekommeren, maar Doll, die trots zijn nieuwe pistool droeg, greep de dol om zijn evenwicht te bewaren in het dansende, stampende vaartuig en keek achterom naar het steeds kleiner wordende schip met het grootste gevoel van opluchting dat hij ooit in zijn leven had ondervonden. Hij hoopte vurig dat hij die oude tobbe nooit van zijn leven zou terugzien, en dat gold voor alle schepen behalve één – het vaartuig dat hem weer van dit eiland zou afhalen.

'Bij dit werk moet je 't nemen zoals 't komt,' zei de matroos.

'Maar zullen de jagers dan niet proberen –' begon Field.

'Natuurlijk, die zullen wel aanvallen. Een paar krijgen ze wel neer.

Maar er komen er ook altijd een paar door.'

'Hé, Terry, ga eens loden!' schreeuwde de roerganger geërgerd.

'Ai-ai, kapitein,' riep de matroos droogjes naar achteren en liep weg.

Voor hen was het eiland steeds groter geworden en nu konden ze afzonderlijke mannen onderscheiden die krioelden rond enorme stapels voorraden. Doll staarde naar hen. Geleidelijk werden ze groter. Doll bleef staren. Hij werd gefascineerd door iets wat hij niet kon doorgronden. Waarom deden mannen dit eigenlijk? vroeg hij zich af. Waarom bleven ze daar? Waarom lieten ze niet alles vallen, om gewoon weg te lopen? Alles wat hij wist was dat hij bang was, banger en op een andere manier bang dan hij ooit van zijn leven was geweest. En het beviel hem niet, helemaal niet.

'Hou je vast... klaar om te landen!' riep de roerganger. Doll gehoorzaamde. Even later schuurde de LCI met de bodem over zand, kwam vrij en voer weer door, liep nog eens vast, zakte even opzij, kwam voor het laatst nog even vrij om enkele meters lawaaiig door te varen en stopte toen definitief. Doll was op Guadalcanal gearriveerd, evenals de andere mannen in zijn boot maar daar dacht hij niet aan. De ontschepingsklep, bediend door de spraakzame matroos, was al gaan dalen toen de boot nog niet eens helemaal stillag.

'Iedereen eruit!' schreeuwde de roerganger. 'Geen retourtjes!'

Voorbij het uiteinde van de neergelaten klep was nog ongeveer een halve meter water, maar het was niet moeilijk eroverheen te springen. De enige man die op het staal van de klep uitgleed en viel, haalde niet meer dan een natte voet. Het was Doll niet. De klep ging alweer omhoog terwijl het landingsvaartuig achteruitschoof en optrok om een nieuwe vracht te gaan halen. Toen zwoegden ze door het zand het lange strand over, naar de plaats waar Bugger Stein en luitenant Band bezig waren de compagnie te verzamelen.

Korporaal Fife was natuurlijk meegegaan met de LCI die de compagniesstaf aan land had gebracht. Op deze boot had de roerganger ongeveer hetzelfde verteld: 'Jullie onderdeel heeft mazzel. De Jappen zijn al onderweg.' De transportschepen waren vast en zeker ontdekt, zei hij. Maar zij waren juist op tijd van boord gegaan en voor hen zou er geen gevaar zijn. De belangrijkste gedachte die Fife bezighield was dat alles zo georganiseerd was, en zo snel en nuchter werd afgehandeld. Zo zakelijk, net een handelstransactie. En toch ging het uiteindelijk om bloed van mensen: wonden, verminkingen, de dood. Het was een vreemd, wonderlijk idee, vond Fife. Het personeel op de landingsstrip had het nieuws gehoord, waarschijnlijk door een radiobericht van een vliegtuig, en had het doorgegeven naar het strand, waar de mannen van de LCI's allemaal op de hoogte waren gebracht – of het aan elkaar doorgaven. Vermoedelijk waren de scheepsbemanningen en de troepencommandanten – zo niet de troepen zelf – aan boord ook ingelicht. Maar niettemin leek het erop dat niemand er iets aan kon doen. Behalve afwachten. Wachten op wat er ging gebeuren. Fife had heimelijk gekeken naar de gezichten in de LCI. Bugger Stein verraadde zijn nervositeit door aan één stuk door zijn bril recht te zetten, telkens opnieuw, met zijn rechterduim en vingers aan het montuur.

Luitenant Band toonde zijn onzekerheid door herhaaldelijk zijn lippen af te likken. Het gezicht van Storm stond wat al te onverschillig. De ogen van Dale, de tweede kok, glansden en hij knipperde voortdurend. Welsh kneep zijn ogen tot nauwe spleetjes tegen het felle zonlicht en er viel niets in te lezen. Ditmaal geen vrolijkheid, maar evenmin iets anders, zelfs geen cynisme. Fife hoopte dat hij zelf normaal keek, maar hij had het idee dat hij zijn wenkbrauwen wat te hoog optrok. Toen ze eenmaal aan land waren en de gids hen had begeleid naar de hun aangewezen plaats aan de rand van het palmbos, dat tot op het strand kwam, had Fife telkens weer in zichzelf herhaald wat de roerganger van de LCI hun tijdens het varen had gezegd: 'Jullie onderdeel heeft mazzel. Jullie zijn op tijd van die boot af.'

En in zekere zin had hij volkomen gelijk. Toen de vliegtuigen kwamen, richtten die hun aanval op de transportschepen, niet op de kust. Zo zat Fife, en met hem de rest van Charlie, volkomen veilig op de eerste rang om het vuurwerk gade te slaan. Maar Fife, die de mensheid een warm hart toedroeg, zou achteraf wensen dat hij het allemaal niet had gezien. Maar hij moest ook toegeven dat het hem fascineerde, dat het toneel een morbide aantrekkingskracht voor hem had.

Het nieuws had aan de kust trouwens niet veel indruk gemaakt. De LCI's en een groot aantal landingsvaartuigen van andere types kwamen nog steeds het strand op om hun vracht mannen of voorraden uit te laden, terwijl andere vaartuigen het strand weer verlieten om terug te pendelen. De kuststrook krioelde letterlijk van de mannen, die allemaal ergens heen gingen, en het leek wel of het zand golfde van leven, zoals dat soms ook lijkt wanneer een leger krabben het strand opkruipt. Rijen, groepjes en hele stromen mannen liepen kriskras door elkaar, gehaast, maar ogenschijnlijk zonder enig systeem. Hun kleding was zeer verschillend: sommigen droegen mouwloze hemden, anderen korte broeken, een paar helemaal geen hemd en enkelen, vooral de mannen die vlak bij of in het water werkten, waren helemaal naakt of droegen alleen de voorgeschreven witte legeronderbroeken, waardoor hun geslachtsdelen donker en harig zichtbaar waren. Er waren hier tenslotte nergens vrouwen en het zou nog wel even duren voor ze weer vrouwen te zien kregen. Ze droegen de meest uiteenlopende hoofddeksels: gewone petten, legerpetjes of helmen, of zelfgemaakte mutsen. Er waren mannen in het water aan het werk, helemaal naakt, met alleen hun herkenningsplaatje om de hals en een klein rood petje zonder klep op, of met een werkpet op of een stel bananenbladen op het hoofd. De materiaalboten werden onmiddellijk, al in de branding, door groepen mannen uitgeladen, zodat ze zo snel mogelijk terug konden gaan voor nieuwe lading. Vanaf het water droegen rijen andere mannen de dozen, kisten en blikken over het strand tot onder de bomen, of ze vormden een ketting en gaven de goederen van hand tot hand door met de bedoeling de ruimte bij de waterkant zo snel mogelijk weer leeg te maken. Een eind verderop langs het strand werden het zware materieel – vrachtwagens, anti-tankkanonnen en artillerie – uitgeladen en weggereden door het erbij behorende personeel of weggesleept door trekkers van de mariniers. En nog een eind verder werd eenzelfde operatie uitgevoerd voor het tweede transportschip dat enkele honderden meters achter het eerste voor anker lag.

Al die koortsachtige activiteit was in hetzelfde tempo blijkbaar al sinds de vroege ochtend aan de gang geweest en het nieuws van de op handen zijnde luchtaanval scheen van geen enkele invloed te zijn. Maar naarmate de minuten een voor een voorbijkropen, kon men toch een duidelijke verandering waarnemen in de emotionele spanning en opwinding op het strand. Vanaf haar gunstige positie aan de rand van het palmenbos voelde ook de Charlie-compagnie dat de spanning steeg. Ze zagen dat een aantal mannen, die rustig tot hun middel in zee hadden gebaad temidden van al dat hectische werk, op hun horloges keek en daarna het water verliet om naakt naar de rand van het bos te lopen waar hun kleren onder de bomen lagen. En even later wierp iemand die aan de rand van het water stond, zijn arm omhoog en riep: 'Daar zijn ze!' en die kreet werd op het strand in alle richtingen herhaald.

Hoog in de heldere zonnehemel zeilde een aantal vlekjes sereen naar de zeestraat waar de twee schepen lagen. Na enige minuten, toen ze dichterbij waren gekomen, kon men een aantal andere vlekjes zien, jagers, die boven de bommenwerpers de strijd met elkaar aanbonden. Op het strand hadden de mannen met opdrachten en de werkgroepen hun bezigheden alweer hervat, maar de anderen, waaronder de C-compagnie, keken toe en zagen hoe ongeveer de helft van de jagers de strijd afbrak en omkeerde in noordelijke richting, waarschijnlijk omdat ze de grens van hun actieradius hadden bereikt. Slechts een paar overgebleven jagers achtervolgden hen, maar die gaven het snel op, keerden en begonnen met de andere de bommenwerpers aan te vallen. Gezamenlijk kwamen ze dichterbij en werden langzamerhand groter. Ze doken, draaiden en wendden als kleine muskieten in een waanzinnige, wervelende dans om de zwaardere, stevige horzels heen, die desondanks rustig en keurig verder vlogen. Nu begonnen de bommenwerpers snel te dalen, eerst hier één, met achter zich een lange rookpluim die al heel snel door de wind in de hogere luchtlagen uiteen werd gedreven, en toen daar nog één, die helemaal geen rook vertoonde en snel omlaag fladderde. Er kwamen geen parachutes uit die machines. De bommenwerpers vervolgden hun weg. Toen tuimelde een van de muskieten omlaag en een ogenblik later nog één, op een andere plaats. Uit beide kwamen parachutes te voorschijn, die uitwaaierden in de stralende zon. De muskieten bleven snelle aanvallen doen. En weer viel er een getroffen horzel. Maar het was verrassend, tenminste voor Charlie en ook de andere nieuwelingen, hoeveel er niet vielen. Gezien de felheid van de aanvallen en het grote aantal jagers hadden ze verwacht dat alle bommenwerpers neergehaald zouden worden. Maar dat gebeurde niet en de hele opeengedreven massa gleed langzaam naar de zeestraat waar de schepen lagen. De veranderende motorgeluiden van de duikende of klimmende jagers waren nu duidelijk te horen.

Beneden op het strand tikten de minuten en de seconden voorbij. Er werd niet gejuicht als een bommenwerper omlaag stortte. Toen de eerste neerging had een andere nieuwe compagnie, die niet ver van Charlie aflag, daartoe een zwakke poging gedaan en een paar mannen van Charlie hadden ermee ingestemd. Maar het gejoel stierf al snel weg door gebrek aan voedsel en werd later niet meer gehoord. Iedereen keek zwijgend toe, geboeid, gefascineerd. En de mannen op het strand gingen door met hun werk, al waren ze nu meer opgewonden.

Korporaal Fife, die gespannen tussen de mannen van de compagniesstaf stond, vond dat zijn indruk dat het er erg zakelijk aan toeging, door het ontbreken van gejuich nog werd versterkt. Het was een echte handelstransactie, geen oorlog. Fife vond dat een afschuwelijk idee. Het was vreemd, ongezond en op de een of andere wijze krankzinnig. Zelfs immoreel. Het was alsof een theoretische wiskundige vergelijking was uitgewerkt op basis van een weloverwogen risico. Hier lagen twee grote, dure schepen en er waren ongeveer vijfentwintig grote vliegtuigen om ze te vernietigen. Die hadden bescherming gekregen van kleinere toestellen, die veel goedkoper waren dan de grote, en daarna waren ze alleen verder gestuurd, ervan uitgaande dat alle of een deel van de bommenwerpers evenveel waard waren als beide of een van beide schepen. De verdedigende jagers, die volgens hetzelfde principe werkten, streefden ernaar om de prijs zo hoog mogelijk op te drijven, in de hoop uiteindelijk alle vijfentwintig toestellen te pakken te krijgen zonder er met de beide schepen voor te betalen. Dat er in die strijdende dure vliegtuigen mensen zaten was onbelangrijk – behalve dan dat ze nodig waren om de toestellen te besturen. Dit idee, en wat het betekende, stak Fifes in wezen slecht gepantserde innerlijk als een koud zwaard en doordrong hem van zijn eigen onbelangrijkheid en machteloosheid. Hij kon aan dit alles niets doen, er niets aan veranderen. Zelfs niet voor zover het hemzelf betrof, die van dit geheel toch ook deel uitmaakte. Het was angstaanjagend. Hij vond het niet erg om in een oorlog te sterven, in een echte oorlog – tenminste, hij dacht dat hij het niet erg zou vinden, maar hij voelde er niets voor om in een goed geregelde zakelijke transactie te sterven.

Langzaam en onafwendbaar naderde het vechtende kluwen daar hoog in de lucht. Op het strand werd het werk niet onderbroken. En ook de LCI's en andere landingsvaartuigen zetten hun veerdienst voort. Toen de machines de schepen bijna hadden bereikt, stortte er nog een bommenwerper omlaag. Hij viel met een enorme smak, in rook en vlammen explodeerend in de zeestraat voor de ogen van de toekijkende mannen. En toen doken de toestellen boven de schepen omlaag. Een zachte zucht was hoorbaar. Een waterfontein spoot hoog uit zee op, en nog een en nog een. Seconden later drong het geluid van de ontploffingen die ze in het leven hadden geroepen tot het strand door en joeg het langs de mannen heen om ruisend in de kokospalmen te verdwijnen. Het zacht zuchtende geluid werd sterker en kreeg zwervende boventonen en spoedig schoten overal in zee fonteinen omhoog rond het eerste schip, en een paar tellen later ook rond het tweede. Het was onmogelijk de afzonderlijke series bommen te onderscheiden, maar ze zagen allemaal de reeks van drie bommen die doel troffen. Ze leken op tastende vingers, de eerste op enige afstand van het schip, de tweede al dichterbij en de derde vlak ernaast. Een LCI vertrok juist op dat ogenblik van het schip en kon er nog slechts enkele meters van verwijderd zijn toen de derde bom er midden op viel. Eén zwakke, maar duidelijk hoorbare hoge, scherpe gil steeg op, die de mannen op het strand in feite pas bereikte nadat de fontein omhoog was geperst; maar op misschien wel een kilometer afstand hoorden ze de kreet die onmiddellijk werd afgesneden en gevolgd door het daveren van de explosie. Het was het instinctieve, nutteloze protest van één enkele, onbekende, naamloze man tegen het feit dat men hem zijn leven afnam, tegen de pech dat hij zich op dat moment op die plek bevond en niet ergens anders; het was dwaas, belachelijk en zinloos, maar niet zonder een zekere waardigheid, hoewel de gil, ironisch genoeg, pas werd gehoord en op waarde geschat toen de man al niet meer bestond. Zijn laatste schreeuw had langer geleefd dan hijzelf.

Toen de waterfontein verdwenen was en ze het toneel weer konden overzien, was er van de LCI niets meer over. Op de plaats waar de boot had gelegen, dobberden enkele figuurtjes in zee en die verminderden snel in aantal. De twee boten die het dichtstbij waren, draaiden onmiddellijk bij en schoten op de plek af, die ze net eerder bereikten dan de kleine reddingsboot die in gereedheid werd gehouden. De boten minderden vaart en dansten op de ontstane deining, terwijl infanteristen hun uitrusting afstroopten en het water in doken om de gewonden te redden en hulp te bieden aan de niet-gewonden die geen tijd hadden gehad om hun uitrusting af te doen en erdoor naar beneden werden gezogen. De lichtgewonden en de ongekwetsten werden aan boord van de boten geholpen met kleine touwladders die de bemanning over de zijkant had uitgeworpen; de ernstig gewonden werden slechts drijvende gehouden tot de reddingsboot, die over reddingslussen en boeien beschikte, de plek zou hebben bereikt.

De toekijkende mannen op het strand – de mazzelaars, zoals de roergangers hadden gezegd, omdat zij zich niet in die hel bevonden – trachtten hun aandacht te verdelen tussen hun eigen operatie en de vliegtuigen boven hen. De bommenwerpers hadden hun aanval uitgevoerd, koersten weg en begonnen aan de terugweg naar het noorden. Ze deden geen poging om de schepen te mitrailleren, ze hadden het te druk met zich tegen de jagers te beschermen; de mannen aan het luchtafweergeschut op de schepen en aan de kust durfden het vuur niet te openen uit angst dat ze hun eigen jagers zouden raken. De gehele operatie, met uitzondering van de uitgeworpen bommen, had hoog in de lucht plaatsgevonden. Langzaam en statig zetten de bommenwerpers koers naar het noorden, waar ze werden opgewacht door een groep van hun eigen jagers die hen tegen verdere aanvallen moest beschermen. Langzaam, maar regelmatig werden de bommenwerpers kleiner, zoals ze nog maar kortgeleden langzaam aan groter waren geworden. De jagers zoemden er nog steeds nijdig omheen en voor de horzels uit het gezicht waren verdwenen vielen er nog enkele van omlaag. Tijdens de hele actie waren de jagers in hun werk belemmerd doordat ze voortdurend de strijd moesten afbreken om naar de landingsstrip terug te keren voor nieuwe benzine of ammunitie. Het aantal jagers dat actief aan de strijd deelnam was nooit zo groot als het had kunnen zijn. En de bommenwerpers hadden blijkbaar met deze factor rekening gehouden. In ieder geval veranderden ze langzamerhand weer in kleine vlekjes tot ze onzichtbaar waren. En eindelijk keerden toen ook de jagers terug. Het was voorbij. Op het strand werd het uitladen, dat eigenlijk geen moment was onderbroken, voortgezet.

Mannen die hier al langer waren en die vlak bij de C-compagnie stonden – Charlie wachtte nog altijd af en keek toe – vertelden hun dat er die dag waarschijnlijk nog ten minste twee luchtaanvallen zouden volgen. Het voornaamste was om die verdomde schepen uit te laden, zodat ze konden wegvaren en alles weer even vredig zou worden als tevoren. Het uitladen was het belangrijkste van alles. Dat moest klaar zijn voor de avond. De schepen moesten weg zijn voor het donker werd, helemaal leeg of niet, want men kon het risico van nachtelijke luchtaanvallen niet nemen. Als ze tegen die tijd nog niet helemaal waren uitgeladen, zouden ze toch wegvaren.

Al voordat de terugtrekkende bommenwerpers uit het zicht waren, ging het bericht over het strand dat het eerste transportschip beschadigd was door dezelfde bom die de boot vol infanteristen had vernietigd. Dit betekende dat de schepen nog een belangrijker reden hadden om weg te varen. De beschadiging was licht, maar de bom had een aantal platen losgeslagen en het schip maakte water, zij het niet meer dan de pompen konden verwerken. Er waren aan boord van het schip ook enkele slachtoffers gevallen, doordat bomscherven en stukken metaal van de LCI rondvlogen tussen de opeengepakte mannen op het dek. En het gerucht ging dat één man een helm in zijn gezicht had gekregen; een keurige, stevige, onbeschadigde helm die van het hoofd van een man in de LCI was afgerukt en het gezicht van de ongelukkige aan boord van het schip volkomen had verpletterd. Dat was nu een van die idiote grillen van het lot, zeiden de mannen. Stukken vlees en brokken uitrusting waren ook van het landingsvaartuig op het dek van het grote schip beland, waarbij rondvliegende beschadigde geweerkolven nog wat lichte verwondingen hadden veroorzaakt. Men zei dat de bom geen voltreffer was geweest, maar vlak naast de LCI en niet ver van het transportschip in het water was gevallen. Vandaar de luchtdrukschade aan het grote schip. Maar als de bom aan de andere kant van de LCI was neergekomen of in de boot, dan zouden de mannen aan dek heel wat meer stukken vlees en metaalscherven om de oren hebben gekregen. Nu was het grootste deel door de plek van de bominslag van het schip af geblazen, over het water. Aan boord waren zeven doden en tweeëntwintig gewonden, onder wie de man wiens gezicht getroffen was door de helm, werd verteld. Alle gewonden werden verzorgd in het hospitaal op het schip.

De Charlie-compagnie luisterde met een vreemd gevoel naar het nieuws. Dit was hun schip geweest en de nu dode of gewonde mannen waren hun reisgenoten geweest. De plaats waar de bom viel, was niet ver van de plek geweest waar zij zelf van boord waren gegaan. Ze luisterden naar de mondelinge verslagen met een mengeling van ontzag en door fantasie versterkte angst, die zij niet konden onderdrukken. Stel je voor dat die bommenwerpers een paar minuten eerder waren gekomen! Of dat zij zelf een paar minuten later aan dek waren verschenen! Stel je voor dat een van de compagnieën voor hen een beetje trager was geweest bij de ontscheping! Stel je voor dat de bom niet in het water was gevallen, maar een aantal meters verder naar links! Dit soort speculaties was natuurlijk zinloos en bovendien heel pijnlijk. Maar hoezeer ze ook van die nutteloosheid waren doordrongen, hun gedachten bleven dezelfde kant uitgaan.

De uit de zee opgeviste overlevenden van de vernietigde LCI werden aan land gebracht door de twee landingsboten en de reddingsboot; de vaartuigen landden niet ver van de plaats waar de C-compagnie zich bevond. En dus kon Charlie ook deze gebeurtenis goed overzien. Terwijl de mannen die hier al langer waren praktisch commentaar gaven op de aard en omvang van de verwondingen, keken de mannen van Charlie met wijd open ogen toe hoe de gewonden met tedere zorg het strand op werden geleid of werden weggedragen naar een veldhospitaal dat bij het aanbreken van de dag was opgezet. Sommige mannen braakten na hun beproeving nog steeds zeewater uit. Enkelen konden alleen en zonder hulp lopen. Maar ze verkeerden allemaal in shock en de onbegrensde tederheid waarmee ze eerst door hun redders en later door hun compagniegenoten werden behandeld, liet hen volkomen koud. Bebloed en struikelend, met ogen die draaiden in hun kassen, beklom de kleine groep langzaam het oplopende strand. Daarna gingen de mannen zitten of liggen, verdoofd en onverschillig voor alles om zich heen, en ze lieten zich rustig door dokters behandelen.

Ze waren een vreemde grens gepasseerd; ze waren nu gewonden en iedereen realiseerde zich, zij zelf ook, zij het vaag, dat ze nu anders waren. De schokkende fysieke ervaring van de explosie zelf, die hen had beschadigd en anderen had gedood, was voor hen bijna hetzelfde geweest als voor die anderen, die er hun leven bij hadden verloren. Het enige verschil was dat de overlevenden nu onverwacht en volkomen onlogisch ontdekten dat ze nog leefden. Ze hadden niet om de explosie gevraagd en evenmin om redding verzocht. Ze hadden eigenlijk niets gedaan. Het enige dat ze hadden gedaan was in een boot klimmen en gaan zitten op de aangewezen plaats. En toen was ze dit aangedaan, zonder waarschuwing, zonder verklaring en ze waren misschien wel onherstelbaar beschadigd. Ze waren gewonden en er was geen uitleg mogelijk. Ze waren binnengeleid in een vreemde, krankzinnige, schemerige broederschap, waar verklaringen voor altijd onmogelijk zouden zijn. Iedereen begreep dit, ook zij zelf, maar niet erg duidelijk. Er hoefde niet over te worden gesproken. Iedereen speet het en hun zelf ook. Maar er was niets aan te doen. Tederheid was alles wat men ze kon geven en zoals met de meeste zelfgedetermineerde menselijke emoties, betekende ook tederheid niets naast de intensiteit van hun ervaring.

Terwijl de bommenwerpers daarboven nog in zicht waren, begonnen de artsen al snel een poging te doen om ze op te lappen, weer in elkaar te zetten en te redden wat de bommen hadden beschadigd. Sommige mannen waren lelijk geraakt, anderen waren er niet zo slecht aan toe. Een paar zouden nog sterven, dat was duidelijk en het was zinloos om aan hen tijd te besteden die ook kon worden gebruikt voor anderen die misschien in leven zouden blijven. De opgegeven mannen legden zich zwijgend neer bij het beroepsoordeel van de artsen, zoals zij ook het tedere klopje op de schouder accepteerden dat de doktoren hun in het voorbijgaan gaven, terwijl ze stom vanuit de bodemloze diepten van hun nog levende ogen naar hun schuldbewuste gezichten keken.

De Charlie-compagnie, die er vlakbij stond en alweer ingedeeld was in haar gebruikelijke pelotonstructuur, sloeg het gebeuren bij het veldhospitaal gefascineerd gade. De mannen van elk peloton, en ook de leden van de compagniesstaf, kropen dicht bij elkaar, alsof ze bescherming zochten in de nabijheid van hun kameraden. Vijf kleine, afzonderlijke groepen toeschouwers met grote ogen, verteerd door een bijna geile, morbide nieuwsgierigheid. Daar lagen mannen die zouden sterven, sommigen van hen vlak voor hun ogen. Hoe zouden ze reageren? Zouden een paar ertegen tekeergaan, zoals zijzelf de woede in zich voelden branden? Of zouden ze gewoon allemaal ophouden te bestaan, ophouden met ademhalen, ophouden te zien? De hele compagnie was benieuwd naar wat er zou gebeuren, nieuwsgierig en doordrongen van een ademloos, zwijgend ontzag. Ze konden het niet helpen, ze moesten wel toekijken; vers bloed was zo ontzettend rood, en gapende gaten en naakt vlees vormden zo'n vreemde, zonderlinge aanblik. Het was allemaal op een of andere manier obsceen. Het was iets waarvan ze allemaal voelden dat je het beter kon vermijden, maar ze moesten kijken, dichter bij elkaar kruipen en het allemaal bestuderen. Het menselijk lichaam was eigenlijk maar een heel teer, kwetsbaar organisme, begreep de C-compagnie plotseling. Zijzelf hadden die gewonden kunnen zijn. Of die anderen, die zich onder het wateroppervlak bevonden waarover de LCI's nog altijd af en aan voeren, die niet uit zee zouden worden gehaald voordat het schip helemaal was uitgeladen.

De gewonde mannen, zowel zij die zouden sterven als zij die het zouden overleven, trokken zich van al die starende blikken even weinig aan als van de tederheid die men hun betoonde. Ze staarden terug naar hun publiek met doffe ogen, die toch wonderlijk vochtig leken door de verwijde pupillen, veroorzaakt door de felle schok. Als ze de toeschouwers al zagen, wat zeer te betwijfelen was, dan waren ze zich van de starende blikken niet bewust. Het resultaat was dat de hele Charlie-compagnie voelde wat mannen met meer ervaring al wisten: deze mannen bevonden zich in een andere wereld en het was nutteloos om te trachten hen te bereiken. Zij hadden iets meegemaakt dat zijzelf niet hadden ervaren en ze hoopten met heel hun wezen dat die ervaring hun ook bespaard zou blijven, maar zolang dit hun niet was overkomen, konden ze geen contact met die anderen hebben. Een uur geleden – minder – waren de gewonden net als zijzelf geweest: zenuwachtig, nerveus, met angst in het hart afwachtend hoe ze zich zouden gedragen, hoe het zou zijn om ontscheept te worden. Nu hadden ze zich gevoegd bij – en waren zelfs verdergegaan dan – die vreemde bebaarde, idioot geklede mariniers en soldaten met hun wilde blik, die hier de Japanners al bevochten sinds augustus en nu zo zakelijk en beroepsmatig stonden te bespreken welke wonden dodelijk zouden zijn en welke niet.

Zelfs het leger begreep dit van de gewonden en had speciale dispensaties ingesteld in overeenstemming met hun nieuw verworven rerang. Zij die niet stierven zouden vanaf dit meest vooruitgeschoven punt worden teruggezonden, terug, steeds verder terug totdat ze dat amorfe punt hadden bereikt dat als absoluut veilig gold. Als je het leven van een man in het leger zou vastleggen in een grafische voorstelling, dan zou dat eruitzien als een lijn die onderaan begon met zijn inlijving in het leger en regelmatig omhoogliep en dan kon je dit moment – of liever het moment van de explosie – beschouwen als het hoogste punt. Daarna boog de lijn terug naar het onderste deel tot aan het uiteindelijke ontslag: het geheime doel van alle mannen in het leger. Afhankelijk van de ernst van zijn toestand en de tijd die nodig zou zijn om te genezen, zou de lijn van de man een deel van de afstand – of de gehele weg – dalen in de richting van het laagste punt. Sommigen, zij die er het best waren afgekomen, zouden misschien niet eens teruggaan naar Nieuw-Zeeland of Australië. Hun dalende lijn zou misschien al worden onderbroken in een basishospitaal op de Nieuwe Hebriden om van daaraf weer omhoog te gaan. Anderen, die iets erger gewond waren, zouden Nieuw-Zeeland of Australië bereiken, maar niet de Verenigde Staten, en vandaar weer worden teruggestuurd. Weer anderen, die er nog erger aan toe waren, zouden wellicht de VS bereiken, maar niet uit het leger worden ontslagen. Ze zouden altijd weer kunnen worden uitgezonden naar het beweeglijke gevarenpunt aan het front, het front hier of dat in Europa. Al die krommen zouden weer omhooglopen, misschien dit keer zelfs een hoger punt bereiken. Met de doden was het natuurlijk een andere zaak. Hun krommen hielden op; op het hoogste punt, zoals bij de mannen die daarginds in het water lagen en bij die hier vlakbij lagen te sterven.

Je kon het allemaal wiskundig uitwerken, ontdekte de jonge korporaal Fife, toen hij zich er plotseling op betrapte dat deze gedachten door hem heen gingen, en eigenlijk zou iemand dat eens moeten doen. Er zou een enorme hoeveelheid werk voor nodig zijn, gezien het aantal mannen dat er in alle legers ter wereld onder de wapens was. Maar misschien kon een elektronisch brein zo worden geïnstrueerd dat het de enorme taak kon uitvoeren.

Het was duidelijk dat, als je toch gewond was, je door die wond maar beter onbruikbaar voor de dienst kon blijven zolang de oorlog duurde. Natuurlijk wel een wond die ten slotte helemaal zou genezen en waardoor je niet je leven lang invalide of kreupel bleef. En als dat niet kon, dan een lichte verwonding die je evengoed ongeschikt maakte voor de dienst, of kreupel, maar dan niet echt, niet helemaal kreupel. Fife kon het niet met zichzelf eens worden voor welke van de twee hij zou kiezen. Eerlijk gezegd wilde hij helemaal niet gewond raken.

De Charlie-compagnie zag uiteindelijk drie van de mannen sterven voordat de gids van het regimentshoofdkwartier arriveerde om het transport naar het bivak te brengen. Van die drie stierven er twee heel rustig, ze zonken langzaam steeds verder weg in die onwerkelijke staat die door de schok was opgeroepen. Hun functies ebden weg, zodat ze verstandelijk gelukkig niet begrepen wat er gebeurde. Eén man ging tegen zijn lot tekeer, maar slechts voor enkele ogenblikken, waarin hij zich losrukte uit de steeds verder doordringende hallucinatie, om luid te vloeken en verwensingen uit te gillen tegen wat er met hem gebeurde, en tegen alles en allen die daar deel aan hadden, de artsen, de bom, de generaals, de naties, voordat hij weer terugviel in de verdovende slaap die zou overgaan in de dood zonder dat hij het zou merken. Er zouden hier zeker nog anderen sterven – evenals in het vliegtuig dat hen terugvoerde, of in het basishospitaal – maar de C-compagnie zou dat niet meer zien. Die was al begonnen aan de tien-kilometermars naar het nieuwe bivak.

Het was een mars zoals geen van hen ooit eerder had meegemaakt en niemand had ze hier werkelijk op voorbereid, hoewel ze krantenartikelen hadden gelezen over de gevechten in de wildernis. Terwijl ze op weg gingen door het bos van kokospalmen, verloren ze het noodhospitaal snel uit het oog, al verdween het nog niet uit hun herinnering, en plotseling bevonden ze zich in de tropische omstandigheden waarover ze zoveel hadden gehoord. Hier, waar de zeebries die op het strand woei, hen niet kon bereiken, was de vochtige hitte zo overweldigend en hing zo zwaar in de lucht, dat die meer op een tastbaar voorwerp leek dan op een weersomstandigheid. De hitte perste het zweet uit al hun poriën bij de geringste krachtsinspanning en omdat het vocht niet kon verdampen, stroomde het over hun lichamen tot alles doorweekt was. Toen het zweet hun kleding had verzadigd, liep het in hun schoenen en vulde die, zodat ze spoedig in hun eigen zweet rondklotsten, alsof ze vlak daarvoor een rivier hadden doorwaad. Het was nu bijna midden op de dag en de zon brandde tussen de wijd uiteenstaande bomen en verhitte hun helmen zo, dat ze hun handen aan de stalen buitenhelm brandden. Ze moesten die wel afdoen, aan hun uitrusting hangen en met slechts de binnenhelm van kunststof op verder marcheren. Ze stapten door een vreemde, drukkende stilte, veroorzaakt door de vochtigheid die de lucht afdempte, zodat geluidsgolven zich niet konden voortplanten, maar dood ter aarde vielen. De zware, hen omringende lucht was zo vochtig dat de marcherende mannen naar adem snakten en bij al hun gehijg slechts weinig zuurstof binnenkregen. Alles was nat. De wegen die voor het transport werden gebruikt waren zeeën van zachte modder, omgewoeld door de zware vrachtwagens die er tot aan hun assen inzakten. Het was onmogelijk om op die wegen – of in die wegen – te lopen. De enige manier was zich in twee rijen te splitsen, elk aan een zijde van de weg, en voorzichtig over de dikke golven gedroogde modder heen op de plukken ertussen groeiend gras te stappen. Uit dat gras stegen bij elke pas wolken muskieten op om hen in de stille, zware lucht het leven zuur te maken. Ze kwamen herhaaldelijk jeeps tegen, die in de modder waren blijven steken door hun kleinere wielbasis. Ze zaten tot aan hun bodemplaten vast en trachtten tevergeefs zich te bevrijden. Hun eigen jeep, die vooropging om hun de weg te wijzen, zocht uiterst zorgvuldig zijn spoor om de modderigste plaatsen heen.

En terwijl ze liepen zagen ze overal enorme stapels voorraden en uitrustingsstukken van allerlei soort, opeengestapeld in ruime dumps van tien tot vijftien meter hoog. Daartussendoor reden voortdurend grote vrachtwagens af en aan. Ze moesten een hele tijd lopen voor ze ver genoeg landinwaarts waren om die stapels voorraden achter zich te laten.

Langs de kant van de weg liep majoor Welsh vlak achter kapitein Stein en luitenant Band. Welsh veegde regelmatig het zweet uit zijn ogen en had maar één gedachte in zijn hoofd: dat ze een troep arme, gewonde dieren waren, net als die bij het noodhospitaal. Hij mompelde voortdurend voor zich uit, zo nu en dan heimelijk glimlachend in de richting van Fife: 'Bezit, bezit, bezit. Allemaal om het bezit.' Want dat was het natuurlijk; daar ging het allemaal om. Het bezit van de een en het bezit van de ander. Van het ene volk of van het andere volk. Het werd allemaal gedaan vanwege het bezit. Het ene volk had meer nodig dan het bezat, meende althans dat het dit nodig had en had het misschien ook echt wel nodig. En de enige manier om dat bezit te verkrijgen was het af te nemen van die volken die het al tot hún eigendom hadden gemaakt. Er was op deze planeet nu eenmaal geen eigendom meer dat nog niet het bezit was van een of ander land. En dat was alles, daar draaide alles om. Hij vond het zeer grappig. 'Bezit,' mompelde Welsh zachtjes voor zich uit zodat niemand het kon verstaan. 'Allemaal bezit.' Herhaaldelijk trok hij een apothekersfles met gin uit zijn gevechtstas en nam een paar forse slokken. Hij deed alsof hij keelpijn had en een gorgeldrankje gebruikte. Hij had nog drie kostbare, volle flessen, zorgvuldig een voor een in een deken gewikkeld, in zijn ransel die zwaar op zijn rug hing. In een nieuw gebied zou het hem misschien wel twee hele dagen, wie weet drie dagen kosten voor hij een andere voorraadbron had ontdekt.

Achter Welsh en Fife liep Storm met zijn koks, die marcheerden met gebogen hoofd om zorgvuldig te bepalen waar ze hun voeten zouden neerzetten. Ze spraken weinig. Ook zij dachten nog aan de gewonden, maar geen van hen had er een samenhangende gedachte over zoals Welsh. Daarom marcheerden ze waarschijnlijk zo zwijgzaam. Slechts de gespierde, kleine tweede kok Dale, wiens ogen voortdurend van de ene kant naar de andere gingen, maakte een opmerking.

'Ze hadden ze de volle laag moeten geven met de afweerkanonnen op het schip,' zei hij ineens met een intens woedende, rancuneuze stem tegen de lange, magere Land die naast hem liep. 'Jagers of niet! Dan hadden ze er heel wat meer te pakken gekregen. Heel wat meer. Als ik daar bij die mitrailleurs had gezeten, had ik erop los geknald! Bevel of geen bevel. Ik was daar niet zomaar blijven zitten.'

'Lul toch niet,' zei Storm die zich omdraaide. Dale zweeg met een blik van gewonde trots die je vaak zag bij ondergeschikten die door hun baas ten onrechte worden beschuldigd.

Maar het waren niet alleen de soldaten die peinsden over de eerste echte gewonden van de divisie. Vlak voor Welsh hadden kapitein Bugger Stein en zijn plaatsvervanger, luitenant Band, lange tijd zwijgend gemarcheerd. Nadat ze de compagnie op mars hadden gekregen, had geen van beiden nog een woord gesproken. Ze hadden nu niet veel meer te doen dan de jeep te volgen die hun de weg wees. En dus was er geen reden om te praten. Maar de werkelijke oorzaak van hun zwijgzaamheid was dat ook zij voortdurend moesten denken aan de bloedige, verdoofde groep gewonden.

'Een paar van die jongens waren er slecht aan toe,' zei Band ten slotte, en hij stapte over een dikke pluk gras heen.

'Ja,' zei Stein terwijl die een dikke kluit modder ontweek.

'Jim,' zei Band even later. 'Jim, weet jij hoeveel officieren er op die landingsboot zaten?'

'Ja zeker, George, twee. Dat heeft iemand me verteld,' antwoordde Stein.

'Dat heb ik ook gehoord,' zei Band. 'Heb je gezien dat ze allebei bij de gewonden waren?'

'Ja, ja,' zei Stein. 'Dat heb ik gezien.'

'Heb je gezien dat ze er allebei nogal goed van af waren gekomen?'

'Ja, dat leek mij ook.'

Band wriemelde een ogenblik in zijn zak en zei toen: 'Hier, een kauwgumpje, Jim, ik heb er nog twee over.'

'Nou graag, George. Dank je,' zei Stein. 'Ik heb niets meer.'

Verder naar achteren in de kolonne liep soldaat eersteklas Doll, uitgeput, snakkend naar adem zoals iedereen, met zijn rechterhand op de klep van de holster van zijn nieuwe pistool. Zijn enige bewuste emotie was een gigantische somberheid die op hem drukte. De aanblik van de gewonden had zijn uitwerking ook op hem niet gemist en het gevolg was geweest dat zijn nieuwe aanwinst, het pistool, plotseling geen enkele betekenis meer voor hem had, dat dit verworven bezit elke zin had verloren. Het was duidelijk dat het niet het minste verschil maakte of je een pistool had of niet als je getroffen werd door zo'n bom. Natuurlijk, als ze later aan het front zouden liggen, waar een groot deel van de gevechten werd geleverd met kleine wapens, zou het wel een verschil betekenen; maar ook daar had je de grote mortieren en artillerievuur. Doll voelde zich volkomen weerloos. En uitgeput. Hoe lang zou die verdomde mars nog duren? Op dat moment moesten er van de tien kilometers in feite nog ruim acht worden gelopen, maar als iemand dat aan Doll zou hebben verteld, of aan een van de andere mannen van Charlie, zouden ze het niet hebben geloofd. In deze compagnie zaten mannen die voor de oorlog in het vredesleger geforceerde marsen hadden gemaakt van meer dan tachtig kilometer, die langer dan vierentwintig uur hadden geduurd. Maar geen van hen had ooit iets als dit meegemaakt. Langzaam, heel langzaam vorderden ze door het palmenbos langs de oevers van de modderrivieren die ze hier wegen noemden en toen begon het terrein iets te veranderen. Vingers van met gras begroeide wildernis begonnen zichtbaar te worden. Ze drongen zo nu en dan tot tussen de kokospalmen door. Een enkele keer zagen ze in de verte gele heuvels vol kunaigras, die boven de wildernis uitstaken. Vermoeid en uitgeput sloften ze struikelend verder.

Om die tien kilometer af te leggen hadden ze het grootste deel van de middag nodig en toen ze eindelijk de plaats hadden bereikt die hun was toegewezen, had een derde deel van de compagnie het opgegeven en was langs de weg uitgevallen. Zij die het doel op eigen kracht bereikten, slingerden, struikelden en hijgden door gebrek aan zuurstof en vielen bijna flauw van uitputting. De keukenuitrusting en de plunjezakken van de mannen waren al op deze plek afgeleverd. Toen men hun vertelde dat ze hun doel hadden bereikt, waren ze in elkaar gezakt en het duurde langer dan een halfuur voor iemand in staat was iets te doen. Daarna werd de jeep teruggezonden om de uitvallers op te pikken en ging sergeant Storm met een uiterst vermoeide corveeploeg en zijn koks de keukentent en het latrinescherm opzetten. De fornuizen werden ook in gereedheid gebracht, want er moest die avond nog een maaltijd worden uitgereikt. Andere groepen, hoe uitgeput, misselijk en zwak ook, gingen aan het werk met de voorraadtent en de compagniestent. Voordat ook maar een van die karweitjes voltooid was begon het te regenen.

2

Op ongeveer honderdvijftig meter van het bivak was een lange streep oerwoud zichtbaar. Als je tussen de palmen en het dampende kille gordijn van de tropische regen doorkeek, leek het nog het meest op een zware wand. Ondoordringbaar, massief, dertig meter hoog, als een stroom groene, gestolde lava die daar eeuwen geleden was gedeponeerd door een of andere vulkaan en zo het hoge vlakke plateau had gevormd. Je kon de steile, groene wand beklimmen om dan verder te lopen over het oppervlak waar je voeten stellig niet verder zouden wegzinken dan in de doorweekte grond waarop ze nu stonden. Bijna aan het oog onttrokken door de regen doemde het oerwoud voor hen op, volkomen vreemd, zelfverzekerd, een natuurverschijnsel als een berg of een oceaan en even onheilspellend voor de mens.

Tussen de palmen werkte men verbeten door om het kamp te installeren. De regen viel loodrecht, onaangeraakt door de adem van de wind. Vierhonderd meter verderop zagen ze een waterige zon schijnen op iets wat een eindeloze aanplanting van kokospalmen scheen. Maar hier kwam de regen met bakken omlaag – in enorme, dikke druppels, zo dicht bijeen dat het was alsof er een gesloten gordijn van water op hen neerplensde. Alles waarover niet toevallig een zeil had gelegen was in enkele seconden doorweekt. In een paar minuten was het hele terrein overstroomd. Nog aan regenjassen denken was belachelijk, deze regen zou er dwars doorheen gaan. Tot op hun huid nat, nog moe van de mars, baggerden de mannen van de compagnie rond en terwijl hun voeten het terrein in een modderzee veranderden, deden ze wat er moest gebeuren om er een bivak van te maken. Er zat niets anders op.

Het was ellendig; ze voelden zich zo ongelukkig dat de hele situatie plotseling iets komisch kreeg. Komisch op een geforceerde, zielige manier, want ze konden de doden, de stervenden en de gewonden van de luchtaanval nog niet vergeten, maar misschien juist daarom deden ze nog gekker en lachten ze nog luider tot hun vrolijkheid ten slotte iets hysterisch kreeg. Sommigen, roekelozer van aard en in staat te vergeten dat zelfs een gevechtstenue moet worden gewassen, rolden rond in de modder als kinderen die in de sneeuw spelen. Maar ook zij konden zich uiteindelijk niet bevrijden van hun nieuwe, pijnlijke spanning. Nadat ze waren uitgeraasd ontdekten ze dat hun nervositeit was gebleven. Met al hun gejoel, hun gelach en gestoei was daarin niet de minste verandering gekomen. En het regende nog altijd.

In de keukentent, waarmee al was begonnen toen de eerste druppels vielen, probeerde Storm vloekend en tierend zijn fornuizen aan te steken met natte lucifers. Niemand had droge en als hij ze niet aan het branden kreeg, zou er die avond geen warm eten zijn en Storm had zich vast voorgenomen dat die maaltijd er zou komen. Ten slotte kreeg hij het fornuis aan met een geleende aansteker, hoewel hij van tevoren had geweten dat hij zijn hand daarbij vrij ernstig zou branden, wat dan ook gebeurde. Stoïcijns wikkelde hij er een handdoek om en na de instructie te hebben gegeven wat lucifers boven het brandende fornuis te laten drogen, ging hij verder met zijn werk, heel wat trotser op zichzelf dan hij ooit hardop zou hebben toegegeven. Hij zou die zwervers weleens laten zien wie er voor hun eten zorgde. Niemand zou ooit kunnen beweren dat Storm zijn mensen honger liet lijden.

Buiten in de regen bleek bij nader onderzoek dat de toegewezen personeelstenten voor acht man niet van het schip waren gekomen en evenmin de veldbedden die erbij hoorden. Toen majoor Welsh hem dit bericht breedgrijnzend van leedvermaak kwam brengen, wist kapitein Stein niet wat hij moest beginnen. Het was een van de kleine slordigheden die zich altijd konden voordoen als grote groepen mannen samen een gecompliceerde operatie moesten uitvoeren. Maar dat hém dit overkwam, juist vandaag en met deze regen, was wel erg veel pech, vond Stein. Nuchter bezien was er maar één bevel dat hij kon geven: de mannen moesten hun lage, tweepersoonstentjes van hun ransel halen en opzetten, en dat bevel gaf Stein dan ook. Maar ondanks het feit dat hij niet anders kon, was het in deze situatie een dwaze opdracht en daarvan was Stein zich pijnlijk bewust. Hij zat blootshoofds in de pas verrezen, betrekkelijk droge compagniestent, doorweekt en koud, en hij zocht net in zijn plunjezak naar een droog uniform toen Welsh bij hem kwam. Zodra hij de minachtend grijnzende uitdrukking op Welsh' natte gezicht zag toen deze het bevel aanhoorde, werd Stein zo woedend dat hij de vaderlijke toegeeflijkheid waarmee hij zijn gekke majoor had willen behandelen, vergat.

'Godverdomme, majoor, ik weet ook wel dat het een idioot bevel is!' brulde hij. 'Vooruit, ga het ze zeggen, dat is ook een bevel!'

'Ja, kap'tein.' Welsh grinnikte, salueerde honend en bracht het bevel over met spottend leedvermaak.

De mannen hoorden het bevel met laconieke gezichten aan; ze stonden met opgetrokken schouders in de regen en er was weinig commentaar. Even later gingen ze aan het werk.

'Hij is gestoord!' gromde soldaat Mazzi tegen soldaat Tills, het water van zijn gezicht vegend terwijl hij hun tentstokken in elkaar zette. 'Gewoon stapelgek!' Ze deelden een tent. Tills zat in de regen op een watervat en knoopte de twee halve tenten aan elkaar. Hij antwoordde niet.

'Nou, waar of niet?' vroeg Mazzi en begon toen hij klaar was met de stokken de scheerlijnen uit te rollen. 'Verdomme, heb ik gelijk of niet, Tills? Hé, Tills!?'

'Ik weet het niet,' zei Tills en zweeg weer. Tills was een van degenen geweest die zich had laten verleiden om door de modder te rollen en had er nu spijt van. Toen ze op hun allerdolst waren had hij, zittend in de modder, zelfs klodders ervan op zijn gezicht gesmeerd. Door de regen en het gebruik van zijn handen waren die min of meer schoongespoeld, en zijn gezicht was behalve wat vegen ook weer toonbaar geworden, maar voor de rest was hij een vieze, stinkende vlek tropische modder. 'Wat had hij anders kunnen doen?' vroeg hij even later neerslachtig.

'Godallemachtig, moet ik soms weten wat hij had kunnen doen? Ik ben geen compagniescommandant.' Mazzi verzamelde na het doorweekte touw zo goed mogelijk te hebben opgerekt de tien tentpennen die ze samen hadden en begon ze op de ervoor bestemde plaatsen te leggen. 'Dacht jij soms dat die verdomde pennetjes het zullen houden in die derrie?' vroeg hij. 'Als ik commandant was, dan zou er hier heel wat veranderen en verdomd snel ook. En jij kan ook barsten, Tills. Ben je al klaar?'

'Ja, jij zou heel wat veranderen,' zei Tills. 'En ja, ik ben klaar.' Hij richtte zich op, liet de doorweekte massa tentlinnen van zijn schoot in de modder vallen en veegde de regen van zijn gezicht.

'Nou, schiet op dan.' Mazzi gooide de laatste twee pennen op hun plaats. 'Hij is een klootzak. Een verrekte klootzak. Dat is-ie. Hij weet van geen toeten of blazen en wijzer zal hij ook nooit worden. Kom op, verdomme.'

'Iedereen is een klootzak,' zei Tills. Maar hij bleef staan waar hij was. Tersluiks veegde hij een paar maal over zijn gezicht, wat niets hielp, en wreef toen in zijn handen. Tevergeefs. Dunne lintjes slijmerige modder bleven in alle rimpels en groeven van zijn handen achter, het spul zat onder en in de hoeken van zijn nagels. Alleen de huid tussen de groeven was schoon, wat een merkwaardig tweekleurig effect gaf, alsof hij zijn eigen vingerafdrukken probeerde te imiteren. Hij bleef nog altijd staan. 'Als we jou moeten geloven.'

Vergeleken met hem leek Mazzi buitengewoon schoon. Ook al was hij tot op zijn huid nat. Hij had niet meegedaan aan het spelen in de modder, hoewel hij even luid had geschreeuwd en gelachen als de anderen en degenen die zich erin rondwentelden had aangemoedigd.

'Precies,' gaf hij toe. 'Behalve ikzelf en een paar van mijn beste kennissen hier, die een beetje bij de tijd zijn. Kom op, godverdomme, laten we die rottent nou opzetten.'

'Luister eens, Mazzi.' Tills had nog altijd niet bewogen. 'Ik wil je wat vragen. Geloof jij dat er bacteriën in die rotmodder zitten?'

Mazzi, die neerhurkte bij de plaats waar de tent moest komen, keek op en was even met stomheid geslagen. 'Bacteriën?' zei hij ten slotte. 'Bacteriën.' Nadenkend veegde hij voor de zoveelste maal het water van zijn gezicht. 'Natuurlijk zitten er bacteriën in. Allerlei bacteriën.'

'Geloof je dat echt?' vroeg Tills bezorgd. Hij keek eens omlaag, naar zichzelf. Een ogenblik maakten de bij hem opkomende gedachten hem volkomen weerloos.

Mazzi, die nog naar hem zat te kijken, voelde dit aan en zijn gezicht kreeg een tevreden uitdrukking. Hij grijnsde plagend. 'Ach, verdomme, natuurlijk. Lees jij de kranten niet? Het wemelt op dit eiland van de bacteriën. Ze hebben ze hier in alle soorten en maten, wat je maar wilt. En waar vind je ze? In smerige modder, hufter. Wat voor bacteriën had je gehad willen hebben?' Hij stak zijn hand op en begon zijn gespreide vingers af te tellen. 'Malariabacteriën...'

'Malariabacteriën komen van muskieten,' onderbrak Tills hem nors.

'Zeker, maar hoe komen die eraan? Uit de modder. En dan heb je...'

'Nee,' onderbrak Tills hem weer. 'Zij krijgen ze van anderen die malaria hebben.'

'Goed, best. Maar waar komen ze eerst vandaan? Dat weet iedereen. Uit modder en viezigheid.' Hij telde verder af. 'En je hebt hier bacteriën van Denguekoorts, van geelzucht, zwartwaterkoorts en van elefantiasis, dysenterie...' Mazzi was aan zijn andere hand begonnen. Nog steeds grijnzend naar Tills hield hij op met tellen en maakte met beide handen een expressief gebaar. 'Verdomme, welke bacterie wil je hebben? Hier op het eiland is van alles, je kunt kiezen.' Hij zweeg even. 'Jezus,' zei hij toen vergenoegd kijkend. 'Je bent morgen vast zo ziek als een hond.'

Tills keek hem hulpeloos aan. 'Je bent een schoft, Mazzi,' zei hij even later.

Mazzi trok zijn beweeglijke wenkbrauwen op, en tegelijk daarmee zijn expressieve schouders. 'Wie? Ik? Wat heb ík gedaan? Jij vraagt me wat. Ik geef antwoord. Zo goed als ik kan.'

Tills zei niets, hij bleef afwachtend, weerloos naar Mazzi kijken, het natte, modderige tentdoek om zijn voeten draperend. Mazzi, die nog bij de tentpennen hurkte, grijnsde weer.

'Heb je mij soms in die modder zien zitten? Goed, ik heb gelachen en geschreeuwd en ze aangemoedigd. Dat kon geen kwaad. Maar jij bent een lul, Tills. Een geboren lul. Jij laat je altijd door anderen opjutten. Trek hier nou 'es lering uit, jochie. Ik laat me nooit opjutten en mijn beste bijdetijdse kennissen hier ook niet. Waar of niet, Tills?'

De toon waarop hij het woord 'jochie' gebruikte, vloeide over van zelfingenomenheid. Mazzi was een paar jaar jonger dan Tills, die niet reageerde. 'Vooruit, laten we die tent opzetten,' zei Mazzi. Weer keek hij met half dichtgeknepen ogen omhoog. 'Voor jij zo ziek wordt dat je me niet meer kunt helpen. Niemand kan een shelter in zijn eentje opzetten. Hé, als jij goed ziek wordt heb ik de hele verdomde tent voor mezelf. Misschien word je wel zo ziek dat je mazzelt en terug mag naar Amerika – als je godverdomme niet doodgaat.'

Zonder iets te zeggen bukte Tills zich en verzamelde de stijve doorweekte massa van het tentdoek. Hij liep ermee naar de plaats waar de tent moest staan. Mazzi, nog steeds zelfingenomen grijnzend, kwam overeind om hem te helpen.

'Kijk die rotdekens nou,' zei Mazzi wijzend. Ze hadden ze onder een dekzeil gelegd dat over enkele uitrustingsstukken was gespreid. 'Wil jij me even vertellen, Tills, hoe iemand vannacht onder zulke dekens moet slapen? Hè? Wat zeg je?' snauwde hij. Maar toen Tills hem geen antwoord gaf, herhaalde hij zijn vraag niet, en samen spreidden ze het tentdoek uit over de eerste stok.

Overal om hen heen werkten de andere soldaten in de regen en de lage tentjes verrezen in lange, rechte rijen. Iedereen deed zijn best niet te lopen op de plaatsen waar de tenten moesten komen, maar het maakte weinig verschil. Het geweld van de regen was al voldoende om de grond in een moeras te veranderen. Omdat ze geen veldbedden hadden, zouden ze hun doorweekte dekens op die modder moeten uitspreiden en hun half droge kleren, voor zover ze die nog hadden, daarop moeten neerleggen om te voorkomen dat ze nog natter werden. Het zou een ellendige nacht worden voor alle mannen, behalve de officieren die hun slaaptenten, veldbedden en dekens altijd in een compagniestruck lieten vervoeren. Maar ook zij zouden het niet comfortabel krijgen.

Dit was het laatste karwei geweest dat moest gebeuren en omdat het nog niet donker was, wilden de meer avontuurlijk ingestelde mannen even de jungle in. Ze hadden niets te verliezen, ze konden niet natter worden dan ze al waren. Een van hen was Big Queen, de reus uit Texas. Soldaat Bell, die vroeger officier bij de genie was geweest, ging ook mee, net als soldaat eersteklas Doll, de trotse dief van het pistool. Bij elkaar waren het twintig man.

Doll stapte branieachtig af op zijn kameraad, korporaal Fife, zijn geweer over de linkerschouder hangend, zijn duim achter de riem gehaakt, zijn rechterhand op de kolf van zijn pistool. Hij wilde weg. Nu hij zijn helm op had en zijn patroongordel om, was hij er klaar voor. Iedereen had zijn stomme gasmasker al opgeborgen. Ze hadden ze het liefst weggegooid, maar ze vreesden dat ze de dingen later zouden moeten vergoeden.

'Ga je mee om de jungle te bekijken, Fife?'

Fife was juist klaar met het opzetten van zijn tent die hij deelde met zijn assistent, een achttienjarige jongen uit Iowa, die Bead heette. Bead was nog kleiner dan Fife en hij had grote ogen, smalle schouders, brede heupen en kleine handen. Hij was dienstplichtig soldaat.

Fife aarzelde. 'Ik weet niet of het gaat. Misschien heeft de majoor me nog nodig voor het een of ander. We zijn nog niet klaar met alles.' Hij staarde eens naar de groene muur in de verte. Het zou een hele wandeling zijn in de regen en dan met die modder. Hij was moe en voelde zich depressief. Zijn voeten sopten in zijn schoenen. Trouwens, wat viel er te zien? Een massa bomen. 'Ik kan het beter niet doen.'

'Ik ga mee, Doll! Ik ga mee!' Dat was Bead, zijn grote ogen nog groter dan anders achter de hoornen bril.

'Ik heb jou niet uitgenodigd,' zei Doll langzaam.

'Wat bedoel je, uitgenodigd? Iedereen kan toch zeker meegaan? Nou, ik ga ook!'

'Geen sprake van, verdomme,' zei Fife kort. 'Jij sleept je dikke achterwerk naar de compagniestent, snotneus. Waar betaal ik je anders voor? Schiet op.' Hij wees met zijn hoofd. 'Wegwezen.'

Bead antwoordde niet en sjokte knorrig weg, zoals gewoonlijk een beetje voorovergebogen.

'Je kunt zulke jongens echt niet vriendschappelijk behandelen,' zei Fife.

'Kom nou mee,' zei Doll. Hij trok zijn bovenlip en zijn wenkbrauwen op. 'Wie weet wat we tegenkomen.'

'Toch maar niet.' Fife grijnsde. 'Het werk gaat voor.' Maar hij was blij dat hij er zo gemakkelijk afkwam.

'Laat dat werk toch barsten!' zei Doll, zijn bovenlip en wenkbrauw nog meer optrekkend. Hij sprak uit zijn ene mondhoek en maakte een zeer cynische en wereldwijze indruk. Hij draaide zich om en liep weg.

'Veel plezier!' riep Fife hem cynisch na. Maar toen hij zijn besluit eenmaal had genomen, speet het hem dat hij er niet bij zou zijn. Hij keek hen na terwijl ze in de regen op weg gingen.

Even voorbij het bivak hield de kokosaanplant op. Daarachter was niets behalve vlak, open terrein tot aan het oerwoud. Nu ze over die vlakte liepen leek de groene wand in de verte nog dreigender dan vanuit het palmenbos. Bij de boomrand bleven de mannen staan om ernaar te kijken. Daarna, nog zonder regenjas maar zo doorweekt dat het ze niet meer hinderde, liepen ze naar de hoge muur van de jungle, nieuwsgierig en behoedzaam in de regen. Aan hun voeten vormden zich klonten modder die ze er telkens af schopten. Ze hadden er nu al maandenlang over gelezen, over de jungle. En nu zagen ze zelf wat het was.

Eerst liepen ze er voorzichtig een eindje langs. Vanuit de verte was het een merkwaardig beeld: groepjes kletsnatte mannen in de regen, die met impulsieve bewegingen langs de rand van het oerwoud liepen, steeds even bukkend om naar binnen te gluren. Het was echt een muur, een muur van bladeren; vlezige, groene bladeren die elkaar probeerden te verdringen en waartussen slechts bij uitzondering een openingetje te zien was. Big Queen gluurde ernaar en had het gevoel dat ze misschien wel zouden bijten als je probeerde ze opzij te duwen. Maar toen ze eindelijk de stap waagden en de jungle binnengingen – in het diepe sprongen als het ware – stonden ze ineens in het halfdonker.

Hier viel de regen niet. Hij werd hoog boven hen tegengehouden door het dak van groene pannen. Het water druppelde vandaar langzaam van blad tot blad omlaag of liep langs stengels en takken. Hoewel de bui zo heftig was dat ze die buiten nog hoorden gutsen, was hier in het oerwoud slechts een zacht geritsel hoorbaar van traag neerlekkende druppels. Verder heerste er een volkomen stilte.

Naarmate hun ogen aan het schemerige licht wenden, zagen ze enorme lianen en slingerplanten, die machtige lussen vormden en waarvan sommige stengels dikker waren dan de jonge bomen thuis. Gigantische stammen verhieven zich ver boven hun hoofd tot het dak, hun dunne sprietige wortels reikten vaak hoger dan een mens. Overal waar ze keken was alles nat. De grond bestond of uit naakte modder, glibberig van het vocht, of uit een wirwar van dode gevallen takken. Hier en daar probeerden enkele scheefgegroeide, kwijnende struiken zich te handhaven in een bijna lichtloos leven. En jonge boompjes, helemaal zonder takken en met slechts enkele bladeren bovenin, die aan de voet nauwelijks breder waren dan het lemmet van een zakmes, rekten zich uit om hoger te komen, steeds hoger, waar ze tenminste een kans zouden krijgen mee te doen aan de strijd om het bestaan in die gesloten gemeenschap op dertig meter hoogte, voor ze hier beneden werden gewurgd. Sommige boompjes waarvan de stammen niet eens de omtrek van de voet van een borrelglas hadden, waren al tweemaal zo lang als een volwassen man. Ondanks dit alles bleef het oerwoud roerloos. Ze hoorden geen geluid behalve het geritsel van vallende druppels.

De mannen die door de beschermende muur heen waren geslopen om te kijken hoe het hier binnen was, stonden als aan de grond genageld te staren naar het gigantische dat hun aan de duisternis wennende ogen onthulden. Zoiets enorms hadden ze niet verwacht. Wat je ook kon zeggen van dit wild woekerende groen, met beschaving had het niets te maken. En omdat zij uit de beschaving kwamen, maakte het hen angstig. Ook de vent die in de kroeg geen vechtpartij uit de weg ging, werd hier bang. Langzamerhand, terwijl ze nog roerloos stilstonden, begonnen ze vage, zwakke geluiden te onderscheiden. Hoog boven hen ritselden bladeren of bewoog een tak, en dan klonk een gekwetter of een schorre, krankzinnige kreet en kwam een onzichtbare vogel in beweging. Op de grond trilde af en toe heimelijk een struik waar een klein jungledier wegvluchtte. En nog altijd zagen ze niets.

Door het oerwoud te betreden, hadden ze zich even plotseling en volledig afgesneden van de compagnie en het bivak alsof ze een deur tussen twee vertrekken hadden gesloten. Het onverwachte, volledig verbroken contact gaf hun allen een schok. Maar als ze tussen de bladeren door gluurden, konden ze de hoge, bruine tenten nog zien staan tussen de witte zuilen van de palmen in de regen; ze zagen verre groene gestalten die zich onverschillig en onbedreigd bewogen. Het was een geruststellend gezicht. Ze besloten verder te gaan.

De forse korporaal Queen liep zwijgend, of tenminste heel weinig zeggend, met hen mee. Queen voelde een hevige weerzin bij de gedachte dat hij de anderen uit het oog zou verliezen. Hij moest niets van het oerwoud hebben. In het bivak had Queen zich ondanks de stromende regen op zijn gemak gevoeld. Proestend en grijnzend had hij zichzelf, zijn borst en zijn kleren ingewreven met regen en luid gelachen om minder enthousiaste soldaten die eruit hadden gezien als verdronken katten. Regen, daarmee had hij ervaring. In Amerika had hij een tijdlang op een boerderij gewerkt; hij was er door menige zomerse onweersbui verrast en had vaak de hele dag in de regen rondgereden. Het was hem destijds niet bevallen, maar als hij er nu aan terugdacht was het alsof hij er toen bijzonder van had genoten, zich een kerel had gevoeld, sterk, vol energie. Maar die jungle hier was een ander geval. Steeds weer drong zich de verontwaardigde gedachte aan hem op dat geen Amerikaanse boer zijn bos ooit zo schandalig zou laten verwilderen.

Big Queen zou nooit bekennen dat hij wat angstig was; hij gaf het in feite niet eens toe aan zichzelf. Hij draaide de zaak om en maakte zijn vrees aanvaardbaar door zichzelf voor te houden dat hij hier op onbekend terrein was en zich natuurlijk niet op zijn gemak kon voelen zolang hij nog niet gewend was. Er kon geen sprake van zijn dat hij bang was, want hij had een reputatie te handhaven.

Big Queen – iets langer dan een meter negentig, met een borstmaat van een meter veertig, armen en benen naar verhouding – was buitengewoon sterk, zelfs voor een man van zijn proporties, en een soort van bezienswaardigheid bij het hele onderdeel; in de Charlie-compagnie was er een mythe om hem ontstaan. En toen dat eenmaal tot Queen was doorgedrongen (hij was vrij traag van begrip wat bepaalde dingen over hemzelf betrof) had hij – met het merkwaardig blije gevoel van iemand die eindelijk zijn identiteit ontdekt – alles gedaan wat hij kon om de mythe in stand te houden. Als men op zoek zou gaan naar de oorsprong ervan, zou men die bijna zeker hebben gevonden bij de amorfe groep kleine mannetjes die snakten naar een lengte en een spierkracht die zijzelf nooit kregen en die geïnspireerd door bewondering hun fantasie de vrije teugel hadden gelaten. Maar wat de oorsprong ook was, de mythe was aanvaard en nu geloofde bijna iedereen, ook Queen zelf, dat diens moed en lichaamskracht onoverwinnelijk waren.

Zijn reputatie legde Queen bepaalde verplichtingen op. Zo mocht hij bijvoorbeeld nooit iets doen wat ook maar in de verste verte leek op tiranniek optreden. Hij raakte niet langer betrokken bij vechtpartijen, voornamelijk omdat niemand er veel voor voelde een discussie met hem aan te gaan. Maar er zat meer achter, want ook hijzelf begon nooit enige discussie. Dan zou hij de indruk wekken van een tiran die anderen met geweld zijn ideeën opdringt. Als er werd gedebatteerd, hield hij zijn mening voor zich, tenzij er iets aan de orde was dat hem werkelijk ter harte ging. Als men over president Roosevelt sprak bijvoorbeeld, die hij aanbad, of over de katholieken die hij haatte en vreesde. En dan gaf hij met zachte stem, zonder aan te dringen, zijn opinie.

Zichzelf steeds voorhouden hoe hij zich moest gedragen, nam veel van Queens tijd en energie in beslag. Hij moest bijna voortdurend nadenken. Het was vermoeiend. En alleen wanneer het ging om staaltjes van lichaamskracht en uithoudingsvermogen kon hij zich laten gaan en zonder nadenken handelen. Soms snakte hij naar zo'n gelegenheid.

Op dat moment zat hij echter met een ander probleem. Een van de vele verplichtingen die zijn reputatie hem oplegde, was dat hij nooit bang mocht zijn. Daarom zag hij zich nu genoodzaakt ter wille van de anderen met onbewogen gezicht voorop te lopen door dat vervloekte struikgewas, terwijl hij zich bij iedere stap die hij deed de afschuwelijke gevolgen ervan inbeeldde. Een geweldige reputatie hebben, was soms moeilijker dan men dacht. Vreselijke dingen.

Slangen bijvoorbeeld. Er was hun verteld dat er op Guadalcanal geen gifslangen waren. Maar Queen had gedurende zijn twee jaar in het noordwesten van Texas een gezond respect voor ratelslangen gekregen. Zijn slangenvrees was eerder ziekelijk dan gezond en gaf hem een bijna onbedwingbare neiging om te verstarren tot een door paniek bevangen doelwit. En in de jungle dwong zijn fantasie hem zich telkens en telkens weer voor te stellen dat zijn geschoeide en van een beenkap voorziene voet zou neerploffen op een wriemelende massa, die dan kronkelend, ratelend en kwaadaardig toebijtend tot leven zou komen en dwars door de canvas beenkap of desnoods door het schoenleer heen zou bijten. Hij kende ze. Hij had er minstens honderd gedood gedurende die twee jaar op de boerderij en de meeste hadden hem niet eens bedreigd. Slechts tweemaal was hij er dicht genoeg bij geweest om te worden aangevallen. Al die andere slangen hadden er alleen maar gelegen, opgerold en argwanend, hem aanstarend met hun kraalogen, hem proevend met hun gevorkte tong terwijl hij zijn pistool te voorschijn haalde. Hij haatte die krengen. En de bewering van de legerleiding dat ze hier niet zaten, bewees niets; hij vond dit juist een plek om slangen tegen te komen.

Met deze last op zijn schouders sjokte Big Queen verder, met een boogje om de stapels dode takken heen lopend. Hij hoopte dat niemand aan zijn gezicht zou zien wat hij dacht en vervloekte zijn eigen fantasie, die hem steeds weer liet denken aan die slangen van vroeger.

Op dat moment – ze waren een meter of twintig in het oerwoud gedrongen – ontdekte iemand het bebloede hemd. De man slaakte een kreet en bleef staan. Instinctief stelden ze zich op met tussenruimten van vijf meter, alsof ze op patrouille waren, maar niemand greep zijn geweer. Nu kwamen ze naderbij. Ze omringden de vinder die eenvoudig stilstond, een verbaasde uitdrukking op zijn gezicht. Hij wees naar een plek tussen twee dunne, schouderhoge wortels van een van de enorme bomen. De anderen drongen om hem heen en tuurden opgewonden. Queen, die helemaal rechts had gelopen, was een van de laatsten die erbij kwam.

Tot die laatsten behoorde ook soldaat Bell, de voormalige genieofficier van de Filippijnen. Hij had naast Big Queen gestaan, helemaal rechts. Hoewel Bell fors en gespierd was leek hij tenger naast Big Queen. Bell was echter vertrouwd met de jungle. Hij had vier maanden in het oerwoud van de Filippijnen doorgebracht – zonder echtgenote – en de sinistere, buitenaardse aanblik die iedere jungle had, was voor Bell niets nieuws. Hij was zwijgzaam en, zoals gewoonlijk, in zichzelf gekeerd met de anderen meegegaan om de plantengroei hier te vergelijken met wat hij kende, en hij had totaal geen last van de angst, de nerveuze dwang om te kijken, te zien, waaronder de anderen leden. Het was een merkwaardig verschijnsel dat Bell eerder had opgemerkt: overal waar Amerikaanse soldaten kwamen en ongeacht de gevaren die ze verwachtten, ze wilden alles zien en indien mogelijk registreren. Minstens een derde van het onderdeel had camera's, filters en lichtmeters meegebracht. Vechtende toeristen, noemde Bell hen. Ze waren er altijd op voorbereid hun ervaringen voor het nageslacht vast te leggen, ook al zouden ze sterven voordat ze wat beleefden. Bell zelf wilde – hoe pijnlijk de herinnering ook was, en eigenlijk juist daarom – deze jungle vergelijken met dat oerwoud op de Filippijnen. Hij zag precies wat hij had verwacht en voelde dezelfde hevige pijn. Maar toen hij de groep mannen was genaderd en neerkeek op wat hun opwinding had veroorzaakt, voelde hij zich op even onbekend terrein als zij. Net als de anderen had hij nog nooit de stoffelijke resten gezien van een soldaat die bij een infanteriegevecht was gesneuveld.

Er waren scherpe ogen nodig geweest om te ontdekken wat daar lag. Een ineengefrommelde bal kaki van dezelfde kleur als de grond lag in de hoek die de twee wortels vormden. Het leek er niet op dat iemand de prop daar opzettelijk had neergelegd, het was meer alsof iemand het overhemd had uitgetrokken, in elkaar gefrommeld en van zich afgegooid – de drager zelf of iemand die voor hem zorgde – en dat het toevallig daar terecht was gekomen. Een donkere, kleverige vlek maakte dat het nog minder afstak tegen de junglebodem.

Er klonken allerlei zinloze, vrij dwaze opmerkingen van vreemd opgewonden, enigszins hijgende stemmen.

'Waar zou hij geraakt zijn?'

'Is het van een Amerikaan?'

'Godverdomme ja, het is Amerikaans. De Jappen dragen dit soort kaki niet.'

Alle stemmen verrieden een eigenaardige, seksueel getinte emotie, een morbide seksualiteit, bijna als van voyeurs die achter een spiegel keken naar een coïterende man. Het was alsof ze door openlijk te staren naar het bewijs dat iemand hier pijn en vrees had gekend, misschien tegen wil en dank, maar toegevend aan een onweerstaanbare emotie, de onbekende corrumpeerden.

'Dat is legerkaki! Die kleur dragen ze bij de mariniers niet! Dat is legerspul,' zei een holle stem.

'Nu ja, de Americaldivisie ligt hier. Misschien hoorde hij daarbij.'

'Wie hij ook was, ze hebben hem behoorlijk te pakken gehad,' zei Queen. Hij sprak voor het eerst. Queen voelde een vreemde maar heftige schaamte, omdat hij keek naar het hemd van een dode en daarbij een nerveuze opwinding voelde.

'Waar zou hij geraakt zijn?' Een schuldige stem die probeerde onverschillig te klinken.

Het was de tweede maal dat deze vraag werd gesteld. Iemand die er het dichtst bij stond – niet de vinder – bukte zich zwijgend en raapte het overhemd met duim en wijsvinger op, alsof hij bang was dat hij door dit te doen een of andere vreselijke ziekte zou oplopen.

'Hier,' zei hij, en hij wierp een smekende blik op de man die naast hem stond.

Samen hielden ze het hemd omhoog, ze lieten de achterkant zien en toen weer de voorkant en ze vertoonden een bizarre overeenkomst met twee winkeljuffrouwen die een nieuw model tonen aan mogelijke kopers. Uit de groep klonk plotseling een hoog, onbedwingbaar hysterisch gegiechel.

'Uit onze recent uitgekomen voorjaarscollectie '43. Past ieder figuur. Wilt u het eens aantrekken om te zien of de maat goed is?'

Niemand reageerde. De man die had gegiecheld zweeg. De twee soldaten lieten het overhemd nog een paar keer aan beide kanten zien terwijl de anderen in stilte toekeken.

Als zoveel overhemden die ze hier hadden gezien was dit er een zonder mouwen. Maar in dit geval waren de mouwen er niet helemaal afgehaald. Ze waren halverwege de bovenarm afgeknipt en toen met een vlijmscherp mes of misschien een scheermesje tot aan de schoudernaad in franjes gesneden, waardoor het enige overeenkomst vertoonde met de ouderwetse leren jassen van woudlopers.

Big Queen, die tijdens zijn twee jaar op de boerderij ook zo'n leren jack had gedragen, voelde zich vreemd ontroerd toen hij de franje zag. Heimwee welde in hem op – en nog iets. Amerikaanse jongens in cowboypakken met franje. Hierdoor kwam Queen plotseling dichter bij de onbekende eigenaar van het hemd te staan dan hem lief was. Het was een dwaas, jongensachtig gebaar en Queen begreep het intuïtief maar al te goed. Veel beter dan hij het bewust wilde begrijpen, want het gebaar had niet geholpen. Het had de man niet beschermd. Dat was zeker.

De kogel was in de vlakke borstspier even boven de tepel gedrongen, op been gestuit en in neerwaartse richting verder geploegd en had via het linkerschouderblad het lichaam verlaten. Rond het keurige gaatje aan de voorkant zat niet veel bloed. Het meeste zat aan de achterkant. De drager van het hemd met de franje had veel pech gehad. Als de kogel naar boven was gegaan zou hij de long misschien hebben gemist. Nu was hij er dwars doorheen gescheurd, in de breedte, niet met de punt naar voren, en had daardoor nog meer longweefsel vernietigd.

Nogmaals toonden de twee mannen een paar keer de voor- en achterkant van het hemd en de doorweekte, zelfgemaakte franje wapperde traag heen en weer. Er werd nog altijd niets gezegd.

Bell, die tussen de twee gehelmde hoofden van de mannen die voor hem stonden doorgluurde, knipperde plotseling met zijn ogen alsof hij in zee zwemmend een golf over zijn hoofd had gekregen. Geheel onvoorbereid had hij een gruwelijke hallucinatie, hij staarde naar een dubbelbeeld van zichzelf en dat hemd. Hij zag zichzelf tegelijkertijd rechtop staan met het doorboorde, van zijn levensbloed doordrenkte hemd aan, en zichzelf op de grond liggen, ook doorboord; het leven vloeide uit hem, nadat hij het hemd van zich af had gegooid. Achter hem, onzichtbaar behalve voor hem, ontwaarde hij een schimmige gestalte: het hoofd en de schouders van zijn vrouw Marty doemden op uit het schemerige loof van de bomen en ze keek bedroefd naar de twee beelden. Met zijn ogen knipperen hielp niet. De beelden gingen niet weg. *Ach, wat spijt me dat*, hoorde hij haar stem duidelijk zeggen. Heel teder, heel droevig. *Wat vind ik dit zielig voor je, het spijt me zo*. Marty zei het met de vitaliteit en levenskracht die ze in zo ruime mate bezat. *Ga weg!* wilde hij haar wanhopig toeroepen. *Het is niet eens echt. Ga weg! Maak het niet werkelijk! Niet kijken! Ga niet door naar* AF *en incasseer geen tweehonderd dollar!* Maar hij kon niet eens meer met zijn ogen knipperen, laat staan roepen. *O, wat vind ik dat zielig*, riep ze van omhoog, *ik vind het echt heel vreselijk*. En Bell wist zonder erover na te denken, zonder de moed te hebben erover na te denken, dat haar verdriet voor de helft werd veroorzaakt door het besef dat haar machtige, zich steeds weer manifesterende vrouwelijke levensinstinct haar zou dwingen verder te leven en een andere man te begeren, ook als ze dat eigenlijk niet wilde. Die vrouwelijke veerkracht leefde in haar en ze kon haar aard evenmin verloochenen als je water kon beletten omlaag te stromen. *Het spijt me, John. Wat afschuwelijk voor je.* Het beeld verflauwde in de schemering van de druipende jungle, de innig bedroefde stem zweeg. Wanhopig, dodelijk bevreesd omdat hij dodelijke vrees moest trotseren, dwong Bell zichzelf met zijn ogen te knipperen. Heftig opende en sloot hij ze nog een paar keer. Kwam het misschien doordat hij voor het eerst, zo lang na de Filippijnen, de jungle weer zag? Maar het beklemmendst was nog dat Bell wist, weer zonder dat hij het durfde te denken, dat hij, wanneer hij op dit ogenblik alleen was geweest, een erectie zou hebben gekregen. Zijn verdriet, het martelende besef, de onfeilbaarheid van zijn intuïtie zouden tot volledige seksuele opwinding hebben geleid. Dit te weten verdrievoudigde zijn doodsangst. Weer knipperde hij met zijn ogen, radeloos nu. De twee mannen hielden het hemd, het dodenhemd, weer omhoog en nog altijd werd er geen woord gesproken.

'Nou, wat moet ik ermee doen?' vroeg de man die het had opgeraapt.

Alsof hij zich door deze eerste woorden die in de golvende stilte vielen van zijn verantwoordelijkheid bevrijd voelde, liet de tweede man het overhemd onmiddellijk los en deed een stap achteruit. Zijn helft van het natte, modderige hemd viel zwaar in de richting van de andere man. Die strekte zijn arm zodat het hemd hem niet zou raken, maar hij bleef het vasthouden. En zo bleef het hangen, als een eeuwig windloze vlag, een symbool van de duistere keerzijde van patriotisme.

'Ik bedoel... het lijkt me niet netjes...' begon hij en hij zweeg. Zijn verklaring eindigde aarzelend in een hypothese.

'Wat bedoel je, niet netjes?' snauwde Queen, plotseling woedend, met bijna schrille stem. Het lukte hem op normale toonhoogte te vervolgen: 'Hoezo niet netjes?'

Niemand antwoordde.

'Het is maar een hemd. Het is de vent zelf toch niet? Wat wou je doen? Meenemen naar de compagnie? En dan? Het begraven? Of het aan Storm geven om er zijn fornuizen mee te poetsen?'

Queen zei anders nooit zoveel. Maar hij had zijn stem nu tenminste weer onder controle en sprak met het sonore geluid dat van Big Queen werd verwacht. Weer antwoordde niemand.

'Leg het terug waar je het hebt gevonden,' zei hij zwaarwichtig, vol autoriteit.

Zonder een woord te zeggen draaide de man – die het hemd nog altijd met duim en wijsvinger vasthield alsof het hem kon besmetten – zich om, haalde uit en wierp het van zich af. Het zwierde terug in dezelfde hoek tussen de wortels, nu niet meer ineengefrommeld.

'Ja, laat het liggen waar Jezus het heeft neergegooid,' zei iemand. Niemand antwoordde.

De gespannen, wellustige uitdrukking was van de gezichten verdwenen. De mannen keken nu schuldig en ontweken elkaars blik. Ze deden denken aan een troep jongens die betrapt is op collectief masturberen.

'Oké. Laten we nog wat rondkijken,' zei een van hen.

'Ja, misschien ontdekken we wat hier is gebeurd.'

Iedereen wilde weg.

En zo gebeurde het dat ze, in deze stemming, het slagveld vonden en wat later stuitten op de loopgraven.

Met de ontdekking van het hemd hadden de mannen het gevoel gekregen dat dit alles onwerkelijk was. De druipende, sombere, benauwde jungle met het aan een kathedraal herinnerende koepeldak hoog boven hun hoofd, versterkte deze indruk. Vechten en doden, geraakt worden door een kogel die dwars door je heen scheurde, dat waren de feiten. Het gebeurde, zeker. Maar ze konden die realiteit nog niet aan; het liet een nachtmerrieachtig gevoel bij hen achter, dat ze niet van zich af konden schudden.

Zwijgend (want niemand wilde deze zeer onmannelijke reactie aan iemand anders bekennen) liepen ze verder door de groene arm van het oerwoud in een gezamenlijk zwijgen. Hun verstand bleef steken. En als het verstand weigerde, werd de realiteit onwerkelijker dan de nachtmerrie. Steeds wanneer ieder van hen zich zijn eigen dood probeerde voor te stellen, zich probeerde in te denken hoe het zou zijn als die kogel door z'n eigen long reet, hield het verstand hem voor de gek. Het enige dat hij zich kon indenken was het dappere, heroïsche gebaar dat hij zou maken als hij stervende was. Maar de rest was ondenkbaar. En tegelijkertijd stelde een stemmetje in hun achterhoofd, als een nagel die onbedwingbaar peutert aan het roofje van een wond, de steeds herhaalde vraag: maar is het dat waard? Is het werkelijk de moeite waard om te sterven, dood te zijn, alleen om iedereen te bewijzen dat je geen lafaard bent?

Zonder een woord te zeggen hadden ze hun oude plaatsen in de linie weer ingenomen. Instinctief, zonder aanwijsbare reden, bewogen ze zich allemaal naar links, zodat Queen de rij sloot. En daar, uiterst links, stuitten ze op de eerste verlaten, in verval geraakte stellingen. Ze hadden de jungle misschien dertig meter te ver naar rechts betreden om ze meteen op te merken. Als ze het overhemd niet hadden gevonden en daarna niet zonder reden naar links waren gegaan zouden ze de plek niet hebben ontdekt.

Hier hadden de Jappen zich ingegraven, dat was duidelijk. En ze waren verdreven, dat was ook te zien. Ze moesten hier een tijd langs de junglerand hebben gelegen en de mannen van Charlie ontdekten de stelling juist waar die afboog en kronkelend verder het oerwoud in liep. Alles zag er vervallen uit. Heuveltjes, bergen aarde, greppels en kuilen, die eens schuttersputten, loopgraven en borstweringen waren geweest, vormden een golvende strook naakte aarde tussen enorme boomstammen en groepen struiken, tot ze verderop in de schemerige diepte van de jungle verdwenen. Afgezien van de luide vogelkreten die af en toe opklonken, hing er een diepe stilte. Gretig holden de mannen er in het vage licht naartoe, blij omdat ze het overhemd nu konden vergeten. Ze beklommen de heuveltjes om met bijna masochistische wellust te inspecteren wat hen binnenkort zelf zou kunnen bedreigen. En achter de heuveltjes, en daardoor eerst aan hun oog onttrokken, lag het massagraf.

Staande op de heuveltjes hoefden ze slechts één blik op het terrein te werpen om te kunnen zien dat de mariniers en, zoals uit het overhemd bleek, soldaten van de Americaldivisie, een aanval of een tegenaanval op deze stelling hadden gedaan. Langzaam, dat bleek, en misschien herhaalde malen waren ze genaderd via dezelfde route waarlangs de mannen van Charlie de jungle in waren getrokken. Afgeknapte jonge boompjes, uitgerukte struiken, doorgesneden slingerplanten en kraters in de grond herinnerden nog aan het geweld waarmee mortier- en mitrailleurvuur de stelling hadden bestookt. Nieuwe vegetatie had de meeste sporen reeds gecamoufleerd, zodat men ze moest zoeken, maar ze waren er. Alleen de gehavende, door kogels geblutste woudreuzen, die nog rustig stonden als gewortelde zuilen, schenen deze nieuwe vorm van tropisch onweer zonder ernstige schade te hebben overleefd.

Als een troep bedrijvige mieren verspreidden de mannen zich om hier wat te zoeken, daar naar binnen te gluren, alles te bekijken. Ze waren uit op souvenirs. Maar hoe ijverig ze ook zochten, er was bijna niets te vinden. De opruimingstroepen van de Intendance hadden hun werk grondig gedaan. Geen wapen, geen rol prikkeldraad, zelfs geen lege Japanse patroonhuls of oude schoen was achtergebleven voor deze voddenrapers. Toen ze zichzelf hiervan eenmaal overtuigd hadden, richtten ze hun opgewonden, nog altijd ietwat geïntimideerde aandacht op het uitgestrekte massagraf.

En hier kwam de vertraagde emotionele reactie op het dodenhemd tot uitbarsting in de mannen in de vorm van een soort zogenaamd dappere lolbroekerij. Big Queen was hierbij de aanvoerder. Het graf liep over een afstand van misschien veertig meter vlak langs de junglerand, nog net binnen de eerste laag bladeren. Het was gemaakt door een voormalige Japanse loopgraaf te verwijden. Die moest erg ondiep geweest zijn of er lag meer dan één laag lijken in, want hier en daar staken nog niet vergane aanhangsels en kleine hoekige knieën of ellebogen omhoog uit het losse zand dat eroverheen was gegooid.

Het was duidelijk dat deze manier van begraven meer een hygiënische maatregel dan iets anders was geweest. En dat was begrijpelijk, wanneer je je eenmaal bewust was geworden van de doordringende, aan groen uitgeslagen brons herinnerende geur die boven de stelling hing en doordringender werd naarmate je dichter bij de greppel kwam. Voor ze de lijken hadden begraven, moest hier een helse stank hebben gehangen. Het waren allemaal Japanners. Een man die in het burgerleven begrafenisondernemer was geweest, bekeek een groengetinte, half tot een vuist gebalde hand die uit het zand omhoogstak en verklaarde dat de lijken een maand oud moesten zijn.

Aan de rand van het graf, niet ver van de plaats waar een kort en dik Japans been in uniform omhoogstak, bleef Big Queen staan. Enkele mannen voor hem waren in hun gretige belangstelling zo onvoorzichtig geweest op het graf zelf te stappen en waren langzaam tot hun knieën weggezakt in het zand en de doden. Hoewel ze steeds verder wegzonken omdat ze nergens vaste grond vonden, konden ze toch met een verrassend behendige sprong terugwijken. Hun afschrikwekkende lot dat ze kwaadaardig vloekend en doordringend stinkend hadden ondergaan, was voor Queen voldoende reden om zich niet verder te wagen.

Met de neuzen van zijn schoenen precies op de rand van de greppel, licht transpirerend, zijn grote tanden ontbloot in een strakke, brede grijns, zodat ze in het groenachtige licht aan een miniatuurklavier van een piano deden denken, had Queen uitdagend omgekeken naar de anderen. Zijn gezicht scheen te zeggen dat hij die dag genoeg was vernederd en dat hij de zaken verdomme eens even recht zou zetten.

'Dit lijkt me een gezond exemplaar. Sommigen van die kerels moeten toch dingen bij zich hebben die de moeite waard zijn om mee naar huis te nemen,' verklaarde hij terwijl hij zich naar voren boog, de geschoeide voet onderzoekend heen en weer bewoog en er toen een stevige ruk aan gaf.

Er ging een trilling als van een aardschok door het zand dat het graf afdekte; rustige vliegen vluchtten geschrokken zoemend weg, maar streken weer neer in de stilte die volgde. Allen keken gespannen toe in het late middaglicht van de jungle. Queen hield het been nog steeds vast. Het lag nog in het graf. Weer trok Queen met een ruk aan de voet, nog harder nu en opnieuw stoven vliegen in paniek weg. Het been bleef zich verzetten.

Omdat hij ook wat wilde presteren deed een soldaat die naast de ex-begrafenisondernemer stond een stap naar voren en greep de groen getinte, half gebalde vuist beet. Het was soldaat eersteklas Hoff, een boerenjongen uit Indiana, van het tweede peloton. Hoff pakte de hand alsof hij de voormalige eigenaar ervan een goede reis wilde wensen, greep de pols met zijn andere hand en begon er, onnozel grijnzend, eveneens aan te trekken. Ook in zijn geval gebeurde er niets.

Alsof ze nu wisten wat hun te doen stond, verspreidden de andere soldaten zich langs de rand van het graf. Een vreemde arrogantie scheen zich van hen meester te hebben gemaakt. Ze stootten en duwden tegen blootliggende lichaamsdelen, tikten met geweerkolven tegen een Japanse knie of elleboog. Hun hele houding was uitdagend. Een stemming waarin niets te dol was, overviel ze; ze tapten schunnige moppen en lachten schaterend. Met de grootste lol onteerden ze Japanse lichaamsdelen en onder luid gelach probeerden ze elkaar te overtreffen in moed.

Op dat ogenblik werd het eerste souvenir gevonden: een roestige Japanse bajonet in de schede. De ontdekker was soldaat eersteklas Doll. Hij had iets hards onder zijn voet gevoeld en bukte zich om te zien wat het was. Bij het vinden van het bloedige hemd was Doll niet opgevallen; hij had ergens achteraan gestaan en geen woord gezegd. Hij had niet precies geweten wat hij op dat moment voelde, maar het was geen aangename gewaarwording geweest. Hij was er zo depressief van geworden dat hij eerst niet had deelgenomen aan het gezoek naar souvenirs tussen de heuveltjes. De loopgraaf vol dode Japanners had hem nog somberder gestemd, maar hij wilde dat niet laten merken en ging toch met de anderen meedoen, maar zonder animo. Zijn maag was in opstand gekomen. Toen hij zuiver toevallig de bajonet vond, werd hij wat vrolijker. Als hij het ding schoonmaakte en wat inkortte zou het een beter mes zijn dan het prul dat hij nu bezat. Opgewekter nu, hield Doll de bajonet omhoog en riep naar de anderen over zijn vondst.

Verderop langs de loopgraaf, aan de overkant, stond Queen nog altijd strak te staren naar het Japanse been. Het had eigenlijk helemaal niet in zijn bedoeling gelegen om het been of het lijk dat eraan vastzat op te graven. Hij schepte alleen maar wat op. Hij wilde de anderen en zichzelf bewijzen dat hij niet bang was voor lijken – zelfs niet die van Japanners met God wist wat voor smerige oosterse ziekten. Maar toen was Hoff gaan proberen hem te overbluffen. En nu had die sukkel van een Doll een Japanse bajonet gevonden.

Queen richtte zijn gedachten op de voet, spande zijn spieren, legde zijn tanden nog verder bloot in die piano-grijns en gaf nog een paar onderzoekende rukjes aan het been, alsof hij zich voorbereidde op de definitieve krachtmeting. Daarna, zijn grijnzende tanden op elkaar klemmend, trok Queen met al zijn enorme spierkracht.

Een eindje van de anderen af, zonder deel te nemen aan de algemene uitbundigheid maar wel gefascineerd, keek Bell vol weerzin toe. Hij had de illusie nog niet van zich af kunnen schudden, dat dit alles maar een afschuwelijke droom was en dat hij straks thuis in bed met Marty wakker zou worden en zijn hoofd tussen haar zachte borsten zou leggen om zijn nachtmerrie te vergeten. Hij zou met zijn gezicht over haar huid glijden om haar energievolle, naar leven geurende vrouwenadem op te snuiven die hem altijd geruststelde en tot zichzelf bracht. Maar tegelijkertijd wist Bell dat hij niet wakker zou worden en opnieuw verried zijn fantasie hem door hem dat onaardse beeld van Marty die naar hem keek voor te goochelen. Maar ditmaal zag ze hem niet als het been in het graf, zoals ze hem de eerste keer als de drager van het hemd had gezien; nu stond ze ergens achter hem de scène die zich op het graf afspeelde te bekijken. *Beesten zijn het! Beesten, afschuwelijke beesten!* hoorde hij haar zeggen. *Waarom laat je ze begaan? Beesten! Waarom blijf je daar staan? Laat ze ophouden! Bestaat er nog zoiets als menselijke beschaving? Bee-eee-eesten!* De stem schalde door zijn hoofd en stierf mysterieus weg in de hoge, donkere boomkruinen terwijl hij nog steeds stond te staren.

Big Queen deed een laatste, enorme krachtsinspanning. Zijn gezicht was paarsrood. Dikke aderen tekenden zich op zijn hals onder zijn helm af. Zijn grote, nu geheel ontblote tanden flitsten verblindend wit op in zijn gezicht. Een hoog, nauwelijks waarneembaar schril geluid, als van een onhoorbaar hondenfluitje, drong uit zijn keel terwijl hij probeerde te bereiken wat zelfs zijn geweldige kracht te boven ging.

Het was Bell nu duidelijk dat Queen het been niet van het lichaam zou kunnen trekken. Dan bleven er twee mogelijkheden over. Bell besefte, niet zonder sympathie, dat Queen zich tegenover de anderen tot iets spectaculairs had verplicht. Hij moest óf het hele lijk uit het graf trekken óf toegeven dat zijn krachten hiervoor tekortschoten. Geboeid door iets dat veel belangrijker was dan oppervlakkig bezien leek, keek Bell zwijgend toe, terwijl Big Queen worstelde om zijn zelfopgelegde krachtproef te volbrengen.

Wat had ik kunnen doen, Marty? Trouwens, jij bent een vrouw. Jij wilt leven scheppen. Je begrijpt mannen niet. Hij wist dat hij zelf beïnvloed werd door trots en hoopte dat Queen de strijd niet zou verliezen. Hoe ellendig hij zich ook voelde, Bell kreeg plotseling de neiging hartstochtelijk te schreeuwen: Kom op, Queen! Zet hem op! Ik wil dat je wint!

Doll, die aan de overkant van de loopgraaf stond, reageerde heel anders. Hij hoopte vurig, met hart en ziel, jaloers en wraakzuchtig, dat het Queen *niet* zou lukken. Zijn nieuwe bajonet bengelde vergeten aan zijn koppel en hij hield zijn adem in, terwijl zijn buikspieren zich spanden alsof hij het lijk wilde helpen het verzet tegen Queen vol te houden. Rotvent, dacht Doll met opeengeklemde kaken, klootzak. Goed, hij is sterker dan wij, maar wat zou dat?

Beide reacties lieten Queen koud. Hij staarde met uitpuilende ogen omlaag en stond met ontblote tanden, zijn adem fluitend door zijn neus, te trekken. Hij was ervan overtuigd dat het been zich uitrekte en dat maakte hem razend. Het been met de dikke kuitspieren, gewikkeld in wollen puttees, enigszins krom en uitdagend, zelfs in de dood, scheen net zoveel rotsvast vertrouwen in de superioriteit van Japan te hebben als zijn voormalige eigenaar. Queen was zich er vaag van bewust dat de anderen hun eigen bezigheden hadden gestaakt en toekeken. Maar hij had zijn krachten al tot het uiterste ingespannen. In zijn wanhoop probeerde hij de reserves te vinden die hij niet bezat. Een keer had hij tijdens een corvee een pas omgehakte boom in zijn eentje opgetild en op zijn rug geladen. Hij concentreerde zich op die herinnering. En, als door een wonder, kwam er beweging in het been.

Langzaam, dromerig, goddank met slijk bedekt, verrees het lijk uit het graf. De rest van het been verscheen het eerst, toen het tweede been dat er een groteske hoek mee vormde, daarna de romp en vervolgens de schouders en de stijve, wijd uitgespreide armen, die de indruk wekten dat de man zich aan de aarde wilde vastklampen om te voorkomen dat hij uit het graf werd getild. Ten slotte kwam het hoofd te voorschijn. Queen liet de voet met een diepe zucht los en deed een stap achteruit, waardoor hij bijna zijn evenwicht verloor. Hij bleef staan en keek neer op het resultaat van zijn arbeid. Het gehelmde hoofd was met zo'n dikke modderlaag bedekt dat de trekken niet te onderscheiden waren. Het hele lijk zat onder de modder en ze konden niet zien of het nog wapens droeg of alleen een uniform. Queen voelde geen neiging het van dichterbij te gaan bekijken. Zwaar hijgend bleef hij ernaar staren.

'Nou, ik heb me vergist, geloof ik,' zei hij ten slotte. 'Ik geloof niet dat deze snuiter iets van waarde bij zich heeft.'

Alsof zijn woorden hen uit hun ban hadden bevrijd, ging er een waarderend, zij het zwak, hoeraatje voor Queen op. Boven hun hoofd fladderden vogels, slaakten schorre angstkreten en vluchtten weg. In een aanval van bescheidenheid toonde Queen een verlegen lachje. Hij zweette hevig. Maar het gejuich en eventuele andere daden werden ruw onderbroken door een nieuwe ontwikkeling. Uit het graf steeg een nieuwe stank op, die totaal verschilde van de groenmetalige en als een vettige mist uit het lijk opwalmde en zich begon te verspreiden. De mannen vloekten verbaasd en weken ontzet achteruit, maar toen dat niet hielp vergaten ze hun trots en gingen ervandoor. Alles wat een neus bezat moest wel wegvluchten voor die stank.

Bell, die de anderen volgde en even zinloos lachte als zij, rende snakkend naar adem weg. Hij was zich bewust van een merkwaardig surrealistisch effect, en al rennend bedacht hij de titel voor een nieuw liedje, die in hem bleef naklinken.

Don't monkey around with death

De woorden bleven voortdurend door zijn kop gaan, op de melodie van een ander nummer waarvan hij zich de titel niet herinnerde. Hij maakte een nieuwe tekst.

Don't monkey around with death,
It will only get you dirty;
Don't fuzz around with the Reaper
He will only make you smell.
Have you got B O?
Then do not go
Fiddling with that Scythe-man;
Because...
Your best friend will not tell you
Don't monkey around with death.
You will only wind up soiled.

[Speel niet met de dood, daar word je alleen maar vuil van.
Haal geen geintjes uit met de Maaier, want hij zal je laten
stinken. Heb je B O? Ga dan niet rotzooien met de man met

de zeis. Want... je beste vriend zal je niet waarschuwen. Speel niet met de dood. Je maakt jezelf alleen maar vuil.]

Bell bereikte de top van de heuveltjes tegelijk met de anderen; hij floot geluidloos zijn melodietje en staarde met nietsziende ogen voor zich uit, maar bovengekomen draaide hij zich even om. De met modder bedekte Japanner lag nog in een stijve, onnatuurlijke houding naast de kuil die was ontstaan toen hij uit het graf in de schemerige jungle was getrokken. Bell merkte dat Doll naast hem, met de bajonet als souvenir in de hand, eveneens omkeek en dat zijn gezicht een afwezige uitdrukking had.

Doll deed zijn uiterste best om niet te gaan braken. Dat was de verklaring voor zijn afwezige blik; eigenlijk was het een blik van intense concentratie. Hij had de neiging voortdurend te slikken, maar die probeerde Doll te bedwingen. Dat hij niet braakte was niet voldoende; steeds slikken zou ook opvallen. Wat een figuur zou hij slaan! Dat mocht niet gebeuren. Zeker niet met Queen zo dichtbij.

Toen Queen na zijn krachtsinspanning achteruit was gestapt, had zijn hak op iets van metaal getrapt. Hij hoopte vurig dat hij een zware Japanse mitrailleur zou vinden, die in de modder begraven lag, maar ontdekte slechts een vieze helm. Hij had het ding gegrepen en was met de anderen naar de heuveltjes gevlucht.

Hij kreeg echter geen kans zijn vondst daar eens goed te bekijken. Al snel bleek dat ze boven op de stelling ook niet veilig waren. Toen de laatste man er was aangekomen, zat de stank hem als een onzichtbare wolk op de hielen. Ze hadden geen keus en moesten zich opnieuw terugtrekken.

Tegen deze stank viel niet te vechten. Hij verschilde in aard, samenstelling en kleur hemelsbreed van de andere. De eerste lucht was onaangenaam geweest, groenachtig van kleur en droog, maar dit was een vochtige, vuilwitte, gemene stank. Niemand met een gezond verstand en de mogelijkheid zich te verplaatsen, zou ook maar een seconde in de buurt van die reuk blijven.

Ze gingen niet terug naar de plaats waar het overhemd lag, maar liepen rechtstreeks naar de rand van het oerwoud. Ze hadden allemaal genoeg van hun verkenningstocht. Bij de muur van bladeren bleven ze nog dwaas lachend staan en keken om als kwajongens die voor de grap de buitenplee van een boer hebben omgegooid. Pas toen kreeg Queen eindelijk gelegenheid de helm te bekijken.

Als souvenir was het niet veel. Ze hadden allemaal gehoord dat Japanse officieren gouden en zilveren sterren op hun helmen hadden. Echt goud of echt zilver. Als dat waar was, moest dit de helm van een pas aangenomen rekruut zijn. De ster was van ijzer – heel dun ijzer dat lelijk was verbogen. De buitenkant was geheel met modder bedekt, maar vanbinnen was de helm nog bijzonder schoon, al vertoonde hij zweetvlekken.

Terwijl hij ernaar keek kreeg Queen een inval. Hij voelde zich vreemd somber nadat hij die arme smerige Japanse donder uit zijn laatste rustplaats had getrokken – alsof hij iets slechts had gedaan en wist dat hij ervoor zou worden gestraft. Toen ze lachend en hijgend wegrenden naar de rand van het oerwoud, was hij wat vrolijker geworden. En nu voelde Queen instinctief, zonder dat hij kon zeggen waarom, dat hij een middel had gevonden om zich van de druk te bevrijden. Door zichzelf belachelijk en bespottelijk te maken kon hij boeten zonder dat hij hoefde toe te geven dat er iets was waarvoor hij moest boeten. Queen deed zijn eigen helm af, zette de Japanse op zijn hoofd en nam een heldhaftige pose aan met de borst vooruit en een dwaze grijns op zijn gezicht. Een bulderend gelach klonk op. Queens hoofd was al te groot voor een Amerikaanse helm, die altijd een beetje te hoog op zijn hoofd stond. De Japanse, bedoeld voor een klein mannetje, kwam nog geen millimeter over zijn schedel heen, maar danste erbovenop. De kinband bereikte niet eens zijn neus en hing voor zijn ogen. Queen moest erlangs gluren. Hij begon rond te dansen.

Zelfs Doll lachte. Bell was de enige die ernstig bleef. Hij grijnsde wel, grinnikte kort, maar zijn gezicht verstrakte onmiddellijk en hij nam Queen aandachtig op. Even kruisten hun blikken elkaar. Maar Queen wendde snel zijn blik af om Bells ogen te ontwijken en ging verder met zijn klucht.

Terwijl zij in de jungle waren, was het gestopt met regenen. Ze hadden het niet gemerkt. Het regenwater dat was gevallen en hoog boven hen werd vastgehouden, drupte nog altijd omlaag, wat lange tijd zou voortduren alsof het eigenlijk nog regende. Toen ze door de wand naar buiten stapten, zagen ze verbaasd dat de hemel weer blauw was en de lucht schoongespoeld. Bijna op hetzelfde moment, alsof Storm met een verrekijker had staan turen wanneer ze weer door de groene muur zouden opdoemen, klonk vanuit het palmenbos schel en doordringend het etenssignaal over het open veld. Het was een door en door vertrouwd, vreemd ontroerend geluid om hier te horen, beladen met herinneringen aan veilige avonden. Het weerklonk en stierf weg in de late, zuivere zeelucht die om het eiland hing. En het gaf de verkenners een schok. Ze staarden elkaar aan, beseffend dat die dode Japanners werkelijk dood waren. Vanuit de heuvels klonk mortier- en geweervuur van een of andere schermutseling, zwak, maar het onderstreepte hun besef.

Ze keerden terug naar het bivak, Queen met het dwaze kleine helmpje op, voorop bokkensprongen makend. Doll speelde met zijn nieuwe bajonet die hij nu aan de een en dan aan de ander liet zien. De rest volgde in een grote groep, lachend en pratend na de schrik. Ze verlangden er nu naar hun avontuur te vertellen aan de mannen die er niet bij waren geweest. Nog voor de ochtend was Queens krachttoer met de dode Japanner opgenomen in de verzameling mythen en legenden van de compagnie en ook van die van Queen zelf.

Die avond bij het eten kregen de mannen van Charlie hun eerste dosis atebrine. Men had besloten dat de nieuwe troepen het middel pas na aankomst zouden ontvangen, omdat het zoveel gevallen van geelzucht had veroorzaakt. De pillen werden in grote blikken door de medische hulppost van het bataljon bezorgd.

Storm belastte zich met de toediening, op onbeholpen wijze bijgestaan door de eerste ziekenverpleger van de compagnie, wiens taak het eigenlijk was. Storm posteerde zich aan het hoofd van de rij voor de etensuitreiking, naast de waterzak, zodat de mannen de pil naar binnen konden spoelen. Hij reikte de gele dingen opgewekt uit en was vastbesloten dat niemand zich aan zijn plicht zou onttrekken. Toen een cynicus met een dramatisch gebaar zijn hoofd in de nek wierp en zijn nog gesloten hand liet zakken, dwong Storm hem die te openen om te laten zien dat hij de pil nog had. Slechts enkelen probeerden hem daarna nog te bedriegen. Voor ze hun warme maaltijd kregen, maakten alle mannen kennis met de bittere smaak die hen deed kokhalzen.

De warme maaltijd was er. Het was Storm, met zijn verbrande hand in het verband, gelukt, al stelde het eten niet veel voor. Alles wat hij kon opdienen was gebraden vlees uit blik, gedroogde aardappelen, en gedroogde in schijfjes gesneden appelen als nagerecht. Maar het was kil en vochtig, en de mannen waren hem dankbaar, ook al was alleen de koffie echt. De koffie en de atebrine.

'Waarom maak jij je verdomme zo druk?'

De lange, donkere majoor Welsh sprak op kille toon; hij dook vlak achter Storms elleboog op, juist toen de laatste man gedwongen werd zijn pil in te nemen en nu wegsjokte door de modder. Storm wist niet hoe lang Welsh daar al stond. Hij was naar hem toe gekomen en had de bescheiden verpleger zwijgend uit de weg geduwd. Storm weigerde zich om te draaien of zijn verrassing te tonen.

'Omdat ze verdomme alle hulp nodig hebben die ze kunnen krijgen,' zei hij even koeltjes.

'Ze hebben heel wat meer nodig,' zei Welsh.

'Het is tenminste iets.' Storm keek eens naar het blik pillen en schudde het. Hij had ze zorgvuldig uitgeteld om zeker te zijn dat iedere soldaat er een zou krijgen. Er waren slechts een paar over.

De laatste man in de rij was blijven staan, had zich omgedraaid en luisterde. Hij was een van de dienstplichtigen, een jongen met grote ogen. Welsh keek hem vluchtig aan.

'Doorlopen, jongen,' zei hij. De soldaat liep door. 'Stomme luistervink,' zei Welsh met een zuur gezicht.

'Sommigen van die kerels zijn zo dom dat ze geen pil zouden innemen als ik ze niet dwong.'

Welsh staarde hem uitdrukkingloos aan. 'Nou en? Als ze die kutdingen niet slikken krijgen ze misschien zo erg malaria dat ze naar huis moeten en zo hun ellendige leven redden.'

'Dat hebben ze nog niet door,' zei Storm. 'Maar het zal zo ver nog wel komen.'

'Maar wij zullen ze voor zijn. Nietwaar? Wij zullen verdomme wel zorgen dat ze ze slikken. Hè? Jij en ik.' En Welsh had weer die onverwachte, kwaadaardige grijns, die even snel kwam als verdween. Hij bleef Storm somber aanstaren.

'Mij niet gezien,' zei Storm. 'Als het moreel zo ver daalt, laat ik de officieren de zaak opknappen.'

'Zeg, ben jij soms een van die smerige anarchisten? Hou jij niet van je vaderland?'

Storm, die een verwoed aanhanger was van de Democratische Partij en president Roosevelt bijna even hoog achtte als Queen, nam niet eens de moeite op die dwaze vraag te antwoorden. En daar Welsh verder ook niets zei, stonden de beide mannen elkaar zwijgend aan te staren.

'Maar wij kennen het geheim, hè? Jij en ik,' zei Welsh op suikerzoete toon. 'Wij weten wat er gebeurt als je ze niet inneemt, hè?'

En weer antwoordde Storm niet. Hun blikken lieten elkaar niet meer los.

'Geef mij d'r ook een,' zei Welsh ten slotte.

Storm stak hem de doos toe. Zonder dat zijn ogen Storms gezicht verlieten, stak Welsh een hand omlaag, nam een pil, stopte hem in zijn mond en slikte hem droog door. Hij bleef Storm aanstaren.

Storm liet zich niet kennen, nam er zelf ook een, slikte die net als Welsh droog door en bleef terugstaren. Hij voelde hoe de gelige, galachtige smaak tot in zijn keel doordrong; de pil was ongelooflijk bitter. Gelukkig had hij, toen hij leerde whisky drinken, ook geleerd zijn tong tegen het verhemelte te drukken, zonder lucht toe te laten. En hij had, evenals de handige Welsh, met zijn duim het chemische poeder aan de buitenzijde van de pil verwijderd.

Met de expressiviteit van een steen bleef Welsh hem nog zeker twintig seconden aanstaren, waarschijnlijk in de hoop dat Storm door de bittere smaak zou gaan kokhalzen. Daarna draaide hij zich om en liep weg. Maar voor hij vijftien meter ver was, draaide hij zich in militaire houding om en marcheerde terug. Iedereen was gaan eten. Ze waren met z'n tweeën.

'Je weet hoe het is, niet? Je begrijpt toch wat er gebeurd is, wat er op dit ogenblik gebeurt?' Welsh keek Storm somber aan. 'We hebben geen keus. Niemand kan nog kiezen. En dat geldt niet alleen voor ons hier. Zo is het overal. En het zal er heus niet beter op worden. Deze oorlog is nog maar een begin. Jij begrijpt dat.'

'Ja,' zei Storm.

'Nou dan, Storm, denk er nog maar eens over na.' Het klonk allemaal heel raadselachtig. Welsh draaide zich weer om en liep weg.

Storm keek hem na. Hij had het begrepen. Tenminste, dat dacht hij. Maar wat deed je eraan? Als de regering zei dat je moest gaan omdat er oorlog was, dan ging je, dat was alles. De regering was machtiger dan hij en kon hem dwingen. Het was niet eens een plicht; hij *moest* wel. En als hij uit het juiste hout gesneden was, wilde hij zelf ook, hoezeer hij in werkelijkheid liever niet zou gaan. Met vrijheid had dat niets te maken, verdomme. Of wel? Storm keek weer naar de doos. Hij proefde nog altijd de ongelooflijke bitterheid van de pil en onderdrukte een neiging om te kokhalzen. Er waren nog negen pillen over voor zijn koks die dienst hadden, en zes voor de officieren. Waarom moest het nu ook al meteen gaan regenen, verdomme. Storm sloeg naar een muskiet op zijn blote arm; dat was waarschijnlijk de vijftigste, binnen een uur. In ieder geval regende het niet meer.

Storm was al te optimistisch. Of de regen was gestopt of niet, het maakte heel weinig verschil. Het was natuurlijk prettiger dat je niet in de regen hoefde te eten, maar daarmee was de ellende nog niet verdwenen. In deze vochtige, verzadigde lucht begonnen hun drijfnatte uniformen nu pas aan hun lichamen te drogen. Het was nagenoeg onmogelijk om in al die modder je geweer schoon te maken. Na het eten bleek dat de dekens nat waren; de tentjes waren doorweekt, ze konden nergens naartoe en ze hadden niets te doen. Toen viel de nacht in. Het ene ogenblik was het tussen de kokospalmen nog volledig dag – een laat licht, maar nog steeds volop dag; het volgende moment was het plotseling nacht, een complete, zwarte nacht. De mannen liepen verrast rond, tastend alsof ze ineens blind waren geworden. Kort na deze volkomen nieuwe ervaring volgde een tweede. Ze kregen hun eerste voorproefje van de nachtelijke luchtaanvallen.

Op het moment dat de nacht als een enorme vlakke plaat op hen neerviel, zat de jonge korporaal Fife in een hoek van de compagniestent. Hij trachtte zijn ordners te rangschikken en een plek te zoeken voor zijn schrijfmachine zodat die niet meteen vol modder zou komen te zitten. Hij had één kleine opvouwbare tafel waarop alles een plaats moest vinden. Het was een moeilijk karwei, want degene die de tafel had ontworpen, had geen rekening gehouden met het feit dat dit ding nog eens op een modderige ondergrond zou moeten worden gebruikt. Een van de poten zonk voortdurend weg, waardoor het blad scheef kwam te liggen en alles in de modder dreigde te vallen. Toen de nacht plotseling op hem neerdaalde en hij van het ene moment op het andere niets meer kon zien, gaf Fife, volkomen wanhopig, het maar op. Hij bleef gewoon zitten, legde zijn smerige handen op het scheefstaande tafelblad, één aan elke kant van de schrijfmachine, als gereedschappen op een plank. En tijdens de vijf minuten die nodig waren om een verduisteringslantaarn aan te krijgen, terwijl andere mensen tastend in het donker rondscharrelden, bleef hij onbeweeglijk zitten. Nu en dan wreef hij met zijn modderige vingertoppen over de houtnerven van het tafelblad.

Fife was in de greep van een diepe neerslachtigheid die intenser was dan hij ooit tevoren had beleefd. Zelfs zijn oogleden schenen verstard door zijn absolute onvermogen om onder deze verpletterende omstandigheden overeind te blijven. Alle kleine viezigheden van het leven vielen hem tegelijk aan, probeerden hem te vernietigen en veroorzaakten een diepe vrees in hem, omdat er niets was wat hij ertegen kon doen. Hij kon zelfs zijn mappen niet schoonhouden. Hijzelf was doornat en smerig. Zijn tenen sopten in de natte sokken in zijn schoenen en hij kon niet de moed en energie opbrengen om andere aan te trekken. Morgen zou hij wel ziek zijn. Muskieten zwermden in het donker om hem heen en beten hem in het gezicht, in de nek en op de rug van zijn handen. Hij probeerde ze niet eens te verjagen. Hij bleef daar maar zitten. Hij was tijdelijk opgehouden met functioneren. In die ondoordringbare duisternis stagneerde hij en hij was er zich bewust van dat hij wegrotte naar een nog onbepaalde dood. De afschuwelijkste gedachte van alle was dat hij zich ten slotte toch weer in beweging moest zetten. Hij bleef met zijn modderige vingertoppen over het tafelblad wrijven.

Een deel van Fifes neerslachtigheid was ongetwijfeld te wijten aan het feit dat hij niet mee was gegaan om een kijkje te nemen in de jungle toen Doll hem dat had gevraagd. Als hij wel was meegegaan, zou hij misschien die bajonet hebben gevonden in plaats van Doll. Maar hij had niet gedacht dat er iets opwindends te beleven was. Het leek Fife dat hij alle spannende gebeurtenissen altijd misliep, omdat hij van tevoren nooit kon bepalen wat de moeite waard zou zijn en wat niet. Hij had gedaan alsof Welsh hem nodig had. In werkelijkheid was hij te slap en te lui geweest. En daardoor had hij de bajonet niet zelf gevonden en ook nog Big Queens ongelooflijke prestatie gemist – het onderwerp van alle gesprekken na de terugkeer van het groepje.

Fife zelf was naar zijn oude vriend Bell gegaan, want die was er wel bij geweest en had alles gezien. Hij hoopte van hem alle bijzonderheden uit de eerste hand te krijgen. Maar Bell had hem met lege ogen aangestaard alsof hij hem helemaal niet kende, had iets onbegrijpelijks gemompeld en was weggelopen. Daarmee had hij Fife ernstig gekwetst; wat had hij immers niet allemaal voor Bell overgehad?

Maar alle anderen spraken alleen maar over Big Queen. Zelfs de officieren hadden hier, voor de nacht zo plotseling inviel, het voorval met elkaar besproken. Ze kwamen allemaal hiernaartoe, alsof dit hun club was. En toen de afgeschermde lantaarn eindelijk ontstoken was, hervatten ze het gesprek. Net alsof in die tussentijd, in het donker, Fife niet iets verpletterends was overkomen, zodat hij nog altijd stil en bijna onbeweeglijk in zijn hoekje zat. 'Verdomme nog aan toe, Fife!' schreeuwde Welsh hem verontwaardigd toe zodra er licht was. 'Ik had je toch gezegd dat je hier moest komen om me verdomme met dat kutding te helpen! En jij blijft daar maar zitten! Sta op met je luie kont en ga aan het werk!'

'Ja, majoor,' zei Fife met vlakke stem. Hij bewoog zich niet en keek ook niet op.

Welsh stond aan de andere kant van de tent en keek ineens scherp in zijn richting. Die blik drong door de dikke walm van tabaksrook en het opgeleefde geroezemoes van het gesprek heen, recht in zijn gezicht. Hoewel hij niet terugkeek, voelde Fife die ogen op hem rusten. Hij probeerde zich voor te bereiden op een lange scheldkanonnade. Maar Welsh draaide zich wonderlijk genoeg zonder verder iets te zeggen weer naar de lantaarn toe. Fife bleef zitten en was hem dankbaar, maar wat in zijn gedachten een met modder bedekte ziel was, was al te zeer versuft om er verder over na te denken en dus luisterde hij maar naar het gesprek van de officieren over de grote prestatie van Big Queen.

Hij hoefde niet bewust naar hun woorden te luisteren, het was voldoende om te kijken naar de uitdrukking op hun gezichten en de klank van de stemmen in zich op te nemen. Ze lachten allemaal, zonder uitzondering, een beetje gedwongen terwijl ze erover spraken. Allen waren trots op Queen – maar dat konden zij niet uiten op dezelfde ruwe, lawaaiige, cynisch geamuseerde manier als de soldaten – en daardoor hoorde je in hun geamuseerde gelach een lichte ondertoon van schaamte. Maar trots waren ze. Korporaal Queen zou nu wel spoedig sergeant worden, dacht Fife, let maar eens op. Het kon hem niet schelen. Big Queen verdiende het, meer dan wie ook. Op dat moment gingen ergens ver weg langs de paden tussen de tenten plotseling de sirenes loeien, een klagend, doordringend gehuil.

Een panische, ongerichte angst maakte zich van Fife meester en hij schoot blindelings overeind. Toen hij de tentdeur had bereikt was zijn paniek veranderd in normale angst en een morbide verlangen om te zien. Hij was niet de enige die bij een tentingang stond, dat drong onmiddellijk tot hem door toen hij over de ergste schrik heen was. Allemaal hadden ze hetzelfde gedaan en hij bevond zich temidden van een hele troep mannen.

'Wachten! Wacht toch, verdomme!' schreeuwde Welsh achter hem. 'Wacht, verdomme, tot ik die kutlantaarn heb afgedekt! Wachten!'

De man vóór Fife – wie het ook was, Fife zou het nooit te weten komen – aarzelde met de touwen van de tent in de hand, alsof hij ten prooi was aan een allesoverweldigende besluiteloosheid. En toen was het plotseling weer helemaal donker. Er werd vóór Fife wat rondgetast en gevloekt en toen schoot iedereen, soldaten en officieren, door de geopende tentflappen langs de omlaag hangende deken naar buiten, de heldere, frisse, sterrennacht in. Ze drongen Fife in hun midden met zich mee. Hij had niet in de tent kunnen blijven, zelfs al had hij dat gewild. Allen keken omhoog naar de hemel.

En ze waren niet alleen, alle andere mannen van Charlie waren naar buiten gekomen, waar ze ook hadden gezeten om hun verkilde, natte lichamen te verzorgen. Ze hadden allemaal opdracht gehad dekkingsgaten te graven, maar er waren pas zes gaten gereed – de zes die voor de officieren waren bestemd en waarvoor werkgroepen waren aangewezen. Als er mannen waren die nu spijt hadden van hun nalatigheid – een van hen was Fife – dan zeiden ze dat niet hardop. Ze stonden in de modder in een onregelmatige, slordige groep tussen de drie grote tenten die waren opgezet naast de rijen kleinere tenten; ze spraken maar weinig en rekten hun halzen uit naar de lucht in de hoop iets te zullen zien. Wat dan ook.

Wat ze zagen waren twee of drie zwakke zoeklichten die de hemel aftastten en niets vonden, en af en toe het plotseling fellere licht van een ontploffende luchtafweergranaat.

Ze hoorden veel meer dan ze zagen, maar ze werden door die geluiden niet veel wijzer. Allereerst waren daar de sirenes met hun lange, monotone uithalen, die een waanzinnig protest uitgilden gedurende de hele luchtaanval. Dan waren er de machinale regelmatige knallen van de luchtdoelkanonnen van diverse kalibers, die hun nutteloze granaten de lucht in pompten. En ten slotte was er het stotterende, dunne geluidje van de motor of motoren, daar ergens boven in het donker. Het was onmogelijk aan de hand van het geluid vast te stellen of er één bommenwerper was of meer toestellen.

Iedereen deed zijn best – zonder veel succes – om zijn zenuwachtigheid te verbergen. Dit was dus Wasmachine Charlie of Kootje het Vlootje, zoals hij weinig geestig ook wel werd genoemd. Ze hadden natuurlijk allemaal van hem gehoord: het enkele toestel dat elke nacht een storingsvlucht uitvoerde en van de dappere Amerikaanse troepen allerlei bijnamen had gekregen. Dat stond in alle oorlogsbulletins. En door de grote hoogte waarop hij vloog, had het geluid inderdaad iets weg van een ouderwetse wasmachine. De bijnaam bleek heel nuttig te zijn, want al snel werd hij gebruikt voor al dit soort luchtaanvallen, ongeacht het aantal toestellen dat eraan deelnam en het aantal aanvallen dat per nacht werd uitgevoerd. De oorlogsbulletins schonken aan die laatste punten niet veel aandacht. In ieder geval was het veel grappiger om in de bulletins over Wasmachine Charlie te lezen dan om er hier over te staan discussiëren, kijkend naar de onbekende tropenhemel, luisterend, wachtend en afwezig meppend naar de horden genietende muskieten.

Uiteindelijk kwam dan dat bijna onhoorbare, zuchtende geluid dat ze sinds die ochtend maar al te goed kenden. Ze doken instinctief in elkaar, zoals aren buigen als de wind over ze heen strijkt. Maar niemand wierp zich op de grond. Hun oren waren al ervaren genoeg om te weten dat deze bommen op grote afstand vielen en de grond was modderig. Van ver weg, achter de palmbomen uit de richting van het vliegveld, klonken doffe explosies, die met bedaarde reuzenpassen dichterbij kwamen. Ze telden twee series van vijf bommen en een van vier – waarschijnlijk met één blindganger. Als Wasmachine Charlie in zijn eentje was, dan was het in elk geval een heel groot toestel. In de diepe stilte die op de explosies volgde, bleven de lachwekkende afweerkanonnen stoer maar nutteloos hun granaten de lucht in pompen, minutenlang. Toen gaven de sirenes langs de hele linie het korte, droefgeestige signaal dat aankondigde dat de aanval voorbij was.

De mannen van de C-compagnie begonnen te lachen, te snuiven

en elkaar op de schouder te slaan. Langs de lange paden tussen de tenten blafte het alarm nog kort en maniakaal. Officieren en soldaten schenen elkaar te feliciteren met het feit dat de aanval was afgelopen, alsof ze er een actief aandeel in hadden gehad. Dit duurde bijna een minuut en toen dachten de officieren plotseling aan hun waardigheid en zonderden ze zich af. Het alarm zweeg. In de twee nu apart staande groepen duurde het lachen en schouderkloppen nog even voort, maar ten slotte hield ook dit op. Ze keken schaapachtig en hoopten maar dat de echte veteranen niet hadden gezien hoezeer ze blijk hadden gegeven van hun opluchting. Met aarzelende stappen liepen ze door het donker in groepjes naar hun tenten waar ze probeerden zich te beschermen tegen de kou en het vocht.

Zo brachten ze de nacht door. Niemand sliep. Er volgden die nacht nog vijf luchtaanvallen, en als Wasmachine Charlie inderdaad slechts uit één man bestond, dan was hij zeker een bijzonder energiek mens die bovendien weinig slaap nodig had. Tijdens een van de aanvallen kwam de laatste bom uit de laatste serie op honderd meter afstand van de Charlie-compagnie terecht, waarbij een luchtdoelopstelling werd beschadigd en twee mannen werden gedood – allemaal natuurlijk zuiver per ongeluk. De bom was dichtbij genoeg geweest (dat enorme, oorverdovende, onpersoonlijke, snel aanzwellende gezoef dat aan een sneltrein herinnerde) om hen allemaal op de grond te laten neerduiken, waardoor ze weer nat en modderig werden. De volgende dag zaten er op borsthoogte twee scheuren in de bevoorradingstent. Iedereen vroeg zich af wat er zou zijn gebeurd als er in diezelfde serie nog een bom was geweest. Die zou dan waarschijnlijk midden in hun bivak terecht zijn gekomen. Toen ze die ochtend allemaal naar buiten stapten in de warme, opwekkende veiligheid van de zon en keken naar elkaars bemodderde, ongeschoren gezichten waarin de ogen het enige duidelijk menselijke element vormden, ontdekten ze dat ze naar andere mannen keken.

In de volgende twee weken veranderden ze nog meer. Deze periode die door de sectie operatie en plannen van de divisiestaf 'acclimatisatietijd' werd genoemd, verkreeg een eigenaardig dubbel ritme. Aan de ene kant had je de hete, zonnige dagen die betrekkelijk veilig waren, en aan de andere kant de kille, vochtige nachten met muskietenwolken, sirenes en angst. De twee hadden eigenlijk niets met elkaar gemeen, er bestond geen onderling verband, geen continuïteit. Overdag lachten ze veel en maakten ze grapjes over de angst en de schrik, omdat de nachten in de stralende zonneschijn zo ongeloofwaardig leken. Maar als de schemering inviel, de korte, purperen, tropische schemering, dan werd alles wat er overdag was gebeurd terzijde geschoven en pas weer opgepikt als de volgende dag aanbrak. Overdag werd er of geluisterd of gewerkt of wat geoefend. De nachten waren altijd hetzelfde.

Elke dag namen ze een bad in de rivier die niet ver van het bivak stroomde en Gavaga Kreek heette. Elke avond schoren ze zich met water uit de rivier dat ze in hun helmen boven kleine vuurtjes verwarmden. Overdag drongen ze soms het oerwoud weer in naar de plaats waar Queen zijn heldendaad had verricht. De Japanner, die al snel in ontbinding overging, lag nog altijd boven op de loopgraaf. Deze plek in de jungle, die zij hadden ontdekt, was de plaats waar de laatste fase van de Slag van Koli Point had plaatsgevonden. Een grote Japanse troepenmacht was daar omsingeld en vernietigd en het was nog mogelijk om de hele buitenomtrek van de Japanse fortificaties in en buiten het oerwoud langs Gavaga Kreek te volgen. Dat deden ze ook. Op de nachten had dat geen invloed. Ze ondernamen excursies naar andere interessante punten. Ze gingen naar het strand, naar Koli Point zelf, naar het grote huis van de bedrijfsleider van de plantage dat nu vol zat met granaatgaten en onbewoond was. Een aantal groepen bereikte op verschillende dagen zelfs het vliegveld, dat zich op enige mijlen afstand bevond; ze liftten mee met vrachtwagens die over modderige wegen reden tussen eindeloze rijen palmbomen. Op het vliegveld daalden bommenwerpers in de hete, lui makende zonneschijn, en stegen later weer op. Mecaniciens werkten in de schaduw van de palmen, met blote borst. De groepen gingen ook weer liftend terug. Maar waar ze ook heen gingen, of vanwaar ze ook terugkwamen, altijd en overal zagen ze langs de wegen vrachtwagens en mannen die bezig waren grote voorraaddepots aan te leggen voor het komende offensief. Daarin zouden zij een rol gaan spelen, daar waren ze zich van bewust. Maar dit alles had geen invloed op de nachten.

Het was heerlijk om, na een van die nachten, in de hete, tropische zon te zitten en de warmte diep in je huid te laten doordringen. De zon verjongde en verfriste je; warmte en daglicht kenmerkten de dagelijkse terugkeer naar een zinnige wereld. Er stond altijd wel een briesje dat door de palmbladeren streek. De bladeren wierpen een vlekkerige, zachtjes heen en weer schuifelende schaduw op de grond. Uit de tropische modder steeg een warme, vochtige, bedorven geur op, die overweldigend en doordringend was.

Maar het was overdag niet allemaal een spelletje. Er arriveerden bijna dagelijks nieuwe schepen om troepen en voorraden aan land te zetten. Afdelingen ter grootte van een peloton, onder bevel van de eigen sergeants, werden ingeschakeld om te helpen bij het uitladen. Dat was hetzelfde werk dat zij vol ontzag hadden gadegeslagen op de dag van hun aankomst en ze werden er zeer ervaren in, ook in het doorstaan van luchtaanvallen die ze dan weleens overdag te verduren kregen. Op de dagen dat er geen schepen arriveerden, moesten diezelfde pelotons helpen bij het transport van voorraden van het strand naar de enorme opslagdepots die overal tussen de kokospalmen waren neergezet. Elke ochtend moesten ze een uur geconcentreerd gymnastiekoefeningen doen, wat iedereen belachelijk vond, maar het was nu eenmaal een divisiebevel. Ze maakten een paar kleine oefenmarsen, nauwelijks meer dan wandelingen. Eén hele dag brachten ze door op een geïmproviseerde schietbaan om hun wapens te testen en in te schieten. Maar dat alles had geen invloed op de nachten.

Niets had invloed op de nachten. Die verliepen altijd op dezelfde manier. Eerst het avondeten. Dan volgde ongeveer een halfuur van betrekkelijke rust. Daarna kwam de schemering en zaten ze bij elkaar hulpeloos en machteloos af te wachten. En vervolgens was het nacht. Op de ochtend van de tweede dag maakten ze vele dekkingsgaten zonder dat de leiding enig bevel hoefde te geven. Ze sliepen nu zo, dat ze elk ogenblik klaar waren om op een steeds efficiëntere manier, nat of niet, in die dekkingsgaten en loopgraven te springen zodra het alarm afging. Half wakker strompelden ze overeind en vochten met de klamboes. Ze waren nooit in diepe slaap, ze sluimerden, dat was het eerste dat ze leerden. En dan kropen ze op de tast de tent uit naar het gat er vlakbij. Daar lagen ze dan, versuft, verdoofd, zenuwachtig, bang, een doelwit voor miljoenen muskieten, ook al kwamen er geen bommen. Dan tastend in het duister terug naar de tent, een poging om te lachen, duidelijk maken dat je je eigenlijk best op je gemak had gevoeld. Dat waren de nachten. Er was niets heldhaftigs aan. Het was slechts een onwaardige vertoning. Nacht na nacht gingen ze meer lijken op achterdochtige, slecht gehumeurde katten. Hun gezichten gloeiden en hun ogen brandden. Eindelijk werd het dan weer dag en ging het leven weer normaal verder.

Dit vreemde, schizofrene bestaan, deze scheiding van nachten en dagen, werd nog spookachtiger toen ze het bevel kregen hun bivak te verplaatsen. Ze hadden drie dagen nodig om al de zoek geraakte tenten, veldbedden en muskietennetten te vinden, een vierde dag werd besteed om alles weer op te zetten. Twee dagen waren ze op die plek gebleven. Toen moesten ze de hele boel weer verplaatsen en begon het gedoe opnieuw – het was zwaar werk, waarbij ze met een vrachtwagen een eind werden verplaatst en weer opnieuw dekkingsgaten moesten graven. Het werd allemaal nog lastiger doordat gewoonlijk twee pelotons afwezig waren om op het strand te werken. De reden van dit alles was wellicht dat men ze dichter bij het ontschepingsgebied wilde hebben, zodat ze daar sneller aan het werk konden gaan. Maar dat wisten ze niet, want niemand vertelde het hun. Een expert van de bevoorrading zette het allemaal in een schema. Het uiteindelijke resultaat was dat ze veel dichter bij het vliegveld kwamen te liggen, zodat het geen kwestie meer was van één bom die zo nu en dan in hun omgeving terechtkwam. Ze zaten er nu middenin, en de bommen die speciaal tegen grondtroepen werden gebruikt en door de deskundigen 'grasmaaiers' werden genoemd, explodeerden elke nacht om hen heen. En al had zo'n verplaatsing voor een dergelijk doel misschien in feite wel zijn humoristische kanten, niemand in de C-compagnie kon erom lachen.

In het oude bivak kon je nog zelf beslissen. Je kon op een gegeven moment geen zin hebben om in het dekkingsgat te kruipen en dapper de gang van zaken in je bed afwachten. Gewoonlijk ging je toch naar dat smerige gat, maar ook dan kon je je tenminste de luxe van een ogenblik besluiteloosheid permitteren. In het nieuwe kamp was er geen sprake meer van een keuze of van dapperheid. Je ging de tent uit, het donkere gat in. En je was blij dat je er lag.

Het was vreemd dat er slechts één man gewond raakte. Iedereen had de vaste indruk dat het er veel meer hadden moeten zijn. Zoals het geval was bij de andere eenheden die om hen heen lagen. De enige man van Charlie die gewond raakte was soldaat eersteklas Marl, een stompzinnige boer uit Nebraska. Het was een lange vent, een beetje vergroeid door het zware werk, een dienstplichtige die met grote tegenzin de boerderij van zijn vader had verlaten. Hij had nooit iets met het leger opgehad. Een scherf van een 'grasmaaier' schoot fluitend zijn dekkingsgat binnen tijdens een luchtaanval en sneed zijn rechterhand even netjes af als een chirurg had kunnen doen. Toen Marl gilde, sprongen twee mannen die vlak bij hem lagen in zijn dekkingsgat en legden een drukverband aan, in afwachting van de komst van de hospik. De bom was op dertig meter afstand ingeslagen. De reuzenstappen kwamen steeds verder.

Marl werd zo de eerste echte gewonde van de compagnie. Dat bracht hem geen geluk. Hij werd met dezelfde spontaan opwellende tederheid behandeld als de gewonden op het strand, maar dat stond hem al evenmin aan als zijn voorgangers. Al het mogelijke werd voor hem gedaan, maar Marl werd hysterisch en begon te janken. Hij was niet bijzonder slim en kon maar niet begrijpen dat hij toch nog zou kunnen werken.

'Wat moet ik nou beginnen?' schreeuwde hij zijn helpers toe. 'Hoe kan ik nu nog werken, hoe kan ik nou ploegen? Wat moet ik beginnen?'

Majoor Welsh probeerde hem te sussen door te vertellen dat het voor hem nu allemaal voorbij was en dat hij naar huis mocht, maar daar trapte Marl niet in. 'Haal het weg,' schreeuwde hij. 'Haal dat verrekte ding hier weg! Ik wil het niet meer zien, verdomme, da's mijn hand.'

De hand werd weggehaald door een van de twee hospikken van de compagnie, die verondersteld werd voor dit soort werk geoefend te zijn, maar dat was hij beslist niet want hij ging achter een boom staan overgeven. Niemand wist precies wat men met de hand moest doen; ze hadden er allemaal een duister soort eerbied voor en dus werd hij later door Storm achter de messtent onder een omgevallen boomstam begraven. Maar nu de hand verdwenen was, was Marl nog niet in staat zijn ongeluk te dragen. Hij liet zich niet kalmeren door de beschrijvingen van de prachtige kunsthanden die men tegenwoordig kon maken.

'Godverdomme, jullie hebben makkelijk praten, maar hoe moet ik nou werken?'

'Kun je lopen?' vroeg een van de hospikken.

'Natuurlijk kan ik lopen, verdomme. Shit zeg, lopen kan ik wel, maar hoe moet ik straks werken? Daar gaat het om.'

Hij werd in de duisternis overgebracht naar de medische hulppost van het bataljon en de Charlie-compagnie zag hem nooit meer terug.

De toename van het aantal luchtaanvallen had op verschillende mensen een verschillende uitwerking. Fife ontdekte bijvoorbeeld dat hij een lafaard was. Hij had altijd gedacht dat hij even dapper zou zijn als wie dan ook, misschien zelfs een tikje dapperder. Maar tot zijn verwondering en ontsteltenis werd hij er zich al na twee aanvallen van bewust dat hij in feite minder heldhaftig was dan de anderen. Dat was een onprettige gewaarwording, maar hij moest de feiten onder ogen zien. Als hij na een luchtaanval lachte en grapjes maakte, dan merkte hij duidelijk dat zijn gelach nerveuzer en onechter was dan dat van de anderen. Van Doll bijvoorbeeld. De anderen lagen blijkbaar niet te rillen en te beven in hun dekkingsgaten en kropen niet buiten zichzelf van angst zo diep mogelijk weg in de modder. Zij waren slechts bang, terwijl hij in panische angst verkeerde en alles wat hij bezat – of alles wat hij niet bezat maar wel te pakken kon krijgen – had willen geven om niet hier zijn land te moeten verdedigen. Dat land kon naar de bliksem lopen. Laat iemand anders het maar opknappen. Dat was Fifes eerlijke mening.

Fife zou eerder nooit hebben geloofd dat hij zo zou reageren en hij schaamde zich ervoor. Deze nieuwe ontdekking had invloed op alle aspecten van zijn leven en hij zag de weerspiegeling ervan in alles om zich heen. In het zonlicht, de blauwe lucht, de bomen en in de dingen waaraan hij dacht, wolkenkrabbers, meisjes. Niets was meer mooi. Een intens verlangen om ergens anders te zijn openbaarde zich voortdurend in spastische spierkrampen van onder tot boven in zijn rug, zelfs overdag. Het ergste was nog dat hij wist dat deze felle, razende pijnscheuten hem geen goed deden, niets veranderden, nergens enige invloed op hadden. Het was afschuwelijk om voor jezelf te erkennen dat je een lafaard was. Het betekende dat je veel harder dan de anderen je best moest doen om niet weg te lopen. Het zou moeilijk zijn hiermee te leven en hij wist dat hij er beter zijn mond over kon houden en moest proberen het te verbergen.

Soldaat eersteklas Doll daarentegen, de man die door Fife werd benijd, ontdekte twee positieve dingen over zichzelf, waarmee hij zeer was ingenomen. Een daarvan was dat hij onkwetsbaar was. Doll had dit al vermoed, maar hij had niet op zijn intuïtie willen afgaan voordat het definitief was bewezen. Twee keer – waaronder de nacht waarin Marl zijn hand had verloren – had hij zich nu gedwongen rechtovereind in zijn dekkingsgat te gaan staan zodra hij de bommen hoorde vallen. De spieren van zijn rug schokten alsof ze een berijder wilden afwerpen, maar daarnaast voelde hij hoe een sensatie van genot tot in zijn testikels doorsidderde. Beide keren werd hij niet getroffen terwijl Marl vlak bij hem wel werd geraakt. Voor Doll was dit een absoluut bewijs; hij vond dat twee keer voldoende was om zijn veronderstelling als waar aan te merken. Vooral omdat bij de andere luchtaanval de bommen nog dichter bij hem insloegen. Beide keren was hij na afloop triomfantelijk, zij het totaal uitgeput, weggezakt in zijn dekkingsgat terwijl zijn knieën op een vreemde manier beefden. Hij had het bij twee keer gelaten omdat het hem te zeer vermoeide. Maar hij was blij dat het bewijs was geleverd.

Doll ontdekte verder dat hij iedereen ervan kon overtuigen dat hij niet bang was geweest. Het was net als met dat gevecht tegen korporaal Jenks. Je handelde volledig in overeenstemming met je zelf verzonnen verhaal en iedereen accepteerde het. Hij lachte om de luchtaanvallen en bespotte ze, en deed alsof hij wel benauwd was geweest, maar beslist niet doodsbang. Of dat waar was of niet, deed niet terzake. Over deze ontdekking was Doll bijna even verheugd als over het bewijs voor zijn onkwetsbaarheid.

Majoor Welsh reageerde weer anders. Hij ontdekte ook iets: na het zich al jaren te hebben afgevraagd vond hij uit dat hij een dapper man was. Hij beredeneerde dat als volgt: iedereen die zo doodsbenauwd was als hij tijdens de bombardementen, maar toch niet op zijn rug ging liggen en stierf of opstond om ervandoor te gaan, moest wel bijzonder dapper zijn. En dat was hij dus. Welsh was daar blij om, hij *had* zich er zorgen over gemaakt. En als hij zich toch moest opofferen voor het bezit van de VS en dat van de rest van de wereld, dan wilde hij in staat zijn om daarbij sarcastisch te lachen. En hij voelde dat hij dat zou kunnen.

Er waren nog andere reacties. In feite waren er evenveel uiteenlopende reacties als er mannen waren die de bombardementen moesten doorstaan. Maar hoezeer al die reacties ook van elkaar verschilden, één factor hadden ze ongetwijfeld gemeen: iedereen wenste vurig dat de nachtelijke aanvallen zouden stoppen. Maar dat deden ze niet.

Er was in die twee weken één nacht zonder bommen. De regimentsstaf, die nu weer als één geheel functioneerde na tijdens de reis in secties te zijn opgedeeld, opende een kantine, een soort militaire winkel. De C-compagnie kwam dit slechts te weten doordat een trouwe compagniessecretaris, een sergeant – Fife was de enige administrateur van de vooruitgeschoven commandopost – die Dranno heette en uit een Italiaanse familie in Boston afkomstig was, het hun kwam vertellen. De gehele voorraad van de kantine bestond uit Barbasol scheercrème en Aqua Velva aftershave. Maar dat was voldoende om onmiddellijk een stormloop te veroorzaken. Binnen zeven uur was de hele voorraad Aqua Velva uitverkocht, en was er nog slechts wat Barbasol over voor de mannen die zich daarvoor interesseerden. Helaas waren de administrateurs van de andere compagnieën even trouw als Dranno (die altijd Draino werd genoemd). Maar gelukkig slaagden diverse mannen van Charlie erin om voldoende Aqua Velva te bemachtigen om iedereen in staat te stellen één nacht ladderzat te worden.

Vermengd met ingeblikt grapefruitsap uit de voorraden in Storms keuken werd de aftershave volkomen smakeloos. Het vruchtensap haalde de parfumsmaak er helemaal uit. Het resultaat was een borrel die aan een Tom Collins deed denken. Iedereen was er gek op. Een aantal mannen tuimelde bij de luchtaanvallen in de verkeerde dekkingsgaten. Er waren nogal wat verstuikte enkels en verzwikte polsen, en één vrij ernstig ongeluk overkwam een dronken soldaat die, toen het luchtalarm afging, bij vergissing in de latrine dook. Maar die ene nacht, die ene verrukkelijke, onvergetelijke nacht hadden ze totaal geen last van de 'grasmaaiers'. Vele mannen bleven tijdens de aanvallen rustig doorslapen. En degenen die dat niet deden, kon het die nacht geen reet schelen, niets kon hun wat schelen. Ze dromden de tenten uit en gleden lachend en zorgeloos in hun dekkingsgaten.

Ondertussen ging het leven overdag zijn gangetje en twee dagen na het Aqua Velva-feest vond de belangrijkste gebeurtenis vóór de Charlie-compagnie plaats sinds de aankomst op het eiland. Ze ontdekten een partij Thompson mitrailleurs in een tent niet ver van het vliegveld. Ze stuurden er een overvalgroep op af die alle geweren veroverde. Deze triomf was in de eerste plaats te danken aan de kleine Charlie Dale, Storms lastige tweede kok. Hij was degene die de wapens vond en – al organiseerde hij de overval dan niet persoonlijk – ook degene die op dat avontuur aandrong en er de stuwende kracht van was.

Dale hield niet van het werk in de keuken en had er ook nooit van gehouden. Voor een belangrijk deel kwam dat doordat hij onder Storm moest werken, die naar zijn mening veel te autoritair was. Weliswaar pakte Dale op zijn beurt zijn ondergeschikten bijzonder hard aan, daar stond hij om bekend en was hij heimelijk trots op, maar dat deed hij alleen omdat hij op geen enkele andere manier fatsoenlijk werk uit hen kreeg. Maar Storm had de gewoonte zonder discussie onmiddellijke gehoorzaamheid van zijn koks te eisen, wat niet alleen bewees dat hij hun bekwaamheid in twijfel trok, maar ook dat hij hun motieven niet vertrouwde en blijkbaar niet wilde geloven dat ze hun best deden. Dat vond Dale zeer onaangenaam en verder had hij al een hele tijd de indruk dat Storm hem om een of andere reden niet mocht. Storm had hem tweemaal gepasseerd voor promotie tot eerste kok. Beide keren kwam Dale het baantje toe. Maar Storm had er niet eens met hem over gesproken en dat vergaf Dale hem nooit.

Zoals zoveel andere beroepssoldaten kwam ook Charlie Dale uit het Civilian Conservation Corps, een soort burgerwacht waarin hij twee jaar had gediend. Toen hij achttien werd, had hij meteen dienst genomen in het leger. Hij had in het CCC niet gekookt, en elders evenmin, behalve dan het eitje dat hij af en toe voor zichzelf had gebakken. Hij was na zes maanden te hebben gediend als tirailleur, in Storms keukenbrigade gekomen omdat hij in de gewone dienst, in tegenstelling tot zijn hooggespannen verwachtingen, in de massa verloren was gegaan en een nummer was gebleven. Als hij de keuken zou opgeven, zou hij zijn streep kwijtraken, geen orders meer kunnen uitdelen en weer een nummer worden. En Dale was beslist niet van plan nogmaals een grijze muis te worden. Hij bleef in de keuken, maar dat betekende nog niet dat hij het ook leuk moest vinden.

Daar de keuken hem niet beviel en de koks op Guadalcanal natuurlijk vrijgesteld waren van ontschepingsdienst, trok Dale er in zijn vrije tijd alleen op uit om de omgeving te verkennen. Op een van die tochten, zwervend langs het vliegveld waarboven een droge stoffige lucht hing in de slaapverwekkende eeuwige midzomerzon, had hij een tent vol met wapens gevonden.

Dale wist niet meteen wat zich in de tent bevond, maar het feit dat deze zo geïsoleerd van de andere stond was hem opgevallen. Op ongeveer dertig meter afstand lag onder de kokospalmen een bivak, verlaten en stil in de hete zon. Alle openingen van de tent waren op de gebruikelijke wijze met touwen afgesloten. Maar hij zat natuurlijk niet op slot; je kon een tent immers niet echt afsluiten. Nieuwsgierig geworden maakte Dale een van de touwen los en glipte naar binnen. Het was er verstikkend heet en in dat vage, bijna prettig lui makende licht van de zon dat door het canvas scheen, zag hij rek na rek met wapens. Het deed hem denken aan rijen kerkbanken. Zeven van de gelovigen die een bank voor zichzelf hadden, waren Thompson pistoolmitrailleurs. Aan de voorzijde stond als altaar een wat hoger platform dat volgestapeld was met trommels en houders van .45-munitie, compleet met de canvas draagbanden. Zowel de houders als de banden droegen het teken van het Korps Mariniers.

De rest van de gemeente bestond uit .30 kaliber Springhelds en een paar van de nieuwe .30 kaliber karabijnen die de C-compagnie pas kortgeleden hadden bereikt. Alle wapens peinsden devoot in de diffuse, hete lucht terwijl Dale naar ze staarde. Een nauwkeuriger onderzoek wees uit dat ze nog nooit gebruikt waren. Al dit spul was spiksplinternieuw. Maar het vet was eraf gehaald en ze stonden klaar voor onmiddellijk gebruik, want ze waren recent nog geolied.

Dale was verrukt. Ieder soldatenhart zou opleven bij deze aanblik. Het was te mooi om waar te zijn. En nog wel het eigendom van de Mariniers! Eén was er natuurlijk voor hemzelf. Maar wat zou hij met de andere zes doen? En met die karabijnen? Vol hebzucht moest Dale bedroefd toegeven dat hij niet al die Thompsons in zijn eentje zou kunnen meenemen, laat staan voldoende .45-munitie voor die prachtdingen. Maar het zou zonde zijn om deze kans te laten schieten.

En dan was er nog iets. Als hij slechts één Thompson meenam – voor zichzelf – met wat munitie, wat moest hij er dan mee doen? Als hij hem aan de compagnie zou laten zien, liep hij het gevaar dat ze hem zouden afnemen. En toen kreeg hij het idee om nu niets mee te nemen, maar terug te komen met een overvalgroep. Als ze met genoeg mannen waren, konden ze misschien ook een aantal van die machtige karabijnen meenemen.

Als hij een of twee van de officieren voor dit zaakje kon interesseren, zó dat hij zelf meekon om ook iets voor zichzelf in te pikken, was de kans dat ze zijn Thompson in beslag zouden nemen heel klein. En tegelijkertijd zou het prachtige propaganda zijn voor de vent die de wapens had gevonden en het idee had bedacht, namelijk hij, hijzelf, Dale. Culp, de jonge luitenant van het ondersteuningspeloton, die voor Dartmouth rugby had gespeeld en altijd lachte en grapjes maakte met de soldaten, was de man die het meest in aanmerking kwam. Of misschien was het beter om ermee naar Welsh te gaan. Die was altijd bereid om in dit soort zaakjes mee te doen. Maar hij zou er in ieder geval tegenover die smeerlap van een Storm met geen woord over spreken. Als die een Thompson wilde hebben, moest hij er zelf maar een zoeken.

Na de zaak aldus te hebben overwogen, glipte Dale de tent weer uit en sloot die zorgvuldig af. Maar toen bleef hij staan. Hij had het sterke gevoel dat hij een prachtkans door zijn vingers liet glippen, en dat zou al te gek zijn. Misschien stonden er normaal wel wachten bij die tent, hij zou die er zeker hebben neergezet, en waren ze ergens in een hoekje gaan liggen slapen. Misschien zou de tent wel bewaakt zijn als ze terugkwamen, zodat ze niets zouden kunnen beginnen. Dale wilde zo ontzettend graag een van de pistoolmitrailleurs hebben dat zijn handen ervan jeukten. Vooral omdat Storm publiekelijk had verklaard dat hij mee in de vuurlinie zou gaan en dat hij van de koks mannen zou meenemen die dat ook wilden. En als hij het zo stelde, wie zou dan het lef hebben te zeggen dat hij *niet* wilde? Dale zeker niet. Ook al kreeg hij alleen al bij de gedachte pijn in zijn buik.

Een minuut lang stond hij in gedachten verzonken in de hete, zonnige namiddag met zijn hand op de warme tentflap. Toen knoopte Dale het koord weer los, glipte naar binnen, koos een van de Thompsons uit en stopte in twee van de canvas draagtassen zoveel mogelijk munitie. Hij stapte de tent weer uit, maakte die dicht en liep terug naar het palmenbos. Hij wandelde in de richting van het bivak. Enkele mannen die hij tegenkwam keken hem aan, maar schenen niets vreemds aan zijn uitrusting te ontdekken, hoewel hij ook nog zijn geweer droeg. Hij ging het bivak niet binnen, maar liep verder richting jungle, daar waar die het dichtst het terrein van de compagnie naderde. In de wildernis liet hij de Thompson achter en ging naar het bivak om een hemd te halen. Daar wikkelde hij het wapen zorgvuldig in en toen verborg hij het samen met de munitie in een holte onder de hoge wortels van een boom. Pas daarna liep hij vrolijk terug naar het bivak, met zijn handen in zijn zakken, op zoek naar Welsh of Culp.

Luitenant Culp zag hij het eerst. Over zijn zware, vlezige gezicht met de gebroken mopsneus trok een vreugdevolle stralende glimlach van begeerte toen Dale hem op zijn gewone hese, ruziezoekerige toon vertelde van zijn vondst.

'Hoeveel zijn 't er?'

'Zeven, ik bedoel zes.'

'Zes Thompsons.' Culp genoot van de woorden en floot er veelbetekenend bij.

'En je zegt dat er zoveel trommels en houders bij zijn dat we ze nauwelijks kunnen dragen?' Hij zweeg even en het leek alsof hij zijn lippen aflikte. 'We moeten weloverwogen en slim te werk gaan, Dale! Ja, kerel, dit moet goed worden uitgedacht.' Culp wreef zijn zware rugbyhanden tegen elkaar. 'Voor de Thompsons zelf zouden drie man genoeg zijn. Maar met de munitie erbij – en die hebben we nodig, Dale, die zullen we hard nodig hebben. Alles wat we maar te pakken kunnen krijgen. Want je snapt zeker wel dat ik niet naar het Regiment kan gaan om .45-munitie aan te vragen voor Thompsons, die we niet eens mogen hebben. Ik moet hier even een minuutje over denken,' zei hij, maar hij zweeg hoogstens een seconde. 'We zullen hiermee naar kapitein Stein moeten gaan, vrees ik. Ja, ik geloof dat we de kapitein erin moeten betrekken.'

'Maar zal hij het goed vinden?' vroeg Dale. Hij keek Culp nors aan, want het idee om Bugger Stein erbij te halen stond hem helemaal niet aan.

'Als hij er zelf ook één krijgt?' vroeg Culp met een slim lachje. 'Ik zou niet weten waarom niet. Ik zou het in zijn plaats wel doen. En jij?'

'Ik, zeker wel,' zei Dale.

Culp knikte, maar een beetje afwezig, met een begerige blik in zijn ogen.

'Ja, kerel. Bovendien zal hij snel genoeg ontdekken dat er hier plotseling van die pistoolmitrailleurs zijn. En dan? Man, als ik er iets over te zeggen had, zou jij in deze oorlog de eerste medaille krijgen die in de Charlie-compagnie wordt uitgereikt. Mannen als jij hebben we altijd te weinig, Dale.'

Dale lachte tevreden. Maar hij liet zich toch niet van zijn stuk brengen. 'Maar als we nou in plaats van de kapitein majoor Welsh eens namen?'

'Ja, die moeten we er ook bij hebben. Maar we moeten het kapitein Stein evengoed vertellen. Maak je geen zorgen, hij doet wel mee. Laat dat maar aan mij over, Dale, laat het allemaal maar aan mij over.' Hij sloeg met zijn zware handen op zijn knieën en duwde zichzelf omhoog. 'Vooruit, Dale, aan de slag! Nou, wat denk je? Ik geloof dat we het beste morgen rond het middaguur kunnen gaan. Precies om dezelfde tijd dat jij er vandaag bent geweest. 's Nachts is te gevaarlijk, ze zouden op je kunnen schieten. En 's avonds is ook niets, want dan is iedereen in het bivak om te eten.' Hij liep al met grote passen in de richting van de compagniestent en Dale met zijn veel kortere beentjes moest rennen om hem bij te houden.

Ze namen ten slotte zeven man mee. Dale kon niet precies zeggen hoeveel .45-munitie er was – behalve dan dat het een heleboel was – en Culp wilde er zeker van zijn dat ze alles in handen kregen. Later bleek dat ze ook met negen of tien man niet in staat zouden zijn geweest alle munitie te vervoeren.

Misschien zou Stein zijn toestemming niet hebben gegeven, als Culp niet zo geweldig enthousiast was geweest. Stein was zeker niet bijzonder op hun plan gesteld. Maar Culp was niet tegen te houden. Culp deed alles, en slaagde er ook in Stein te overtuigen. Hij dacht er zelfs aan voor de mannen pistolen te lenen, zodat ze niet hun eigen geweren hoefden te dragen en meer buit zouden kunnen meenemen. In de compagniestent zwaaide hij met zijn armen alsof hij een windmolen was. Dale stond zwijgend tegen de canvas tentwand, zijn platte gezicht een strak masker, en liet hen praten.

Culp en Welsh kozen de mannen uit die meegingen. Vanzelfsprekend kwamen er maar weinigen in aanmerking. Dale was de enige deelnemer beneden de rang van sergeant I en hij wist heel goed dat ze ook hem erbuiten zouden hebben gelaten als ze daarvoor een fatsoenlijk excuus hadden kunnen bedenken. Maar het was Welsh en niet Culp die voorstelde sergeant Storm mee te laten gaan.

Dale was woedend, maar durfde niet te zeggen dat de reden waarom hij naar Culp en Welsh was gegaan, in de eerste plaats was dat hij Storm erbuiten wilde houden. Hij bleef zwijgend bij de tentmuur staan en zag de helft van zijn redenen voor de overval verdwijnen. Toen Storm binnenkwam zei hij niets, maar wierp zijn tweede kok een blik toe die duidelijk bewees dat hij de situatie onmiddellijk doorhad. En Dale wist dat Storm hem dit niet snel zou vergeven.

De mannen hadden ze dus bij elkaar; Culp, Welsh, Storm, Dale, MacTae, de jonge dienstplichtige foerier en twee pelotonssergeants; dus één officier, vijf sergeants en Dale.

Het scheelde maar weinig of het waren zes sergeants en Dale geworden. Zelfs nadat Bugger Stein toestemming voor de overval had gegeven en bereid was gebleken een van de Thompsons te aanvaarden, bleef hij van mening dat hij een officier niet kon toestaan aan een dergelijke onderneming deel te nemen. Stel je voor dat ze betrapt werden. Wat zouden ze daar bij het bataljon van zeggen? En op de regimentsstaf? Een officier die een overval leidde waarbij wapens werden gestolen! Aan de andere kant had Stein het voorbeeld van zijn vader voor ogen en hij meende te weten wat die als majoor in de Eerste Wereldoorlog in dit geval zou hebben gedaan. Het was een moeilijke beslissing en het duurde een hele tijd voor Stein zijn besluit genomen had.

Stein was door de luchtaanvallen eveneens verward en geschokt geweest. Hij wist niet of hij als officier en commandant in de open lucht moest blijven of in zijn hol kon kruipen als alle anderen. Elke nacht, bij iedere aanval moest Stein dat weer opnieuw met zichzelf uitvechten. Het was heldhaftig om rustig rond te lopen en het beneden je stand te achten om dekking te zoeken, zoals de officieren in Napoleons tijd. En hij had dat zeker kunnen doen. Maar een redelijk mens was in deze oorlog voorzichtig en beschermde zo goed mogelijk wat de regering in hem had geïnvesteerd. Het had geen zin om je doelloos te laten doden. Elke luchtaanval dwong hem weer tot diezelfde redenering. Hij nam uiteindelijk steevast hetzelfde besluit en ging naar zijn dekkingsgat. En hier, met dit geval, was het al net zo.

Ten slotte gaf hij Culp zijn zin. Culp was trouwens bijna niet tegen te houden. Maar het was in feite Steins vader, de majoor, die de beslissing bracht. Stein herinnerde zich nog vele van zijn vaders verhalen over strooptochten in Frankrijk. En die zeiden hem hoe hij in dit geval moest optreden. Hij wilde niet de indruk wekken een oude zeurkous te zijn, die alles bedierf door zijn overdreven voorzichtigheid. Voor Culp was het allemaal heel gemakkelijk, die was jong en droeg geen verantwoordelijkheid, die stond maar te schreeuwen en met zijn armen te zwaaien. Culp hoefde de compagnie niet te leiden en was ook niet verantwoordelijk voor het optreden ervan. En terwijl Stein naar Culp keek realiseerde hij zich de prijs die hij had betaald in ruil voor het commando over de compagnie, dat hij zo fel had begeerd. Op bruuske toon, die naar hij meende uitstekend zijn treurige, door zijn leeftijd verslapte houding verborg, gaf hij zijn toestemming.

'Maar één ding moeten jullie goed begrijpen. Officieel weet ik van de hele zaak niets af. Wat jullie doen zonder mijn medeweten, kan niet op mij worden afgeschoven. Als jullie gaan, dan is het op je eigen verantwoordelijkheid.'

Dat was naar zijn mening een goed geformuleerde, scherpe en indrukmakende stellingname. Hij vond dat hij het recht op de man af en goed had gezegd en daarover was hij zeer tevreden. Maar zijn plezier werd bedorven door de gedachte dat hij deze mannen, deze van levenslust overlopende kerels, spoedig zou moeten voorgaan in de vuurlinie, waarbij een aantal van hen – en heel goed mogelijk ook hijzelf – zou sterven.

Stein verklaarde dat Culp de enige uitzondering was en dat geen van de andere officieren mee kon gaan. Dat was een bevel waarover verder niet te praten viel. De gezichten van de drie pelotonscommandanten betrokken plotseling. Ze zouden allemaal graag aan de overval hebben meegewerkt. De enige officier die niet mee wilde gaan was George Band, hoewel hij wel graag een pistoolmitrailleur wilde hebben en die ook kreeg.

Eerste luitenant Band was het niet eens met de wijze waarop zijn superieur deze kwestie had aangepakt. Band was een lange, zeer magere man met een gebogen rug. Op de opleiding voor reserve-officieren had men die rug niet recht kunnen krijgen ondanks het voortdurende gedril. Hij had uitpuilende ogen en zag eruit alsof hij een bril moest dragen, hetgeen blijkbaar toch niet het geval was. Band meende dat hij het leger kende. Als je compagniescommandant was, moest je ook kunnen bevelen. Je mocht nooit de indruk wekken, dat je je door je ondergeschikten bij je beslissingen liet beïnvloeden. Alleen door dat en alles wat er ook maar naar zweemde te vermijden, kon je een ware commandant zijn. En alleen zo kon je anderen stimuleren en het geheel samenbinden tot een eenheid, gebaseerd op vriendschap die zijn oorsprong vond in de gevaren en schokken van de strijd. Elke andere weg leidde ertoe dat de compagnie in stukjes uiteenviel.

Er lag voor Band een geheimzinnig element van een soms diepe, mannelijke vriendschap in de verhouding die kon ontstaan tussen mannen die in een veldslag pijn en dood, vrees en droefenis en ook vreugde deelden. Wanneer je je werk zo goed mogelijk doet, in het zij-aan-zijgevecht met je vrienden, schept dat vreugde. Band wist niet waar die hechte band vandaan kwam, maar wist dat die bestond en er waren momenten dat Band het gevoel had dat hij dichter bij de mannen van de compagnie stond dan hij ooit bij zijn vrouw had gestaan.

En Band wist dat deze band niet kon worden verkregen op Steins manier, door hun hun zin te geven. Je moest je mannen laten weten waar ze aan toe waren. Je moest heel duidelijk aangeven wat ze wel en wat ze niet konden doen. Dat wilden je mannen weten. Als Stein wilde dat Culp ging, dan had hij dat onmiddellijk moeten zeggen en er zich niet toe laten overhalen. En anders had hij moeten weigeren en voet bij stuk houden. En zo zou hij ook die brutale Welsh eens duidelijk op zijn nummer moeten zetten, wat trouwens al lang geleden had moeten gebeuren.

Maar Band zei niets van dat alles. Het was niet zijn taak hier tussenbeide te komen – zeker niet als er zoveel tweede luitenants en sergeants bij waren. Het enige dat hij zei, was een bescheiden verzoek om een van de Thompsons toegewezen te krijgen. Hij wist dat Stein hem dat niet zou weigeren als hij erom vroeg. En Stein gaf hem inderdaad zijn zin.

Als twee van de Thompsons in de hogere regionen zouden verdwijnen, dan bleven er vier over. Om ruzie te voorkomen werd besloten die nu al te verdelen. Dale die voorzichtig bleef zwijgen en niets zei over de Thompson die hij in de jungle had verborgen, kreeg er als de vinder een toegewezen. Welsh en Storm, die na Culp het hoogste in rang waren, kregen er ook een. MacTae, de jonge foerier, wilde er geen hebben, omdat hij toch niet met de compagnie in de strijd zou gaan; hij nam alleen aan de overval deel om een verzetje te hebben. De twee pelotonssergeants moesten zich tevreden stellen met karabijnen, maar beiden waren al blij dat ze mee mochten doen. Dit alles werd op de middag van de overval besloten; de mannen die eraan deel zouden nemen stonden, met hun geleende pistolen om, voor de compagniestent opgewonden te praten.

De reden waarom Dale niet over de zevende Thompson had gesproken was dat hij zich afvroeg of de expeditie wel zou slagen. Als een echte boer wantrouwde hij het gezag en daarom was hij bang dat zijn Thompson terecht zou komen bij Bugger Stein of Brass Band (die ook wel Lange George werd genoemd) nog vóór de expeditie vertrok – en in dat geval zou hij niets krijgen als de onderneming mislukte. Na afloop van de tocht, toen de wapens met succes waren gestolen, haalde hij op zijn slome manier de Thompson voor de dag, onnozel grijnzend over zijn eigen achterbaksheid, waardoor die humoristisch werd en iedereen wel moest lachen. Het extra wapen waarop niemand had gerekend ging naar MacTae, die van mening was veranderd en nu het plan koesterde om, als het zover was, ook de strijd in te gaan, zoals Storm en de andere koks wilden doen, alleen om te zien hoe het vechten nu eigenlijk was.

En die strijd begon veel eerder dan ze allemaal hadden verwacht of mogelijk geacht.

De salvo's van geweer- en mortiervuur in de heuvels werden steeds luider; met de dag gromden ze kwaadaardiger. De kleine jeeps die nerveus voorbijschoten over de modderige wegen, en waarin hoge officieren werden vervoerd die kaartenetuis bij zich hadden, waren talrijker geworden, en ze reden sneller. Dat wisten de mannen van de C-compagnie. En toch, toen ze instructies kregen om naar het front te gaan, was iedereen verbaasd en geschokt. Dat kwam voor een deel omdat de mannen nooit helemaal hadden geloofd dat dit moment zou aanbreken. Het bericht kwam als een donderslag bij heldere hemel, die lang bleef naklinken, als een explosie in een grot.

Korporaal Fife zat op een watervat te zonnen buiten de compagniestent toen Bugger Stein en zijn chauffeur – Stein met zijn kaartenetui op zijn knieën – in de jeep van de compagnie kwamen aanscheuren. Voor een van beiden eruit was gesprongen kon Fife aan hun gezichten al zien met welk bericht ze terugkwamen. Fife besefte nu dat de holle echo die hij hoorde toch geen explosie in een grot was, maar het langzame dreunen van zijn eigen hart, dat vlak onder zijn adamsappel scheen te zitten. Tegenzin en verwachting trokken hem twee richtingen op. Als zijn nerveuze opwinding nog iets toenam, zou ze veranderen in openlijke vrees, meende hij bezorgd.

Fife had enkele dagen daarvoor machteloos toegekeken bij het overleg over het stelen van de wapens. Dat had hij Welsh nog niet vergeven. Hij had zo graag een van de Thompsons willen hebben en de overvalgroep willen vergezellen dat zijn gezicht zich tot een verbeten masker verwrong als hij eraan terugdacht.

Hij had zelfs de plechtige gelofte Welsh nooit meer iets te vragen, ervoor gebroken. Hij had Welsh op de man af gevraagd of hij mee mocht, tijdens een pauze in het gesprek natuurlijk, toen er niemand dicht genoeg bij hen stond om het te horen. Hij had niet eens om een wapen verzocht. Sergeant Welsh had hem met zijn duistere blik aangestaard, met demonstratief geveinsde verbazing. Zijn zwarte ogen hadden moordlustig gefonkeld.

'Jongen,' had hij gezegd, 'ik moet het ziekenboek met die drie nieuwe gevallen van malaria binnen vijf minuten hebben. Opschieten.'

Dat was alles geweest. Fife meende dat hij die schande zijn hele leven niet meer te boven zou komen. Hij kon zich niet voorstellen dat zelfs de gruwelen die hem aan het front wachtten deze smaad konden uitwissen. De herinnering deed hem nog ineenkrimpen van gêne.

Tijdens de twee dagen waarin het inpikken van de wapens het belangrijkste voorval bij de compagnie was, was Fife persoonlijk ook iets overkomen. Hij had bezoek gehad van zijn tweede vriend – de tweede, want Bell was Fifes andere vriend. Al had Fife de laatste tijd de neiging Bell niet langer als zijn vriend te beschouwen. De tweede vriend van Fife was een zekere Witt en hij was twee maanden vóór de compagnie Amerika verliet overgeplaatst.

Witt was een schriel mannetje uit Harlan County, Kentucky, een beroepssoldaat die vroeger voor het regiment had gebokst. Zijn overplaatsing was voor Fife een leerzame ervaring geweest, een nuttige demonstratie van de manier waarop het in het leger toeging.

Kort voordat de soldaten in de ellende van wat officieel de Laatste Oefenperiode heette werden gestort, was er in het regiment een nieuwe compagnie gevormd. Oorspronkelijk bestond die slechts op papier, als een idee dat op het ministerie van Defensie was ontstaan op grond van tactische overwegingen die alleen iemand die krijgskunde studeerde konden interesseren. Het nieuwe onderdeel zou de geschutscompagnie heten. Er was al een pantserafweercompagnie, maar dit nieuwe onderdeel zou binnen het regiment deel uitmaken van de artillerie, uitgerust om snel doelen van pelotons- of compagniesterkte onder zwaar vuur te nemen.

Op papier was de zaak dus al geregeld, maar er waren mannen nodig om de geschutscompagnie echt te verwezenlijken. Het regiment gebruikte hiervoor een merkwaardige procedure, die men zou kunnen aanduiden als 'het afschuiven van de kneusjes'. Fife observeerde hoe men te werk ging. Een regimentsinstructie beval iedere compagniescommandant een bepaald aantal mensen beschikbaar te stellen. De commandanten gehoorzaamden en de ergste dronkaards, de ergste homoseksuelen en de ergste kankeraars werden bijeengevoegd om samen de geschutscompagnie te vormen. Het bevel erover werd toegekend aan die regimentsofficier aan wie de regimentscommandant de grootste hekel had. Witt was een van de soldaten die door de Charlie-compagnie waren aangewezen.

Witt was inderdaad een dronkaard (zoals de meesten), maar niet een van de ergste en evenmin homoseksueel. Als men het begrip ruim nam kon men hem een kankeraar noemen – hij was herhaaldelijk gedegradeerd en twee keer naar een strafkamp gestuurd. Hierdoor was hij in de ogen van Fife zoiets als een romantische held geworden (hoewel Fife misschien nog meer bewondering had voor Bell), maar het had hem er bij Stein en Welsh niet sympathieker op gemaakt. Hij was overigens de enige niet; andere soldaten met een soortgelijke staat van dienst waren ook naar de geschutscompagnie gezonden. Witts probleem was dat hij zich de persoonlijke vijandschap van Welsh op de hals had gehaald door hem tegen te spreken, omdat hij hem niet mocht. Welsh mocht hem evenmin. Ze hadden beiden op een onverzoenlijke manier en zonder enig voorbehoud gloeiend de pest aan elkaar.

Hoewel hij weigerde een verzoek in te dienen om te mogen blijven, vond Witt het verschrikkelijk dat hij werd overgeplaatst. Al zijn vrienden zaten bij Charlie en hij had plezier in de reputatie die hij daar had verkregen. Iedereen wist, ook Welsh, dat Witt zich bij de Charlie-compagnie gelukkig voelde en zijn overplaatsing bewees alleen dat zijn diepe minachting voor Welsh volkomen terecht was, en dat het dus onmogelijk was zo'n man te vragen of hij mocht blijven. Hij liet zich zonder protest overplaatsen, samen met een paar zware alcoholisten en twee homoseksuelen. En nu was hij teruggekomen om eens te kijken hoe het bij de compagnie ging.

De geschutscompagnie was met enkele andere onderdelen van het regiment bijna een maand eerder op het eiland aangekomen, met de eerste echelons van de divisie. Deze mannen hadden dus heel wat langer de tijd gekregen om te acclimatiseren en Witt had malaria opgelopen. Hij zag er slecht uit en zijn huid had een geelachtige teint. Hij was altijd mager geweest maar leek nu ieler dan ooit. Hij informeerde steevast naar berichten over zijn vroegere compagnie en ging bij aankomst van een nieuw transport altijd kijken of er leden van Charlie bijzaten. Zeker twintig keer had hij een tocht langs de nieuwe bivakken gemaakt en ten slotte was zijn moeite beloond. Op de dag dat de soldaten van Charlie aankwamen was hij op het strand te werk gesteld, maar hij bevond zich aan de andere kant, om te helpen bij het lossen van het tweede schip, en had ze dus gemist. Daarom was hij weer gaan zoeken. Dit klinkt eenvoudiger dan het was. Het wemelde op het eiland van soldaten en materieel. Maar hij was hardnekkig blijven doorvragen tot hij eindelijk iemand trof die wist waar de compagnie zich bevond. Hij had dienst verzuimd om te gaan zoeken en had, na een heel eind over het eiland te hebben gesjouwd, ontdekt dat het bivak inmiddels was verplaatst. En zo moest hij weer van voren af aan beginnen. Dat hij het volhield, was typerend voor Witts vasthoudendheid, een eigenschap waarop Fife jaloers was.

Fife was erg blij hem te zien, vooral omdat zijn vriendschap met Bell de laatste tijd zo bekoeld was. Bovendien wist Fife dat Witt hem evenzeer bewonderde als hij Witt, zij het om een andere reden. Fife beschouwde Witt als een held omdat hij in hem een door en door mannelijke, stoere, dappere kerel zag en Witt voelde in zijn hart bewondering voor Fife omdat die meer ontwikkeld was. Fife liet zich af en toe graag complimenten hierover aanleunen.

Toevallig verscheen Witt juist op de middag waarop de groep mannen was vertrokken om de wapens te stelen. Fife had ze staan nakijken toen ze zonder hem weggingen. Misschien had het gevoel dat hij toen kreeg iets te maken met de wijze waarop het gesprek tussen hem en Witt later verliep. Hoe dan ook, een halfuur nadat hij de groep met een zuur gezicht had zien weggaan, ging hij naar buiten om een luchtje te scheppen en hoorde dat iemand die een eindje verderop dicht bij de magazijntent tegen een palm geleund stond, zijn naam riep. Het was Witt, die zich had voorgenomen te wachten tot zijn vriend zich zou vertonen en niet in de buurt van de compagniestent wilde komen, waar zijn aartsvijand Welsh wel zou zijn. Fife kon uit de verte niet zien wie daar stond. Hij liep naar de man toe.

'Hé, Witt! Jezus christus! Hoe is het met jou? Man, wat ben ik blij je te zien!' riep hij zodra hij Witt herkende. Hij rende op hem af om hem de hand te schudden.

Witt, zwijgzaam als altijd, grijnsde een beetje triomfantelijk. Maar hij zag er vermoeid en afgetobd uit. 'Hallo, Fife.'

Fife kreeg het gevoel dat hij op dit ellendige eiland, waar ziekten en dood hem bedreigden, een jaren geleden verdwenen broer had teruggevonden. Witt liet zich, nog altijd met die triomfantelijke grijns, de hand drukken en op de schouder slaan. Daarna liepen ze samen een eindje op en gingen op een gevelde kokospalm zitten.

Wat Witt het meest interesseerde was wanneer de compagnie naar het front zou gaan. Hij had Big Queen al gesproken en Gooch, zijn speciale kameraad, en Storm, die hem een paar warme broodjes met blikvlees had gegeven omdat hij de lunch had gemist, en nog een paar lui die hij vroeger goed had gekend. Maar hoewel hij blij was met hen te kunnen praten, had niemand hem iets kunnen vertellen over de instructies van de compagnie. Maar hij meende dat Fife dat misschien wel kon. Al vond hij ook zó al leuk een praatje met Fife te maken. Hij had meer dan een halfuur op hem staan wachten en zou nooit weg zijn gegaan zonder dat hij hem had gezien.

'Maar heb je dan geen dienst?'

Witt haalde zijn schouders op en weer flitste zijn verlegen maar trotse grijns even op. 'Ze maken me niks. Niet bij die rotgroep.'

'Maar waarom ben je niet gewoon de tent binnengelopen?'

Witts gezicht verstrakte, bijna alsof iemand zijn trekken modelleerde in snel drogend cement. Zijn ogen staarden naar Fife met een vreemde, nogal dreigende blik. 'Waar die stomme klootzak is, zet ik geen voet.'

Fife huiverde licht. Op een moment als dit deed Witt hem denken aan een slang – een opgerolde ratelslang die zich gereed maakt om aan te vallen, overtuigd van zijn eigen gelijk; misschien alleen uit instinct, maar in zijn minuscule brein is zo'n beest volkomen zeker van zijn recht om te doden. Daarmee valt niet te redeneren. Fife kreeg –

misschien omdat Witt hem zo aanstaarde – onwillekeurig de indruk dat Witt zich beledigd voelde omdat Fife hem in staat achtte ergens heen te gaan waar Welsh was. Het gaf Fife een onbehaaglijk gevoel.

'Nou, ja,' zei hij. Hij verschoof op de stam. 'Weet je, ik heb eigenlijk de indruk dat hij wat veranderd is, Witt. Sinds we hier zijn.' Hij geloofde het zelf niet.

'Die schoft verandert nooit. Dat bestaat niet,' zei Witt.

Fife geloofde dat hij gelijk had. Trouwens, tegen iemand met zulke vaste ideeën viel niet te praten. 'Ik zal je één ding zeggen. Het zal niet meer dezelfde compagnie zijn, als we zonder jou naar het front moeten, Witt. Ik wou maar dat je meeging.' Fife schoof onrustig heen en weer. 'Daarom zei ik dat, geloof ik.' Hij ging verder op luchtiger toon, maar klonk enigszins geforceerd. 'Raak je nog weleens wat?' Witt was een uitstekend schutter.

Witt negeerde hem. 'Fife, luister nou 'es. Als ik bedenk dat Charlie zonder mij met die Jappen moet knokken, dan breekt m'n hart. Dat meen ik echt.' Zijn ogen werden weer vriendschappelijk toen hij zich naar voren boog om ernstig te praten. 'Ik zat al... wacht effe... vier jaar bij deze compagnie. En je weet wat Charlie voor mij betekent. Dat weet iedereen. Het is míjn compagnie. Wat ze mij hebben geflikt is niet in orde. Het is een smerige streek. God weet hoeveel van mijn ouwe kameraden ik zou kunnen redden, als ik er nog bij hoorde. Fife, jongen, Charlie kan mij niet missen.' Plotseling schoof hij moedeloos achteruit, met een somber gezicht. 'En ik weet niet wat ik eraan kan doen. In feite kan ik er geen pest aan doen, verdomme.'

'Tja,' zei Fife voorzichtig, 'als je nou eens naar Stein gaat en hem vertelt hoe je erover denkt, dan regelt hij misschien dat je teruggeplaatst wordt. Bugger weet dat jij een goed soldaat bent. Daaraan heeft nooit iemand getwijfeld. En op het moment is hij nogal week en sentimenteel omdat we voor 't eerst de strijd in gaan, snap je?'

Witt had zich weer naar voren gebogen en luisterde aandachtig met een schuchtere, vertederde blik in zijn ogen. Maar toen Fife zweeg, richtte hij zich op en werd zijn gezieht weer hard.

'Dat kan ik niet doen,' zei hij.

'Waarom niet?'

'Ik kan het niet doen. Dat weet je best.'

'Eerlijk, ik geloof dat hij je zal terugnemen,' waagde Fife behoedzaam.

Witts gezicht werd donker; in zijn ogen smeulde een somber licht. 'Mij terugnemen! Mij terugnemen! Ze hadden me nooit moeten laten gaan! Het is hun schuld, niet de mijne!' Het onweer trok weg zonder tot een uitbarsting te komen. Maar zijn gezicht bleef een donderwolk. 'Nee. Ik kan dat niet doen. Ik ga er niet om bedelen.'

Fife voelde zich nu niet alleen onbehaaglijk maar ook geërgerd. Witt kon, zonder die bedoeling natuurlijk, zo ontzettend irritant zijn. 'Tja...' begon hij.

Witt onderbrak hem. 'Maar ik ben je heel dankbaar dat je probeert me te helpen.' Hij glimlachte vriendschappelijk.

'Tja.'

'Dat meen ik,' zei Witt heftig.

'Weet ik.' Fife sprak Witt liever niet tegen, hij kon immers zo woedend uitvallen. 'Wat ik wou zeggen is dit. Hoe graag wil je werkelijk bij Charlie terugkomen?'

'Dat weet je toch?'

'Nou, het enige dat je dan kunt doen is naar Stein gaan en het hem vragen.'

'Je weet dat ik dat niet kan doen.'

'Godverdomme!' schreeuwde Fife, 'dat is de enige manier waarop je ooit terug kunt komen! Begrijp dat nou eens!'

'Nou, dan kom ik dus gewoon níet terug!' riep Witt.

Fife had er genoeg van. Dit was de eerste keer sinds maanden dat hij met hem sprak. Bovendien herinnerde hij zich onwillekeurig zijn eigen gesprek met Welsh en de zeven man die zonder hem waren weggegaan. Maar hoofdzakelijk was het een ongerichte ergernis.

'Nou, dan blijf je maar bij dat andere onderdeel, hè?' zei hij, ongevoelig en wat uitdagend.

'Dat lijkt mij ook,' zei Witt met een van woede vertrokken gezicht.

Fife nam hem eens op. Witt keek niet terug, hij zat somber naar de grond te staren. Nors liet hij zijn knokkels een voor een kraken.

'En toch zeg ik je dat het gemeen is,' zei Witt, opkijkend. 'Het is niet eerlijk. Hoe je 't ook bekijkt, het blijft gemeen, regelrechte discrimatie.'

'Discriminatie,' zei Fife frikkig. Hij wist hoe zorgvuldig Witt met woorden omsprong. Witt was trots op zijn vocabulaire, dat hij zich door het oplossen van vele kruiswoordraadsels had eigen gemaakt. Maar Fife ergerde zich weer. 'Dis-cri-mí-ná-tie,' herhaalde hij, alsof hij het tegen een kind had.

'Wat?' Witt staarde hem ongelovig aan. Hij dacht nog na over zijn martelaarschap.

'Ik zei dat het niet discrimatie is, maar discriminatie.' Hoe het ook ging, hij had nog één troef. Hij wist dat Witt hem niet zou slaan. Witt vocht nooit met een vriend voor hij hem eerst eerlijk had gewaarschuwd. Dat was die vervloekte erecode van die stomme lui uit Kentucky. Maar al verwachtte hij niet dat Witt zich op hem zou werpen, Fife was toch verbaasd over zijn reactie.

Witt staarde hem aan alsof hij hem nooit eerder had gezien. De donderwolk stond weer op zijn gezicht en de bliksem van de dreigende bui schoot al door zijn ogen.

'Donder op!' blafte hij.

Nu was het Fifes beurt om te zeggen: 'Wat?'

'Donder op, zeg ik! Ga weg! Opsodemieteren!'

'Barst maar. Ik heb evenveel recht om hier te zitten als jij,' zei Fife, nog steeds verbaasd.

Witt bewoog zich niet. Maar het zou minder sinister geweest zijn als hij was opgestaan. Er verscheen een uitdrukking van kalme moordlust op zijn gezicht. 'Fife, ik heb nog nooit van mijn leven een vriend afgetuigd zonder hem eerst te waarschuwen dat-ie mijn vriend niet meer was. En daar hou ik me nu ook aan. Ik waarschuw je: als jij niet heel snel opdondert, sla ik je tot moes.'

Fife deed een poging om te protesteren. 'Waarom zeg je dat, verdomme? Wat heb ik je in vredesnaam aangedaan?'

'Ga gewoon weg en hou je bek verder. Onze vriendschap is voorbij. Ik wil niet meer met je praten, ik wil je niet meer zien. Als je ooit nog iets tegen mij zegt, timmer ik je in elkaar. Zonder te waarschuwen.'

Fife stond op van de stam, verbaasd, niet-begrijpend, als verdoofd. 'Jezus christus, man, ik maakte maar een geintje. Ik wou alleen...'

'Donder op!'

'Oké, ik ga al. Als ik met jou vecht heb ik geen schijn van kans en dat weet je best. Al ben ik langer dan jij.'

'Dat is spijtig maar zo is het leven,' zei Witt. 'En nu wegwezen!'

'Ik ga al, verdomme. Maar jij bent stapelgek. Ik nam je alleen maar in de maling.' Hij deed enkele stappen. Hij wist niet of hij nu laf was of niet; of het stoerder zou zijn z'n trots te laten gelden en een pak slaag te incasseren. Na nog een paar stappen bleef hij staan en draaide zich om. 'Onthou maar dat je precies moet doen wat ik je heb gezegd om bij de compagnie terug te komen.'

'Verdwijn.'

Fife ging, zich nog steeds afvragend of hij een lafaard was. Hij vermoedde van wel. Dat gaf hem een enigszins schuldig gevoel. Er was nog iets waarover hij zich schuldig voelde, vreselijk schuldig, maar hij wist niet precies wat. Hij was bereid te erkennen dat Witt gelijk had en dat hij iets gemeens had gedaan, iets dat vernietigend was voor Witts prestige. Hoe dan ook, hij had hetzelfde gevoel dat hij als kind had als hij iets had gedaan waarvan hij wist dat het heel slecht was. Zijn schuldgevoel doemde als een onheilspellende mosterdkleurige wolk voor hem op. Halverwege het bivak bleef hij weer staan en keek om. Witt zat nog altijd op de omgehakte palmboom.

'Vooruit! Donder op!'

De woorden drongen slechts flauw tot Fife door. Hij liep verder. Bij de ingang van de compagniestent draaide hij zich voor een derde keer om. Witt was weg en nergens meer te zien.

Nu was hij deze vriend ook kwijt, net als Bell, die hij ook op een of andere manier moest hebben beledigd; hij wist niet waarmee, maar hij voelde zich wel schuldig. Twee goeie vrienden, dacht Fife, onder al die mannen – en nu had hij ze allebei verloren. En nog wel op een moment als dit. De enige die hij nu nog had was Welsh, niet bepaald een vrolijk idee.

Dagen achtereen piekerde hij erover, hij dacht aan Witt en probeerde zich voor te stellen hoe het gesprek anders had kunnen lopen. Hij piekerde erover op de dag dat hij buiten de tent op een watervat zat en Stein en zijn chauffeur achter de neergelaten voorruit van de jeep zag en meteen wist welke boodschap zij meebrachten. En het was een Fife zonder vrienden die hen uit de jeep zag stappen en naar hem toe lopen – en op zo'n moment was het hard dat je geen vrienden had.

'Korporaal Fife,' zei Stein energiek. Hij trad die dag officieel, formeel en efficiënt op. Dat moest wel, meende Fife, het bericht in aanmerking genomen.

'Ja, kapitein?' zei Fife en hij probeerde zijn stem vast en rustig te laten klinken.

'Ik wil dat alle officieren en pelotonssergeanten hier binnen vijf minuten zijn. Waarschuw ze allemaal. Sla niemand over. Laat Bead je helpen.' Stein zweeg even om adem te halen en zoog de lucht diep in zijn longen. 'We gaan hier weg, Fife. We gaan naar het front. Morgen om deze tijd vertrekken we. Over vierentwintig uur.'

De chauffeur die achter hem stond, knikte nadrukkelijk tegen Fife, alsof hij het nieuws nerveus of misschien bedroefd wilde bevestigen.

3

Langs de marsroute stonden op de modderige wegen overal vrachtauto's die niet verder konden, alle met de neus in marsrichting. Soms waren er twee of drie achter elkaar blijven steken. De meeste waren verlaten en wachtten zwijgend in de modder tot de grote tractors zouden komen om ze weg te slepen. Hier en daar stond er een met een groep mannen eromheen, die wanhopig worstelden, tot aan hun knieën baggerend door de zwarte soep. De wagens waren allemaal beladen met kratten C-rantsoenen, van drie handvatten voorziene jerrycans met water, bruine kistjes munitie voor kleine wapens, kisten met granaten of bundels zwarte kartonnen kokers die mortiergranaten bevatten. De aanvoer met de zware vrachtauto's dreigde kennelijk te stagneren of was misschien al gestagneerd.

De marcherende soldaten zochten hun weg over opdrogende modderbergjes en door muskieten omzwermde graspollen langs de rand. Met de vastzittende vrachtauto's bemoeiden ze zich niet. Trouwens, met hun volledige bepakking en de extra patroonbanden om zouden ze zijn weggezakt in de modder als ze een poging hadden gedaan om te helpen. De soldaten liepen in een lange rij achter elkaar, het ene ogenblik moesten ze stilstaan omdat er geen ruimte was, dan weer snakkend naar adem rennen om hun voorman bij te houden. In de brandende zon sloegen de hitte en de vochtige atmosfeer op hen neer; badend in het zweet, met tranende ogen, hapten ze naar lucht, maar het was alsof hun zwoegende longen slechts vocht inademden.

In sommige opzichten herinnerde de tocht aan een feestelijke mars op een of andere hoogtijdag. Zover het oog in beide richtingen reikte, waren twee rijen verhitte, overbeladen mannen zichtbaar, die zich moeizaam voortbewogen langs een rivier van modder. Toch had het geheel iets opwindends, de sfeer deed denken aan de Vierde Juli. Groepen corveeërs die even pauzeerden, keken onveranderlijk naar de weg. Soldaten die niets te doen hadden verlieten hun bivaks en stonden in groepjes bijeen onder de kokospalmen toe te zien. Slechts een paar, brutaler dan de rest, verlieten de beschutting van de bomen om van dichterbij te kijken. Ze bestudeerden de individuele trekken van de hijgende deelnemers aan de mars, alsof ze die in hun geheugen wilden prenten. Maar behalve door deze sensatiezoekers werden de mannen met een merkwaardig soort eerbied bekeken.

Een enkele maal riep een toeschouwer een bemoedigend woord. Het antwoord, als er al antwoord kwam, was een even opgestoken hand, of een snelle donkere blik en een gedwongen lach. De mannen hadden al hun concentratie nodig om te kunnen blijven marcheren. Als ze verder nog wat dachten, dan hielden ze dat voor zich. Nadat ze een uur hadden gelopen waren ze zelfs niet meer tot denken in staat. De infanteristen vergaten waar ze heen gingen; het onmiddellijke, urgente probleem er te komen zonder uit te vallen nam hen volledig in beslag.

Niet allen losten het probleem op. Langzaam vormde zich een nieuwe rij tussen de toeschouwers en de weg. Af en toe deed een van de marcherende soldaten plotseling een stap opzij en ging zitten of viel neer. Anderen verloren eenvoudigweg het bewustzijn. Zij werden meestal opzij gesleept door de mannen die achter hen liepen. Soms trokken degenen die al waren uitgevallen hen naar zich toe.

Dit alles gebeurde bijna steeds in stilte. Slechts bij uitzondering riep een nog marcherende soldaat een verslagen vriend enkele bemoedigende woorden toe. Maar daar bleef het bij. Degenen die in de schaduw stonden toe te kijken deden geen pogingen om te helpen. En het scheen dat de uitgevallenen daaraan ook geen behoefte hadden. Weinigen probeerden zwakjes in de schaduw te kruipen. De meesten bleven dof voor zich uit staren, achterovergeleund tegen hun bepakking als in een leunstoel, of ze lagen zonder zich van hun bepakking te ontdoen op hun zij met het gezicht tegen de grond gedrukt, of, als ze in staat waren zich van hun bepakking te bevrijden, languit op hun rug met trillende oogleden.

De afstand die de Charlie-compagnie moest afleggen, bedroeg twaalf kilometer. Om elf uur 's morgens hadden ze zich na een laatste blik op de scherfloopgraven, de keukentent en de gesloten magazijntenten die hun huis waren geweest, naar de rand van de weg begeven om te wachten op een opening in de lange rij van reeds marcherende mannen. Om halfacht kwamen ze doodop, in de schemering, op het hun voorgeschreven punt aan en om acht uur lagen ze gebivakkeerd in de jungle naast de weg. Meer dan vijfenveertig procent was uitgevallen en het duurde tot na middernacht voor de laatsten van de achtergeblevenen, mannen met flauwtes van de hitte, mannen die hun ontbijt hadden uitgebraakt, in het bivak aankwamen.

Het was een ongelooflijke mars. Niemand van Charlie, ook de veteranen die in Panama en op de Filippijnen hadden gemarcheerd niet, had ooit iets dergelijks meegemaakt. Vroeg in de ochtend had Bugger Stein hoopvolle verwachtingen gehad – hij zou zijn compagnie zonder één uitvaller op het aangewezen punt brengen, hij zou naar zijn bataljonscommandant toe gaan en rapporteren dat de zaak bij hem in orde was en dat er geen man op het appel ontbrak. Toen de lange rij met Stein wankelend voorop de weg af zwenkte, kon hij slechts wrang lachen om zijn eigen dwaasheid.

Uitgeput, trillend op zijn benen, nog bezweet na het inspecteren van het bivak, was hij de weg afgelopen om zich op de CP van het bataljon die zich verderop, dichter bij de rivier bevond, te melden.

Tijdens de mars had hij een merkwaardige, hysterische ruzie gehad met zijn secretaris, Fife. Stein was woedend geworden, zijn bloed had gekookt van verontwaardiging en gekwetste ijdelheid. Terwijl hij in het halfdonker over de weg liep, verdiepte zijn neerslachtigheid zich. Het was al met al een vreemde dag geweest. Dat je achteneenhalf uur nodig kon hebben om twaalf kilometer af te leggen was op zich al vreemd genoeg. In combinatie met het terrein was alles nog vreemder: die weg door de kokosaanplantingen, waar die kerels hadden staan kijken als een troep gefrustreerde doodgravers, en daarna de grote weg het binnenland in, tussen twee hoge somber groene junglemuren met krijsende vogels. Ze hadden toen al bijna zes uur gelopen en iedereen was de hysterie nabij. Voor in de colonne was vier man keukenpersoneel al uitgevallen en twee man van de compagniesstaf: de kleine Bead en een nieuwe, een dienstplichtige die omdat hij nog zo jong was, als ordonnans en assistent-secretaris op het compagniesbureau was gezet. Zij waren dus allemaal al achtergebleven. Boven hun hoofd kwetterden de vogels of floten schel en spottend, alsof ze zich vrolijk maakten over de marcherende mannen.

Fife had al een poosje met hijgende, kreunende, zeer emotionele stem geklaagd dat hij het niet volhield. Na een rustpauze van tien minuten was hij niet tegelijk met de anderen opgestaan. Stein had hem aangesproken om hem te bemoedigen.

'Vooruit, Fife, kom overeind. Kom op, jongen. Je kan het nu niet opgeven, niet nu je al zo ver bent. Op die arme pijnlijke voeten van je.'

De reactie had hem volkomen verrast. Fife was niet opgestaan. Hij was overeind gevlogen. Alsof iemand hem met een naald in zijn achterste had geprikt. Op trillende benen, bevend over zijn hele lichaam, had hij staan schelden en tieren als een gek.

'U! U moet wat zeggen! Ik loop nog als u allang op uw rug ligt! Ik loop nog als u en al die andere kerels' – zijn hoofd beschreef een heftige boog – 'allang door de knieën zijn gegaan! Al die godverdomde officieren!' Met trillende vingers had hij zijn bepakking op zijn rug gehesen.

'Hou je kop, Fife,' had Stein streng gezegd.

'Ik hou het langer vol dan al die smerige rotofficieren! Ik blijf lopen tot ik er dood bij neerval – en dan zal ik altijd nog tien meter voor uw dooie lijf liggen! Denk maar niet dat ik opgeef!'

Hij had nog veel meer van dit soort praatjes verkocht. Worstelend met zijn bepakking was Fife naar de weg gewankeld. Hij bleef tieren.

Stein had niet geweten wat hij moest doen. Hij kon werk maken van het geval en het ook negeren. Fife was door het dolle heen. Stein wist dat het theoretisch mogelijk was een hysterisch iemand met een klap in zijn gezicht te ontnuchteren, maar hij had het nooit zelf gedaan. Hij voelde er niet veel voor om het uit te proberen want hij vreesde dat het hem niet zou lukken. Hij kon de jongen natuurlijk laten arresteren. Er was alle reden toe. Maar Stein besloot van beide methodes af te zien. Zwijgend liep hij naar voren, zwaaide met zijn arm en de mars werd hervat.

Ze marcheerden nu in de jungle, waar de weg smaller was, in twee rijen, aan iedere kant van de weg een. Iets achter hem hoorde Stein Fife nog altijd razen en vloeken. Niemand schonk er veel aandacht aan, ze waren allemaal te moe. Maar Stein vroeg zich af of hij in de ogen van de compagnie een figuur had geslagen door Fifes optreden te negeren. Het was een martelende gedachte en zijn oren gloeiden onder zijn helm. Maar hij bleef zwijgen. Na een poosje hield Fife vanzelf op. De colonne marcheerde zwijgend verder. Aan de andere kant van de weg kon Stein uit de hoek van zijn oog Welsh zien. (Hij had Band naar achteren gezonden om het uitvallen tegen te gaan.) Welsh liep met gebogen hoofd, opgaande in iets wat alleen hij kende, en zag eruit alsof hij een wandeling maakte en de hele dag nog niet moe was geweest. Hij nam telkens een slok uit zijn met gin gevulde Listerinefles, wat Stein woedend maakte. Dacht Welsh soms dat niemand hem doorhad? Naast de weg, in het dichte gebladerte, krijste een of andere gekke tropische vogel vlak bij zijn oor en floot daarna doordringend alsof hij een vrouw had gezien.

Tijdens de mars werd hij pas echt kwaad toen Fife al een tijdlang zweeg. Maar toen was hij dan ook razend geworden. Zijn nek zwol op en zijn hoofde bonsde in de helm. Er kwam een nevel voor zijn ogen, zodat hij vreesde dat hij zou struikelen en vallen en gillend van ellende blijven liggen. Hij haatte die kerels, allemaal. Je beult je af om voor ze te zorgen, ze als een vader te behandelen. En het enige dat ze doen is je haten om je vriendelijkheid en omdat je officier bent, met een harde, koppige, niets begrijpende botheid.

Fife was niet uitgevallen.

Stein liep verder over de schemerige weg. Hij zonk weg in een knorrige melancholie. Als hij helemaal eerlijk was moest hij bekennen dat hij zich een beetje schuldig voelde over Fife. Hij had altijd enigszins gemengde gevoelens gehad wat hem betrof. Dat hij intelligent was had hij nooit betwijfeld. Daarom, en omdat hij goed was in zijn werk, had hij hem negen maanden terug tot korporaal bevorderd – al betekende dat dat een van de plaatsvervangende groepscommandanten nu nog enige tijd soldaat eersteklas moest blijven. Bovendien had Stein Fife toestemming gegeven twee ochtenden in de week geen dienst te doen om een of andere cursus te kunnen volgen aan de universiteit van de stad waarin de divisie gelegerd was. De nieuwe wet die leden van de strijdkrachten vrije toegang tot onderwijs gaf, had dit mogelijk gemaakt.

Hij mocht de jongen wel. (En dat had hij ook getoond, vond hij.) Maar hij had de indruk gekregen dat Fife weinig zelfbeheersing had. Hij was te emotioneel en zijn gevoelens vertroebelden vaak zijn oordeel. Natuurlijk was hij nog jong, maar toch al wel twintig. Stein wist niet precies wat voor jeugd hij had gehad, maar hij voelde intuïtief (misschien een moederskind, misschien niet opgewassen tegen zijn vader) dat de puberteit bij Fife nog altijd niet was afgesloten. Je had zoveel van die gevallen tegenwoordig in Amerika. Tijdens de burgeroorlog hadden mannen van twintig jaar regimenten aangevoerd, zelfs divisies. Maar voor de compagnie was Fife alleszins bruikbaar geweest. De jongen deed zijn werk en afgezien van een woedende scène met Welsh zo nu en dan (waaraan hij stellig niet alleen schuld had!) hield hij z'n mond. Maar vanwege zijn algehele indruk had Stein hem toch niet willen aanbevelen voor de officiersopleiding.

Tijdens de campagne van het ministerie van defensie om meer geschikte jongens te vinden voor de negentig dagen durende officiersopleiding, had Stein er bij een aantal met een middelbare opleiding en bij de slimsten onder de sergeants op aangedrongen zich aan te melden. Bijna alle sollicitanten waren aangenomen en op twee na voor het officiersexamen geslaagd. Op een dag had Stein op het compagniesbureau het idee gekregen, uit een misplaatste neiging om iets goeds te doen, Fife voor te stellen dat hij zich aanmeldde bij de opleiding voor officier van administratie. Hij wilde Fife niet aanbevelen voor de opleiding tot infanterieofficier, omdat hij meende dat Fife nooit een goede infanterieofficier zou worden. Fifes eerste reactie was opstandig worden en weigeren, en daarbij had Stein het moeten laten. Maar Stein was er vast van overtuigd dat Fife alleen zijn held Welsh imiteerde, die, als er over officiersopleidingen werd gesproken, minachtend snoof en keek alsof hij op de grond wilde spuwen. Daarom probeerde Stein het later nog eens; hij meende dat zowel het leger als Fife ermee gebaat zou zijn.

De tweede keer was het nog zonderlinger gegaan. Stein werd woedend als hij eraan terugdacht. Fife had gezegd dat hij op zijn besluit was teruggekomen, dat hij wel officier wilde worden, maar niet bij de administratie; hij had op een diep tragische toon waarvan Stein niets begreep, verklaard dat hij infanterieofficier wilde worden. Stein wist niet wat hij moest doen. Hij wilde Fife niet in zijn gezicht zeggen dat hij daar volgens hem niet geschikt voor was. De neiging iets goeds te doen, zowel het leger als Fife een dienst bewijzen, had hem in moeilijkheden gebracht.

Uiteindelijk had hij Fife geholpen bij het invullen van het formulier, hij had het ondertekend en ingezonden. Iedere militair had immers het recht zich voor de cursus op te geven. Maar Stein vond dat híj het morele recht had in zijn aanbeveling de waarheid te vertellen. Daarom beschreef hij Fifes karakter zoals hij het zag en voegde eraan toe dat de man volgens hem nooit een goede infanterieofficier zou worden. Een andere oplossing zag hij niet.

Het formulier kwam per kerende post terug. Er was een briefje aan geniet van de eerste sergeant van het regiment, dat luidde: *Wat doe je nou? Aan dat voor- en nadelengedoe heb ik niks, Jim. Als jij vindt dat een soldaat niet geschikt is voor officier, dan moet je geen formulier insturen. Ik stik toch al in de paperassen.* Ditmaal was Stein niet alleen woedend geweest, maar ook gegeneerd. Als die verrekte sergeant, met wie Stein vaak een borrel dronk op de club, werkelijk niet wist dat iedere militair officieel het recht had om een verzoek in te dienen, dan was hij een sukkel, en als hij het wel wist, dan was hij unfair. Weer verkeerde Stein in de situatie dat hij niet wist wat hij moest doen. Ten slotte had hij het formulier opgeborgen zonder er met Fife over te spreken en nogmaals een poging gedaan hem voor de administratiecursus te interesseren. Fife had geweigerd weer een formulier in te vullen en gezegd dat hij liever wilde afwachten of zijn eerste poging succes zou hebben, en daarmee had hij Stein opnieuw geïrriteerd.

Het ergste was nog geweest dat Fife het formulier later terugvond, met Steins karakteranalyse en het briefje van de sergeant. Twee weken vóór de compagnie zou vertrekken, werd het archief opgeruimd. Fife, die Steins persoonlijke dossiers nakeek, had deze papieren tussen een aantal andere gevonden. Stein, die aan zijn bureau had gezeten, had ze hem haastig afgenomen en beweerd dat dit iets vertrouwelijks was. Hij had ze daarna achter slot opgeborgen, maar Stein was ervan overtuigd dat Fife genoeg tijd had gekregen om ze in te zien. Fife had hem in ieder geval op een vreemde manier aangekeken. Welsh had zoals gewoonlijk grijnzend toegezien, het incident was hem beslist niet ontgaan. Maar Fife was verder gegaan met zijn werk, weer met die heftige en gewoonlijk tragische gevoeligheid die Stein niet begreep maar wel aanvoelde, en hij had niets gezegd en er vanaf die dag ook nooit meer een woord aan verspild. Maar het vereiste een kleine mentale krachtsinspanning om te begrijpen dat hierin de verklaring lag voor zijn uitbarsting van die dag. Het standpunt van de mindere! Het was allemaal zo unfair en dat maakte Stein nu juist zo razend.

Maar op het ogenblik voelde hij zich alleen somber. Het was altijd weer een schok als je opnieuw ontdekte dat je minderen je haatten, want de neiging het gewoon te vergeten was groot. En morgen zou hij hen aanvoeren als ze de strijd in gingen. Hij had het gevoel dat hij absoluut niet voor zijn taak berekend was. Vooral niet als je bedacht hoe slecht ze het er op de mars hadden afgebracht. Wat er was gebeurd had hem behoorlijk ontsteld en geschokt. Geen van zijn officieren of pelotonssergeants was uitgevallen. Die hadden het niet gedurfd. Maar als Stein terugdacht aan al de grote, sterke kerels in zijn compagnie die het hadden opgegeven of zomaar flauw waren gevallen, dan zag hij de toekomst met angst in het hart tegemoet. Als een min mannetje met een weinig ontwikkelde musculatuur, zoals hij zelf tenslotte was, het wel volhield en die kerels niet, dan moest er iets grondig mis zijn met de fysieke of de mentale training van zijn onderdeel. Hij had zich waarachtig genoeg uitgesloofd om hun een goede opleiding te geven. Goeie god, hoe moesten ze dan ooit de hitte, de vermoeienissen en de spanningen van een gevecht doorstaan! Het is logisch dat hij hierover met geen woord sprak tegen zijn bataljonscommandant toen hij zich meldde, maar nadat hij rapport had uitgebracht, hoorde hij tot zijn verbazing dat zijn compagnie het er met vijfenveertig procent uitvallers nog het best had afgebracht van het hele bataljon. Het betekende geen opluchting voor hem. Hij hoorde de vrij wrange gelukwens van de bataljonscommandant met een vermoeid grijnsje aan. Daarna liep hij terug over de donkere weg en wierp langzaam en aandachtig onderzoekende blikken op de hoge bomen en op de struiken met hun dikke, welige bladeren.

Met een zaklantaarn gaf Stein zijn officieren en pelotonssergeants voor zijn kleine slaaptent hun instructies. Hij deed het met een vreemde ontroering. Het eerste bataljon zou het grootste deel van de morgen, tenzij het werd gealarmeerd, in reserve blijven. In de loop van de middag zou het oprukken en de stellingen overnemen waarvan werd aangenomen dat het tweede bataljon ze inmiddels had veroverd. Bij het door de kaart teruggekaatste licht van de lantaarn bestudeerde Stein de gezichten. Welsh was er natuurlijk bij, maar Fife, die zich gereed had moeten houden voor het geval Stein hem nodig had, was nergens te zien. Waarschijnlijk geneerde hij zich. Nu ja, het donderde niet. Hij had hem niet nodig. En er was tactisch gezien geen enkele reden waarom Fife kennis zou moeten nemen van de instructies. Er kwamen nog altijd uitvallers aan. Stein had al berust in het vooruitzicht dat hij niet veel slaap zou krijgen.

Dat Fife niet bij Bugger Steins overleg aanwezig was, had een andere reden: hij was een wandeling gaan maken in de jungle. Hij voelde zich helemaal niet gegeneerd, hij was eerder trots op zijn uitbarsting van die middag. Hij had niet gedacht dat hij zo moedig was. En hij ging wandelen, na even verbaasd en verheugd te zijn over zijn eigen moed, omdat hij had ontdekt dat het toch allemaal geen nut meer had.

Gezien het feit dat hij morgen om deze tijd heel goed al dood kon zijn, had het geen enkele betekenis meer of hij vandaag moedig was geweest of niet. Daarbij vergeleken werd alles zinloos. Dan was het leven zinloos. Dan was het zinloos of hij al dan niet naar een boom keek. Het maakte geen verschil meer. Het interesseerde de boom niet, het interesseerde de andere mannen van zijn onderdeel niet, het interesseerde niemand op de hele wereld. Wie kon het iets schelen? Het was alleen voor hem nog niet zinloos, maar als hij dood was, zou het voor hem ook zinloos zijn. En, wat nog belangrijker was: het zou niet alleen zinloos zijn, het zou altijd zinloos geweest zijn.

Dit was een subtiel, moeilijk te begrijpen verschil. Telkens gleed het even weg uit zijn bewustzijn en dan zag hij het weer. Het was als een flikkerend lichtje, dat hij zag en dan weer niet zag. Op de momenten waarop het hem duidelijk was kreeg hij een hol gevoel in zijn maag. Want ergens diep vanuit zijn onderbewustzijn was de vaste, onwrikbare overtuiging gekomen dat hij morgen of in ieder geval over enkele dagen dood zou zijn.

De gedachte vervulde Fife met zo'n allesoverheersende melancholie, dat hij de hele conferentie van Stein vergat en de jungle was ingelopen om nog eens te kijken naar de dingen die er allemaal nog zouden zijn als hij had opgehouden te bestaan. Er waren er heel veel. Fife bekeek ze allemaal. Zijn onderzoekende blik bracht er heel weinig verandering in.

Het maakte werkelijk geen verschil wat hij deed, of hij iets deed. Fife geloofde niet in God. Hij was er evenmin van overtuigd dat er geen God bestond. Het was een probleem dat voor hem niet bestond. Hij kon dus niet geloven dat hij voor God vocht. En hij geloofde evenmin dat hij voor de vrijheid vocht, of voor de democratie of voor de menselijke waardigheid. Als hij zijn gevoelens analyseerde, zoals hij nu probeerde, dan kon hij slechts één reden vinden waarom hij hier was: hij zou zich schamen als de mensen hem voor een lafaard hielden, hij zou het gênant vinden om in de gevangenis te belanden. Dat was de waarheid. Waarom dit de waarheid was terwijl hij bij zichzelf al had bewezen dat het geen enkel verschil maakte wat hij deed en of hij iets deed, kon hij niet zeggen. Maar het was een feit.

Fife had toen hij het bivak verliet zijn geweer van zijn schouder genomen, omdat de compagnie de waarschuwing had gekregen dat er zo dicht bij het front Japanse infiltranten konden zijn. Hij had nergens iets zien bewegen maar toen het in het bos steeds donkerder werd, voelde hij zich wat onrustig worden. Hij wist dat er op dit terrein een week geleden nog was gevochten, maar wat hij om zich heen zag wekte de indruk van een bos waar nog nooit een mens was geweest. En toch was het mogelijk dat er hier, op de plek waar hij stond, een andere Amerikaan was gedood. Fife probeerde het zich voor te stellen. Hij omklemde zijn geweer vaster. Naarmate het daglicht verdween, werd de onaardse stilte om hem heen beklemmender. Plotseling herinnerde Fife zich dat er die avond wachtposten om het bivak zouden staan. Verdomme, een zenuwachtige wacht zou best op hem kunnen schieten. Zonder langer te wachten, zonder er nog aan te denken dat hij over enkele dagen dood zou zijn, zodat niets meer belangrijk was, draaide hij zich om en rende in de richting van het kamp, blij terug te kunnen keren naar zijn kameraden.

De wachtposten waren nog niet uitgezet. De sergeant van de wacht had hen juist verzameld. Fife staarde hen een ogenblik verbijsterd aan, alsof ze niet echt waren, en hij bedacht dat het weinig had gescheeld of hij was door een van hen dankzij zijn dwaze emotionele gedoe doodgeschoten. Daarna ging hij zich melden bij de tent waarin Stein sliep. Welsh, die even verderop voorbereidingen trof om te gaan slapen, zei hem dat hij kon opdonderen en naar bed moest gaan.

Even, heel even maar, overwoog Fife of hij hem iets zou vragen, in de hoop op een geruststellend antwoord. Hij had er behoefte aan. Maar toen besefte hij dat hij niet wist wat hij moest vragen, hoe hij zijn gedachten moest uitdrukken, wat hij eigenlijk wilde zeggen.

Trouwens, welke zekerheid had Welsh hem kunnen geven? Hij wilde niet de indruk wekken dat hij een zenuwpees was of een lafbek. En daarom zei hij niets. Hij haalde alleen demonstratief zijn schouders op tegen Welsh, hoewel hij voelde dat zijn gezicht hem verried, dat hij te angstig keek. Hij wendde zich af en liep weg.

Welsh, die met gekruiste benen voor zijn tent zat, zijn geweer op zijn knieën, staarde hem met half dichtgeknepen ogen na tot de strompelende jongen achter een boom verdwenen was. Onder de donkere wenkbrauwen flikkerden zijn ogen even op. Dat joch scheen dus eindelijk te ontdekken hoe belangrijk hij precies voor de wereld was. Welsh snoof minachtend. Het had lang genoeg geduurd. En toch was het iets dat ieder intelligent kind onmiddellijk moest kunnen snappen. Maar ze zagen het liever niet in. En nu werd het hem hardhandig aan zijn verstand gebracht. Tja, dat was pijnlijk, hè? Je voelt je klein op zo'n moment. Het is altijd een schok. Slecht voor de spijsvertering. In zeker opzicht kon Welsh met hem meevoelen. Maar er was niets aan te doen. Niemand kon er wat aan doen. Je kon zo'n jongen hoogstens aanraden de volgende keer als een stommeling ter wereld te komen. Bezit, jongen, daar gaat het om. Iedereen gaat dood, en wat heeft het hele leven voor zin? Wat blijft er uiteindelijk van alles over? Bezit. Welsh ging verder met het schoonmaken en nakijken van zijn geweer. Hij had zijn nieuwe Thompson al gecontroleerd en ook het pistool dat hij uit MacTaes wapenvoorraad had gekozen. En als er jachtgeweren met afgezaagde loop waren uitgereikt, dan zou hij er daar ook een van hebben genomen. Hij moest voortmaken, het was al bijna te donker. Toen hij eindelijk tevreden was over zijn werk, hield hij het geweer met beide handen vast en keek over de loop naar de bomen. Geef mij maar een Garand, dacht hij. De romantische jongens konden wat hem betrof hun Springfields houden en er BAR-magazijnen op lassen. Mariniers moesten dat wel doen. Maar hij hield zich bij de Garand. Voor hem was vuurkracht belangrijker dan haarscherpe zuiverheid. Dit was geen eeuw voor scherpschutters. Welsh legde het geweer weer op zijn dijen en liet zijn handen afhangen van zijn knieën. Vanavond zou hij eigenlijk iets te neuken moeten hebben. Een geit zou al genoeg zijn. Of een zindelijke oude vent. Desnoods een vuile oude vent. Met gekruiste benen, het geweer op zijn schoot, staarde Welsh naar de donkere bomen.

Fife kreeg ook niet veel slaap, maar om een andere reden dan Stein of Welsh. Toen hij bij Welsh was weggegaan, had hij een stapel kisten met C-rantsoenen gezocht. De overtuiging dat hij de volgende dag of de dag daarna dood zou zijn, maakte zijn honger er niet minder om. Bij zijn tent ging hij op de grond zitten en at een onopgewarmd blik vlees met bonen leeg. Genietend vermaalde hij het stevige voedsel tussen zijn kiezen. Daarna kroop hij de tent in en strekte zich uit, waarbij zijn hart plotseling begon te bonzen bij de gedachte aan morgen. Doodgaan? Maar hij had Nice en Monte Carlo nog nooit gezien! Twintig minuten later kwam de kleine Bead, die tijdens de mars was uitgevallen, de tent binnenkruipen.

Fife had hem al eerder gezien toen hij stond te praten met een vriendje van hem bij het eerste peloton, ook een dienstplichtige. Hij hoorde hem binnenkomen, ging met zijn gezicht naar de wand liggen en deed alsof hij al sliep. Bead wrong zich zonder een woord onder de klamboe door en ging op zijn eigen plaats liggen, Fife op zijn beurt negerend.

Zo lagen ze een hele tijd zwijgend in de tent, terwijl om hen heen het bivak tot rust kwam. Daarna lagen ze nog langer naast elkaar terwijl overal om hen heen stilte heerste. De sfeer van geveinsde slaap werd steeds drukkender. Ten slotte bewoog Bead. Hij ging op zijn zij liggen en vroeg schor: 'Nou, wat denk je ervan?'

Fife antwoordde niet, hij bleef doen alsof hij sliep.

'Ik zei, wat denk je ervan?' kwam Beads hese stem weer.

Fife hield zich stil.

'Volgens mij heeft geen van ons beiden nog iets te verliezen. Nu niet meer. En het zou voor ons allebei de laatste keer kunnen zijn.' Beads stem klonk schor, alsof de woorden hem onder druk werden afgeperst, en had een rancuneuze ondertoon. Hij ademde luid.

Fife antwoordde niet en bleef stil liggen; Bead zei niets meer. Hij had zich omgedraaid en lag nu tegen Fifes rug aan te kijken. Zo bleef hij liggen, zijn ademhaling nog even luid.

'Ik heb er zin in en jij ook,' zei de kleine Bead uit Iowa ten slotte met een soort wanhopige eerlijkheid.

Het was waar. In zeker opzicht was dat als argument voldoende. Fife keerde zich langzaam om. Ze lagen nu met de gezichten naar elkaar toe, nog geen halve meter van elkaar af. Fife kon Beads gezicht in het schemerachtige licht net onderscheiden. Het was alsof Beads lichtblauwe ogen het beetje licht dat er was opvingen en zijn gezicht ermee beschenen.

'Nou?' zei Bead.

'Wat, nou?' vroeg Fife geprikkeld. 'Een van ons moet zich omdraaien.' Verdomme nog aan toe! Bead was erover begonnen; dan moest die zich ook maar keren. Er klonk een geritsel en Beads gezicht voor hem verdween. Fife wachtte af. Verstrooid liet hij zijn tong over zijn ongepoetste tanden glijden. Voor zijn gezicht verschenen eerst Beads schoenen, toen zijn knieën.

Merkwaardig genoeg dacht Fife gedurende de ogenblikken die volgden aan zijn vriendin van de universiteit, die hij nooit had kunnen verleiden. Hij herinnerde zich haar zo duidelijk, alsof ze fysiek aanwezig was. Het was een fors meisje, met zware borsten, gespierde dijen, dikke billen en een opvallende *mons veneris*, bijzonderheden die hij in de loop van één hartstochtelijke avond door haar kleren heen had gevoeld, maar nooit gezien. Hij was er niet in geslaagd haar te verleiden, maar had vier hartstochtelijke brieven van haar ontvangen sinds de divisie uit Amerika was vertrokken. Hij had er twee beantwoord, op de tragische toon die paste bij een jonge infanteriesoldaat die binnenkort zou sterven, maar daarna was het schrijven hem te zwaar gevallen. Zij kon gemakkelijk vertellen dat het haar nu speet niet met hem naar bed te zijn gegaan toen het nog mogelijk was, maar Fife vond het bijna ondraaglijk dat te lezen. Wat had hij aan sympathie op lange afstand? Toch gaf het hem bij gelegenheid voldoening te bedenken hoe ze door haar kleren heen had aangevoeld, appetijtelijker, weelderiger, sappiger dan alle hoeren met wie hij ooit naar bed was geweest.

Fife dacht daarentegen liever niet terug aan de keer waarop dit zaakje met Bead was begonnen. Maar er waren gelegenheden, zoals vanavond, waarop hij het niet kon vermijden. Ze hadden het de tweede nacht op het eiland voor het eerst gedaan. De eerste nacht was de nacht geweest na de dag waarop het zo hard had geregend en ook de eerste waarin ze een tent hadden gedeeld. De tweede nacht was alles niet zo nat geweest, behaaglijker. Bugger Stein had de grote tenten van de compagnie toen nog niet weten op te sporen. Bead had het voorstel gedaan. Hij was de tent binnengekomen op het moment dat Fife zich al tot op zijn ondergoed had ontkleed en hartstochtelijk aan meisjes lag te denken. Fife had zich gegeneerd, maar Bead had gedaan alsof er niets aan de hand was. Toen hij zich uitkleedde, had hij zich beklaagd omdat het voor hem zo erg was zonder vrouwen te moeten leven. Ze waren in Amerika vaak samen uitgegaan en hadden in de stad waar de divisie gelegerd was samen de bordelen bezocht. Was Fife dat weleens opgevallen? had de kleine Bead gevraagd. Nou, hij was nogal een geil type, had Bead gezegd, en kon eigenlijk niet buiten een vrouw. De jongen was achttien en misschien was het waar; Bead had het vaak gezegd. Maar Fife had zich soms afgevraagd of Bead misschien een beetje opschepte. Hoe dan ook, Bead zei nu dat hij dit het ergste van de hele oorlog vond. En wat moest je eraan doen? Het was hopeloos. Je kon je aftrekken. Of zonder doen. Tenzij de jongens elkaar af en toe hielpen. Het was of dat, of een kok of een bakker zoeken die homo was; verder had je hier niks. Je kon elkaar helpen, meende Bead.

'Je weet wel, het soort geintjes dat we vroeger als jongetjes deden,' had hij met een verlegen grijnsje gezegd.

Daarna had hij gezwegen. Hij had zich verder uitgekleed en alleen zijn onderbroek aangehouden. Toen had hij zich uitgestrekt op zijn helft van de tent en had met de bijna kinderlijk klinkende tenor, die hij ondanks zijn achttien jaar nog had, gepraat over meisjes en hoeren. Ten slotte was ook dit gesprek verstomd. Hij was op zijn zij gaan liggen, zodat hij Fife kon aankijken.

'En, wat denk je ervan?' had hij opgewekt gezegd. 'Zullen we mekaar helpen? Ik zal het bij jou doen als jij het bij mij doet.'

Fife had al vermoed wat er zou komen. Toch veinsde hij verwarring en onzekerheid. Maar hij had al geweten dat hij op het voorstel zou ingaan. En Bead, die voelde dat hij zijn zin zou krijgen, was zelfverzekerder geworden, zowel wat zijn toon als zijn manier van veroveren betrof. Blijkbaar vond hij het niet verontrustend dat wat hij voorstelde een homoseksuele handeling was. Misschien zag hij dat ook niet in; hij was pas achttien en kwam net van school. Maar dat was niet zo, merkte Fife later, want toen Bead naar Fifes kant van de tent kroop hield hij even op om te zeggen: 'Maar denk vooral niet dat ik homo ben of zoiets.'

'Nou, dat hoef je van mij ook niet te denken,' had Fife geantwoord.

Bij die gelegenheid had Fife ook gedacht aan het meisje dat hij kwijt was geraakt. Hij dacht altijd aan haar. Maar het was niet vaak gebeurd. Die ene keer tijdens hun tweede nacht op het eiland, en de nacht daarop. Op de vierde dag waren de compagniestenten gevonden; de kleine tentjes werden afgebroken en iedereen was verhuisd naar de achtpersoonstenten. Daarna was er geen gelegenheid meer geweest. Behalve eenmaal, op een middag, toen Welsh er niet was en ze niets te doen hadden. Ze waren samen een wandeling in de jungle gaan maken en hadden al geweten wat er zou gebeuren, maar geen van beiden had de kwestie aangeroerd tot het gewoon gebeurde onder de hoge koepel van de jungle en ze beiden volkomen verrast schenen. Maar dat was alles geweest, driemaal, en nu dan, voor het laatst.

Hun verhouding was er natuurlijk door veranderd. Fife had tot zijn eigen verbazing ontdekt dat hij tegenover zijn jongere assistent barser kon optreden dan hij ooit bij iemand anders had gedurfd. Hij zei hem kortaf wat hij moest doen, vloekte hem bij de geringste aanleiding uit, bekritiseerde hem voortdurend, beledigde hem steeds vaker en gaf hem van alles de schuld. Kortom, hij ging Bead behandelen zoals hij tot zijn grote verontwaardiging zelf door Welsh werd behandeld. Bead scheen dit echter te begrijpen en ook te aanvaarden, alsof hij dit om een of andere reden had verdiend. Hij incasseerde Fifes beledigingen zwijgend, deed zo goed mogelijk wat deze hem opdroeg en liet de kritiek rustig over zich heen komen zonder zich op te winden of brutaal te worden. En toch was Fife niet woedend op hem. Bead scheen dat aan te voelen. Fife wist het zelf ook. Maar hij reageerde emotioneel, zonder te begrijpen waarom, hij kon eenvoudig niet anders.

Toen Bead rustig en ontspannen sliep, lag Fife nog in het donker te staren. Hij had zijn pogingen om een zin in dit alles te ontdekken maar opgegeven. Hij wist alleen dat hij zich niet schuldig voelde over wat hij met Bead had gedaan. Hij vond dat hij schuld zou moeten voelen, maar was er niet toe in staat. Wat maakte het immers voor verschil of je dit soort dingen deed als kind of als eerste- of tweedejaarsstudent? Het voelde alleen anders aan, omdat je in de tussentijd zoveel praatjes had gehoord over mietjes en nichten. Fife wist dat er veteranen in het leger waren die een vast vriendje hadden, een jongen met wie ze naar bed gingen alsof hij hun echtgenote was. In ruil daarvoor kregen de jonge soldaten bepaalde voorrechten van hun beschermers, in de eerste plaats geld dat ze konden besteden aan de vrouwen in de stad. Het geknoei van deze kerels werd door niemand ernstig genomen; de meerderen deden alsof het niet bestond. Maar je had ook echte homoseksuelen, en hun aantal was sterk gegroeid nadat al die burgers waren opgeroepen. Iedereen had een hekel aan hen, hoewel velen weleens van hun diensten gebruik maakten. Compagniescommandanten probeerden zich van hen te ontdoen, als ze een aantal mannen beschikbaar moesten stellen. Fifes kennis bleef beperkt tot deze twee typen mannen. Hij vond zelf dat hij bij geen van beide kon worden ingedeeld, maar het idee dat iemand anders dat zou doen deed hem huiveren. Op die laatste avond voor zijn onderdeel naar het front zou gaan, lag hij nog lang na te denken, zich afvragend of hij homoseksueel was. Af en toe kromp zijn hart even ineen bij de gedachte dat hij nooit in Nice of Monte Carlo was geweest. Nou ja, hij wist dat hij de voorkeur gaf aan meisjes.

Vrijwel iedereen stond vroeg in de ochtend op. Zodra een zwak lichtstraaltje tussen de hoge bomen doordrong, kropen er al mannen uit hun tentjes, braken die af en maakten hun bepakking in orde. Er was geen bevel nodig. Sommigen die nog behept waren met het Amerikaanse zindelijkheidscomplex, schonken wat water uit een veldfles op hun tandenborstel om hun tanden te poetsen. De meesten deden dat niet. Enkelen dachten eraan hun voeten te poederen. Er werd heel weinig gedold en een bedrukte stemming heerste in het groene, schemerige licht van de jungle. Ontbijten verliep heel eenvoudig. Overal stonden stapels C-rantsoenen en wie honger had liep er gewoon heen en nam wat hij wilde hebben. Na het eten gingen ze op hun bepakking zitten wachten.

Het was even voor vijf uur licht geworden. Pas om halfnegen kwam een hijgende ordonnans aanrennen met de instructies voor de compagnie. Terwijl de mannen wachtten, hoorden ze overal om zich heen in de jungle bewegingen van andere onderdelen, die ongezien stellingen betrokken of ontruimden. Langs de weg bewogen zich compagnieën van naar adem snakkende infanteriesoldaten. Toen ze zelf, voorgegaan door hun gids (die weer op adem was gekomen), de weg betraden, herkenden de mannen voor zich een compagnie van hun eigen derde bataljon. Niemand wist wat er met hen ging gebeuren.

De gids bracht hen in een halfuur achthonderd meter verder. Daar bleef hij staan en wees naar een met gras begroeide plek onder de bomen, langs de weg. Hier moesten ze wachten. Ze moesten hun dekenrollen en hun gevechtsuitrusting afleggen, gaan zitten en op instructies wachten. De gids draaide zich om en vertrok in de richting van het front.

'Hé, zeg!' riep Stein hem protesterend achterna. 'Wat moeten we dan verder doen? Ik ken het aanvalsplan. Ik weet dat wij een taak hebben.'

'Daar is me niets over gezegd, kap'tein,' riep de gids terug. 'Ik weet alleen dat ik u hierheen moest brengen en u moest zeggen wat ik u heb gezegd.'

'Maar sturen ze dan nog een ordonnans naar ons toe?'

'Dat zal wel. Ik weet het niet. Het enige dat ik weet heb ik u al verteld. Neem me niet kwalijk, kap'tein, maar ik moet ervandoor.' Hij draaide zich om, liep verder en verdween achter een bocht in de weg.

Het was alsof de Charlie-compagnie in een andere wereld terecht was gekomen. Nadat de gids verdwenen was, zagen ze geen mens meer. Eerst hadden voor hen en achter hen andere compagnieën gemarcheerd. Nu waren die ook weg. De compagnie voor de hunne was verder gelopen, de mannen achter hen waren blijkbaar afgezwenkt. Jeeps met voorraden hadden steigerend door de modder gereden. Nu zagen ze niet één voertuig meer. De weg was in beide richtingen volkomen verlaten. En er kwam ook uit de verte niets meer aan. Zelfs de geluiden zwegen. Afgezien van de normale junglekreten schenen ze in een vacuüm te zijn gestort. Het enige dat ze hoorden toen hun oren geleidelijk aan de stilte wenden, waren spattende geluiden en gedempte stemmen van mannen die achter het scherm van de jungle bij de rivier iets transporteerden.

Ze ontdeden zich van hun bepakking, haalden die uit elkaar en gingen toen zitten wachten. Weer duurde het anderhalf uur, van negen tot halfelf, voor ze een menselijk wezen ontdekten, en al die tijd zaten ze te luisteren naar het gespat en te staren naar hun keurige stapel dekenrollen.

Tijdens het wachten werd er niet veel over de situatie gepraat, voornamelijk omdat niemand wist wat er nu eigenlijk gebeurde. Trouwens, ze hadden toch geen behoefte om erover te praten, ze wilden er zelfs liever niet over nadenken. In de weinige gesprekken die werden gevoerd klonk telkens een bepaald woord op, en dat was 'olifant'. De groep boomloze heuvels die het regiment waartoe Charlie behoorde, moest aanvallen, werd de laatste dagen steeds aangeduid als 'De Olifant' of alleen maar 'Olifant'. Iedereen had het woord onmiddellijk overgenomen en gebruikte het, hoewel niemand wist waar het vandaan kwam of wat het betekende.

In werkelijkheid was het heuvelgebied door een jonge stafofficier, die het met een luchtfoto had bestudeerd, 'De Dansende Olifant' genoemd. De aan alle kanten door donkere, met jungle begroeide valleien omringde heuvelgroep vertoonde inderdaad enige overeenkomst met een olifant die op z'n achterpoten stond, de voorpoten opgeheven en de slurf hoog boven de kop. De achterpoten werden tot aan de buik al door mariniers bezet en de aanval van het regiment (met uitzondering van het derde bataljon, dat elders zou worden ingezet) zou daar beginnen. De troepen moesten de ene na de andere helling innemen tot ze de olifantskop hadden bereikt. Er waren verkenningen uitgevoerd en men wist dat de Japanners in ieder geval twee versterkte stellingen op De Dansende Olifant hadden, vanwaar ze vermoedelijk fel terug zouden slaan. Een ervan was een hoge, steile heuvelrug die op schouderhoogte over het lijf van de olifant liep, de andere was de olifantskop zelf, het hoogste punt van het hele heuvelmassief. Van hier af liep de slurf omlaag naar dichtbegroeid terrein, zodat de Jappen een uitstekende aanvoerroute hadden – en een vluchtweg, indien nodig. De hoge heuvelrug bij de schouder van de olifant, die officieel Heuvel 209 heette, zou die dag door het tweede bataljon worden aangevallen. Maar de mannen van Charlie die naast de plotseling verlaten weg zaten, hadden er geen idee van of dit inderdaad gebeurde en hoe het ging, en afgezien van de officieren en de pelotonssergeants kenden ze het nummer dat de heuvel had gekregen niet eens. Maar dat interesseerde de meesten van hen ook niet erg.

John Bell was een van degenen die zich er wel voor interesseerde. Bell had voldoende geleerd over infanteriestrategie en -tactiek om een theoretische belangstelling te hebben. Bovendien, als hij bij deze actie zijn leven moest wagen, dan wilde hij er het liefst zoveel mogelijk van weten. Daar kwam bij dat het zitten op deze, om mysterieuze redenen verlaten weg niet bijster enerverend was. Bell wilde iets doen. Een praatje maken over de actie zou nog zo slecht niet zijn.

Bell hoorde bij het tweede team van het tweede peloton, de groep van de jonge sergeant McCron, berucht om zijn moederlijke bezorgdheid. McCron was een prima sergeant als het ging om de zorg voor zijn mannen, maar hij wist niets van tactiek en interesseerde zich er helemaal niet voor. Bell wendde zich dus tot zijn pelotonssergeant, Keck. Hij was een oudere beroepsmilitair die al sinds 1940 pelotonssergeant van ditzelfde onderdeel was. Van hem werd Bell niets wijzer. Keck grijnsde minachtend en zei alleen maar dat het tweede bataljon die dag Heuvel 209 zou aanvallen, ergens op een plek die De Olifant heette; God wist waarom. En dat er daarachter een andere heuvel lag die, heel toepasselijk, Heuvel 210 werd genoemd en dat zij die de volgende dag vermoedelijk zouden aanvallen, vooropgesteld dat het tweede bataljon de zaak die dag niet verprutste, maar wat kon hem het eigenlijk schelen? Ze werden die dag toch in reserve gehouden? Dit wist Bell allemaal al. Keck was zo'n sergeant die het maken van plannen en het bestuderen van kaarten liever aan de officieren overliet en pas interesse kreeg als hij op het terrein zelf was en met eigen ogen kon zien welke karweitjes zijn peloton moest opknappen. Bell begreep dit wel, maar hij schoot er niets mee op.

Zijn eigen pelotonscommandant, luitenant Blane, zat niet ver van hem af, maar Blane deed altijd stug tegen Bell. Bells voormalige status vormde hiervoor natuurlijk de verklaring en Bell wilde zich dus liever niet tot Blane wenden. Toen zag hij Culp van het ondersteuningspeloton, die een eindje verderop op een hoge graspol zat. Culp, de joviale, ongecompliceerde student die veel aan football deed, was altijd even vriendelijk. Bell besloot hem ernaar te vragen.

Culp scheen zelf enigszins geïntimideerd door de onverklaarbaar verlaten weg en het wachten, want hij was blij toen Bell zich tot hem wendde. Hij vertelde Bell dat een of andere pientere jonge stafofficier (die voor deze prestatie wel tot overste zou worden bevorderd) de poëtische naam van De Dansende Olifant had bedacht. Met een tak schetste hij op de vochtige grond de opvallendste kenmerken van de Olifant. Toen ze de situatie van alle kanten hadden bekeken en zich allebei een beetje gegeneerd begonnen te voelen, ging Bell naar zijn groep terug en dacht na. Zijn conclusie was dat er bij het veroveren van De Olifant minstens twee kritieke situaties zouden ontstaan. Er waren twintig minuten voorbijgegaan. Hij zat tussen zijn groep te denken aan zijn vrouw Marty en vroeg zich af wat ze op dat moment aan het doen was. Het was nu nacht in Columbus. Of niet? Plotseling overviel hem een fysiek verlangen naar haar, het verlangen haar te ontkleden, haar lichaam voor zich te zien liggen, haar te likken en te bespringen. Door de koortsachtige lustgevoelens schoot het bloed hem naar het hoofd; de pijn was zo ondraaglijk fel dat hij meende het te moeten uitgillen. Het was een martelende koortsdroom, waarvan hij zich niet kon bevrijden. Even later rilde hij over zijn hele lichaam. Nu wist Bell genoeg. Hij besefte dat hij het tiende geval binnen drie dagen was.

Malaria was alleen in extreme gevallen iets waarvoor men in de ziekenboeg werd opgenomen en Bell was niet de enige met beginnende malaria toen er eindelijk om de hoek van de nog altijd verlaten weg een eenzame gestalte zichtbaar werd. Op de plek waar zij zaten, liep de weg enigszins omhoog naar de bocht. Daar aangekomen boog hij naar rechts en ging steil omlaag. De naderende man sjokte hijgend de helling op, bleef op vlak terrein even staan om op adem te komen en stond even later weer stil omdat hij hen had ontdekt. Hij haalde nog een paar keer diep adem en kwam toen schreeuwend op hen af.

'Verdomme, waar hebben jullie gezeten? Ik heb me rot gezocht naar jullie groep! Wat voeren jullie in godsnaam uit? Jullie moeten aan de overkant van de rivier zijn, niet hier! Wat is er godverdomme gebeurd?'

'Oké, aantreden,' riep Bugger Stein nijdig naar zijn compagnie. 'Aantreden, mannen.'

De nieuwe gids bleef maar zenuwachtig tieren, ook toen de mannen eenmaal in het gelid stonden en hij hun voorging.

'Echt waar, kapitein, ik heb overal gezocht. U moet aan de overkant van de rivier zijn. Daar zou ik u treffen, is me gezegd.'

'Wij zijn precies gebleven waar onze vorige gids zei dat we moesten wachten,' zei Stein. Al zijn uitrustingsstukken, die aan diverse riemen hingen, schenen plotscling uit balans te zijn, zodat ze tegen elkaar en tegen zijn lichaam aan sloegen en hem bij het lopen hinderden.

'Dan heeft hij zich op een of andere manier vergist,' zei de nieuwe gids.

'Hij klonk heel erg overtuigd toen hij zei dat wij hier moesten blijven,' verklaarde Stein.

'Dan heeft iemand hem verkeerde instructies gegeven. Of ze hebben het mij verkeerd gezegd.' De gids dacht even na. 'Maar ik moet het goed hebben, want de rest van het bataljon is ook daarginds.'

Niet bepaald een gelukkig begin. Maar er waren nog andere vragen die Stein bezighielden. Hij wachtte zeker vijftien seconden voor hij sprak.

'Hoe staan de zaken er daar voor?' Hij deed zijn best zijn stem neutraal te laten klinken, maar iets van schuldgevoel bleef hoorbaar.

De gids merkte het niet. 'Het is een...' Hij zocht naar het juiste woord. '... Een gekkenhuis.'

Daarmee moest Stein zich tevreden stellen. De gids gaf geen nadere verklaring. George Band marcheerde naast Stein en ze wisselden een blik uit. Opeens vertrok Bands gezicht in een wolfachtige grijns. Stein vroeg zich af wat dat te betekenen had, maar inmiddels hadden ze de bocht bereikt en hij concentreerde zich op wat er voor hen lag. Vanaf de bocht liep de weg bijna recht naar beneden, naar de naamloze rivier. De helling was vrij steil. De weg zelf, een sombere, aflopende tunnel tussen twee junglewanden, was door het vele verkeer in een modderige glijbaan veranderd. De enige manier om hier af te dalen was je een kwartslag omdraaien en je voeten zijwaarts neerzetten, als op een heel steile trap. Minstens de helft van de mannen belandde tijdens de afdaling op hun kont, maar er werd weinig gelachen. Als er al iemand lachte, dan was het hoog en nerveus en klonk het geforceerd.

Aan de voet van de helling lag de pontonbrug, breed genoeg voor jeeps en voorzien van houten bielzen. Aan weerskanten stonden militairen, om het verkeer te regelen en de brug in het oog te houden. Zij namen de mannen van Charlie nieuwsgierig en vol mededogen op. De C-compagnie kwam door de vaart die ze op de helling hadden gekregen, op een holletje aanstormen. Ze liepen met snelle, onregelmatige bewegingen, als in een oude Chaplinfilm, naar de overkant.

Terwijl ze de rivier overstaken, kregen ze de verklaring voor de spattende geluiden die ze eerder op de dag hadden gehoord. Naakte of bijna naakte mannen waadden door de rivier, terwijl ze bootjes voor zich uit duwden; de ene rij ging heen, de andere terug, en samen vormden ze een geïmproviseerde ravitailleringslinie, die de taak van de in de modder achtergebleven vrachtauto's had overgenomen. De bootjes die stroomopwaarts gingen bevatten voorraden. In de bootjes die de rivier afvoeren zagen de mannen van de C-compagnie voor het eerst infanteristen die door andere infanteristen gewond waren: mannen met doffe ogen, van wie de meesten achterover leunden, hier en daar bedekt met verrassend wit verband. Sommige zwachtels vertoonden felrode plekken doordat ze met vers bloed waren doordrenkt. Alle ogen van Charlie gingen schuin naar de gewonden. Niet alle terugkerende bootjes waren gevuld met gewonden, ongeveer de helft ervan.

Zodra ze de overkant hadden bereikt moesten ze klimmen. Deze helling was even steil als degene die ze waren afgedaald, en bovendien hoger. Ze zagen nu ook overal soldaten, die heen en weer, omhoog en omlaag renden en stonden te praten. Voor de mannen van de C-compagnie, die anderhalf uur alleen waren geweest, ging hiervan iets geruststellends uit. Ze zagen de mannen van Dog, de ondersteuningscompagnie van hun eigen bataljon, die met hun grote mortieren en .50-mitrailleurs op de begroeide helling zaten. Er werd gewuifd en geroepen. De Able- en de Baker-compagnie waren al boven, werd hun verteld. De jungle hield op en voor hen lagen met gras begroeide heuvels. Alsof hier een door mensen getrokken demarcatielijn liep, maakte de modder plotseling plaats voor hardgebakken klei, die hun gezichten bepoederde. Ze klommen verder.

Hier zagen ze sergeant Stack van het derde peloton naast het pad op de grond zitten. De sergeant, een magere vent met een streng gezicht, hard als een spijker en een fanatieke bullebak, hield zijn benen stijf bijeen, had zijn geweer op zijn schoot en riep iedereen angstig toe: 'Ga niet verder! Ze schieten je dood! Ga niet verder, ze schieten je dood!' Ze moesten hem allemaal passeren, man voor man, als bij een macaber defilé, terwijl hij daar, zijn benen stijf tegen elkaar gedrukt, zat te gillen. De meeste soldaten zagen of hoorden hem nauwelijks omdat ze zelf zo opgewonden waren en ze lieten hem rustig zitten. Stack zou nooit dichter bij het front komen; geen van de mannen zag hem ooit terug. Ze hadden nu twee derde van de helling achter zich liggen.

Niets van wat ze onderweg hadden gehoord of gezien had hen voorbereid op de heksenketel die ze boven aantroffen. Omdat ze met de wind mee hadden geklommen, waren de geluiden van de veldslag nauwelijks tot hen doorgedrongen; nu ze de laatste bocht achter zich lieten en op de open heuveltop stonden, werden ze plotseling ondergedompeld in een hels lawaai. Als een rivier, die zich in een moeras stort en daar zijn snelheid verliest, doken de mannen die achter elkaar hadden gelopen onder in de menigte stilstaande of rennende soldaten, die brulden om zich boven het rumoer verstaanbaar te maken.

Onzichtbaar maar niet ver van hen af schoten de 81 mm mortieren hun karakteristieke, aan gongslagen herinnerende salvo's af. Verder weg klonken sporadisch de enorme explosies van de artillerie. Weer wat verder vulden de .50-mitrailleurs met hun basstemmen iedere vuurpauze. En zwakker, maar onmiskenbaar, kwamen van het niet begroeide terrein vóór hen de geluiden van handwapens, geweren en granaten en de daverende knallen van inslaande mortiergranaten en artillerieprojectielen. Dit alles, in combinatie met de algemene opwinding, het schreeuwen en rondrennen, schiep een chaotische situatie, waarin iedereen zijn verstand dreigde te verliezen. Toen de C-compagnie op het gevechtsterrein aankwam, was het een paar minuten voor elf.

De mannen stonden op een hoogte, vanwaar ze uitzicht hadden over een serie met gras begroeide heuvels en dalen, omringd door een zee van jungle. Voor hen daalde het terrein af naar een wat lagere heuveltop, waar het oerwoud aan weerskanten opdrong, zodat het een smalle strook zonder bomen vormde, die toegang gaf tot de uitgestrektere vlaktes erachter. Ook op deze top stonden en liepen groepjes Amerikaanse soldaten in groen gevechtstenue, minder in aantal dan hier, in totaal een man of dertig. Achter de tweede top helde het terrein weer af, niet zo steil nu, maar over een veel grotere afstand, naar een onregelmatig gevormd ravijn, begroeid met schraal gras. Daarachter liep het terrein steil omhoog naar een heuvelrug, die het landschap domineerde en alles wat erachter lag aan het oog onttrok. Op deze, misschien duizend meter verderop gelegen helling, hoger dan de plaats waar de C-compagnie stond, werd door infanteristen gevochten.

De enkelen die zoals Bell een beschrijving van De Dansende Olifant hadden gekregen, begrepen meteen dat de hoogte waarop ze zelf stonden, de achterpoot van De Olifant moest zijn. De lagere heuveltop voor hen, blijkbaar de CP van het tweede bataljon, was de knie van De Olifant en vandaar kon men de uitgestrekte terreinen bereiken die de romp vormden. De heuvelrug waarop het infanteriegevecht plaatsvond, moest de schouder zijn, de positie die men Heuvel 209 noemde.

Er was hier kennelijk een vuurgevecht aan de gang. Eenheden ter grootte van een groep of een peloton, verkleind door de afstand maar duidelijk zichtbaar, deden verbeten pogingen om de helling te bestormen en de heuvel te veroveren. De Amerikanen stonden nog te laag op de helling om handgranaten te kunnen slingeren, zodat ze zich moesten beperken tot geweervuur. De Japanners echter, die af en toe zichtbaar waren tussen de stammen van het bos waarmee de andere zijde van de heuvel begroeid was, hadden geen last van deze handicap; ze konden hun granaten gewoon laten vallen en de zwarte rookwolken van exploderende Japanse granaten waren hier, dan daar, op de helling zichtbaar. Een Amerikaan maakte een geweldige sprong omlaag toen er vlak bij hem een ontplofte, als iemand die van een ladder springt. Hij kwam een heel stuk lager terecht, liet zich een eindje doorrollen, kwam toen overeind en klom weer omhoog om zich bij zijn groep aan te sluiten.

De mannen van de C-compagnie waren net voor de climax aangekomen. Terwijl zij tussen de onrustige menigte op de hoogte stonden en hun ogen uitkeken naar alles wat ze hier voor het eerst zagen, vormden de afzonderlijke groepen op de helling een lange rij, die vurend en handgranaten slingerend naar de top rende. Ongeveer vijftien meter voor ze hun doel hadden bereikt werden ze teruggeslagen. Het zware mitrailleurvuur, dat op de hoogte duidelijk hoorbaar was, deed hen terugdeinzen. Rennend en springend vluchtten ze naar de voet van de heuvel, waar ze opnieuw dekking zochten; een aantal van hen, misschien tien procent, bleef op de helling liggen. Er klonken kreten van ontzetting en verontwaardiging op de heuveltop waar de C-compagnie zich bevond.

Het gekreun van teleurstelling was niet de enige reactie op het afslaan van de aanval. Ordonnansen en jonge stafofficieren baanden zich een weg door de menigte en renden weg in diverse richtingen. Het middelpunt van alle bedrijvigheid werd gevormd door een kleine groep militairen op het hoogste punt van de heuveltop. Zij waren bijna de enigen onder alle aanwezigen die distinctieven droegen: allen hadden sterren of adelaars op de kragen van hun groene uniformen. Ze onderscheidden zich bovendien van de anderen doordat ze er zo schoon uitzagen. Het waren oudere mannen. Af en toe bekeken ze het terrein door verrekijkers, wezen elkaar op bijzonderheden en praatten met elkaar of in een van de drie telefoons die ze bij zich hadden. Af en toe sprak een van hen een paar woorden in de zender die een veel jongere militair op zijn rug droeg. De mannen van Charlie herkenden onder hen hun bataljonscommandant, hun regimentscommandant, en, van foto's, hun divisie- en hun korpscommandant.

Een van deze mannen stond nu woest te brullen in een van de telefoons. Op de tweede heuveltop riep de kolonel die het bevel over het tweede bataljon voerde, door zijn apparaat iets terug. De militair op de hoger gelegen top luisterde aandachtig en knikte met zijn gehelmde hoofd. Daarna sprak hij weer in de radio, nijdig, onbevredigd. Nadat dat gesprek was beëindigd, richtte hij op verontschuldigende toon het woord tot de drie militairen die sterren droegen. Zelf had hij adelaars. Op de lagere top sprak de kolonel van het tweede bataljon nu in een andere telefoon die hij in zijn andere hand hield.

Vóór hem, aan de overkant van de ongeveer achthonderd meter brede vallei, bevond zich de CP van de teruggeslagen pelotons, verdekt opgesteld achter een kleinere heuvelrug, een uitloper van de hogere. Terzijde van deze kleine groep bevonden zich twee nog kleinere eenheden, die bewegingen maakten waaruit viel af te leiden dat zij de van hier onzichtbare mortieren van de compagnie bedienden. Terwijl de kolonel door de radio sprak, verliet één man de CP en begaf zich, telkens een eindje rennend, naar de teruggedreven soldaten die nu sporadisch op de Japanse heuvelstelling vuurden. Voor hij hen had bereikt, stortte hij ineen, geraakt. Meteen nam een andere man zijn taak over. Zodra deze de soldaten had bereikt, begonnen zij zich in de richting van de CP terug te trekken, telkens met een paar man vurend om de anderen te dekken, dan weer rennend tot zij de dekking van de lagere helling waarachter de CP lag hadden bereikt. In het groepje hoge militairen op de heuveltop stond er nu een nijdig met zijn armen te zwaaien en zichzelf heftig op zijn been te slaan. De kolonel van het tweede bataljon deed hetzelfde. Slechts enkele seconden later explodeerden artillerieprojectielen en vormden zich zware paddestoelachtige rookwolken op de heuvelrug die door de Japanners werd bezet.

Wat er verder nog op de heuveltop gebeurde in verband met deze operatie, ontging de mannen van de C-compagnie. Ze hadden nu al hun aandacht nodig voor hun eigen aandeel in het drama en hun belangstelling voor de internationaal bekende groep aanvoerders verdween. Tijdens de actie had Bugger Stein zich naar de groep begeven om zich te melden bij zijn bataljonscommandant, die geen belangrijk aandeel had in de groep maar eerder de rol van toehoorder vervulde. Stein keerde nu bij hen terug. Het eerste bataljon had met uitzondering van de Dog-compagnie tot taak als regimentsreserve op te treden en de heuvelrug te bezetten achter de CP van de Fox-compagnie, die ze zojuist in actie hadden gezien. Deze heuvelrug, die lager was dan Heuvel 209 rechts ervan, werd Heuvel 208 genoemd en kon, als men het beeld van de olifant aanhield, worden beschouwd als het midden en achterste deel van diens ruggengraat. De Japanners hadden hier nooit stellingen gehad maar er werd een tegenaanval vanaf de flank gevreesd. De A- en de C-compagnie zouden de linie bemannen, de B-compagnie zou als reserve dienen en het ravijn bezet houden; zo luidden de instructies van overste Tall. Omdat Able en Baker al op weg waren naar hun stellingen, zouden de mannen van Charlie dwars door de B-compagnie naar voren gaan – altijd een lastige manoeuvre, ze moesten dus goed uitkijken. Terwijl Bugger sprak, vormden zich om zijn ogen achter de brillenglazen bezorgde rimpeltjes. Zijn eigen plan van opstelling luidde: eerste en tweede peloton op de heuvelrug, het derde in reserve; Culp kon zijn twee mitrailleurs op de geschiktste punten langs de linie posteren; de mortieren zouden dicht bij de CP worden opgesteld. De marsorde was: eerste peloton, tweede peloton, compagniesstaf, ondersteuningspeloton, derde peloton. Ze zouden onmiddellijk vertrekken.

Maar, terwijl ze zich pelotonsgewijs opstelden, bleek dat dat niet meteen mogelijk was. De Easy-compagnie, de reserve van het tweede bataljon, trok voor hen langs. Easy zou worden ingezet op de rechtervleugel van het aanvallende tweede bataljon, en daar de plaats innemen van de G-compagnie, die eveneens terug was geslagen naar een van hieraf onzichtbare stelling achter de uitloper van de jungle. De mannen van de C-compagnie hadden veel kennissen bij Easy en sommigen riepen hun een groet toe. Maar de soldaten van Easy, die wisten dat ze straks moesten aanvallen en geen veilige defensieve positie zouden krijgen, liepen in zichzelf gekeerd verder en staarden hoogstens met een mengeling van onzekerheid en geïrriteerde jaloezie naar de mannen van Charlie. Ze sjokten langzaam over het terrein en verdwenen langs de helling aan de achterzijde in de bossen. Het duurde een kwartier voor ze weg waren. Daarna kon de C-compagnie vertrekken, het eerste peloton voorop.

Toen ze tijdens dat kwartier stonden te wachten, vestigde majoor Welsh voor het eerst de aandacht op zichzelf. Tot nog toe had Welsh er slechts naar gestreefd niet op te vallen. Hij had zich bewust op de achtergrond gehouden, omdat hij eerst eens wilde weten hoe het hier toeging. Wel had hij van tevoren zijn maatregelen getroffen: twee van de drie veldflessen die aan zijn koppel hingen waren gevuld met gin. Bovendien had hij zijn Listerinefles nog. Hij had de gevoelens die de ervaringen van die dag bij hem hadden gewekt onmogelijk kunnen beschrijven. Welsh wist alleen dat hij doodsbang was, maar tegelijkertijd voelde hij een doffe woede vanwege het feit dat er in de wereld maatschappelijke krachten bestonden die hem konden dwingen zich hier te wagen. De enorme opwinding die op de heuveltop heerste, had ook diepe indruk op hem gemaakt. De sfeer deed hem denken aan die in een voetbalstadion tijdens een belangrijke wedstrijd. Het dwaze van deze vergelijking zette hem aan te doen wat hij deed.

Terwijl hij met Stein en de compagniesstaf de E-compagnie die langs hen marcheerde bekeek, viel zijn blik op een hele stapel ongeopende kisten met handgranaten en meteen besefte hij dat iemand een blunder moest hebben gemaakt, want er waren geen handgranaten uitgereikt aan de C-compagnie. Op zijn heimelijke, dwaze manier grijnzend, besloot hij ze zelf uit te delen, maar dan op een manier die paste bij de supporterachtige stemming die hier hing. Zonder iemand iets te zeggen hurkte hij plotseling neer met zijn handen op zijn knieën en brulde met zijn doordringende commandostem: 'Hup! Een... twee... drie... Nu!' Hij draaide zich bliksemsnel om als een halfback en rende naar de stapel kisten, trok zijn bajonet en spleet het zachte hout open. De granaten waren verpakt in cilinders van zwart karton, de twee helften met geel plakband verbonden. Welsh haalde ze eruit en bulderde: 'Eieren! Verse eieren! Wie wil er eieren, zo van de kip?'

Zijn zware bulderstem was ondanks het lawaai en het tumult om hem heen duidelijk te horen. De mannen van zijn compagnie draaiden zich om en keken. Handen werden uitgestoken. En Welsh, met zijn dwaze grijns, nog uit alle macht brullend, gaf de handgranaten door.

'Eieren! Eieren! Wie wil er een ei?' Zijn machtige stem kwam boven alle geluiden op de heuveltop uit. Terwijl er van alle kanten naar hem werd gestaard alsof hij gek was geworden, bleef Welsh de mannen van zijn compagnie grijnzend granaten toegooien, zijn houding een volmaakte karikatuur van een voetballer: linkerarm gestrekt, rechterarm gebogen, rechterbeen gebogen en het linkerbeen naar voren.

Een van de zeven oudere mannen die de actie leidden en een uitgelezen geïsoleerde groep vormden, hoorde hem. Hij draaide zich om, keek, en er trok langzaam een goedkeurende grijns over zijn gezicht. Met zijn elleboog stootte hij een van de andere hoge militairen aan. Even later sloeg de hele groep Welsh glimlachend gade. Dat was een Amerikaanse soldaat zoals de generaals hem graag zagen. Welsh, die vijftien meter verderop stond, grijnsde moordlustig terug, een uitdagende blik in zijn brutale ogen, terwijl hij doorging met gooien en schreeuwen.

Misschien was Storm de enige die Welsh' bedoeling begreep. Storms cynische gezicht met de gebroken neus kreeg een ironische uitdrukking; hij trok zijn eigen bajonet, rende naar Welsh toe en begon kisten open te breken en Welsh de granaten aan te geven.

'Kom op,' brulden ze nu samen. 'Gebakken of gekookt?'

In recordtijd hadden ze de inhoud van de hele stapel kisten verdeeld. De E-compagnie was inmiddels gepasseerd. De laatste twee granaten hielden ze zelf en als gekken in een van die zeldzame ogenblikken van wederzijds begrip, liepen ze naar de compagniesstaf terug. Terwijl de mannen het gele plakband verwijderden en de kokers openbraken om de granaten met de ring aan een knoop van hun jasje te hangen, zoals ze dat bij de mariniers hadden gezien, daalde de C-compagnie de helling af.

Als Bugger Stein had gehoopt dat zijn compagnie geordend zou afdalen, dan had hij pech. Het eerste peloton begon volgens het boekje: verkenners voorop, en daarachter een colonne in twee rijen. Maar voor ze tien meter verder waren, veranderde alles al in een chaos. Het bleek onmogelijk de formatie aan te houden op een helling waarop zoveel mannen bijeen waren. Sommigen stonden alleen te kijken, anderen bewogen zich in onregelmatige rijen voort en sleepten afschuwelijk zwetend en hijgend voorraden aan. Een groep lopende gewonden naderde en iedereen stapte opzij om hen door te laten; daarna volgden drie groepjes hevig transpirerende mannen die onder de tropenzon zeulden met brancards waarop ernstig gewonden lagen, die telkens kreunden of jammerden als de brancard bij het optillen of neerzetten schokte. Toen de mannen van de C-compagnie de heuveltop bereikten waarop de CP van het tweede bataljon zich bevond, vormden ze een resoluut voortbewegende bende. Voor zover er nog ordelijk werd gemarcheerd kwam hieraan bij het passeren van het CP-personeel een einde.

Achter de commandopost was het minder vol, maar de chaos was al compleet. Om weer in formatie te komen zou de compagnie veel tijd nodig hebben en zich opnieuw moeten opstellen. Stein kon slechts vloeken van machteloze woede en hij moest het zweet telkens weer van zijn bril vegen. Hij was zich pijnlijk bewust van de hoge pieten die zijn troep gadesloegen. Zijn enige troost was dat Able en Baker voor hem het er niet beter afbrachten. Om hem heen liepen zijn mannen met strakke, afstandelijke gezichten, waarin de ogen ernaar schenen te streven geen enkele uitdrukking te tonen die later in hun nadeel kon worden uitgelegd. De soldaten die voorop liepen zwenkten volgens zijn instructies naar links, de A- en B-compagnie volgend, zonder dat Stein het bevel hoefde te brullen. Daarvoor was hij dankbaar.

Een van de voorop lopende mannen was soldaat eersteklas Doll, die bij de tweede groep van het eerste peloton hoorde. Doll wist zelf niet hoe hij bij de voorsten terecht was gekomen, het maakte hem nerveus en hij voelde zich bijzonder weerloos, maar tegelijkertijd was hij trots op zijn plaats en wilde hij die behouden. Zodra iemand die achter hem liep versnelde, ging Doll ook sneller lopen om dezelfde afstand te bewaren. Hij was de man geweest die zich Steins instructies had herinnerd en het initiatief tot het afzwenken had genomen om Able en Baker te volgen, die nu achter de heuvels waren verdwenen. Doll had alle wapens bij zich die hij maar had kunnen bemachtigen. Zijn gestolen pistool hing op zijn heup met een patroon in de kamer, de haan gespannen en de pal op veilig. Hij had twee messen in zijn koppel: het oude uit Amerika en het nieuwe 'bowiemes' dat hij van de Japanse bajonet had gemaakt. Aan de knopen van zijn zakken hingen twee granaten en hij had er ook nog twee in zijn zijzakken. Het was hem niet gelukt evenals Dale een Thompson in handen te krijgen, maar hij hoopte er later een te bemachtigen, misschien van een gewonde. Hij liep met energieke pas, al had hij een onaangenaam gevoel in zijn maag dat hem wat misselijk maakte. Hij keek nu eens naar links en dan weer naar rechts om er zeker van te zijn dat niemand die achter hem liep hem zou inhalen.

Er werd heel weinig op hen geschoten. Slechts af en toe sloeg een enkele kogel tussen hen in en verdween in de grond of ricochetteerde zonder iemand te raken. Niemand kon uitmaken of de kogels van Heuvel 209 kwamen, of dat ze speciaal op hen gericht waren. De schoten richtten geen schade aan, maar de mannen weken er knipperend met hun ogen schichtig voor opzij. Als er één vlak bij hen insloeg kropen ze een eindje, maar dan kwamen ze weer overeind, gegeneerd omdat de anderen ook rechtop bleven lopen.

Toen ze het droge, onbeboste ravijn naderden, konden ze om de hoek kijken en de buik van de olifant zien. Hier deed de G-compagnie een nieuwe poging Heuvel 209 aan de rechterzijde te bestormen. Evenals de F-compagnie hadden deze mannen een CP en vuurbasis tegen een lagere helling en namen zij nu de top waarom werd gevochten met hun mortieren en mitrailleurs onder vuur, terwijl de Japanners op de heuvel hen met heftig mortiervuur bestookten. Onder dekking van hun eigen schoten slopen twee pelotons van de G-compagnie langs de ineengedoken lichamen van hun bij vorige pogingen gesneuvelde kameraden naar de heuveltop. De C-compagnie vertraagde om te kijken en bleef staan toen de twee pelotons zich oprichtten en met de als donkere steegjes tegen de lichtgrijze helling afstekende bajonetten de top bestormden. Ditmaal kwamen ze bijna boven. Vijf of zes van de voorsten vochten man tegen man met Japanners die hun ook met de bajonet op het geweer tegemoet kwamen. Hier, aan de rechterkant van de lange heuvelrug, waar de andere kant van de heuvel niet bebost was, kon de C-compagnie de worsteling duidelijk zien. Opnieuw bleek het moordende vuur van de zeer goed geplaatste Japanse mitrailleurs te hevig. De twee pelotons sloegen op de vlucht. De voorste mannen, die de strijd in hun eentje niet konden voortzetten, probeerden zich aan het bajonetgevecht te onttrekken en er eveneens vandoor te gaan; ze doken weg en lieten zich omlaag rollen. Twee van hen slaagden hierin niet. Duidelijk was te zien dat ze, nog levend en zich heftig verzettend, door de Japanners werden meegetrokken naar de top.

Lager, in de droge, smalle vallei, stonden de mannen van de C-compagnie met open mond het gevecht te bekijken. Soldaat Doll voelde zijn hart met trage, dreunende slagen kloppen in zijn keel. Met een niets ontziende eerlijkheid die hem zelf bijna ondraaglijk toescheen, vroeg Doll zich af hoe die jongens zich ertoe konden brengen zulke dingen te doen en hoe ze zich zouden voelen terwijl ze zoiets deden. Het idee om op een gillende moordzuchtige Jap met een naakte bajonet af te gaan! En dat waren kerels van de G-compagnie, die daar vochten. Doll kende er verscheidenen van. Hij had zelfs een aantal goede vrienden bij de G-compagnie. Ze hadden zich vaak samen een stuk in de kraag gedronken. Maar stel je voor dat je daar werd meegesleurd over de top door een troep gillende, een keizer aanbiddende wilden! Zijn rechterhand ging tersluiks naar zijn pistool. Hij had zich voorgenomen dat hij ervoor zou zorgen altijd één kogel voor zichzelf over te houden. Maar al hadden die jongens daarboven een pistool gehad, dan zouden ze de tijd niet hebben gekregen om er gebruik van te maken. Als hijzelf zijn geweer of bajonet in de hand had, zou hij zijn pistool niet gereed kunnen houden. Dat was onmogelijk. Doll bedacht dat hij aan dit probleem meer aandacht moest schenken, hij moest hier goed over nadenken.

Boven hen op de helling hadden de overlevenden van de beide pelotons zich op de grond geworpen. Ze drukten zich zo plat mogelijk tegen de aarde in de hoop aan het mortier- en mitrailleurvuur te ontsnappen.

Achter zich hoorden de mannen van de Charlie-compagnie een luide schreeuw. Toen ze zich omdraaiden, zagen ze een man op de heuvel van het tweede bataljon staan die met zijn armen in hun richting zwaaide. Eerst staarden ze maar wat naar hem, maar de man bleef schreeuwen en met zijn armen zwaaien. Langzaam ontwaakten ze uit hun verdoving. Bugger Stein, die even schuldig was als de rest, schraapte plotseling zijn keel en zei: 'Vooruit, mannen, daar gaan we.' Ze keken heimelijk naar elkaar omdat niemand zijn gevoelens wilde verraden, terwijl ze weer in beweging kwamen en Doll, die nog altijd vooraan stond, sprong vooruit, bang dat iemand hem zou passeren.

Met luid gezucht vlogen de granaten van de artillerie nog altijd in een boog over hen heen om tegen de heuvelrug uiteen te spatten. 155 en 105 kaliber granaten explodeerden op de toppen en aan beide zijden ervan met een bijna ononderbroken donderend lawaai. Onder die granaten liep de Charlie-compagnie zenuwachtig verder. Er vlogen vandaag overal om hen heen zoveel potentieel gevaarlijke voorwerpen rond!

Een van de zenuwachtigsten was de jonge korporaal Fife. Fife had pas laat kunnen vertrekken omdat Stein hem naar de bataljonsstaf had gezonden met een bericht over de plek die Bugger had uitgekozen voor zijn commandopost. Met uitzondering van de twee lijnwerkers van de verbindingsdienst, die de verbinding legden met de veldtelefoon van de compagnie op enige afstand achter hem, was Fife de laatste man van de groep. Omdat hij zo langzaam liep, bleef hij ook de laatste. Voor hem uit zag hij Storm doorstappen, met zijn Thompson in de hand en het geweer over de schouder, omringd door Dale met zijn Thompson en de andere koks. Niet ver van hen af liepen Welsh, Stein en Band en de twee secretarissen, Bead en Weld. Fife zou zich graag bij hen hebben gevoegd, maar hij was niet in staat sneller vooruit te komen en tegelijkertijd links, rechts, voor zich uit, overal te kijken of er misschien iemand was die op hem schoot.

Toen Fife over de top van de heuvel was gekomen en zich op de helling had bevonden die naar het dal voerde, had hij plotseling het gevoel gekregen geheel onbeschermd aan enorme gevaren bloot te staan. Hij had in zijn hele leven slechts eenmaal eerder zo duidelijk het gevoel van dreigend gevaar ondervonden en dat was toen hij tijdens manoeuvres op patrouille was gezonden en op een bergtop naar omlaag had staan kijken, doodsbang dat hij te ver voorover zou leunen. Maar nu was dat gevoel van onbeschermd zijn nog versterkt door een ermee gepaard gaande totale isolatie en hulpeloosheid. Er waren te veel dingen waarvoor je moest uitkijken. Een man kon dat allemaal beslist niet in z'n eentje klaarspelen. Het was bovendien ongeveer even gemakkelijk om door een stom ongeval de dood te vinden als door een vijandelijke kogel. Terwijl hij zijn best deed om overal tegelijk naar te kijken, liep hij struikelend verder, nu en dan bijna vallend over het taaie gras of een stuk rotssteen. Toen eerst één kogel en even later een tweede stofwolkjes vlak voor hem opwierpen, liet hij zich op de grond vallen en begon te kruipen, er vast van overtuigd dat een Japanse scherpschutter hem als doelwit had gekozen. Dat kruipen was hard werk. Door het kniehoge gras was heel moeilijk te zien in welke richting hij zich bewoog. Het zweet stroomde langs zijn voorhoofd en over zijn brillenglazen. Hij moest herhaaldelijk stilhouden om ze schoon te wrijven. Ten slotte bond hij zijn vuile zakdoek om zijn voorhoofd. Dat hielp wel iets. Maar er was nog iets anders wat hem moeilijkheden bezorgde: zijn handgranaten. Fife had twee van de handgranaten aangepakt die Welsh aan de compagnie had uitgereikt. Hij had ze aan de ring om de knoop van zijn jaszakken gehangen en de klep van de zakken er daarna overheen gedaan. Onder het kruipen botsten en dansten ze met hem mee over de ongelijke grond en bleven achter het harde, grove gras haken. Hij stond doodsangsten uit bij de gedachte dat een van de pennen zou losschieten en de op drie seconden afgestelde lont zou ontsteken; hij schaamde zich voor zijn lafheid, maar niet genoeg om het opgeroepen beeld te verdrijven. Fife knoopte al kruipend de kleppen van zijn zakken los en rolde de handgranaten links en rechts van zich weg. Toen hij even later zijn hoofd ophief om te zien waar de compagnie zich nu bevond, zag hij dat ze allemaal gewoon liepen en al angstaanjagend ver voor hem uit waren en nog steeds op hem wonnen.

Toen moest Fife een heroïsche beslissing nemen. Hoewel hij doodsbang was om overeind te komen en misschien door een onzichtbare schutter onder vuur te worden genomen, was zijn angst om van lafheid beschuldigd te worden nog groter. Terwijl zijn rugspieren jeukten kwam hij overeind, deed voorzichtig een stap en toen nog één. Er gebeurde niets. Daarop draafde hij voorovergebogen in de richting van de compagnie, met zijn geweer boven zijn hoofd. Toen een kogel het stof voor hem weer deed opstuiven en daarna gillend verder schoot, sloot hij zijn ogen, opende ze weer en rende verder.

Op dat moment was de gehele compagnie blijven staan om te kijken naar de aanval die de G-compagnie uitvoerde op de heuvelrand en hierdoor kon Fife hen inhalen. Ook hij zag de aanval. Hij stond daar tussen de anderen met opengesperde ogen en een opengezakte mond, niet in staat te geloven wat ze zagen, totdat de schreeuwende armzwaaier op de heuveltop hen eraan herinnerde dat ze hier niet waren gekomen om toe te kijken. Fife zocht een plaatsje bij de compagniesstaf en bleef daar, dwaas gerustgesteld door het feit dat hij nu niet langer alleen was. Het met struiken begroeide gedeelte van het ravijn bevond zich nu vlak voor hen.

Toen ze uit het struikgewas kwamen en begonnen te klimmen, waren ze niet ver van de bescherming van de lagere heuvelrug af, waarop zich de commandopost van de Fox-compagnie bevond. Over een paar minuten zouden ze volkomen onder dekking van deze rug zijn, geheel uit het gezicht van Heuvel 209. En juist hier liep de compagnie de eerste gewonde in de strijd op. Of het toeval was of doelbewust kon niemand zeggen, omdat niemand wist of het onregelmatige vuur waaronder ze lagen op hen was gericht, of dat het slechts verdwaalde kogels van de heuvelrug waren.

De man die geraakt werd, heette Peale. Hij was al wat ouder, ongeveer vijfendertig, en een dienstplichtige. Hij liep midden in de groep, niet ver van John Bell en niet ver van Fife en de compagniesstaf, toen hij plotseling zijn hand tegen zijn dij sloeg, stil bleef staan en daarna ging zitten terwijl hij zijn been met beide handen vasthield. Zijn lippen beefden en zijn gezicht was bleek. Bell rende naar hem toe, rukkend aan zijn eerstehulppakket.

'Wat is er aan de hand, Peale?'

'Ik ben geraakt,' zei Peale moeizaam. 'Ik ben gewond. Ze hebben me in mijn been geschoten.'

Voordat Bell een noodverband te voorschijn kon halen, stond een van de hospikken van de compagnie al klaar met een gaaskompres; hij zag er heel serieus uit nu hij voor het eerst in het veld moest laten zien wat hij kon. Terwijl Bell en Peale toekeken, scheurde hij de broekspijp open en onderzocht de wond, die niet erg bloedde. Een klein draadje donker bloed liep langs het witte been omlaag. Peale en Bell staarden ernaar. De hospik bestrooide het kompres met sulfapoeder en drukte het op de wond, waarna hij er een verband omheen wikkelde. De kogel was het been binnengedrongen en erin blijven steken.

Peale grijnsde met stijve lippen. Zijn gezicht was nog steeds heel wit, zijn lippen beefden, maar zijn mond was vertrokken in een stijf, maar niet ontevreden cynisch lachje.

'Kun je lopen?' vroeg de hospik.

'Dat denk ik niet,' zei Peale. 'Mijn been doet behoorlijk pijn. Help me liever. Het zal wel een hele tijd duren voordat ik weer fatsoenlijk kan lopen.'

'Vooruit dan maar,' zei de hospik, 'dan zal ik je terugbrengen.' Kreunend hees hij hem overeind totdat hij op zijn ene gezonde been stond. Achter hen naderde Bugger Stein met de compagniesstaf, roepend naar de mannen voor hen dat ze niet langer stil moesten blijven staan, maar verder lopen. Een voor een draaiden allen zich om naar de klim.

'Tot ziens, Peale.'

'Doe maar kalm aan, Peale.'

'Het beste, Peale.'

'Tot ziens, kerels,' riep Peale hun na, zijn stem luider wordend naarmate de mannen zich verder van hem verwijderden. 'Het ga jullie goed. Maak je maar niet druk. Succes, jongens. Maak je over mij maar geen zorgen. Het zal lang duren voor ik weer kan lopen. De dokters zullen mij niet wijsmaken dat ik met deze poot best vooruit kan! Hou je haaks, mannen!'

Ze waren hem nu allemaal voorbij en beklommen de helling. Peale hield plotseling op met roepen; het had geen zin meer. Hij keek ze na en het grijnsje op zijn gezicht vervaagde. Daarna wendde hij zich met de arm om de nek van de hospik van hen af en begon aan de afdaling.

'Ik krijg een Purple Heart,' zei Peale tegen de hospik, 'en ik ben in de vuurlinie geweest. Geen Jap gezien, maar dat kan me niet schelen. En geen dokter zal mij kunnen overtuigen dat ik op dit been kan lopen, dat zal nog een hele tijd duren. Vooruit, opschieten. Voordat ik weer geraakt word, en dan dodelijk. Dat zou bloedpech zijn, niet-waar?'

Fife, verslagen door de gebeurtenissen van de dag en nog steeds in een shocktoestand, wist niet wat hij ervan moest denken en hij dacht ook niet, zijn oor registreerde alleen wat hij hoorde. Een eindje voor hem uit wist John Bell niet of hij Peale nu moest benijden of dolblij moest zijn dat hijzelf niet gewond was geraakt. Of Peales voorspelling wat betreft de artsen uitkwam of niet, kwam niemand ooit te weten, want bij de C-compagnie keerde hij niet terug.

Ze waren nu achter de tweede heuvelrug. Het gevoel van opluchting dat dit hun schonk was geweldig, ongelooflijk. Gezien de uitdrukking op hun gezichten zou je gedacht hebben dat ze heel ver weg verplaatst waren, naar de echte veiligheid van bijvoorbeeld Australië. Voor hen uit bevond zich de B-compagnie in bataljonreserve; deze mannen waren al even opgelucht en hadden zich verspreid over het enige stuk vlak terrein op de hele helling. Ze groeven al dekkingsgaten voor de nacht. De mannen van Charlie passeerden hen en in de wederzijdse begroetingen weerklonken een bijna hysterische opluchting en vreugde omdat ze nu uit de directe vuurlijn waren. Achter hen, buiten hun gezichtsveld ging de strijd op Heuvel 209 verder.

De plek die Bugger voor zijn commandopost had uitgekozen, was een kleine uitloper op ongeveer honderd meter onder de top. Hier bleven de compagniesstaf en de mortiergroepen achter, terwijl Culp verder mee omhoogging met de tirailleurpelotons om zijn twee machinegeweren in stelling te brengen. Terwijl ze wachtten tot hij zou terugkomen om de mortieren op te stellen, spraken Mazzi en Tills, die tot dezelfde mortiergroep behoorden, met Fife en Bead over de gebeurtenissen van de dag en over de mars die de compagnie, nu voor het eerst onder vuur, had gemaakt.

De al te vrolijke stemming, veroorzaakt doordat ze zich beschermd en veilig voelden, overheerste bij allen. Maar daaronder waren ze zich er heel goed van bewust dat ze het die dag nog niet echt zwaar hadden gehad en dat de bescherming maar tijdelijk was, dat deze periode binnen afzienbare tijd voorbij zou zijn en dat er dan mannen zouden sterven.

'Die Tills,' spotte Mazzi. Hij zat op zijn hurken naast de zestig mm grondplaat die hij had gedragen. 'Die heeft verdomme meer met zijn buik op de grond gelegen dan gelopen. Ik snap nog niet hoe hij ons heeft bijgehouden.'

Tills keek schaapachtig en antwoordde niet.

'Zo is het toch, Tills?' zei Mazzi.

'Jij hebt je zeker geen enkele keer laten vallen, hè?' vroeg Tills.

'Heb jij me dat zien doen?'

'Nee, dat niet,' moest Tills zwakjes erkennen.

'Dat zou ik verdomme ook denken, Tills. Want dat liggen en kruipen was je reinste waanzin. Iedereen wist dat dit geen gericht vuur was. Het waren verdwaalde kogels van de heuvelrug en die konden je even gemakkelijk treffen als je op de grond lag, misschien nog wel beter.'

'En je wou zeker ook beweren dat je geen seconde bang bent geweest?' vroeg Tills woedend.

Mazzi lachte hem alleen maar in zijn gezicht uit, met rimpeltjes om zijn ogen, het hoofd een beetje scheef gehouden.

'Nou, ik was wel bang,' zei Fife duidelijk verstaanbaar. 'Ik pieste de hele tijd in mijn broek van angst. Vanaf het eerste moment dat ik op de helling kwam tot hieraan toe. Ik heb op mijn buik gekropen als een slang. Ik ben in mijn hele leven niet zo bang geweest.'

Maar het hielp niets dat hij het vertelde. Hij merkte dat, hoe hij ook overdreef, hij er toch niet in slaagde om zelfs maar bij benadering uit te leggen hoe bang hij werkelijk was geweest. Het werd alleen maar grappig als je het zo zei. Het leek er in niets op.

'Ik was ook bang,' zei Bead met zijn kinderstem. 'Doodsbang.'

Bugger Stein stond toevallig niet ver van hen af, met luitenant Band en een van de pelotonscommandanten, die van de heuvelrug was teruggekeerd om iets te vragen. Fife zag dat Stein plotseling zweeg en strak zijn richting op keek, met iets van verbazing en aarzelende goedkeuring. Het leek wel of Bugger graag hetzelfde zou hebben gezegd, maar het niet kon en dat hij bovendien van Fife niet had verwacht dat die er zo eerlijk voor uit zou komen. Even nam Fife hem die blik kwalijk, maar toen gebruikte hij Buggers goedkeuring als uitgangspunt en begon uitvoerig te vertellen over zijn mars onder vuur. Hij was niet van plan geweest iemand, wie dan ook, iets te zeggen over die handgranaten, maar deed dat nu toch, en maakte zich daarmee tot clown. Het duurde niet lang of iedereen lachtte, zelfs de drie officieren en Mazzi, de linke New Yorker. Hij was de 'eerlijke lafaard'. Als je wilt dat de mensen je graag mogen, moet je voor clown spelen, want dan kunnen ze om je lachen, zonder onaangename gedachten over zichzelf. Maar Fife voelde er zich niet prettiger door, zijn schaamte werd er niet minder op en hij was nog altijd akelig bang. 'Eerlijk gezegd,' zei hij zelfs dit punt uitbuitend, 'schijt ik nu nog in mijn broek van angst.'

Als om te bewijzen dat hier alle reden voor was, hoorden ze op dat moment een suizend geluid, net alsof iemand door een sleutelgat blies. Drie modderfonteinen spoten de lucht in op hoogstens tien meter afstand, onmiddellijk gevolgd door één zware donderslag. Het hele groepje op de uitloper van de heuvel deed op dat ogenblik denken aan een mierennest, want iedereen zocht snel een plekje op de helling om zich te verschansen, zover mogelijk weg van deze onaangename verrassing. Mazzi was niet de eerste, maar zeker ook niet de laatste die zich op de grond liet vallen en Tills kreeg het laatste woord.

'Geen seconde bang geweest, hè?' zei hij luid, toen ze allemaal – met schaapachtige gezichten – langzamerhand weer overeind kwamen omdat er blijkbaar geen granaten meer kwamen. Iedereen was blij dat hij om Mazzi kon lachen en de aandacht kon afleiden van z'n eigen dwaze gedrag. Maar Mazzi vond het niet zo grappig.

'En jij bleef daar zeker rechtop staan, verdomme, als een vette boerenheld,' zei hij venijnig en hij keek Tills woedend aan.

Hier en daar mompelde men dat het wel Amerikaans vuur zou zijn geweest dat te kort lag, maar daar maakte Stein spoedig een einde aan. Iedereen wist tenslotte dat de Japanners de gewoonte hadden, zodra de Amerikaanse artillerie een pauze had, af en toe een paar zware mortiergranaten rond te strooien om de soldaten hun rust te benemen en in de war te brengen. De mortiergranaten maakten echter aan alle discussies een einde en iedereen pakte zijn schop om dekkingsgaten te graven, een zwaar werkje dat in eerste instantie even was uitgesteld. Bead en Weld werden aangewezen om de putten voor Stein en Band te graven; de beide officieren waren het erover eens dat het tijd werd om de heuvelrug eens te inspecteren. Korporaal Fife werd met het bevel over Bead en Weld belast.

Toen Fife voor clown speelde, had hij gezien dat Welsh de enige was die niet lachte. De majoor die naast de tierende Storm had gestaan, had hem met intense belangstelling gadegeslagen en iets in zijn ogen zei Fife dat Welsh precies wist hoe hij zich voelde. Toen Fife de assistenten aan het werk had gezet om de dekkingsgaten voor de officieren te graven, liep hij naar Welsh en Storm, die na een langdurige discussie over nachtelijke aanvallen door vijandelijke infiltranten besloten hadden hun schuttersputten vlak bij elkaar te graven op een bepaalde plek.

'Hé, majoor, gaan jullie je hier ingraven?' vroeg hij opgewekt.

Welsh, die bezig was zijn schop van zijn ransel los te maken, keek niet op en antwoordde niet.

'Ik wou mijn putje dan ook maar hier graven,' zei Fife.

Welsh deed alsof hij niet bestond.

'Ik wou maar zeggen dat dit me geen gek plaatsje lijkt,' zei Fife. 'Komen die van jullie inderdaad hier?'

Welsh bleef hem negeren.

'Dat is dan goed, hè?' vroeg Fife. Hij deed zijn ransel af.

Welsh hield op met het ontwarren van knopen en keek Fife met een ijskoude blik aan. Zijn gezicht leek uit graniet gebeiteld.

'Donder op!' brulde hij. 'Maak als de sodemieter dat je wegkomt. En blijf bij me uit de buurt, snotaap.'

Storm hield op met graven en keek naar Welsh.

Fife werd door de venijnige felheid van de onverwachte aanval onbewust een paar stappen teruggedreven. 'Nou, nou!' Zijn poging om zich met een sarcastische opmerking te redden mislukte. 'Het was niet mijn bedoeling me op te dringen.'

Welsh keek hem zwijgend aan en weigerde er een discussie van te maken.

'Oké, als jullie me niet willen hebben,' zei Fife, in een flauwe poging om het allemaal niet zo zwaar op te nemen. Hij was echter zichtbaar beledigd en niet in staat dat te verbergen; hij draaide zich om en sleepte zijn ransel aan de riemen mee.

'Kan je dat joch nou nooit es een keer fatsoenlijk behandelen?' vroeg Storm. Zijn stem klonk heel rustig.

'Ik heb geen zin om voor kindermeisje te spelen, ik heb verdomme al genoeg aan m'n hoofd. Hier, jij bent al bij het zand. Neem jij de schop maar en geef mij het houweel.'

Ze wisselden zwijgend van gereedschap. Ondertussen kwam luitenant Culp de helling af met de grote stappen van een atleet. Hij bleef slechts even bij de commandopost staan, verzamelde de mannen van zijn mortiergroep en daalde met hen verder de helling af tot een bijna vlak gedeelte, honderd meter lager. Van hieruit konden ze granaten over de heuvelrug schieten naar de steile helling aan de andere kant. Nadat ze de mortieren in stelling hadden gebracht, zouden ze hun eigen dekkingsgaten graven als bescherming tegen nachtelijke aanvallen. Geruime tijd was iedereen druk aan het graven.

Mazzi was nog altijd woedend omdat Tills hem belachelijk had gemaakt toen de mortiergranaten in hun buurt waren gevallen. Dat was een rotstreek geweest; iedereen had dekking gezocht. Maar tijdens de mars had Mazzi zich niet eenmaal op de grond geworpen, terwijl hij Tills bij drie verschillende gelegenheden in de modder had zien liggen. Mazzi had dus volop het recht om Tills te pesten, terwijl Tills absoluut geen recht had om Mazzi te bespotten. Hij en Tills waren dan zogenaamd kameraden, maar Tills had altijd van die streken.

Mazzi was eigenlijk min of meer gedwongen geweest om Tills als kameraad te nemen. Op zich voelde hij er niets voor met een boer uit een of ander provinciegat om te gaan, maar hij had in zijn mortiergroep geen keuze gehad. In die groep was Tills slechts munitiedrager. Mazzi daarentegen was tweede schutter en hij droeg de grondplaat. Maar in feite was hij ook slechts een munitiedrager, want sergeant Wick en de eerste schutter die de loop droeg, deden al het vuren gezamenlijk. Mazzi mocht ternauwernood het vizier aanraken. En de andere munitiedrager, Tind, was een snotaap en een dienstplichtige. En daardoor bleef hem niets anders over dan Tills. Mazzi behandelde hem vriendelijk en gaf hem massa's goede adviezen en hij had altijd gelijk, maar Tills sloeg zijn raadgevingen steevast in de wind, deed iets anders en had het steeds bij het verkeerde eind. Hij leerde het nooit, wou zelfs nooit toegeven dat Mazzi altijd gelijk had. Dat kreeg je ervan als je vriendjes werd met zo'n boerenhufter die ze met veel moeite uit de klei hadden getrokken.

Maar dit keer had Tills de zaak voorgoed bedorven. Mazzi wilde nooit meer iets met Tills te maken hebben. Culp had hun bevolen tweemansgaten te graven; van die twee man moest er altijd een de wacht houden terwijl de ander sliep, en het zou normaal zijn geweest als Mazzi er een met Tills had gedeeld. Maar dit keer vroeg hij met luide stem Tind hem te helpen graven, zonder iets tegen Tills te zeggen, en hij liet Tills rustig alleen graven. Toen het dekkingsgat gereed was, kreeg hij van Culp toestemming om enige tijd naar de heuveltop te gaan. Al zijn makkers zaten daarboven in het tweede peloton; kerels uit de Bronx en uit Brooklyn, zoals Carni, Sus, Gluk en Tassi, stadsjongens die van wanten wisten. Hij voelde dat Tills hem nakeek, maar hij negeerde hem. Het kon hem geen reet schelen wat hij ervan dacht. Het feit dat hij tijdens de mars bang was geweest deed niks ter zake. Hij had zich niet op de grond gegooid, daar ging het om. Iedereen was bang geweest.

Terwijl Mazzi langs de commandopost naar boven klom, rolde

een golf van luid gelach langs de heuvel omlaag. Door op te staan en hun hoofd in de nek te leggen konden de mannen van de compagniesstaf de pelotons op de heuveltop nog net zien; bijna recht boven hen staken ze klein, maar scherp af in het zonlicht.

'Wat is daar verdomme aan de hand?' schreeuwde iemand naar boven.

'Nellie Coombs heeft z'n pik weer overeind!' schreeuwde een stem naar beneden. 'Om je te bescheuren... dadelijk schieten de Jappen 'm eraf!'

'Je liegt het!' schreeuwde de man van beneden.

'Echt niet!' schreeuwde de stem boven terug. 'Ik heb het zelf gezien! Ik lieg niet.'

Mazzi lachte terwijl hij verder klom. Nellie Coombs' seksuele eigenaardigheden waren al bijna legendarisch, evenals zijn trucs bij het kaarten. Iedereen was ervan op de hoogte. De vrienden van Mazzi uit het tweede peloton waren allemaal bijdetijdse jongens. Mazzi nam zich voor te vragen wie van zijn kameraden tijdens de mars op de grond waren gaan liggen.

De linie van de loopgraven vormde een gebogen lijn evenwijdig aan, maar enkele meters lager dan de kam van de heuvelrug. Aan de andere zijde staken hoge bomen boven de top uit, bedekt met de slingers van lianen. Van hier, boven de tweede kam en maar enkele meters lager dan het hoogste punt op Heuvel 209, had men een prachtig uitzicht over de hele vallei waarin het gevecht gaande was. De officieren waren hiernaartoe geklommen voordat het werk aan de dekkingsgaten begon en Bugger Stein had hier lange tijd staan kijken naar het panorama van de militaire operatie. Nu het graafwerk klaar was, konden de pelotons naast hun gaten gaan zitten, vanwaar ze alles op hun gemak konden overzien. Maar lang niet iedereen stelde zoveel belang in de strijd en algauw was een verwoed spelletje blackjack aan de gang, waaraan ook Mazzi en zijn New Yorkse vrienden deelnamen, aan de rand van Nellie Coombs' dekkingsgat. De kreten van de kaartspelers verdrongen soms zelfs de geluiden die van het gevechtsterrein van het tweede bataljon tot hen doordrongen. Ze hadden John Bell ook gevraagd mee te doen, maar hij gaf er de voorkeur aan om te gaan zitten en over de vallei uit te kijken.

Het was een indrukwekkend gezicht. Met uitzondering van de hellingen van Heuvel 209, die nog onder Japans vuur lagen, krioelde het hele gebied van de Amerikaanse troepen die voorraden aansleepten en gewonden wegdroegen. Het tweede bataljon deed nog steeds zijn uiterste best de heuvel te veroveren. Toen Bugger Stein er al die tijd naar had staan kijken was de toestand statisch geweest. Maar nu de eerste schaduwen daar beneden langzaam uit de diepste holten te voorschijn kwamen, begon nieuw artillerievuur met donderend geweld in te slaan op de rechterzijde van de lange heuvelrug waar de G-compagnie die dag al was aangevallen. Minuten later kwam er een dof gegrom uit westelijke richting dat in sterkte toenam, tot een scherp gefluit en gegil de verschijning van zeven P-38 machines begeleidden die napalmbommen bij zich hadden. De jagers vlogen tweemaal over het gevechtsterrein en pas bij de derde keer lieten ze de grote zwarte olievaten vallen, die bij het exploderen olieachtige vlammen langs de heuvelrand lieten opspuiten. Maar geen van de projectielen kwam terecht op de Japanse stellingen die de Amerikanen op de helling voor zich hadden liggen. Even groetend door met de vleugels te zwenken, vlogen de machines weer terug. De artillerie bleef aan de heuvelkam knagen.

De Japanners, niet ondersteund door vliegtuigen of artillerie, vochten verbeten terug. Bell, die ritmisch met zijn loopgraafhouweel zwaaide, zodat aan het eind van elke boog de punt even tegen de rand van zijn voet tikte, was niet alleen bang voor hen, maar voelde ook een beetje medelijden met de Jappen. Het was echter een zuiver intellectueel medelijden. Zij zouden zeker geen medelijden met hem hebben en dus konden ze naar de bliksem lopen. Maar hij was blij dat hij niet aan hun kant vocht. En hij was ook tevreden dat hij hier zat en zich niet bij de aanvallende soldaten van het tweede peloton bevond. In gedachten had hij bijna met iedereen medelijden. Met zijn vrouw Marty bijvoorbeeld. Tot op zekere hoogte was deze oorlog voor haar harder dan voor hem. Bell wist hoe diep haar behoefte aan fysieke tederheid was, aan de geruststelling, de hergeboorte van de persoonlijkheid die daarmee gepaard ging. Ze moest het daarginds heel moeilijk hebben, waar 's avonds vrolijke lichtjes brandden, waar je nachtclubs had en net zoveel drank kon krijgen als je wou en net zoveel mannen... Hier was niets wat hem in verleiding kon brengen. Maar dit waren slechts gedachten. Emotioneel had Bell op de eerste plaats medelijden met zichzelf.

Iets in hem was veranderd op het ogenblik dat Peale gewond werd. Misschien was dat vooral omdat die verwonding zo'n toeval was geweest. Er was geen enkele reden waarom die kogel nu juist Peale zou treffen en niet iemand anders. Hoe dan ook, toen hij dat gaatje in Peales been zag en het kleine straaltje bloed dat over zijn witte dijbeen stroomde, was het hem plotseling duidelijk geworden dat het heel goed mogelijk was dat hij zelf spoedig zou sterven en dit gevoel was voor Bell nu een angstaanjagende realiteit. Uit bijgelovige vrees had Bell niets meer met vrouwen te maken willen hebben nadat hij onder de wapenen was geroepen; hij wilde zelfs niet met ze praten, uit angst dat hij slapende verlangens wakker zou roepen. En nu voegde hij bij dat eerste bijgeloof een tweede: als hij en Marty elkaar trouw bleven, zou hij terugkeren met zijn genitaliën intact. Hij bleef met het houweel tegen zijn omlaag hangende voet tikken, keek naar de vallei en vroeg zich af of die eerste lichte malaria-aanval van die ochtend vannacht zou terugkomen. Iedereen zei dat malaria 's avonds het ergst was.

De vliegtuigen hadden ieders aandacht opgeëist, zelfs die van de blackjackspelers, en toen de artillerie plotseling zweeg, keek iedereen die hoog genoeg zat toe of ze iets konden zien. Vanaf hier was de afstand naar de kleine in het groen geklede figuurtjes op de rechterflank van Heuvel 209 groter en je kon de mannetjes nauwelijks onderscheiden. Ze werden zichtbaar, onzichtbaar en weer zichtbaar terwijl ze verder langs de helling omhoogkropen. Veel dichterbij, maar toch nog heel veraf zwoegden de mannen van de F-compagnie furieus achter hun mortieren op de andere zijde van de tweede heuvelrug. En terwijl de schaduwen zich langzaam vanuit de diepste holten verder over de hellingen verspreidden, gebruikte iedereen elk beschikbaar wapen in woeste haast en het vuur werd van alle richtingen op de heuvelkam gericht.

En dit keer lukte het. De kleine groene Amerikaanse figuurtjes traden de kleine Japannertjes man tegen man tegemoet op de heuvelkam, drukten hen terug en verdwenen daarna over de top. Anderen volgden. Toen ze na enige tijd niet meer terugkwamen, steeg er uit de hele vallei een zwak gejuich op, blijkbaar meer uit plichtsgevoel dan van echte vreugde. Ongetwijfeld dachten de anderen – zoals de Charlie-compagnie – meer aan wat hun morgen te wachten stond, dan aan wat het tweede bataljon had gepresteerd.

Maar die volgende dag zou nog niet zo slecht uitpakken. Het tweede bataljon had bevel gekregen de aanval bij het aanbreken van de dag te hervatten, dit keer op Heuvel 210, die de Olifantskop werd genoemd en het belangrijkste doel van het regiment was. Dit goede nieuws bereikte hen bij het vallen van de avond, tegelijk met nadere bijzonderheden over de gevechten van die dag. De regimentscommandant had een verklaring gedicteerd in de vorm van een journaal. Secretarissen hadden het meteen uitgetikt, gestencild en daarna naar alle compagnieën gezonden. Er stond in dat de Amerikaanse wapenen gezegevierd hadden. Heel Heuvel 209 was nu in Amerikaanse handen. De Easy-compagnie, de soldaten waar Charlie met open mond naar had staan kijken tijdens hun mars, was elfhonderd meter opgerukt langs de rand van de jungle, terwijl ze van twee zijden onder vuur lagen, en ten koste van 25 gewonden en met behulp van de G-compagnie waren ze erin geslaagd de omsingeling van de Japanse eenheden te completeren. Ze hadden vijftig Japanners gedood, zeventien machinegeweren veroverd, acht zware mortieren en een heel arsenaal kleinere wapens. Ze hadden geen krijgsgevangenen gemaakt; de Japanners die niet terug konden vluchten naar Heuvel 210 hadden er de voorkeur aan gegeven om te sterven. De verliezen van het tweede bataljon bedroegen 27 doden en tachtig gewonden, van wie velen van de hellingen waren afgevoerd toen de slag voorbij was. Het grootste deel van de Japanse doden was in slechte fysieke conditie en velen van hen schenen ondervoed te zijn.

Dit was het officiële nieuws dat werd opgetekend in de annalen van het regiment. Maar het interesseerde Charlie nauwelijks. De mannen waren natuurlijk blij dat het tweede bataljon de heuvel had veroverd, maar hun grootste vreugde gold het feit dat dat bataljon de aanval zou voortzetten. Dat de Japanners blijkbaar gebrek hadden aan eten interesseerde hen helemaal niet. Maar de verlieslijsten hadden wel hun grote belangstelling en ze vonden, na wat ze van de gevechten hadden gezien, dat de verliezen verbazingwekkend laag waren. Dat was een bemoedigend feit. Aangenomen natuurlijk dat die cijfers klopten.

Maar het nieuws dat hen het allermeest interesseerde was onofficieel. Het stond niet in het bericht van de regimentscommandant, maar werd mondeling overgebracht door alle koeriers. Het ging over wat er gebeurd was met de twee mannen van de G-compagnie die bij de vorige aanval door de Jappen over de heuvelkam waren gesleept. Hun lijken werden op de helling gevonden nadat de Japanners verdreven waren. Beide lichamen zaten onder de bajonetwonden. Een van de mannen was levend onthoofd met een zwaard. De E-compagnie trof hem aan met zijn handen op de rug gebonden, zijn hoofd lag op zijn borst. En uit afkeer of uit haat of iets anders, hadden de Japanners na hem te hebben onthoofd ook zijn genitaliën afgesneden en die in de mond van het afgehakte hoofd gestoken. Dat dit na de dood was gebeurd, bleek uit het feit dat er nabij het verminkte kruis van de man geen bloed werd aangetroffen. Dat hij levend was onthoofd werd duidelijk door de grote hoeveelheid bloed die bij de halsstomp in de aarde was gedrongen.

Dit gruwelijke barbaarse gedrag trof de C-compagnie als een golf ijskoud water. Een messcherpe panische schrik in het onderlichaam werd onmiddellijk gevolgd door venijnige razernij. De mannen tegen wie ze vochten waren veteranen uit de oorlog in Birma, China en Sumatra. Dat ze alle blanken haatten was algemeen bekend en dat ze dit soort wandaden in China en op de Filippijnen hadden begaan op mensen van hun eigen huidskleur was eveneens niets nieuws. Maar dat ze hetzelfde soort smerigheden uithaalden met de beschaafde Amerikaanse infanterie en vooral met het zoveelste regiment van de zoveelste divisie, was bijna ongelooflijk en zeker niet iets wat men wilde aanvaarden. Er volgde een storm van beloften nooit en te nimmer krijgsgevangenen te maken. Velen bezwoeren dat zij voortaan rustig en in koelen bloede alle Japanners die zich kwamen overgeven, zouden afschieten, en dan nog bij voorkeur in de buik.

Van officiële zijde trachtte men de verspreiding van dit nieuws tegen te gaan. Misschien vreesde men dat het de soldaten te veel schrik zou aanjagen. Waarschijnlijker was men bang dat de menselijke – of onmenselijke – kant van de zaak alles te veel zou gaan overheersen, terwijl men liever had dat iedereen de hele operatie als een eenvoudig, ongecompliceerd militair probleem zag. Dat zag Bugger Stein heel goed in en hij was het daarmee absoluut oneens. Van officiële zijde streefde men altijd naar een duidelijke, gemakkelijk te begrijpen militaire campagne, die achteraf op simpele wijze kon worden uiteengezet in strategische en tactische termen, waarover de generaals van de wereld dan heldere betogen konden schrijven; dit soort gebeurtenissen was voor de heren verwarrend en storend. Maar wat men ook deed, het verhaal verspreidde zich als een lopend vuurtje langs het hele front, en Stein dacht er niet over om het gerucht tegen te spreken. De mannen moesten weten wat ze te wachten stond. Misschien hadden die twee arme bliksems er niet eens veel van gevoeld. De woede en de schok van het man-tot-mangevecht hadden hen waarschijnlijk verdoofd. Dat hoopte Stein tenminste.

Toen de koerier die het officiële nieuws bracht ook dit verhaal vertelde, veroorzaakte dat op de commandopost een woeste, moordzuchtige reactie. Storm, Bead, Culp, Doll – die daarnaar toe was gekomen met een bericht over het eerste peloton – en luitenant Band spraken allemaal bloeddorstige voornemens uit. Vooral Storm zag er moordlustig uit. Alleen Welsh zei niets en reageerde nauwelijks. De kleine Dale, de tweede kok met zijn gebogen schouders en zijn fanatieke, harde, platte gezicht, raakte bijna buiten zichzelf van woede en bezwoer dat hij elke Japanner die zich aan hem wilde overgeven, zou afmaken met een schot in zijn buik na eerst een minuut of vijf met hem te hebben gespeeld. De reactie van de jonge korporaal Fife was totaal anders; hij zei geen woord, wilde het verhaal absoluut niet geloven en keek vol afgrijzen toe hoe de anderen hun gevoelens afreageerden. Hij kon niet geloven dat schepselen die een taal konden spreken, die op twee benen liepen, die kleren droegen, die steden bouwden en beweerden dat ze mensen waren, elkaar werkelijk met zo'n brute, dierlijke wreedheid konden behandelen. De enige manier om in deze zogenaamd beschaafde wereld met zogenaamd beschaafde mensen te overleven, was gemener, wreder, dierlijker op te treden dan de ander. En voor het eerst van zijn leven begon Fife ernstig te betwijfelen of hij wel over de hardheid beschikte die daarvoor nodig was.

Soldaat eersteklas Doll bracht het bericht de helling op, naar de pelotons in de voorste linie. Bij het tweede peloton trof hij John Bell met groepscommandant 'moeder' McCron, Big Queen en nog een man, genaamd Cash. Queen, die sergeant was geworden na de verdwijning van Stack, en Cash hoorden beiden bij het eerste peloton. De groepen van Queen en McCron vormden de schakel tussen de beide pelotons, en het punt waar hun terreinen elkaar raakten werd gevormd door de dekkingsgaten van Bell en Cash. De twee sergeanten hadden de beide mannen juist verteld dat ze die nacht in hun put moesten doorbrengen en dat er voortdurend één de wacht moest houden terwijl de ander sliep. Doll kwam adem happend op de top aan en vertelde hijgend het nieuws.

Bell had nog nooit zulke felle reacties gezien op menselijke gezichten. Big Queen werd zo rood als een biet en bromde iets over schedels kraken terwijl hij zijn enorme vuisten balde. McCrons ogen keken vaag in de verte, met een beschaamde uitdrukking op zijn gezicht, terwijl hij venijnig mompelde: 'Die vuile klootzakken, die vuile klootzakken.' Cash, een lange, zwaargebouwde dienstplichtige uit Ohio, die taxichauffeur was geweest in Toledo en in de compagnie altijd 'de grote' werd genoemd, grijnsde. Hij had gewoonlijk al een koel, bijna spottend, maar keihard gezicht, en als hij grijnsde en zijn lippen aflikte waarbij zijn ogen een beetje loensten, dan zag hij er beslist angstaanjagend en moordzuchtig uit. Het enige dat hij zei was: 'Oké.' Zachtjes, maar heel duidelijk. Hij zei het vele keren. Bell zelf voelde zich misselijk worden toen hij het nieuws hoorde. Hij zei niets, hij dacht. Hij dacht aan zijn nieuwe talisman en aan zijn vrouw Marty. O, Marty. Hij hoopte dat als hem ooit iets dergelijks zou overkomen, niemand haar zou vertellen hoe het met zijn pik en zijn ballen, waarvan zij zoveel had gehouden, was afgelopen.

De avond zelf was, in tegenstelling tot het wrede nieuws, verrukkelijk. Hierboven in de heuvels viel de nacht niet zo snel in als beneden in de valleien. De schemering veranderde alles, ook de lucht zelf, in roze tinten, alsof de dag weifelde hen te verlaten en hen over te leveren aan de diepe duisternis van hun eerste nacht in de vuurlinie. Er was tijd om aan vrede en vrouwen te denken.

Kort voor het donker werd, toen het tijd was om te eten, ontdekte men dat er geen water was. Er waren genoeg gevechtsrantsoenen, maar de mannen op de helling hadden meer behoefte aan water dan aan eten; de zon en de broeierige hitte hadden hen overvloedig doen zweten. Maar alle veldflessen waren leeg.

Iedereen had talloze jeeps gezien die vanaf de rivier wegreden met waterblikken. Maar waar die nu ook waren, naar het achterland gestuurd of leeggegoten op de grond, ze waren zeker niet aan het front. Na lang aandringen over de veldtelefoon en nadat er voortdurend koeriers waren uitgezonden, wist Stein ten slotte genoeg water te bemachtigen om aan elke man een halve veldfles vol uit te reiken. Maar daarmee zou hij het dan ook de gehele volgende dag moeten doen. En dus hadden ze niets om het avondeten, dat droog en koud werd genuttigd, mee weg te spoelen.

Die nacht regende het twee keer. Niemand kreeg veel slaap. Er werden nogal wat nutteloze handgranaten geworpen en af en toe werd de nacht verlicht door plotselinge uitbarstingen van geweervuur, die wel posities verraadden, maar niets raakten.

Toen de morgen aanbrak klom de Charlie-compagnie stoppelig, vuil, vies en modderig uit de dekkingsgaten om te zien hoe het tweede bataljon over de top van Heuvel 209 trok en de aanval hervatte. De soldaten van Charlie zagen eruit alsof ze al maanden aan het front zaten.

In het kille, mistige licht van de vroege ochtend was het moeilijk om op deze grote afstand de aanvallers te onderscheiden, die met hun geweren in beide of in één hand over de top van de heuvel klommen en verdwenen. Er ging even een kort onregelmatig gejuich op. Zij die achterbleven keken verder zwijgend toe. Nu de Schouder veroverd was en ze ook Heuvel 209 in bezit hadden, sloop de aanvalslinie ongeveer een kilometer voorwaarts langs de vele heuvelrugjes die de ruggengraat vormden van De Dansende Olifant. Toen de aanvallende compagnieën van het tweede bataljon hun oorspronkelijke posities hadden verlaten, ontstond er een opening tussen de beide bataljons en twee keer tijdens die ochtend zou ook de C-compagnie zich in beweging zetten.

Het ontbijt hadden ze weer droog naar binnen gewerkt en daarna konden ze niets anders doen dan zitten en toekijken. De verplaatsingen waren niet moeilijk uit te voeren. Het linkerpeloton vertrok en nam positie in op de aangewezen plek. Het vroegere rechterpeloton, nu deel van het linker, voegde zich erbij. Links van Charlie voerde de Able-compagnie een soortgelijke manoeuvre uit en links van Able trok het regiment van de divisiereserve op.

Ook na de twee verplaatsingen was Charlie niet ver genoeg gevorderd om op het eigenlijke gevechtsterrein te kunnen kijken. Ze bevonden zich nu bijna op de hoogte van de Schouder en konden duidelijk het mortier- en mitrailleurvuur horen. Maar juist op dit punt boog de heuvelkam naar binnen, alsof De Dansende Olifant zijn machtige schouders had opgetrokken om zijn evenwicht te kunnen bewaren, en daardoor werd hun uitzicht belemmerd. Ze bevonden zich nu op dezelfde helling waar de F-compagnie gisteren, terwijl zij toekeken, zijn aanval op de top had gedaan en was teruggeslagen. Terwijl ze zich ingroeven gaf deze wetenschap hun een heel onaangenaam gevoel, waar nog bijkwam dat elke verplaatsing hen duidelijk dichter bij het eigenlijke strijdperk bracht.

Tijdens een van de verplaatsingen zag Culp iets in het struikgewas onder hen bewegen, tenminste dat dacht hij. Op dat moment bevonden ze zich precies boven en voor de zijkam die de F-compagnie de vorige dag bezet had gehouden. Aan de voet van de helling was een klein met struiken begroeid plateau en vandaar viel de heuvelwand steil omlaag naar het grote ravijn. Culp stond stil, floot zachtjes en wees. Ver beneden hen in de vallei, die pas kortgeleden op de vijand was veroverd, zag je overal rijen en groepen mannen met voorraden, maar hier op de helling van de tweede kam was geen mens te bekennen. Niemand zag iets in het struikgewas, maar er werd toch met een zekere opgewektheid een mensenjacht georganiseerd. Sinds de vorige dag waren de zeven mannen met de Thompsons zichzelf, los van hun rang, gaan beschouwen als een afzonderlijke groep, een soort privélegertje. Welsh, Storm, Dale, MacTae en de officieren Stein en Band behoorden, met uitzondering van Culp, tenslotte tot de compagniesstaf en Culp, die het ondersteunende peloton aanvoerde, was gewoonlijk ook wel bij de staf te vinden. En dit privélegertje nam de mensenjacht op zich. Ze trokken vlak naast elkaar op zodat niets in het struikgewas aan hun gecombineerd vuur zou kunnen ontsnappen, terwijl de rest van de staf en het reservepeloton stilhielden en toekeken. Twee van de groep, Culp en MacTae, trokken het vlakke stuk in als drijvers. Toen ze halverwege waren, had zich nog steeds niets bewogen.

'Opletten!' schreeuwde Culp van boven af met een brede lach, 'ik ga ze trakteren op een paar rondjes, dan zullen ze er wel uitkomen. Hou je vast!' Hij bracht de Thompson op de voorgeschreven wijze langs zijn zij in positie en vuurde twee korte salvo's in het struikgewas. Toen hij de trekker losliet, zag hij er verbaasd uit. 'Verrek, die dingen hebben nog een pittige terugslag!'

Er bewoog nog steeds niets in de struiken. 'Kom op, laten we gaan kijken,' zei MacTae. Twee van hen verdwenen het struikgewas in en de takken bewogen boven hun hoofden. Toen ze eruit kwamen zagen ze er nogal schaapachtig uit.

'Niks,' zei Culp. 'Maar ja, je weet nooit. Ze hadden er kunnen zitten. Infiltranten.'

Hij had volkomen gelijk. De afgelopen nacht waren er inderdaad infiltranten geweest op het terrein van het tweede bataljon. Maar dat nam niet weg dat er nogal nerveus om hem werd gelachen, toen ze weer omhoogklommen naar de voorste pelotons. Bij het struikgewas waren ze even zenuwachtig en gespannen geweest, wat zich nu uitte in spottend gelach ten koste van Culp. Geen van hen had zich tot z'n verbazing op zijn gemak gevoeld bij het idee zijn wapen te moeten gebruiken. Ze waren te lang en te goed geoefend in de strenge veiligheidsbepalingen van de schietbaan om ontspannen te zijn terwijl ze over de hoofden van hun vrienden schoten.

Kort na het middaguur werd er een tegenaanval op hen uitgevoerd. Toen de aanval voorbij was en ze hun ervaringen gingen uitwisselen, bleek dat er niemand was die echt kon zeggen dat hij bij al dat geschiet een Jap had gezien. Later hoorden ze dat de D-compagnie rechts van hen inderdaad een aanval van een gevechtspatrouille had afgeslagen en diverse Japanners had gedood. Maar toen Dog begon te vuren was iedereen in de voorste linie gaan meedoen; zelfs het bataljon van het reserveregiment op de uiterste linkerflank slingerde handgranaten en vuurde over de heuveltop de jungle in, of daar nu Japanners waren of niet. Later, toen alles voorbij was, meende zeker de helft van degenen die hadden gevuurd dat ze een belangrijke Japanse aanval hadden afgeslagen. De anderen, die wel beter wisten, keken ondanks hun opwinding een beetje schaapachtig, maar konden toch niet nalaten even later weer woeste triomfkreten te slaken. Slechts enkelen vroegen zich af wat de Japanse patrouille wel niet moest hebben gedacht, toen een duizend meter lange linie plotseling in het niets begon te knallen; de Jappen moesten hartelijk hebben gelachen.

Korporaal Fife behoorde merkwaardig genoeg tot deze cynici. Toen het vuren begon was hij met de andere soldaten van de compagniesstaf naar de linie gerend. Hij had een hele patroonhouder van acht leeggeschoten en opnieuw geladen met de bedoeling weer te vuren, maar toen had zijn gezond verstand de overhand gekregen en had hij zich met diepe neerslachtigheid afgevraagd wat het allemaal voor zin had. Naast hem, op een meter afstand, lag Welsh, geanimeerd vloekend en met een extatische grijns op zijn gezicht als een gek spreidvuur te geven met zijn Thompson. En voor hen wiegelden en ritselden de verlaten struiken van de jungle, als onder een heftige plensbui, terwijl stukken schors en hout van stammen afsprongen. Opgaand in zijn depressieve stemming kroop hij een eindje achteruit, na zijn geweer op veilig te hebben gezet, en ging in zijn eentje zitten, leunend op het wapen dat tussen zijn knieën stond. God, wat was hij voor een vent? Iedereen had het grootste plezier in deze nutteloze schietpartij, maar hij kon niet meedoen. Maar het meest deprimerende feit was dat hij besefte hier telkens te worden geconfronteerd met nieuwe situaties die hij niet begreep en waarover hij zich geen oordeel kon vormen. Het was zoiets als blind zijn.

Tijdens dezelfde 'tegenaanval' wierp soldaat eersteklas Doll zijn eerste echte granaat, een ervaring die een trauma bij hem achterliet. Doll raakte de kluts kwijt. Op het punt waar Doll stond had de heuvelrug een kleine inzinking en bevond zich een borsthoge wal van klei (kunstmatig of niet, dat viel niet uit te maken) waarachter hij zich als in een loopgraaf kon schuilhouden, al had hij aan de achterkant geen dekking. Het vuur was aanvankelijk zwak en sporadisch geweest, maar langzamerhand deden steeds meer soldaten mee en toen het echt hevig was geworden had Doll, die al een patroonhouder had leeggeschoten, een van zijn vier granaten uit een zijzak gehaald om de pin eruit te trekken. Om veiligheidsredenen had hij de uiteinden van de ring zo ver uiteengebogen dat hij ze eerst weer met zijn tanden naar elkaar toe moest buigen voor hij de pin eruit kon halen, waarbij een felle pijnscheut door een rotte tand was gegaan. Misschien had dat zijn zenuwen een schok gegeven. Hij herinnerde zich films waarin soldaten met hun tanden de pin uit een granaat trekken, maar besefte met een machteloos gevoel dat zijn gebit daarop niet berekend was. Hoe dan ook, hij had te lang gewacht. De pin was eruit en hij stond te kijken naar het zware, geribbelde, gietijzeren voorwerp in zijn hand. Zolang hij de granaat vasthield met het hefboompje omlaag was het ding niet gevaarlijk, maar het dreigde al weg te glijden uit zijn bezwete hand. Ook wanneer hij de pin niet op de grond had gegooid zou het onmogelijk zijn geweest die er weer in te steken, het was gevaarlijk om ook maar een poging in die richting te doen. Hij had de granaat ontzekerd en nu hield hij hem vast en als hij daarmee niet wilde doorgaan tot de spieren van zijn hand langzaam verslapten of krachteloos werden van de kramp, moest hij het ding nu van zich afgooien. Maar wat hij eigenlijk wilde was het zomaar op de grond laten vallen en wegvluchten. Dat was natuurlijk te gek, krankzinnig. Ook als hij zelf niet werd gedood, zouden er slachtoffers vallen onder mannen om hem heen. Waarom had hij die ellendige pin er ook uitgetrokken? Hij klemde zijn tanden op elkaar tot zijn kaken er pijn van deden, zette zijn voeten zorgvuldig ver uiteen zonder acht te slaan op het geschreeuw en de schoten rondom hem, en staarde met uitpuilende ogen naar het voorwerp in zijn hand alsof het een bom was die elk moment kon ontploffen, wat het in feite ook was; toen slingerde hij de granaat uit alle macht de jungle in en kroop bevend weg achter de aarden wal. Het knetteren van de lont klonk in zijn oren zo luid als een explosie. Toen hij de granaat uit zijn zak had gehaald, had hij willen kijken hoe die zou opvlammen en exploderen. Nu kwam het idee niet eens bij hem op. Een eind achter de wal hoorde hij een doffe dreun en een ogenblik later nog twee. Hij zou nooit weten welke de zijne was geweest en het interesseerde hem ook niet. Diep geschokt bleef hij nog enkele ogenblikken ineengedoken tegen de aarden wal zitten, toen stond hij hoogrood van schaamte op en begon nijdig op de verlaten jungle te schieten, hopend dat niemand het had gezien. Snel achter elkaar vuurde hij drie clips af, maar hij deed geen pogingen om nog meer granaten te gooien. Toen het vuren overal werd gestaakt draaide hij zich eenvoudig om en bleef met opgetrokken knieën zitten, zijn rug tegen de wal, onregelmatig en kreunend ademhalend terwijl hij woedend voor zich uit staarde.

Op een of andere manier was er tijdens de schietpartij opeens een lijk verschenen achter de C-compagnie. In de algemene opwinding werd het eerst niet opgemerkt. Toen leken alle mannen het tegelijk te ontdekken. Hele groepen draaiden zich gelijktijdig om en staarden met geschrokken gezichten. Niemand wist hoe het er kwam of wie het was. Het kon niet iemand van Charlie zijn, want niemand was geraakt. De man moest bij de tegenaanval gesneuveld zijn, want hij was kennelijk al stijf. Hij was plotseling opgedoken boven aan de helling. Hij lag ongeveer tien meter van de top, op een circa twee meter brede kleirichel, met opgetrokken knieën, min of meer in de houding van een foetus, zijn half gebalde vuisten bijna tegen zijn gezicht. Zoals hij daar lag, met zijn helm nog op en zijn koppel om, leek hij zichzelf te willen behoeden voor een noodlot dat hem al had getroffen. Even beneden die richel werd de helling steiler en als hij eenmaal was omgerold, zou hij verder zijn gegleden en aan de voet van de helling terecht zijn gekomen. Velen van de C-compagnie wensten dat hij dat had gedaan.

Later werd vastgesteld dat het een soldaat van het tweede bataljon was, die de vorige dag was gesneuveld, maar nu pas was gevonden omdat hij achter de top was beland. De D-compagnie had hem opgepikt en hem op de richel achter Charlie neergelegd, toen de mannen van de C-compagnie het te druk met schieten hadden om het op te merken. En nu lag hij hier. Het opgewonden gelach en gepraat stierf weg. Gezichten kregen een verontwaardigde uitdrukking. Er werd gevloekt. De mannen van Charlie vonden dat ze dit niet hadden verdiend en het ergerde hen dat zij met hem werden opgescheept. Enkele soldaten die behoedzaam tot op vijf, zes meter waren genaderd, zeiden dat hij stonk. Nog niet heel erg, maar genoeg om hinderlijk te zijn. Algauw schreeuwde iemand: 'Hospik! Hospik! Verdomme, waar zitten die kerels?' Een ander riep: 'Zeg ze dat er hier een lijk ligt!' Iedereen was verontwaardigd.

Ze kwamen hem weghalen, al dan niet als gevolg van de door de C-compagnie geuite protesten. Twee afgetobde mannen sjouwden met een brancard de helling op. Ze waren kennelijk vermoeid en maakten een norse indruk. Beiden pakten een arm en een been vast, alsof het handvatten waren, en tilden hem op de brancard, maar toen ze die wilden optillen dreigde het lijk eraf te rollen. Ze zetten de brancard weer neer en draaiden de man op zijn zij. Maar nu, toen ze de vracht optilden, viel hij er inderdaad af. De mannen lieten de brancard los, zetten hun handen in de zij en keken elkaar aan met een blik alsof ze er schoon genoeg van hadden. Daarna bukten ze zich, grepen de man bij zijn 'handvatten' en daalden zo met hem de steile helling af, terwijl een van hen de brancard aan een riem achter zich aan sleepte. Ze zeiden geen woord, tegen niemand.

De mannen van de C-compagnie hadden met grote ogen en onnozele gezichten staan toekijken. Ze vonden dat de twee mannen nogal oneerbiedig omgingen met iemand die nog maar zo kort dood was; aan de andere kant beseften ze dat hun eigen houding ook niet bepaald eerbiedig was geweest. Niemand moest nog iets van die arme donder hebben. Nou ja, wat hij in de laatste minuten van zijn leven voor het tweede bataljon zou hebben kunnen doen, kon nooit veel zijn, en nu had hij met zijn dood in ieder geval wel iets bereikt. Hij was erin geslaagd de kortstondige stemming van uitgelatenheid en zelfvertrouwen bij de mannen van Charlie volkomen te verdrijven.

Het was even over halfdrie. En terwijl deze gebeurtenis de aandacht van de C-compagnie had opgeëist was het gevecht om de bocht, dat de mannen wel konden horen maar niet zien, met onverminderde hevigheid voortgezet. Nu kwamen er voor het eerst hele groepen soldaten terug. De aanval was afgeslagen. Mannen kwamen hijgend aanrennen en stortten aan de andere kant van de top snakkend naar adem neer, hun ogen als donkere gaten in verontwaardigde, van woede vertrokken, ongelovige gezichten. Steeds meer groepen soldaten keerden terug, ordeloos, zelden pelotonsgewijs. Het was daar een rotzooi, zeiden ze stamelend. De mannen van de C-compagnie lagen nu dicht bij de Schouder van De Olifant, waar de hoogste heuvelrug een bocht beschreef en uitliep in de voorpoten en de buik, zodat meer en meer mannen die een heenkomen zochten achter de rug in de door Charlie bezette sector terechtkwamen. Enkelen arriveerden zelfs via het meest rechtse deel van de linie, de mannen toebrullend niet te schieten, in godsnaam niet te schieten. Eenmaal binnen de linie konden ze geen voet meer verzetten. Een jongen die in een rij van vijf of zes soldaten zat huilde als een kind, zijn voorhoofd en zijn hand op de schouder van de man naast hem, die hem afwezig op de rug klopte en met smeulende ogen voor zich uit staarde. Geen van hen kende de algehele situatie; ze hadden er geen idee van wat er was gebeurd, behalve op de plaats waar ze zelf hadden gevochten. De C-compagnie voelde zich beschaamd en keek verbaasd en vol ontzag toe; maar al te graag bereid tot heldenverering als de compagnie hun ervaringen niet hoefde te delen.

Wat die mannen voelden werd geïllustreerd door een incident waarvan de meeste soldaten van de C-compagnie getuige waren. Het was geen bedachtzame reactie, noch die van een beroepsstrateeg. De divisiecommandant had de gevechten die dag vanaf Heuvel 209 geobserveerd. Natuurlijk betekende dit offensief een belangrijke fase in zijn carrière. Toen de soldaten volkomen in de war terugkwamen, ging hij naar hen toe om ze glimlachend toe te spreken en op te peppen. 'We laten ons toch niet door die Jappen verslaan, jongens? Hè? Ze vechten goed, maar wij vechten beter, nietwaar?' Een jongen, jong genoeg om een zoon, zelfs een kleinzoon van de generaal te kunnen zijn, zat op de grond en keek met wijd opengesperde ogen omhoog. 'Generaal, gaat u dan! Gaat u er maar heen, generaal, gaat u er maar heen!' De generaal glimlachte medelijdend en liep verder. De jongen keek hem niet eens na.

De bataljonshulppost, die halverwege de voornaamste heuvelrug was ingericht, kreeg meer gewonden te verwerken dan de drie artsen aankonden, en er werden nog steeds nieuwe slachtoffers binnengebracht. Langs de van de vijand afgekeerde hellingen, in de richting van Heuvel 208, waar pas de vorige dag een verbindingsweg tot stand was gebracht, waagden kleine jeeps zich zo ver mogelijk het steile terrein op om de brancards over te nemen. Andere gewonden met witte en roodgevlekte verbanden, die nog konden lopen, zochten wankelend hulp bij elkaar.

Ten slotte kreeg de C-compagnie, net als de andere, een overzicht van de situatie. Volgens het plan zouden twee compagnieën naast elkaar de aanval inzetten, na een voorbereidend artilleriebombardement. Fox en George, die de vorige dag al waren afgebeuld, kregen ook nu de zwaarste taak. Zij moesten Heuvel 210, links, aanvallen. De E-compagnie zou rechts aanvallen, op het terrein waar de voorpoten van De Olifant zich bevonden, genaamd Heuvel 214. Links achter Heuvel 209 liep de korte, brede hals van De Olifant langzaam omhoog naar de kop, Heuvel 210, een U-vormige rug, met de open zijde naar de aanvallers gekeerd; het traject vertoonde enige overeenkomst met een kegelbaan en zo werd het in de loop van de operatie dan ook genoemd. Het terrein, evenals de paar honderd meter open grond ervoor, werd doorsneden door lage ruggen en heuveltjes, die dekking konden bieden tegen aanvallende troepen. Rechts van de Olifantskop, gescheiden door een lager stuk grond, bedekt met een uitloper van de jungle, bevond zich het bredere, lagere, vlakkere terrein van de voorpoten, dat de mannen van de C-compagnie nog niet te zien hadden gekregen. Hier zou het tweede bataljon aanvallen.

Alles was bijna vanaf het begin verkeerd gegaan. In de eerste plaats was er weinig water, nauwelijks een halve veldfles de man. De F-compagnie was vertrokken, gevolgd door de George-compagnie die later op gelijke hoogte moest uitkomen, zodat de twee compagnieën ieder van een verschillende kant de Kegelbaan konden aanvallen. Maar de mannen van Fox kwamen al kort na vertrek in moeilijkheden, doordat ze in een smal ravijn tussen twee uitlopers van de heuvelrug door frontaal vuur werden tegengehouden. Dicht opeengepakt in de smalle ruimte werden ze herhaaldelijk bestookt met mortieren, die blijkbaar volkomen op hun taak berekend waren. Toen ze pogingen deden het ravijn te ontruimen, werden ze teruggedrongen door zwaar flankerend mitrailleurvuur, afkomstig van onzichtbare stellingen. De G-compagnie, die zich vlak achter Fox bevond, kon niets doen en werd zelf ook bestookt door mortiervuur. Gedurende het grootste deel van de ochtend en de eerste middaguren hadden de twee compagnieën daar gelegen. De commandant van de Fox-compagnie was omstreeks halfeen door mortiervuur geraakt en weggedragen, en hij stierf op weg naar de regimentshulppost. Terwijl ze daar lagen in de hete tropenzon en onder het zware vuur, verloren velen van de afgebeulde mannen die ernstig onder het watergebrek leden, het bewustzijn. Toen de bataljonscommandant het bevel voor de terugtocht gaf, waren de mannen van de twee compagnieën in ordeloze vlucht weggerend.

De aanval van de E-compagnie mislukte eveneens. Het voorste peloton dat oprukte over het minder brede, maar vlakkere terrein van de Voorpoten, belandde in een moordend kruisvuur dat vanuit de jungle kwam. De commandant van E, die pogingen had gedaan een toegevoegd mitrailleurpeloton van de H-compagnie naar boven te zenden, zag dat dat peloton bijna tot op de laatste man vernietigd werd. Daarna had de rest van de compagnie z'n pogingen gestaakt en was op enkele meters voor de top van Heuvel 209 blijven liggen.

Zo was het dus gegaan. Om halfvier waren alle soldaten die nog konden lopen teruggegaan. De anderen werden door hospitaalsoldaten, die hierbij grote risico's liepen, gezocht. Die avond kwam er geen door de regimentscommandant gedicteerd nieuwsbulletin. De dag had 34 doden en 102 gewonden gekost. Vragen waarom het aantal verliezen ondanks zo'n slachting die dag maar weinig hoger was dan de vorige werden niet beantwoord. De enige redelijke verklaring die men kon geven, was dat er de vorige dag meer uren werkelijk was gevochten. Maar belangrijker dan al dit nieuws was het bericht dat de regimentscommandant had besloten het uitgeputte tweede bataljon terug te zenden naar Heuvel 207 en 208, en als reserve te gebruiken. Dit betekende dat het eerste bataljon de aanval de volgende dag zou overnemen. Het bataljon van de divisiereserve, dat links van hen lag, zou dan ongetwijfeld hun stellingen op Heuvel 209 overnemen.

Dit was inderdaad wat er gebeurde en de mannen kregen algauw hun orders. Er was nog een kleine kans geweest dat de regimentscommandant het bataljon van de divisiereserve met de aanval zou belasten en de C-compagnie bleef zich hardnekkig aan deze hoop vastklampen, maar niemand geloofde het. Toen de orders om een uur of zes aankwamen bleek hun ongeloof gegrond.

Overste Talls plan kwam in grote lijnen overeen met dat van de kolonel die het tweede bataljon aanvoerde. Twee compagnieën zouden op gelijke hoogte aanvallen: de C-compagnie zou links naar voren gaan en de Olifantskop, Heuvel 210, innemen, terwijl de A-compagnie het terrein dat de voorpoten van De Olifant vormde, Heuvel 214, toegewezen kreeg. Hier moest Able contact maken met het derde bataljon, dat op minder weerstand stuitte. De B-compagnie zou als reserve achter Charlie liggen. Het zou dus ongeveer net zo gaan als vandaag. Maar morgen zou er voldoende water zijn en de mannen zouden profiteren van eventuele verliezen die het tweede bataljon de vijand al had toegebracht.

De C-compagnie kreeg de gevaarlijkste opdracht: de Kegelbaan. De mannen geloofden er heilig in dat het hun noodlot was altijd de gevaarlijkste opdracht te krijgen. Die avond, toen een compagnie van de divisiereserve hun stellingen overnam zodat zij konden uitrusten voor de volgende dag, ontvingen de mannen van Charlie hen nors. De aflossers begroetten hen glimlachend, druk pratend, bereid tot heldenverering, omdat ze hen als veteranen beschouwden en ze zich bij hen groentjes voelden; de C-compagnie behandelde hen stuurs en zwijgzaam, zoals ze zelf waren behandeld door E, toen die in de aanval ging.

Maar enige tijd hiervoor had de jonge soldaat eersteklas Bead zijn eerste Japanner gedood, als eerste van zijn compagnie, zelfs van zijn bataljon. Het geval was echt iets voor hem, vond Bead later toen hij erover nadacht, iets waartoe hij niet onmiddellijk in staat was geweest. Het voorval was karakteristiek voor zijn domme onhandigheid, zijn onnozele dwaasheid, voor de plompe manier waarop hij alles aanpakte, zodat alles wat hij deed slecht en stijlloos gebeurde, zodat het hem nooit bevredigde, daden die hem geen eer aandeden, inspanning zonder gratie. Iemand met een ander temperament had hierin iets komisch kunnen zien. Bead kon er niet om lachen.

Het liep tegen vijven toen hij aandrang voelde om te schijten. En hij had al in twee dagen geen drol meer gedraaid. Overal langs de linie heerste nu rust; de laatste gewonden werden op de hulppost onder aan de helling verzorgd en doorgezonden. Bead had gezien hoe andere mannen gingen poepen langs de helling; hij kende de procedure. Ze zaten nu al twee dagen in het heuvelland en de methode was vrijwel gestandaardiseerd. Omdat ieder stukje vlak terrein in beslag werd genomen door soldaten en hun uitrusting, was men voor de ontlasting aangewezen op de steilere hellingen. De gewoonte was dat een man zijn pioniersschop pakte en een klein gat groef, daarboven neerhurkte met zijn achterste in de wind en, balancerend op zijn tenen en steun zoekend met zijn handen op het zand of de stenen voor zich, zijn behoefte deed. Omdat er beneden in het dal overal soldaten lagen, was dit zoiets als in een drukke straat je billen uit een raam op de tiende verdieping steken. Het was op z'n minst gênant, en de soldaten in het dal maakten er misbruik van door je te bespotten met kreten, gefluit of een zuchtend steunen.

Bead was een verlegen jongen. Hij had die methode kunnen volgen als het noodzakelijk was geweest, maar omdat hij zo verlegen was en omdat na de doodsangst, de gevaren en het rumoer van de middag een ongelooflijk vredige avond was aangebroken, besloot hij dat hij in deze rust ook lekker op zijn gemak wilde poepen. Zonder iemand iets te zeggen liet hij zijn wapens bij zijn schuttersput liggen en begon, alleen met zijn rol kaki toiletpapier, de twintig meter te beklimmen die hem van de top scheidden. Hij liet zelfs zijn pioniersschop liggen, omdat het aan de overkant niet nodig was de ontlasting te begraven. Hij wist dat de helling aan de andere kant van de top niet steil was, maar over een afstand van misschien vijftig meter tussen de bomen zacht glooiend daalde en daarna pas een loodrechte wand vormde, die de oever was van de rivier. Dit was de plaats waar de Dog-compagnie eerder op de dag de Japanse patrouille had verrast.

'Hé, jongen, waar ga je heen?' riep een soldaat van het tweede peloton hem toe, terwijl hij door de linie liep.

'Ik ga kakken,' antwoordde Bead zonder om te kijken en hij verdween over de top.

Een meter of drie beneden de eigenlijke top stonden bomen. Omdat het oerwoud hier dunner was, met minder struikgewas langs de rand, leek het meer op een bos in Amerika, met joekels van bomen en een gladde grond, zodat Bead aan zijn jongenstijd werd herinnerd. Terugdenkend aan de tijd toen hij als padvinder had gekampeerd en rustig genietend zijn behoefte had gedaan in de zomerse bossen van Iowa, zette hij de rol toiletpapier naast zich neer, liet zijn broek zakken en hurkte neer. Toen hij halverwege was, zag hij op tien meter afstand een Japanner tussen de stammen doorsluipen, een geweer met de bajonet erop in de hand.

Alsof de Japanner zijn blik voelde, keek hij om en zag hem ook, bijna op hetzelfde ogenblik, maar niet voordat Bead gedurende een elektriserend, vlijmend moment van vrees, ongeloof en ontkenning een scherp, in zijn hersens gebrand beeld van hem had gekregen. Het was een klein mannetje, mager, broodmager. Zijn bemodderde, mosterdkleurige uniform met de belachelijke puttees hing in vochtige, vettige plooien om hem heen. Hij droeg niet alleen geen spoor van de ingewikkelde camouflage, waarop films Bead hadden voorbereid, hij had niet eens een helm op. Op zijn hoofd stond een vettig, verkreukeld, verfomfaaid mutsje. Het geelbruine gezicht eronder was zo mager dat de jukbeenderen door de huid dreigden te dringen. Hij had zich zeker in geen twee weken geschoren, maar zijn glimmende stoppels waren even schaars als die van Bead, die pas negentien was. Zijn leeftijd kon Bead niet schatten; hij kon twintig zijn, maar evengoed veertig.

Al deze visuele waarnemingen speelden zich af in een ogenblik, een moment dat eindeloos scheen te duren tot de Japanner hem ook zag en zich in één soepele beweging omdraaide en op hem af kwam, snel en toch behoedzaam, zijn bajonet voor zich uit.

Bead, die nog gehurkt zat met zijn broek omlaag en een vuil achterste, spande zijn spieren. Hij zou het met een sprong moeten proberen, maar welke kant uit? Waarheen spring ik? Ga ik nu dood? Ga ik nu werkelijk dood? Hij had niet eens zijn mes bij zich. Dodelijke vrees en ongeloof verscheurden hem. Waarom de Japanner zijn geweer niet eenvoudig afvuurde, wist hij niet. Misschien was hij bang dat het schot in de Amerikaanse linies zou worden gehoord. In plaats daarvan naderde hij, kennelijk van plan Bead aan zijn bajonet te rijgen. Zijn ogen hadden een doelbewuste uitdrukking. Hij had zijn tanden ontbloot, die groot maar welgevormd waren en niet zover vooruitstaken als op de propagandaposters van het leger. Was dit echt werkelijkheid?

Wanhopig, nog zonder te weten hoe hij zou springen, trok Bead zijn broek over zijn vuile kont om zijn benen vrij te hebben en dook laag naar de Japanner die nu bijna bij hem was en greep hem bij de enkels, terwijl hij zijn voeten krachtig afzette in de weke grond. De Japanner, verrast door die sprong, bracht zijn geweer haastig omlaag, maar Bead was zo vlakbij dat hij niet meer van de bajonet gebruik kon maken. De bovenste kordonbeugel trof hem pijnlijk op zijn sleutelbeen. Bead drukte zijn bemodderde schenen stijf tegen z'n borst en gebruikte, zich nog steeds met zijn voeten afzettend, zijn eigen hoofd als steunpunt, zodat de Japanner wel achterover moest vallen, en nog terwijl hij viel klauwde Bead zich aan zijn lichaam omhoog. Bij zijn val raakte de Japanner zijn geweer kwijt, terwijl hij bovendien zo'n schok kreeg dat hij lag te happen naar adem. Dit gaf Bead de tijd om zijn broek verder op te hijsen voor hij, met zijn knieën op de bovenarmen van de Japanner en met zijn zitvlak op diens borst, hem in zijn gezicht en zijn hals begon te stompen. De Japanner kon slechts zwakke rukjes geven aan Beads benen en benedenarmen.

Bead hoorde een hoge, smartelijke gil en meende dat dit de Japanner was die om genade smeekte, tot het langzaam tot hem doordrong dat deze het bewustzijn had verloren. Pas nu besefte hij dat hij het geluid zelf maakte. Maar hij kon niet stoppen. Het gezicht van de Japanner zat onder het bloed door Beads klauwende nagels en enkele van zijn tanden waren gebroken. Maar Bead kon nog niet ophouden. Snikkend en jammerend bleef hij de bewusteloze Japanner met zijn nagels en vuisten bewerken. Hij wilde dat gezicht er met zijn blote handen afrukken, maar dat was niet zo eenvoudig. Toen greep hij de ander bij de keel en probeerde het hoofd te vernietigen door het tegen de grond te slaan, maar er ontstond alleen een kleine kuil. Daarna liet hij zich uitgeput op de bloedende bewusteloze man vallen, maar hij voelde meteen dat er weer leven in de Japanner onder hem kwam.

Diep verontwaardigd over zijn taaiheid liet Bead zich opzij rollen, greep het wapen van zijn vijand, hief het op zijn knieën zittend tot boven zijn hoofd op en stak de lange bajonet snikkend en weeklagend in de Japanse borst. Er ging een enkele schok door het lichaam van de Japanner. Zijn ogen gingen open, staarden op een griezelige manier in het niets en zijn ellebogen draaiden, zodat zijn handen in een krampachtige beweging het lange mes konden grijpen dat in zijn borst stak.

Vol afgrijzen zag Bead hoe de Japanner zijn vingers openreet bij de pogingen om de bajonet uit zijn lichaam te trekken. Bead sprong overeind, waardoor zijn broek afzakte. Met een ruk sjorde hij hem omhoog en, wijdbeens staand om te voorkomen dat de broek weer zou afzakken, greep hij het geweer en probeerde het los te trekken om nogmaals toe te steken. Maar de bajonet gaf niet mee. Bead herinnerde zich vaag iets wat hij bij bajonetinstructie had gehoord, greep haastig de kolf en haalde de trekker over. Er gebeurde niets. De veiligheidspal was overgehaald. Hij hanteerde het onbekende, buitenlandse wapen met onzekere bewegingen, zette het op scherp en vuurde weer. Er klonk een door vlees gesmoorde knal en de bajonet schoot los. Maar die Japanse gek met zijn starende ogen bleef aan zijn borst rukken, alsof het maar niet tot zijn botte hersens wilde doordringen dat de bajonet eruit was. Mijn god, hoe vaak moest hij die vervloekte stommeling doden? Bead had hem gestompt, getrapt, gesmoord en gekrabd; hij had hem aan een bajonet geregen, een kogel in hem geschoten. In een beklemmend visioen zag hij zichzelf, de rechtmatige overwinnaar, tot in de eeuwigheid gedoemd steeds opnieuw dezelfde Japanner te doden.

Ditmaal, niet van zins om zich twee keer aan dezelfde steen te stoten, liet hij de bajonet voor wat die was, pakte het geweer bij de loop en verpletterde het gezicht met de kolf. Wijdbeens staand om zijn broek op te houden, beukte hij met de geweerkolf op het gezicht van de Japanner in, tot het hele gelaat en het grootste deel van het achterhoofd zich met de modderige grond hadden vermengd. Toen wierp hij het geweer van zich af, liet zich op handen en knieën vallen en kotste.

Bead verloor het bewustzijn niet, maar wel ieder gevoel voor tijd. Toen hij, nog op handen en knieën, hijgend tot zichzelf kwam schudde hij zijn afhangende hoofd, opende zijn ogen en ontdekte dat zijn linkerhand als in een vriendschappelijk gebaar op de roerloze mosterdkleurige knie van de Japanner lag. Bead rukte z'n hand weg, alsof hij die op een brandende kachel zag liggen. Hij had het duistere gevoel dat hij niet voor het doden van de man verantwoordelijk kon worden gesteld, zolang hij niet naar het lijk keek en het niet aanraakte. Met deze gedachte voor ogen kroop hij uitgeput weg tussen de bomen, waarbij hij langzaam en kreunend ademhaalde.

Het was heel stil in het bos. Bead kon zich niet herinneren ooit zo'n stilte te hebben gehoord. Toen, zwak doordringend in de immense stilte, ving hij stemmen op, Amerikaanse stemmen, en het nuchtere geluid van een spade die tegen een steen schraapt. Het leek hem onmogelijk dat ze zo dichtbij waren. Trillend, nog altijd zijn broek vasthoudend, richtte hij zich op. Het leek hem ook onmogelijk dat er zulke gewone geluiden bestonden als dat van een spade. Hij besefte dat hij weer binnen de linies moest zien te komen. Maar eerst moest hij proberen zichzelf een beetje schoon te maken. Hij voelde zich vies. Zijn aandrang om te schijten was weg.

Om zijn rol toiletpapier te halen, moest hij terug naar het lijk. Het was een vreselijk idee, maar hij had geen keus. Zijn broek en zijn vuile achterste hinderden hem het meest. Afschuw daarvoor was zijn tweede natuur geworden. Bovendien was hij bang dat iemand zou denken dat hij het van angst in zijn broek had gedaan. Hij verbruikte het grootste deel van de rol wc-papier en offerde er zelfs een van zijn drie schone zakdoeken voor op, die hij eigenlijk had willen bewaren voor zijn bril. Om de zakdoek vochtig te maken spuwde hij erop. Zijn uniform vertoonde vlekken van bloed en braaksel. Hij kon ze niet helemaal wegkrijgen, maar deed zijn best zichzelf enigszins toonbaar te maken, zodat niemand iets bijzonders aan hem zou zien. Want hij had zich al voorgenomen dat hij niemand zou vertellen wat er was gebeurd.

Hij was bovendien zijn bril kwijtgeraakt. Die ontdekte hij dicht bij het lijk; de glazen waren als door een wonder heel gebleven. Bij het zoeken naar zijn bril moest hij vlak bij de dode komen en hem bekijken. Het gezichtloze, bijna hoofdloze lijk van de man met de bloedige snijwonden aan de vingers en het gapende gat in zijn borst, gaf hem zo'n wee gevoel in zijn maag dat hij meende te zullen flauwvallen. Aan de andere kant stond de doelbewuste blik in de ogen van de man toen deze met de bajonet in de aanslag op hem afkwam, hem nog levendig voor de geest.

De voeten waren het meest triest. In de bespijkerde infanterielaarzen lagen ze rustig uitgestrekt, als bij iemand die sliep. Ze fascineerden Bead op een perverse manier en hij kon niet nalaten tegen een ervan een zachte trap te geven. De voet veerde met een logge beweging omhoog en zakte terug. Bead kreeg de neiging om hard weg te lopen. Hij had nog steeds het idee, vooral nu hij het lijk had bekeken en aangeraakt, dat een of andere wrekende macht hem hiervoor aansprakelijk zou stellen. Hij had de man wel om vergiffenis willen smeken, in de hoop daarmee de verantwoordelijkheid van zich te kunnen afwenden. Hij had niet zo'n overweldigend schuldgevoel gehad sinds de laatste keer waarop zijn moeder hem op masturberen had betrapt en hem een pak slaag had gegeven.

Als hij hem dan al had moeten doden, en dat leek er toch wel op, dan had hij het in ieder geval wat handiger en eleganter kunnen doen dan dit, zonder de arme stakker zoveel pijn en ellende te bezorgen. Als hij zijn verstand niet was verloren, als hij niet gek was geweest van angst, dan had hij hem misschien wel gevangen kunnen nemen en had de Japanner wellicht waardevolle informatie kunnen verstrekken. Maar hij had zich laten obsederen door de gedachte dat hij hem moest doden, alsof hij bang was geweest dat de man zolang hij nog kon ademhalen misschien plotseling zou opstaan om hem aan te klagen. Nu zag Bead in zijn verbeelding het toneel opnieuw, maar de rollen waren omgedraaid: hij lag zelf op de grond en voelde hoe de bajonet in zijn borst werd gestoken, hij zag de kolf neerdalen op zijn eigen gezicht en hoorde de knal van de kogel die zijn leven beëindigde. Wat zou er gebeurd zijn als de ander sneller was geweest met zijn bajonet? Als hij hem iets hoger had beetgepakt? Nu had Bead slechts een blauwe plek ter hoogte van zijn sleutelbeen, maar in gedachten zag hij het primitieve mes het zachte vlees van zijn schouder binnendringen en verder gaan, de zachte duistere borstholte in. Het was ondenkbaar.

Hij zette zijn bril op zijn neus, haalde een paar maal diep adem en sjokte na een laatste blik op zijn verpletterde vijand weg van de bosrand, naar de heuveltop. Bead vond het hele geval gênant en beschamend en daarom wilde hij er met niemand over spreken.

Hij kwam terug binnen de linies zonder dat hem lastige vragen werden gesteld. 'Lekker zitten kakken?' riep de soldaat van het tweede peloton hem toe. 'Jazeker,' bromde hij en hij sjokte verder, de helling af, in de richting van de CP. Maar onderweg daarheen sloot Doll zich bij hem aan, die van het eerste peloton kwam met de boodschap nog eens te vragen waar het water bleef. Doll liep met hem mee en merkte onmiddellijk zijn geschaafde handen en de bloedspatten op.

'Jezus! Wat is er met je knokkels gebeurd? Heb je gevochten?'

Bead voelde zich geheel ontmoedigd. Dit was echt iets voor Doll. 'Nee, ik ben uitgegleden en heb ze kapot geschaafd,' zei hij. Hij voelde zich stijf en pijnlijk, alsof hij inderdaad met iemand op de vuist was gegaan. Plotseling steeg het enorme afgrijzen weer in hem op. Hij haalde een paar keer diep adem, zijn ribbenkast deed pijn.

Doll grijnsde, vriendschappelijk maar sceptisch. 'En al die bloedspatten dan? Ook van je knokkels?'

'Laat me met rust, Doll!' viel Bead uit. 'Ik wil er niet over praten. Laat me met rust, begrepen?' Hij probeerde Doll aan te kijken met de moordlustige blik van iemand die zojuist een vijand heeft gedood en hoopte dat hij dan zijn mond zou houden, wat gebeurde. Tenminste, voorlopig. Ze liepen zwijgend verder, waarbij Bead zich er walgend van bewust werd dat hij al probeerde het te beschouwen als het spelen van een rol. Een rol die geen enkele realiteit had, waarbij hij persoonlijk niet betrokken was. Maar de werkelijkheid was zo anders.

Doll was er de man niet naar om te blijven zwijgen. Hij was enigszins verbaasd over Beads heftige uitval; Bead was gewoonlijk niet zo agressief. Maar zijn instinct zei hem dat er meer achter stak. En nadat hij zijn bericht had overgebracht en volgens verwachting het antwoord had gekregen dat Stein zijn uiterste best deed om hun water te bezorgen, zette hij zijn onderzoek voort, ditmaal door het onder de aandacht van Welsh te brengen. Welsh en Storm zaten naast hun schuttersputten en deden een spelletje bamzaaien om een sigaret, want die begonnen al schaars te worden. Omdat het ze anders te veel sigaretten ging kosten, werd de pot alleen uitgekeerd als iemand vier van de zeven spelletjes had gewonnen. Na zeven spelletjes haalden ze allebei plechtig het plastic etui voor de dag dat iedereen had gekocht om zijn sigaretten aan het front droog te houden en dan werd de prijs aan de winnaar overhandigd. Grijnzend, zijn ene wenkbrauw opgetrokken, liep Doll naar hen toe. Hij had helemaal niet het gevoel, op dat moment tenminste niet, dat wat hij deed iets te maken kon hebben met vrienden verraden.

'Hé, wat is er verdomme met die jongen daar gebeurd? Wie heeftie afgetuigd dat zijn knokkels zo geschaafd zijn en hij allemaal bloedspatten op zijn uniform heeft? Heb ik iets gemist?'

Welsh keek hem aan met die rustige blik van hem, die, als hij niet deed alsof hij gek was, zo doordringend kon zijn. Doll kreeg al de indruk dat hij een fout had begaan en begon zich schuldig te voelen. Zonder te antwoorden draaide Welsh zich om naar Bead, die ineengedoken alleen op een klein rotsblok zat. Hij had zijn uitrusting weer om.

'Bead, kom eens hier!'

Bead stond op en kwam aanlopen, nog gebogen, zijn gezicht betrokken. Doll trok zijn ene wenkbrauw weer op en keek hem grijnzend aan. Welsh bekeek Bead van top tot teen.

'Wat is er met jou gebeurd?'

'Wat? Met mij?'

Welsh wachtte zwijgend af.

'Nou, ik ben uitgegleden en gevallen en toen heb ik me geschaafd, dat is alles.'

Welsh bekeek hem zwijgend, nadenkend. Het was heel duidelijk dat hij van dit verhaal niets geloofde. 'Waar ben jij een tijdje geleden heen gegaan? Je bent toch even weg geweest? Waar zat je?'

'Ik wou alleen zijn, om te schijten.'

'Wacht eens even,' onderbrak Doll hem grijnzend. 'Toen ik hem zag kwam hij terug van de frontsector waar het tweede peloton ligt.'

De blik van Welsh ging naar Doll en zijn ogen fonkelden dreigend. Doll zweeg geïntimideerd. Welsh keek weer naar Bead. Stein, die in de buurt had gestaan, kwam naar hen toe en luisterde mee. Band en nog een paar anderen kwamen ook dichterbij.

'Luister eens, jochie,' zei Welsh. 'Ik heb al problemen genoeg in deze kuttroep hier. Voor dat kinderachtige gedoe van jou heb ik geen tijd. Ik wil weten wat je hebt uitgevreten en je kunt je smoesjes voor je houden. Weet je wel hoe je d'ruitziet? Wat is er gebeurd en waar heb je gezeten?'

Welsh had blijkbaar, althans in de ogen van Bead, al een vermoeden van de waarheid, wat niet kon worden gezegd van de fantasieloze Doll of van de anderen. Bead haalde lang en bevend adem.

'Nou, ik ben door de linie heen het bos in gelopen om rustig in mijn eentje te kakken. Toen ik daar zat kwam er een Jap aan, die me aan zijn bajonet wou rijgen. En toen heb ik hem gedood.' Zuchtend ademde Bead lang uit, ademde snel weer in en slikte heftig.

Iedereen staarde hem ongelovig en stomverbaasd aan. 'Godverdomme, jongen!' bulderde Welsh even later. 'Ik zei verdomme dat je me de *waarheid* moest vertellen! Kom dan niet aan met die kinderachtige flauwekul!'

Het was geen moment bij Bead opgekomen dat zijn verhaal niet geloofd zou worden. Nu kon hij kiezen: zwijgen en voor een leugenaar worden gehouden, of vertellen waar het was gebeurd en dan zouden ze zien hoe schandalig hij daar had staan prutsen. Ondanks zijn schrik en ontreddering koos hij snel. 'Ga dan godverdomme *kijken*!' snauwde hij tegen Welsh. 'Je hoeft me niet op mijn woord te geloven, kijk dan verdomme zelf!'

'Ik ga wel,' bood Doll onmiddellijk aan.

Welsh draaide zich om en wierp hem een woedende blik toe. 'Jij gaat nergens heen, verraderlijke rat,' zei hij. Hij wendde zich weer tot Bead. 'Ik ga zelf wel kijken.'

Doll zweeg, verbijsterd, bleek van schrik. Hij had er niet aan gedacht dat zijn grapje ten koste van Bead als verraad kon worden opgevat. Maar hij had ook geen ogenblik verwacht dat er zoiets achter zou zitten. Bead, die een Jap had gedood! Hij voelde zich niet schuldig aan verraad en nam zich woedend voor dat hij mee zou gaan kijken, al zou hij erheen moeten kruipen.

'En God zal je moeten bijstaan, als je liegt, jongen.' Welsh pakte zijn Thompson en zette zijn helm op. 'Goed. Waar is het gebeurd? Kom op, wijs me de weg.'

'Ik ga daar niet meer heen!' riep Bead. 'Als u wilt gaan, dan gaat u maar alleen! Ik blijf hier! Niemand kan me dwingen mee te gaan!'

Welsh nam hem even scherp op. Daarna ging zijn blik naar Storm. Storm knikte en stond op. 'Oké,' zei Welsh. 'Waar is het?'

'Achter de heuveltop, een paar meter de bomen in, ter hoogte van het tweede peloton. Ongeveer in één lijn met Krims schuttersput.' Bead draaide zich om en liep weg.

Storm had ook zijn helm opgezet en zijn eigen Thompson gepakt. En plotseling, nu de emotionele Bead zich van het toneel had verwijderd, kreeg de hele expeditie weer iets van een geintje, zoals de 'Tommygun Club' die ochtend de jacht op de infiltrant als een grap had beschouwd. Stein, die al die tijd zwijgend had staan luisteren, dempte de uitgelaten stemming door geen van de officieren toestemming te geven de CP te verlaten. MacTae mocht wel mee, en zo zouden de drie onderofficieren dan met Dale vertrekken. Bead, die zich op zijn rotsblok had teruggetrokken, kon niet nalaten hun wrang toe te roepen: 'Al die verdomde wapens zijn helemaal niet nodig, Welsh! *Hij* is de enige die je daar zal aantreffen.' Maar ze negeerden hem.

Vlak voor vertrek kwam Doll, een beetje ongerust maar heel resoluut, naar Welsh toe en keek hem recht in de ogen.

'Majoor, ik mag toch zeker wel mee?' vroeg hij. Het was geen smeekbede en evenmin een dreigement, maar alleen een op de man af gestelde vraag.

Welsh staarde hem even aan en draaide zich toen zwijgend om, terwijl zijn gezicht niet van uitdrukking veranderde. Dit was duidelijk verwijtend bedoeld. Maar Doll zag er een zwijgend gegeven toestemming in. Achter de vijf anderen aan beklom hij de helling. Welsh stuurde hem niet terug.

Terwijl ze weg waren viel niemand Bead lastig. Hij zat alleen op zijn rotsblok, zijn hoofd gebogen, nu en dan zijn handen tot vuisten ballend of zijn knokkels betastend. Iedereen deed zijn best niet naar hem te kijken; de mannen wilden hem niet storen. Ze wisten niet wat ze van het geval moesten denken. Wat Bead zelf betrof, die was tot geen andere gedachte in staat dan dat de hysterische, zinloze wijze waarop hij de ander had afgeslacht nu aan het licht zou komen. De herinnering daaraan en aan het resolute gezicht van zijn vijand deed hem nog huiveren; hij moest zich dwingen niet te kokhalzen. Herhaaldelijk bedacht hij dat hij beter zijn mond had kunnen houden, al zouden ze dan denken dat hij een dwaze leugenaar was. Misschien zou dat veel beter geweest zijn.

Toen de kleine groep terugkeerde, hadden hun gezichten een eigenaardige uitdrukking. 'Hij ligt er,' zei Welsh. 'Zoveel is zeker,' zei MacTae. Allen maakten een vreemd geïntimideerde indruk. Meer werd er niet over gezegd. Tenminste niet in Beads aanwezigheid. Wat er achter zijn rug werd verteld, kon Bead niet weten. Maar hij las op hun gezichten niet de walging of de afschuw die hij had verwacht. Eerder iets van het tegendeel: bewondering. Toen ze uit elkaar gingen om zich bij hun eigen dekkingsgaten terug te trekken, maakten ze allemaal een of ander gebaar.

Doll had het Japanse geweer ontdekt en het meegebracht voor Bead. Hij had het grootste deel van het bloed en de andere viezigheid met bladeren van de kolf verwijderd en ook de bajonet schoongemaakt. Hij stak Bead het geweer toe alsof hij hem ergens zijn excuus voor wilde aanbieden.

'Hier, dit is van jou.'

Bead keek ernaar zonder emotie. 'Ik wil het niet hebben.'

'Maar je hebt het verdiend – en op de moeilijkste manier.'

'En toch wil ik 't niet hebben, wat moet ik ermee doen?'

'Je kan het misschien ruilen voor whisky.' Doll legde het geweer neer. 'En hier is zijn portefeuille. Welsh zei dat ik die aan jou moest geven. Er zit een foto van zijn vrouw in.'

'Jezus christus, Doll!'

Doll glimlachte. 'Er zijn ook foto's bij van andere grieten,' voegde hij er haastig aan toe. 'Lijken me Filippino's. Misschien is hij wel op de Filippijnen geweest. Wat er op de achterkant is geschreven, is Filippijns, zegt Welsh.'

'Ik wil hem niet hebben. Hou jij 'm maar.' Maar hij nam de portefeuille toch aan, omdat zijn nieuwsgierigheid gewekt was. 'Nou...' Hij keek ernaar. De portefeuille was donker en vettig van het zweet. 'Het geeft me een naar gevoel, Doll,' zei hij opkijkend in het plotselinge verlangen om er met iemand over te praten. 'Ik voel me schuldig.'

'Schuldig? Wat is dat voor gelul? Een van jullie beiden moest eraan, waar of niet? In hoeveel van onze kameraden dacht je dat die vent zijn bajonet al heeft gestoken? Op de Filippijnen. Tijdens de Dodenmars. En denk eens aan die twee jongens van gisteren!'

'Ja, dat weet ik allemaal wel, maar toch voel ik me schuldig. Ik kan er niets aan doen.'

'Maar waarom dan?'

'Waarom? Waarom? Hoe kan ik nou verdomme weten waarom?' schreeuwde Bead. 'Misschien omdat mijn moeder me als kind te vaak heeft geslagen als ze me betrapte terwijl ik mezelf aftrok!' riep hij klaaglijk uit met een plotseling triest inzicht. 'Hoe kan ik dat nou weten?'

Doll keek hem niet-begrijpend aan.

'Ach, laat ook maar,' zei Bead.

'Hé, luister,' zei Doll, 'als je die portefeuille echt niet wilt hebben...'

Maar Bead werd ineens bevangen door een begerige hebberigheid en stak de portefeuille vlug in zijn zak. 'Nee, nee, ik hou 'm. Ik kan 'm net zo goed houden.'

'Oké,' zei Doll teleurgesteld, 'ik moet terug naar het peloton.'

'Bedankt, Doll.'

'Ja, 't is goed. Eén ding nog: als jij iemand doodslaat, sla je 'm ook goed dood,' zei hij vol bewondering.

Beads hoofd schoot met een ruk omhoog en zijn ogen keken onderzoekend naar Dolls gezicht. 'Vind je?' vroeg hij en langzaam trok er iets van een glimlach over zijn gezicht.

Doll knikte, hij straalde van jongensachtige bewondering. 'En ik ben niet de enige.' Hij draaide zich om en liep de helling op.

Bead keek hem na en wist niet meer wat hij ervan moest denken. Doll had gezegd dat hij niet de enige was. Als ze niet vonden dat hij de man op een minderwaardige, stomme manier had gedood, dan hoefde hij er zich eigenlijk ook niet zo ellendig onder te voelen. Voorzichtig verdiepte zijn glimlach een beetje. Hij voelde daarbij heel duidelijk hoe verkrampt zijn gezichtsspieren waren.

Een tijdje later kwam Bugger Stein naar hem toe. Stein had zich tot nu toe op de achtergrond gehouden. Het nieuws van de Jap die door Bead was gedood, had zich natuurlijk als een lopend vuurtje door de compagnie verspreid, en als koeriers of mannen die wat wilden eten vanuit de voorste linie hierheen kwamen, keken ze naar Bead alsof hij een heel ander persoon was geworden. Bead wist niet of hij dit wel of niet prettig vond, maar kwam ten slotte tot het inzicht dat het hem eigenlijk wel beviel. Het verwonderde hem niet dat Stein hem kwam opzoeken.

Bead zat op de rand van zijn dekkingsgat toen Stein verscheen en naast hem neer plofte. Er was verder niemand in de buurt. Stein zette zijn bril recht met een nerveus gewoontegebaar, legde toen vaderlijk zijn hand op Beads knie en keek hem aan met een ernstig en bezorgd gezicht.

'Bead, ik weet dat je je het erg hebt aangetrokken wat er vandaag is gebeurd. Dat was onvermijdelijk. Iedereen zou er ondersteboven van zijn. Ik dacht dat je er misschien over wilde praten, omdat dat je wat zou opluchten. Ik weet niet of mijn woorden van enig nut voor jou zijn, maar ik wil het graag proberen.'

Bead keek hem verbaasd aan en Stein gaf een paar vriendschappelijke klopjes op zijn knie, wendde zich af en keek treurig over de vallei naar Heuvel 207, waar de vorige dag zijn commandopost was geweest.

'Onze maatschappij stelt bepaalde eisen aan ons en vraagt ons bepaalde offers te brengen als we in die maatschappij willen leven en van de voordelen die ze te bieden heeft willen profiteren. Ik laat nu in het midden of dat juist is of niet, want we hebben in feite geen keuze. We moeten nu eenmaal doen wat de maatschappij van ons verlangt. Een van die eisen is dat wij, wanneer onze maatschappij wordt aangevallen en verdedigd moet worden, andere mensen doden in de gewapende strijd die oorlog heet. Dat is jou vandaag overkomen. Alleen, de meeste mannen die dit moeten doen zijn gelukkiger dan jij. Die doden hun eerste man op afstand, die hebben een kans, hoe klein ook, om eraan gewend te raken voordat ze iemand in een man-tot-mangevecht moeten uitschakelen. Ik geloof dat ik heel goed begrijp wat jij voelt.'

Stein zweeg. Bead wist niet wat hij hierop moest zeggen en dus hield hij zijn mond. Toen Stein zich omdraaide om te zien hoe hij het opnam, antwoordde hij: 'Ja, kap'tein.'

'Nou, ik wilde je alleen maar zeggen dat je het morele recht had om te handelen zoals je hebt gedaan. Je had geen keus en je moet je er geen zorgen over maken en je niet schuldig voelen. Je hebt gedaan wat elke goede soldaat in jouw plaats zou hebben gedaan, voor ons land en in feite voor elk land.'

Bead luisterde en kon zijn oren bijna niet geloven. Toen Stein stopte, wist hij weer niet wat hij moest zeggen en zweeg. Stein keek uit over de vallei.

'Ik weet dat het een hele klap is. En, Bead, jij en ik hebben weleens een verschil van mening gehad, maar ik wil je graag zeggen' – zijn stem stokte even – 'ik wil je zeggen dat als er na de oorlog iets is wat ik voor je kan doen, je niet moet aarzelen contact met me op te nemen. Ik zal alles doen wat in mijn macht ligt om je te helpen.'

Hij keek Bead niet meer aan, maar stond op, klopte hem op de schouder en ging weg. Bead keek hem na zoals hij Doll had nagestaard. Hij wist nog altijd niet wat hij ervan moest denken. Niemand had hem iets gezegd dat hem zinvol leek. Maar hij begreep nu plotseling dat hij het doden van vele mannen zou kunnen overleven. Omdat zijn daad, die slechts een paar minuten geleden zo scherp in zijn gedachten was geëtst, nu al aan betekenis begon te verliezen en vervaagde. Hij kon er zonder pijn aan denken, hij voelde er zelfs enige trots bij, omdat het nu meer een idee was, zoals een scène uit een toneelstuk, en er eigenlijk niemand pijn werd gedaan.

Hij kreeg overigens niet veel tijd om over dit punt na te denken. Toen Stein terugkwam bij zijn eigen dekkingsgat, stond daar de koerier met de bevelen voor de volgende dag op hem te wachten. Ze moesten onmiddellijk in de vallei afdalen en om de boog van de heuvelkam heen trekken, zodra het reservebataljon hun posities kon overnemen. Ze wisten natuurlijk al dat het tweede bataljon uit de strijd werd gehaald, want ze hadden toegekeken terwijl de murw geslagen compagnieën zich terugtrokken op de hellingen van Heuvel 207. Daarop was logischerwijs maar één antwoord. De Charlie-compagnie had het voorlopig liever niet willen geloven. Maar nu was het zover.

De aflossingspelotons arriveerden een kwartier later, onderdanig glimlachend en met schuldige gezichten. De mannen van Charlie stonden al klaar, met hun uitrusting omgehangen, en waren blij dat ze snel weg konden. Het had geen zin om erover te praten. Een voor een daalden de groepen vanaf de top omlaag, passeerden de compagniesstaf en vervolgden hun weg schuin afdalend langs de steile helling naar de vallei. Vóór in de vallei, waar Heuvel 209 zich als een dam dwars door het land verhief, was de bodem van het dal veel hoger dan verderop, misschien slechts vijftig meter onder de top, en daar moesten ze zich verzamelen. De staf en de mortieren vertrokken het laatst en volgden de pelotons. Er was maar heel weinig te pakken geweest. De nieuwe pelotons droegen nog hun gevechtsbepakkingen, compleet met etensblik, pioniersschop, regenjas, enzovoort. De soldaten van Charlie waren al een stap verder. Ieder van hen had zijn etenslepel in de zak en droeg de pioniersschop aan zijn koppel. Enkelen droegen de regenjas nog over de schouder.

Bugger Stein en zijn collega reageerden precies als hun soldaten, toen Stein de stelling officieel overdroeg. De andere kapitein, een man van Steins leeftijd, glimlachte verontschuldigend en stak Stein de hand toe, die deze slechts even drukte. En toen Stein achter zijn mannen aanliep, riep zijn opvolger hem na: 'Succes!' Steins keel zat dicht van de opwinding en de spanning en het leek hem bovendien niet de moeite waard om iets te antwoorden en dus knikte hij maar even met zijn hoofd zonder om te kijken. Hij wilde, net als zijn mannen, hier liefst zo snel mogelijk vandaan, en in ieder geval zonder erover te praten.

Maar in de vallei troffen ze anderen die wel wilden praten. Chocoladerepen uit de B-rantsoenen werden hun opgedrongen door de reservepelotons die daar waren gestationeerd, en ze mochten als eerste kiezen uit de beschikbare C-rantsoenen voor hun avondmaal. Men bood hun de beste slaapplaatsen aan. Het was nu bijna donker en er werd meer dan een uur besteed aan een degelijke uitreiking van water; iedereen kreeg twee volle veldflessen. Stein en de officieren vertrokken met overste Tall voor een bespreking bij het licht van een zaklantaarn in een kleine greppel; de overste was wat ouder dan zij, maar niet zoveel ouder dan de generaals; hij was slank en jongensachtig en had zeer kort geknipt haar. Hij kwam van West Point en deed dit werk al zijn hele leven. Ze kwamen terug met plechtige gezichten. Tall had ze verteld dat de legerkorpscommandant en de divisiecommandant morgen de aanval zouden volgen. De mannen kropen in gaten die door anderen waren gegraven en in kleine erosiegreppels en ze probeerden te slapen. Maar hun lichamen protesteerden en hun zenuwen waren gespannen. Die nacht regende het slechts één keer, maar het was een hevige bui die iedereen doorweekte en de mannen die toch waren ingeslapen weer wakker maakte.

4

De dageraad kwam en ging voorbij en ze wachtten nog steeds. De roze en blauwe tinten van het eerste licht veranderden in het paarlemoer en nevelig grijs van de vroege ochtend. Natuurlijk was iedereen al voor het krieken van de dag op en stond nerveus paraat. Maar luitenant-kolonel Tall had voor die dag om een nieuw artillerietrucje verzocht. Omdat de mislukte aanval van de vorige dag met zware verliezen gepaard was gegaan, had Tall gevraagd om 'TOT-vuur' en dit was hem toegezegd. Bij deze methode van vuren, die in de Eerste Wereldoorlog was ontwikkeld, was het de bedoeling dat de eerste salvo's van iedere batterij de hun aangewezen doelen precies op hetzelfde moment raakten. Wanneer er TOT-vuur werd gegeven, bevonden vijandelijke soldaten die hun stellingen hadden verlaten, zich plotseling in een gordijn van moordend vuur, terwijl er anders gewoonlijk eerst een paar granaten werden gegooid, die hen waarschuwden dat het artilleriebombardement zou beginnen. Het ging er dus om geduld te hebben, de vijand te verrassen, te wachten tot hij zijn stellingen verliet om te ontbijten of de benen even te strekken. En zo werd er gewacht. Langs de heuveltop staarden de zwijgende mannen naar het stille ravijn met de stille top erachter, en de stille helling staarde terug.

De C-compagnie, die met de andere aanvalscompagnieën lager op de helling lag, kon zelfs dit niet zien. De mannen hadden er trouwens geen belangstelling voor. Ze zaten in volkomen, onbeschrijflijke afzondering over hun wapens gebogen, ieder voor zich een eilandje. Rechts en links van hen, bij de A- en B-compagnieën, gebeurde hetzelfde.

Precies tweeëntwintig minuten na zonsopgang zette het TOT-vuur in dat overste Tall had aangevraagd, als een de aarde opensplijtend, massaal en onafgebroken geloei op Heuvel 210. De artillerie vuurde met onregelmatige tussenpozen telkens drie minuten achter elkaar, in de hoop overlevenden die hun schuttersputten hadden verlaten, te treffen. Twintig minuten later, nog voor de barrage beëindigd was, klonken er overal langs de top van Heuvel 209 tirailleurfluiten.

De aanvalscompagnieën moesten nu wel vertrekken. Velen zochten wanhopig naar een excuus om nog even te kunnen wachten, maar tevergeefs. Nerveuze vrees en spanning die de mannen zolang hadden verborgen om een dappere indruk te maken, manifesteerden zich nu in de vorm van aanmoedigingskreten en een schel gegil van geveinsd enthousiasme. Ze beklommen de helling, renden in gebukte houding, hun geweer met een of met twee handen vasthoudend over de top en daalden, gebukt en hun voeten zijwaarts neerzettend, de kortere helling aan de andere kant af naar het vlakke rotsachtige terrein ervoor. De mannen die hier de linie bezetten, riepen hun bemoedigende woorden toe terwijl ze passeerden. Mannen die vandaag niet zouden sterven, knipoogden opgewekt naar degenen van wie enkelen straks dood zouden zijn. Rechts van de C-compagnie maakte de Able-compagnie vijftig meter verder een soortgelijk ritueel door.

Ze waren uitgerust. Tenminste, betrekkelijk uitgerust. Ze hadden niet de halve nacht hoeven waken; ze hadden niet in de linie gelegen, waar nervositeit slapen onmogelijk maakte, maar veilig aan de voet van de helling. En ze hadden eten gekregen. En water. Al hadden slechts een paar van hen lang geslapen, ze waren er in ieder geval beter aan toe dan de mannen in de voorste linie.

Korporaal Fife was een van degenen die het minst hadden geslapen. Hij kon het idee dat de kleine Bead zomaar een Jap had gedood nog niet verwerken. Daardoor, en door de regen waartegen ze absoluut niet beschermd waren, en ook door zijn nerveuze spanning bij de gedachte aan morgen, had hij de hele nacht niet meer dan vijf minuten aan één stuk gedommeld. Maar hij ondervond geen hinder van het tekort aan slaap. Hij was jong en gezond en vrij sterk. Hij had zich nooit van zijn leven gezonder gevoeld en eerder op de dag, bij het eerste grijze ochtendlicht, had hij op de helling gestaan en neergekeken op het ravijn achter het front, en zich zo energiek en vitaal gevoeld dat hij zijn armen wijd had willen uitstrekken, bereid tot alle offers, vol liefde voor het leven en liefde voor zijn medemens. Hij had het natuurlijk niet gedaan. Overal om hem heen waren al mannen wakker. Maar hij had het verlangen gevoeld. En nu, terwijl hij de top verliet om zich in het gevecht te storten, wierp hij nog een snelle blik achterom, een laatste blik, en staarde precies in de grote, bruine, met brillenglazen bedekte ogen van Bugger Stein, die toevallig vlak achter hem liep. Een mooie afscheidsblik, dacht Fife zuur.

Stein had de indruk dat hij nog nooit zo'n duistere, fel verontwaardigde, gemartelde blik had gezien als die van Fife, en Stein meende dat die tegen hem gericht was. Tegen hem persoonlijk. Ze waren bijna de laatsten die vertrokken. Alleen majoor Welsh en de jonge

Bead waren nog achter hen. En toen Stein omkeek, zag hij ze diep voorovergebogen, hun vaart afremmend met hun voeten, langs de met keien bezaaide helling afdalen.

Stein had besloten zijn pelotons op dezelfde wijze in te delen als de twee voorafgaande dagen. Er was nog niet veel van de mannen gevergd en hij zag dus geen reden de marsvolgorde te veranderen: het eerste peloton voorop, dan het tweede en het derde peloton in reserve. Elk van de naar voren gezonden pelotons kreeg een van de twee mitrailleurs mee; de mortieren zouden bij de compagniesstaf en de reserve blijven. Zo waren ze vertrokken. En toen Stein de korte voorzijde van Heuvel 209 was afgedaald, zag hij het eerste peloton al verdwijnen achter een van de terreinplooien die dwars over hun opmarsas liepen. Ze waren nu ongeveer honderd meter gevorderd en schenen goed in slagorde te lopen. Drie van die lage plooien doorkruisten het terrein. Alle stonden loodrecht op de zuidelijke helling van Heuvel 209 en liepen parallel aan elkaar. Toen Stein het gebied de vorige avond met overste Tall verkende, had hij voorgesteld ze als dekking te benutten door helemaal aan de rechterkant van de heuvel te beginnen en dan naar links langs hun eigen linie op te trekken – in plaats van zich onmiddellijk bloot te geven in het steilere ravijn tussen de twee heuvels, zoals de Fox-compagnie had gedaan. Tall was hiermee akkoord gegaan.

Later had Stein voor zijn eigen officieren het plan uiteengezet. Hij was vlak achter de top met hen neergeknield in het vervagende licht, had de situatie uitgelegd en hen het terrein in zich laten opnemen. In de schemering klonk het nijdige salvo van een sluipschutter. Een voor een hadden ze het terrein door de veldkijker bestudeerd. De derde, meest naar links lopende van de terreinplooien bevond zich op ongeveer honderdvijftig meter van de voet van de helling die als de hals van de Olifant eindigde. Deze helling werd steiler naarmate ze de U-vormige hoogte naderden, die de Olifantskop vormde en vanwaar men op een afstand van vijfhonderd meter het hele terrein kon overzien en beheersen. Het honderdvijftig meter lange, lage terrein ervoor plus de derde terreinplooi werden gedomineerd door twee nog lagere, met gras begroeide ruggen, die uit de helling oprezen en met een onderlinge afstand van tweehonderd meter het lage terrein omsloten. Beide ruggen stonden dwars op de terreinplooien en liepen parallel aan de aanvalsroute. Omdat ze deze twee ruggen *en* de Olifantskop bezet hielden, konden de Japanners een moordend vuur over het hele voorterrein leggen. Tall wilde daarom de aanvallende eenheden een poging laten doen de twee ruggen in te nemen, de hier verborgen stellingen waarmee het tweede bataljon de vorige dag was tegengehouden op te sporen en te vernietigen, en dan, samen met de reservecompagnie, de hals van De Olifant te beklimmen om zo in het bezit te komen van de Olifantskop. Dit laatste stuk was de Kegelbaan genoemd, omdat het al zoveel offers had gekost. Met een flankmanoeuvre viel hier echter niets te bereiken. Aan de linkerzijde daalde het terrein steil af naar de rivier, rechts was de jungle, waarin de Japanners sterke stellingen hadden. Dit alles had Stein de vorige avond aan zijn officieren verteld. Nu probeerden ze zijn instructies uit te voeren.

Stein, die aan de voet van de met keien bezaaide helling lag, kon heel weinig zien. Er was een enorm gedaver ontstaan, dat de lucht overal vervulde en dat schijnbaar geen oorsprong had. Een gedeelte van het rumoer werd natuurlijk veroorzaakt door de Amerikanen zelf, want overal langs de linie werd gevuurd door hun eigen artillerie en mortieren. Maar misschien schoten de Japanners nu ook. Hij kon echter nergens tekenen ontdekken die hierop wezen. Hoe laat was het eigenlijk? Stein keek op zijn horloge en de wijzerplaat staarde terug met een intensiteit die hij vroeger nooit had gehad. Kwart voor zeven in de ochtend. Thuis zou hij nu... Stein besefte dat hij zijn horloge nog nooit goed had bekeken. Hij moest zich dwingen om zijn arm te laten zakken. Vlak voor hem lagen de mannen van het derde peloton dat in reserve werd gehouden, verspreid tegen de grond gedrukt achter de eerste van de drie lage terreinplooien. De staf en de mannen die de mortieren bedienden lagen er ook. De meesten keken naar hem en hun gezichten hadden dezelfde intensiteit als de wijzerplaat van zijn horloge. Stein rende in gebukte houding naar hen toe, waarbij zijn uitrustingsstukken tegen hem aanbotsten. Hij brulde en gebaarde dat ze de mortieren moesten opstellen. Hij besefte dat hij nauwelijks zichzelf kon verstaan met al dat lawaai om hem heen. Hoe zouden zij hem dan kunnen horen? Hij vroeg zich af hoe het eerste peloton het zou maken – en het tweede – en wat hij moest doen om hen in zicht te krijgen.

Het eerste peloton lag op dat moment verspreid tegen de middelste van de drie terreinplooien. Erachter was het tweede in dekking gegaan op het lage terrein tussen de plooien. Niemand voelde er iets voor om verder te gaan. De jonge luitenant Whyte had het gebied tussen deze plooi en de derde al afgezocht en niets kunnen ontdekken en zijn twee verkenners al opgedragen zich daarheen te verplaatsen. Nu wenkte hij hen nogmaals en gebruikte het speciale handgebaar dat 'snel' betekende. Het knallen en daveren en knetteren enerveerde Whyte ook. Het wekte de indruk dat het niet van één speciale kant kwam of van enkele kanten, maar dat het geluiden zonder oorsprong waren die in de lucht hingen en op elkaar botsten. Ook zag hij geen resultaten van al die knallen en explosies. Toen zijn twee verkenners nog steeds niet bewogen, werd Whyte woedend. Hij brulde uit alle macht en wenkte weer. Ze konden hem natuurlijk niet horen, maar hij wist dat ze het donkere gat van zijn open mond konden zien. Beiden staarden hem aan, alsof ze meenden dat hij gek moest zijn om hun nu dit bevel te geven, maar na een ogenblik kwamen ze toch in beweging. Bijna naast elkaar sprongen ze op, renden over de terreinplooi en zochten aan de andere kant weer dekking. Even later sprongen ze weer op, de een nu iets achter de ander, renden bijna dubbelgebogen naar de bovenzijde van de laatste terreinplooi, waar ze zich lieten vallen. Weer wat later, na een korte, plichtmatige blik op het terrein voor hen, wenkten ze Whyte dat hij kon komen. Whyte sprong op, maakte met zijn arm een grote boog naar voren en rende verder, zijn peloton achter hem aan. Terwijl het eerste peloton zich verplaatste en de terreinplooien, net als de verkenners, in twee etappes overstak, zocht het tweede peloton dekking achter de top van de middelste terreinplooi.

Stein die nog voor de eerste plooi lag, had de manoeuvre kunnen zien en voelde zich enigszins gerustgesteld. Na zo hoog mogelijk tegen de terreinplooi te zijn opgeklommen had hij, liggend tussen zijn mannen, behoedzaam een knielende houding aangenomen. Op zijn gezicht en op andere plekken onder zijn huid gingen spiertjes nerveus trillen toen hij zijn aandacht vestigde op het krankzinnige waagstuk. Er werd niet meteen op hem geschoten en dus bleef hij op zijn knieën zitten en zag hoe het eerste peloton de middelste terreinplooi verliet en bij de top van de laatste aankwam. Zo ver waren zijn mensen in ieder geval gekomen. Misschien zou het allemaal meevallen. Hij ging weer liggen, heel trots op zichzelf, en het drong tot hem door dat de mannen om hem heen aandachtig naar hem hadden gekeken. Hij voelde zich nog trotser. Achter hem, aan de voet van de terreinplooi, zetten de twee mortiergroepen hun mortieren op. Terwijl het helse lawaai nog altijd in de lucht hing, kroop hij naar hen terug en brulde Culp toe dat hij moest richten op de lage, met gras begroeide heuvelrug links. De kleine soldaat Mazzi, die bij de bemanning van het mortier hoorde en uit de Bronx kwam, keek hem met grote angstogen aan, evenals de meeste andere jongens. Stein kroop terug naar de top van de terreinplooi. Daar aangekomen ging hij overeind staan, net op tijd om eerst het eerste en daarna het tweede peloton te zien aanvallen. Hij was de enige op de plooi die dit zag, want hij was de enige die niet plat op de grond lag. Hij beet op zijn lippen. Zelfs van hieruit kon hij zien dat het misliep, er was een ernstige tactische blunder gemaakt.

Als het inderdaad een tactische blunder was, dan was deze te wijten aan Whyte. In de eerste plaats aan Whyte en in de tweede plaats aan luitenant Blane van het tweede peloton. Whyte had de top van de derde en laatste terreinplooi bereikt zonder verliezen. Dit vond hij zelf ook vreemd en te mooi om waar te zijn. Hij wist wat zijn opdracht was: het opzoeken en uitschakelen van de verborgen mitrailleursnesten op de twee met gras begroeide heuvelruggen. De dichtstbijzijnde rug begon, duidelijk afstekend, op ongeveer tachtig meter rechts voor hem. Terwijl zijn mannen zich plat tegen de grond drukten en met intens zwetende gezichten naar hem opkeken, kwam hij zelf voorzichtig overeind op zijn ellebogen, zodat alleen zijn ogen zichtbaar waren, en verkende het terrein. Voor hem daalde de grond, slechts spaarzaam begroeid en rotsachtig, tot aan de kleine rug waar de bodem bedekt was met het bruine, een meter hoge gras. Hij ontdekte niets wat op Japanners of hun stellingen leek. Whyte was bang, maar zijn verlangen om vandaag een goed figuur te slaan was sterker. Hij geloofde bovendien niet werkelijk dat hij in deze oorlog zou sneuvelen. Hij keek even over zijn schouder naar Heuvel 209, waar groepen mannen gedeeltelijk zichtbaar waren. Een van hen was de commandant van het legerkorps. Het luide geknal en gedonder dat uit het niets de lucht in schoot, was wat afgenomen toen de barrage van de kleine plooien in de richting van de Olifantskop zweeg. Whyte bekeek nogmaals het terrein en gebaarde toen naar zijn verkenners dat ze voorwaarts moesten gaan.

En weer keken de twee tirailleurs naar hem op alsof hij gek was geworden en ze hem graag van zijn voornemen hadden willen afbrengen, maar de angst om hun reputatie te verliezen was sterker. Whyte beval dat ze verder moesten en pompte zijn arm op en neer om hen tot spoed aan te zetten. De mannen keken elkaar aan, kwamen op handen en knieën een eindje omhoog, sprongen toen op en renden vijfentwintig meter omlaag naar het laagste stuk grond voor hen en lieten zich daar op hun buik vallen. Na zichzelf ervan te hebben overtuigd dat ze nog leefden, maakten ze zich klaar voor het volgende stuk. Ze hurkten en wilden overeind komen, toen een van hen plotseling plat neerviel en weer opveerde; de tweede die iets achter hem lag, kwam iets verder omhoog, zodat hij bij de terugval op zijn schouder belandde en doorrolde tot hij op zijn rug lag. En daar lagen ze, beiden het slachtoffer van gerichte schoten uit de geweren van onzichtbare schutters. Geen van beiden bewoog nog. Ze waren zonder twijfel dood. Whyte staarde geschrokken naar hun lichamen. Hij kende ze bijna vier maanden. Hij had geen schoten gehoord en had ook niets zien bewegen. Er waren geen kogels die het zand voor hem deden opspuiten. Weer staarde hij naar de rustige, verlaten heuvelrug voor hem.

Wat werd er nu van hem verwacht? Het hoge, uit het niets afkomstige lawaai in de lucht leek weer aan te zwellen. Whyte was een zwaargebouwde jonge kerel, boks- en judokampioen van de universiteit waar hij maritieme biologie studeerde, en bovendien was hij de beste zwemmer van de school geweest. Ach, ze kunnen ons nooit allemaal te pakken krijgen, dacht hij loyaal, maar bedoelde in de eerste plaats zichzelf.

'Kom op, jongens, we zullen ze wel krijgen!' schreeuwde hij. Hij sprong overeind en beval zijn peloton hem te volgen. Hij deed twee stappen; zijn peloton, dat vanaf het begin van de morgen de bajonet al op het geweer had, vlak achter hem, en hij viel dood neer. Hij was diagonaal van heup tot schouder door kogels doorzeefd, waarvan er één in zijn hart ontplofte. Hij had nog net de tijd om te beseffen dat er iets was dat hem vreselijk pijn deed, maar niet genoeg om te begrijpen dat hij dood was, voordat hij het was. Misschien schreeuwde hij nog.

Vijf anderen van zijn peloton vielen met hem neer, in uiteenlopende staat van beschadiging; sommigen dood, anderen slechts licht geraakt. Maar de beweging waartoe Whyte had bevolen, kwam niet tot stilstand. Het peloton holde blindelings verder. Er zou een nieuwe kracht nodig zijn om hen te stoppen of van richting te doen veranderen. Nog enkele mannen vielen neer. Onzichtbare geweren en mitrailleurs ratelden vanuit alle windhoeken kogels in hun richting. Nadat ze de twee dode verkenners hadden bereikt, werden ze beschoten vanaf de wat verder gelegen linkse heuvelrug, zodat ze nu onder kruisvuur lagen. Sergeant Big Queen, die met de anderen meedraafde en onsamenhangende kreten uitstootte, zag hoe de pelotonssergeant, een man die Grove heette, zijn geweer wegwierp alsof hij er bang voor was en gillend op de grond stortte, klauwend naar zijn borst. Queen dacht hier niet eens over na. Naast hem rende soldaat Doll, die snel met zijn ogen knipperde alsof dat hem kon beschermen. Zijn geest was geheel bevangen door een allesoverheersende angst en hij kon niet denken. Dolls gevoel van onkwetsbaarheid werd zwaar op de proef gesteld, maar het had hem nog niet, zoals bij Whyte, in de steek gelaten. Ze passeerden de dode verkenners. Meer mannen links van hen stortten ter aarde. En plotseling verscheen achter hen, over de top van de derde terreinplooi, onder hees geschreeuw, het tweede peloton in volle aanval.

Dat was te danken aan tweede luitenant Blane. Het was geen gecompliceerde verantwoordelijkheid die Blane op zich had genomen. Zijn besluit had niets te maken met afgunst, jaloezie, paranoia of een onderdrukt verlangen tot zelfvernietiging. Hij wist, net als Whyte, wat zijn orders waren, en hij had beloofd Bill Whyte te ondersteunen en te helpen. En ook hij wist dat de commandant van het legerkorps toekeek en hij wilde vandaag graag een goede beurt maken. Hij was niet zo atletisch als zijn collega, maar had meer voorstellingsvermogen; toch was hij ook opgesprongen en had zijn mannen bevolen naar voren te gaan toen hij zag dat het eerste peloton de aanval hervatte. In gedachten zag hij het einde al: hijzelf en Whyte en hun mannen stonden boven op de uitgebombardeerde bunkers, triomfantelijk, hun opdracht vervuld. Ook hij stierf op het eerste deel van de helling, maar het duurde diverse seconden voor de nog altijd onzichtbare Japanse tirailleurs het vuur openden. Het tweede peloton was al tien meter de langzaam glooiende helling af voor het Japanse vuur doel trof. Negen mannen vielen onmiddellijk neer. Twee stierven er en een van hen was Blane. Hij werd niet geraakt door een mitrailleur, maar had de pech dat drie verschillende tirailleurs hem als hun doelwit kozen; geen van hen wist dat hij een officier was, maar ze raakten hem alle drie. Hij strompelde nog een vijftal meters verder en ondanks de drie kogels in zijn borstkas stierf hij niet eens onmiddellijk. Hij lag op zijn rug, dromerig en totaal verdoofd, en staarde naar de hoge, fraaie en zuiver witte cumuluswolken die als statige schepen langs de zonnige, helderblauwe tropische hemel zeilden. Ademhalen deed hem een beetje pijn. Hij was zich er vaag van bewust dat hij misschien zou sterven, toen hij het bewustzijn verloor.

Het tweede peloton had juist de twee dode verkenners van het eerste peloton bereikt, toen er mortiergranaten tussen de mannen van het eerste peloton vielen, vijfentwintig meter verderop. Eerst twee, toen één, toen drie tegelijk. Ze explodeerden als wonderlijke paddestoelen van zand en steen. Fragmenten en splinters suisden fluitend door de lucht. Dit was de kracht die nodig was om de onbesuisde aanval van richting te veranderen of geheel tot staan te brengen. En beide mogelijkheden gebeurden. Nadat luitenant Blane gevallen was, keek iedereen in het tweede peloton naar sergeant eersteklas Keck. Die wierp – met één hand zijn wapen vasthoudend – zijn armen omhoog, plantte zijn hakken stevig in het zand en brulde met een stem die het volume had van wel tien stemmen: 'Dekking! Dekking!' Het tweede peloton had geen aansporing nodig. Sprintende mannen versmolten met de aarde alsof er een sterke wind was opgestoken die hen allemaal als dorre halmen had neergemaaid.

In het eerste peloton, dat minder gelukkig was, werd verschillend gereageerd. De uiterste rechtervleugel had het begin van de helling van de rechterheuvelrug bereikt en enkele mannen – misschien een groep – draaiden zich om en doken in het hoge gras, waarbij ze terechtkwamen in een beschermende defilade tegen het vuur van de boven hen geposteerde onzichtbare mitrailleurs en mortieren. De mannen van de uiterste linkervleugel moesten echter nog een zeventig meter verder voordat ze de voet van de heuvelrug en daarmee enige dekking hadden bereikt. Een groep mannen trachtte zo ver te komen, maar geen van hen slaagde erin. Ze werden neergemaaid door de mitrailleurs boven hen of omvergeworpen door het mortiervuur, voor ze de kans kregen de defilade tegen het vlakbaanvuur te bereiken, of er dicht genoeg bij te komen om te ontsnappen aan de mortiergranaten. Links van het centrum bevond zich de mitrailleurgroep van Culps peloton, die om een of andere onduidelijke tactische reden door Whyte bij de aanval was meegenomen; ze renden alle vijf dicht bij elkaar en werden tegen de vlakte geslagen door dezelfde mortiergranaat, waarbij de mitrailleur, de driepoot en de munitiekisten in alle richtingen wegvlogen, botsten en rolden zonder dat een van de vijf erdoor werd gewond. Dit was het verste punt dat de aanval bereikte. Op de uiterste linkervleugel slaagden vijf of zes tirailleurs erin een toevlucht te vinden in de met struiken begroeide holte aan de voet van Heuvel 209, die even verderop overging in het diepe ravijn waarin de F- en de G-compagnie de vorige dag waren vastgelopen en verpletterd. Deze mannen begonnen onmiddellijk te vuren op de met gras begroeide heuvelruggen, ofschoon ze geen doelen konden zien.

In het centrum van de opmarslinie van het eerste peloton bevonden zich geen holten en geen punten waar men zich aan het vijandelijk vuur kon onttrekken. Voordat dit deel van het peloton tot stilstand kwam, had het centrum zich verder gewaagd, het gevaarlijke lage terrein in waar de mannen niet alleen onder vuur lagen vanaf de heuvelruggen, maar ook konden worden getroffen door de mitrailleurs die op Heuvel 210 stonden. Het enige dat de mannen konden doen was zich op de grond werpen en zoeken naar dekkingsgaten. Gelukkig had de TOT-barrage ook dit terrein bestreken en waren er dus kuilen geslagen door de 105 en 155 mm granaten. Mannen duwden elkaar opzij om erin te kunnen duiken. De negentiende-eeuwse aanval van wijlen luitenant Whyte was voorbij. De mortieren bleven het gebied afzoeken om vlees en beenderen te vinden.

Soldaat John Bell van het tweede peloton lag op de grond, precies zoals hij terecht was gekomen toen hij zich liet vallen. Hij bewoog geen spier. Hij kon niets zien omdat hij zijn ogen dicht had, maar hij luisterde. Op de kleine heuvelruggen was het ononderbroken mitrailleurvuur overgegaan in opzichzelfstaande korte salvo's, gericht op speciale doelen. Hier en daar brulden, jammerden of jankten gewonden. Bells gezicht was naar links gekeerd, zijn wang tegen de grond gedrukt en hij deed zijn best zo onzichtbaar mogelijk adem te halen uit vrees anders de aandacht op zich te zullen vestigen. Heel voorzichtig opende hij zijn ogen, bang dat de beweging opgemerkt zou worden door een mitrailleurschutter op honderd meter afstand. Bell staarde in de dode, open ogen van de eerste verkenner van het eerste peloton, die vijf meter bij hem vandaan lag. Het was een jonge Grieks-Turkse dienstplichtige, die Kral heette. Kral stond overal bekend om twee dingen. Hij had een kromme neus en het allerlelijkste gezicht van het hele regiment en hij droeg de dikste brillenglazen van de hele Charlie-compagnie. Dat iemand die zo bijziend was als verkenner optrad, was een van de dingen waarover in de compagnie altijd grappen werden gemaakt. Maar Kral had zich er zelf voor aangemeld. Hij zei dat hij, als er acties kwamen, verkenner wilde zijn; dat was altijd zijn doel geweest in vredestijd en in de oorlog wilde hij het niet anders. Hoewel hij een slimme jongen uit Jersey was, had hij toch onvoorwaardelijk geloofd in de propagandapraatjes van de mooie kleurige pamfletten. Hij had niet geweten dat de functie van eerste verkenner bij een tirailleurpeloton iets uit het verleden was dat thuishoorde in de oorlogen tegen de indianen, maar niet paste bij de massale divisies, de geweldige vuurkracht en de veel strakkere sociale controle van het heden. Eerste doelwit zou men de functie moeten noemen, niet eerste verkenner. De bril met de dikke glazen rustte nog op zijn gezicht, maar door de hoek waaronder die lag werden de ogen zo vergroot dat ze de glazen geheel vulden. Bell kon het niet nalaten er strak naar te staren en ze schenen terug te kijken met een blik waaruit een wijze en tolerante humor sprak. Hoe langer Bell naar die ogen keek, hoe meer hij de indruk kreeg dat dit twee gaten in het universum waren waar hij doorheen zou kunnen vallen, zodat hij langs de sterrenstelsels en spiraalnevels zou drijven. Hij herinnerde zich dat hij weleens op die manier, maar dan toch plezieriger, aan de vagina van zijn vrouw had gedacht. Bell dwong zich zijn ogen te sluiten. Maar hij durfde zijn hoofd niet te bewegen en telkens als hij zijn ogen weer opendeed zag hij Krals ogen, die hem aanstaarden met hun humoristische, onveranderlijke blik waaruit wijsheid en goede wil sprak en waardoor hij zich helemaal duizelig begon te voelen. En waar hij ook keek, die ogen volgden hem, vriendelijk maar koppig. Van boven, onzichtbaar, verhitte de felle tropische zon zijn gehelmde hoofd, waardoor zijn hele wezen slap werd. Bell had nooit iets gekend dat leek op deze verscheurende angst, die zijn testikels ineen deed krimpen. Buiten zijn gezichtsveld explodeerde een mortiergranaat. Maar verder leek de dag geheel tot rust te zijn gekomen. Hij merkte dat hij zijn arm met het horloge erom kon zien. Mijn god! Was het pas kwart voor acht? Hij liet zijn ogen teruggaan naar wat hen trok. Kral. HIER LIGT DE VIEROGIGE KRAL DIE VOOR HET EEN OF ANDER STIERF. Toen een van Krals enorme ogen spottend naar hem knipoogde, wist hij dat hij iets moest doen, hoewel hij daar pas dertig seconden lag. Zonder zich te bewegen, zijn wang nog steeds tegen de grond gedrukt, begon hij te schreeuwen.

'Hé, *Keck*!' Hij wachtte even. '*Keeeck*! We moeten hier weg!'

'Weet ik,' klonk het gedempte antwoord. Keck lag blijkbaar met zijn hoofd in de andere richting en was niet van plan het te bewegen.

'Wat doen we?'

'Nou...' Er volgde een stilte terwijl Keck nadacht, die werd verbroken door een hoge, beverige stem die van heel ver leek te komen.

'Wij weten jij daar, Yank. Yank, wij weten jij daar!'

'Tojo kan verrekken!' schreeuwde Keck.

Het antwoord was een kwaadaardige vuurstoot van een mitrailleur. 'Rosvelt verrek!' riep de verre stem.

'Je hebt verdomme nog gelijk ook,' schreeuwde een heel bange Republikein ergens aan Bells rechterkant.

Toen riep Bell weer: 'Wat doen we, Keck?'

'Luister,' klonk het gedempt. 'Jongens, allemaal luisteren, en geef het door aan de anderen.' Hij wachtte even tot er een zacht gemompel opging. 'Oké, luister goed. Als ik schreeuw "gaan", springt iedereen op. Laad je geweren en hou een extra clip in de hand. Eerste en derde groep blijven op hun plaats, knielen en geven dekkingsvuur. Tweede en vierde groep rennen terug naar die kleine plooi achter ons. Eerste en derde groep schieten twee houders leeg en gaan er dan vandoor. Als je niks kunt zien, geef je zoekvuur. Beschiet de hele breedte. De Jappen zitten ongeveer halverwege die heuvelrug. Iedereen vuurt op de rechter heuvelrug, die is het dichtst bij. Begrepen?'

Hij wachtte terwijl iedereen zachtjes zichzelf trachtte te overtuigen dat alle anderen het nu wisten.

'Iedereen weet wat-ie doen moet?' riep Keck gedempt. Niemand antwoordde.

'Oké, *gáán*!' brulde hij.

De helling kwam tot leven. Bell, van de tweede groep, nam niet eens de moeite om als een dapper man formeel om zich heen te kijken of het bevel werd opgevolgd, maar draaide zich kruipend om en sprong overeind, waarbij zijn benen al renbewegingen maakten voor ze de aarde weer raakten. Veilig achter de kleine terreinplooi gekomen, die nu enorme afmetingen leek te hebben, begon hij dekkingsvuur af te geven, doodsbenauwd dat hij net als luitenant Whyte, die maar een paar meter van hem af lag, een serie mitrailleurkogels in zijn borst zou krijgen. Systematisch boorde hij zijn kogels in de muiskleurige helling die nog altijd de ratelende mitrailleurs verborgen hield; één salvo links, één salvo in het midden, één salvo rechts, één links... Hij kon niet geloven dat een van zijn kogels echt iemand zou raken. Als dat wel gebeurde was het een dwaze manier om te sterven: bij toeval gedood; niet als een individu, maar zuiver door de statistische waarschijnlijkheid, door de berekende kans van zoekvuur; dat kon hem zelf trouwens ook ieder ogenblik gebeuren. Wiskunde! Wiskunde! Algebra! Meetkunde! Toen de eerste en derde groep zich lieten terugvallen achter de kleine terreinplooi, beperkte Bell zich er toe zich plat op de grond te werpen, zijn wang tegen de aarde te drukken, zijn ogen te sluiten en daar zo te blijven liggen. God, o, god, waarom ben ik *hier*? Waarom ben ik *hier*? Na even te hebben nagedacht, leek het hem beter om dit te veranderen in waarom zijn *wij* hier? Op die wijze kon geen enkele macht zich op hem wreken omdat hij egoïstisch was geweest.

Kecks plan had blijkbaar uitstekend gewerkt. De tweede en vierde groep hadden geprofiteerd van het verrassingselement en waren zonder verliezen achter de terreinplooi terechtgekomen. Van de eerste en derde groep waren slechts twee mannen getroffen. Bell had toevallig naar een van hen gekeken. De man, een jonge vent die Kline heette, rende met voorovergebogen hoofd. Plotseling was zijn hoofd omhooggeschoten, zijn ogen stonden vol schrik en angst; hij riep 'o', zijn mond getuit tot een rond gat, en toen was hij neergestort. Walgend van zijn eigen gedrag, had Bell een grinnikend gelach uit zijn borst voelen opstijgen. Hij wist niet of Kline gedood of gewond was. De mitrailleurs zwegen. In betrekkelijke rust, vijftig meter voor hen, bevond zich het eerste peloton, onzichtbaar in de granaattrechters tussen het spaarzame gras. Hier en daar klonken angstige kreten op. Mannen schreeuwden: 'Hospik! Hospik!', en het tweede peloton, dat voor even de dans was ontsprongen, begreep dat het ook hier nog niet erg veilig was.

Verder terug, op de commandopost achter de eerste terreinplooi, was Stein niet de enige die zag hoe het tweede peloton struikelend en in verwarring terugrende naar de derde plooi. Toen ze zagen dat de kapitein, die geknield zat met het bovenlichaam rechtop, niet vol gaten werd geschoten, hadden anderen zijn voorbeeld gevolgd. Hij gaf hun een heel goed voorbeeld, vond Stein, die nog steeds verbaasd was over zijn eigen dapperheid. Ze zouden daar zeker hospiks nodig hebben, besloot hij en hij riep er twee bij zich.

'Jullie tweeën kunnen beter daarheen gaan,' schreeuwde hij boven het lawaai uit. 'Ze zullen jullie nodig hebben.' Dat klonk rustig en goed.

'Ja, kapitein,' zei de oudste, die een bril droeg. Het tweetal keek elkaar met ernstige gezichten aan.

'Ik zal proberen om gewondendragers naar het dal te sturen, tussen hier en de tweede terreinplooi, om jullie te helpen,' schreeuwde Stein. 'Probeer de gewonden zo ver mogelijk terug te slepen.' Hij staarde weer voor zich uit. Af en toe lieten afzonderlijke mortiergranaten achter de derde plooi zand opspuiten. 'Maak korte etappes, als dat nodig is,' voegde hij er enigszins onduidelijk aan toe. Ze verdwenen.

'Ik heb een ordonnans nodig,' riep Stein luid en hij keek naar de mannen die verstandig en dapper genoeg waren om op hun knieën te gaan zitten, zodat ze konden zien wat er gebeurde. Ze verstonden hem allemaal, want overal langs de lijn draaiden ogen en soms hoofden zijn kant op. Maar niemand maakte aanstalten zich bij hem te melden. Stein keek hen ongelovig aan. Hij begreep dat hij ze geheel verkeerd had beoordeeld en voelde zich een onuitsprekelijke dwaas. Hij had verwacht overstroomd te zullen worden door vrijwilligers. Een afschuwelijke schrik maakte zich van hem meester. Als hij zich op dit punt zo had vergist, op welke andere punten zat hij er dan ook helemaal naast? Zijn enthousiasme had hem in de val gelokt. Om zijn figuur te redden keek hij de andere kant op, alsof hij geen enkele reactie had verwacht. Maar hij was niet vlug genoeg en hij wist dat zij begrepen wat hij voelde. Hij wist niet precies wat hij nu moest doen, maar de beslissing werd hem bespaard. Er verscheen een spookachtige figuur bij zijn elleboog.

'Ik zal wel gaan, kap'tein.'

Het was Charlie Dale, de tweede kok, die scheel keek van spanning. De opwinding straalde van zijn donkere gezicht.

Stein vertelde hem dat er gewondendragers moesten komen. De mannen keken toe hoe Dale met voorovergebogen lichaam op een drafje naar de helling van Heuvel 209 vertrok, die hij zou moeten beklimmen. Stein had geen idee waar Dale had gezeten en waar hij zo plotseling vandaan was gekomen. Hij kon zich niet herinneren dat hij hem die dag al eerder had gezien. Hij had zich in ieder geval niet bevonden bij de mannen die geknield met hem op de top lagen. Stein keek de rij weer langs, een beetje gerustgesteld. Dale. Hij moest dat onthouden.

Er zaten nu twaalf mannen geknield boven op de kleine terreinplooi en ze deden hun best om te zien wat er vóór hen gebeurde. De jonge korporaal Fife was daar echter niet bij. Fife was een van degenen die plat op de grond was blijven liggen, zo plat als maar mogelijk was. Hij lag met zijn knieën opgetrokken, zijn oor tegen de walkietalkie die Stein hem had toevertrouwd en het liefst zou hij nooit meer zijn opgestaan en nooit meer iets hebben gezien. Toen Stein op zijn knieën was gaan zitten met die stomme grijns van intense tevredenheid op zijn gezicht, had Fife zich gedwongen gevoeld zijn voorbeeld te volgen. Hij had het een paar seconden volgehouden, zodat niemand hem een lafaard kon noemen. Maar toen vond hij het wel genoeg. In ieder geval was hij niet nieuwsgierig. Het enige dat hij op de top had gezien was het bovenste gedeelte van een zandpaddestoel, de lucht in gejaagd door een mortiergranaat die voorbij de derde terreinplooi terecht was gekomen. En wat was daar nou verdomme aan te zien? Plotseling werd Fife overvallen door een gevoel van absolute wanhoop. Hij voelde zich hulpeloos, volkomen hulpeloos, alsof hij door vertegenwoordigers van zijn regering aan handen en voeten gebonden hier was neergelegd en die mannen daarna weer waren vertrokken naar de plaats waar goede vertegenwoordigers zich ophielden. Misschien een cocktailbar in Washington, met een heleboel trutten om hen heen. En daar lag hij nu, gebonden en geketend door zijn eigen gedachtegang en maatschappelijke gewoonten alsof het echte touwen en kettingen waren, alleen maar omdat hem, hoewel hij zichzelf durfde te bekennen dat hij een lafbek was, het lef ontbrak dat openlijk toe te geven. Het was treurig. Hij reageerde precies zoals de slimmere koppen in de samenleving verwacht hadden dat hij zou reageren. Ze waren op alle punten slimmer dan hij en hij was machteloos, hij kon er niets aan veranderen. Vroeg in de ochtend was hij vervuld geweest van een opofferingsdrang, maar die was allang verdwenen. Hij wilde hier helemaal niet zijn. Hij wilde daarginds zijn, waar de generaals volkomen veilig stonden toe te kijken. Hij zweette van angst; de onverdraaglijke spanning riep tegenstrijdige gedachten in hem op. Fife keek omhoog naar de generaals en als blikken konden doden, zouden ze allemaal ter plekke zijn neergestort. Dan was de veldtocht afgelopen en zouden ze moeten wachten tot er weer een nieuw contingent kwam. Kon hij maar gek worden. Dan zou hij niet meer verantwoordelijk zijn voor zijn daden. Waarom kon hij niet gek worden? Maar hij kon het niet, dat wist hij. Hij kon hier alleen maar liggen, verscheurd door zijn gedachten. Rechts van hem, een paar meter voorbij de laatste man van het reservepeloton, namen Fifes ogen de beelden op van de onderofficieren Welsh en Storm die gehurkt achter een vooruitstekend rotsblok zaten. Terwijl hij naar hen keek, hief Storm zijn hand op en wees. Welsh legde met een snelle beweging zijn geweer op de rots, controleerde de houder en vuurde vijf schoten af. Daarna tuurden ze allebei. Toen keken ze elkaar aan en haalden hun schouders op. Het was een gemakkelijk te begrijpen pantomime die Fife razend maakte. Die speelden cowboytje! Iedereen speelde cowboytje alsof ze niet met echt kogels schoten en alsof je hier niet echt kon worden gedood. Zijn woede was zo intens dat hij ieder ogenblik verwachtte uit elkaar te zullen spatten. Maar de spanning werd verbroken doordat de walkie-talkie aan zijn oor een zoemend geluid produceerde.

Fife schrok, schraapte zijn keel en vroeg zich af of hij nog zou kunnen praten, want nadat hij de kam had verlaten had hij geen woord meer gezegd. Het was bovendien de eerste keer dat hij die verrekte walkietalkie hoorde werken. Hij drukte de knop in en bracht de microfoon naar zijn mond. 'Ja?' zei hij voorzichtig.

'Hoe bedoel je, "ja"?' vroeg een kille stem, die vervolgens afwachtte.

Fife hing hulpeloos in een groot zwart vacuüm en trachtte na te denken. Wat had hij bedoeld? 'Ik bedoel, dit is Charlie Kat Zeven,' zei hij toen hij zich de code weer herinnerde. 'Over.'

'Dat klinkt beter,' zei de rustige stem. 'Dit is Zeven Kat Aas.' Dat moest dus de staf zijn van het eerste bataljon. 'Overste Tall hier. Geef me kapitein Stein. Over.'

'Zeker, overste,' zei Fife, 'hij is hier vlakbij.' Hij strekte een arm uit en trok even aan Steins gevechtsblouse. Stein keek omlaag alsof hij hem nog nooit had gezien.

'Overste Tall wil u spreken.'

Stein ging liggen (en was blij toe, zag Fife tevreden) en nam de walkietalkie aan. Ondanks het intense lawaai boven hun hoofd kon zowel Stein als Fife de overste duidelijk verstaan.

Terwijl hij de knop indrukte, zocht Bugger Stein al naar verklaringen en excuses. Hij had niet verwacht dat hij al zo gauw uitleg zou moeten geven en had zijn lesje nog niet gerepeteerd. Wat hij ging zeggen zou natuurlijk afhangen van hoeveel de overste hem zou laten zeggen. Onwillekeurig voelde hij zich als een schuldig schooljongetje dat een pak voor zijn broek gaat krijgen. 'Charlie Kat Zeven. Stein,' zei hij. 'Over.' Hij liet de knop los.

Wat hij nu hoorde maakte hem sprakeloos.

'Schitterend, Stein, schitterend.' Talls heldere, koele, rustige en jongensachtige stem bereikte hem – bereikte hen allebei – met een onmiskenbaar opgewekt jongensachtig enthousiasme. 'Het beste werk dat ik met m'n ouwe ogen in lange tijd heb gezien. Zeldzaam gewoon.' Heel levendig zag Stein nu Talls kortgeknipte, Angelsaksische kop voor zich, met het ongegroefde gladde gezicht. Tall was hooguit twee jaar ouder dan Stein. Zijn heldere, onschuldige ogen waren de jongste die Stein in tijden had gezien. 'Slim bedacht en goed uitgevoerd. Ik zal je vermelden in de Bataljonsorder, Stein. Je mensen hebben prachtig werk geleverd. Over.'

Stein drukte de knop in, slaagde erin zwakjes 'Ja, overste. Over,' te zeggen en liet de knop weer los. Hij kon geen andere woorden vinden.

'Nog nooit heb ik zo'n goede opofferingsaanval gezien om een verborgen stelling te lokaliseren, buiten manoeuvres dan. Die jonge Whyte heeft zijn mensen prima aangevoerd. Ik zal hem ook vermelden. Ik heb hem zien neergaan bij die eerste vuurronde. Hebben ze hem lelijk te pakken gekregen? Maar het was ook briljant zoals je je tweede er toen op afstuurde. Met een beetje meer geluk hadden ze die secundaire hoogten allebei kunnen veroveren. Ik geloof niet dat er heel veel verliezen zijn. Blane deed het ook prima. Zijn aftocht zou geen enkele beroeps hem verbeterd hebben. Hoeveel wapenposities hebben ze ontdekt? Zijn er al een paar kapotgeschoten? Voor de middag nog moeten we die ruggen in ons bezit hebben. Over.'

Stein luisterde maar, in de ban van die stem, en staarde naar Fife die meeluisterde en zijn blik beantwoordde. Ook Fife was geschokt door de rustige, vriendelijke conversatietoon van de BC. En Stein vond dat het net leek of hij een radioreportage hoorde over de gevechten in Afrika, waar hij niets mee te maken had. Toen hij nog op school zat, had zijn vader hem eens interlokaal gebeld, vol enthousiasme over een goed rapport waarvan hij had verwacht dat het slecht zou zijn. Geen van de twee luisterende mannen liet de ander iets van zijn gedachten merken en de stilte duurde maar voort.

'Hallo? Hallo? Hallo, Stein? Over?'

Stein drukte de knop in. 'Ja, overste. Ben er nog, overste. Over.' Stein liet de knop weer omhoogkomen.

'Ik dacht dat je geraakt was,' antwoordde Tall nog even zakelijk. 'Ik vroeg hoeveel wapenposities je mensen hebben ontdekt. En of er al wat van uitgeschakeld zijn. Over.'

Stein drukte de knop in en staarde in Fifes opengesperde ogen alsof hij er de overste in kon ontdekken. 'Ik weet het niet. Over.' Hij liet de knop los.

'Hoe bedoel je, je weet het niet? Hoe kan het dat je dat niet weet?' informeerde Tall rustig en koeltjes. 'Over.'

Stein bevond zich in een moeilijk dilemma. Hij kon toegeven wat zowel hij als Fife wist (of wist Fife het niet?), namelijk dat hij helemaal niets wist van Whytes aanval, er geen bevel voor had gegeven en tot nu toe had gemeend dat die helemaal verkeerd was gegaan. Of hij kon de lof van zijn superieur verder ontvangen en een poging doen zijn onwetendheid wat betreft de resultaten te verklaren. Hij kon natuurlijk niet weten dat Tall zijn mening later zou wijzigen. Met een gebaar dat van meer tact getuigde dan Stein ooit had verwacht in het leger te zullen zien – laat staan te velde en onder vuur – liet Fife plotseling zijn blik los en keek weg, half zijn hoofd omdraaiend. Hij luisterde nog steeds, maar deed alsof hij niets hoorde.

Stein drukte de knop in, een handeling die noodzakelijk was, maar die hem nu enorm begon te irriteren. 'Ik zit hier,' zei hij. 'Achter de derde terreinplooi. Wilt u dat ik even opsta en met mijn armen zwaai, zodat u mij kunt zien?' voegde hij er op bijtend-woedende toon aan toe. 'Over.'

'Nee,' zei de stem van Tall bedaard. De ironie ontging hem volkomen. 'Ik kan heus wel zien waar je zit. Ik wil dat je iets gaat doen. Ik wil dat je naar voren gaat en kijkt hoe de situatie is, Stein. Ik wil Heuvel 210 vanavond in handen hebben. En om dat te bereiken moet ik nog voor de middag die twee ruggen hebben. Ben je soms vergeten dat de korpscommandant hier vandaag is om de actie waar te nemen? Hij heeft admiraal Barr bij zich, speciaal overgekomen per vliegtuig. De admiraal is er speciaal vroeg voor opgestaan. Ik wil dat je in actie komt, Stein,' zei hij bruusk. 'Over en sluiten.'

Stein bleef nog luisteren, beide handen op de veldtelefoon, woedend voor zich uit starend, al wist hij dat er niets meer zou komen. Ten slotte boog hij zich voorover, tikte Fife op zijn schouder en gaf hem de telefoon. Zwijgend nam Fife hem aan. Stein kwam overeind en draafde in gebukte houding naar achteren, waar de mortieren regelmatig hun granaten afvuurden met dat vreemde, buitenissige, gongachtige geluid dat lang bleef hangen.

'Bereik je iets?' brulde hij Culp in het oor.

'We krijgen nu treffers op beide heuvelruggen,' brulde Culp terug op zijn opgewekte manier. 'Ik heb besloten één buis op die rechtse rug te zetten,' zei hij er verklarend bij en haalde toen zijn schouders op. 'Maar ik weet niet of we werkelijk effectieve schade aanrichten.

Als ze ingegraven zijn...' Hij liet het zinnetje onvoltooid in de lucht hangen en haalde nogmaals zijn schouders op.

'Ik heb besloten om naar voren te gaan, naar de tweede terreinplooi,' brulde Stein. 'Is die afstand te dichtbij voor jou?'

Culp liep drie passen naar voren op de niet erg steile helling en rekte zijn hals om over de kam te kunnen kijken, waarbij hij de afstand mat met zijn ogen. Hij kwam weer terug. 'Nee. Het is wel behoorlijk dichtbij, maar ik geloof dat we nog wel wat kunnen raken. Maar de munitievoorraad raakt wel uitgeput. Als we in dit tempo doorgaan met vuren...' Weer haalde hij zijn schouders op.

'Stuur iedereen naar achteren, behalve je twee sergeants, om nieuwe munitie te halen. Zoveel ze maar kunnen dragen. En volg ons dan.'

'Ze hebben er allemaal de pest aan om met dat spul te sjouwen,' riep Culp terug. 'Ze zeggen allemaal, als je met zo'n vrachtje geraakt wordt...'

'Godverdomme, Bob! Daar kan ik me nu echt geen zorgen over gaan maken! Ze weten van tevoren dat ze met granaten moeten sjouwen.'

'Ja, dat is zo,' zei Culp schouder ophalend. 'Waar wil je mij hebben?'

Stein dacht na. 'Op rechts maar, zou ik zeggen. Als ze je lokaliseren, zullen ze hun best doen om je te raken. Blijf dus in elk geval uit de buurt van het reservepeloton. Ik zal je een paar tirailleurs geven voor het geval de Jappen het proberen met een patrouille in je flank. Als er iets komt wat meer is dan een patrouille, waarschuw dan onmiddellijk.'

'Komt voor elkaar!' zei Culp. Hij wendde zich tot zijn groepen. Stein holde weg naar rechts, waar hij Al Gore had gezien, de luitenant van zijn derde peloton; tegelijkertijd gebaarde hij naar Welsh dat die mee moest komen. Welsh kwam eraan, gevolgd door Storm, om de bespreking van de orders bij te wonen. Zelfs Welsh, merkte Stein in het voorbijgaan op, had die strakke, intense, naar binnen gerichte uitdrukking op zijn gezicht – als een weerzinwekkend uiterlijk bewijs dat hij zich schuldig voelde over zijn gedachten.

Terwijl het derde peloton en Steins compagniesstaf in twee rijen naast elkaar voorwaarts trokken om achter de tweede terreinplooi dekking te zoeken, bleven de mannen van het eerste peloton stilliggen in de trechters die ze hadden gevonden. Na het eerste donderende geweld van de mortierexplosies hadden ze allemaal verwacht dat ze binnen vijf minuten dood zouden zijn. Nu leek het erop dat de Japanners, hoe onwaarschijnlijk ook, hen niet goed konden zien.

Af en toe floot er wel een mitrailleursalvo of geweerkogel laag over hen heen, even later gevolgd door de knal van het vuren. Mortierprojectielen kwamen nog altijd zuchtend neer en explodeerden in een loeiende paddestoel van vrees en zand. Maar over algemeen schenen de Japanners ergens op te wachten. Het eerste peloton was bereid ook te wachten. Beroofd van zijn commandant, was het eerste peloton, dat handen en bezwete hoofden in de aarde drukte, bereid voorgoed te wachten en nooit meer in beweging te komen. Veel mannen baden en beloofden God dat ze voortaan iedere zondag de kerkdienst zouden bijwonen. Maar langzamerhand drong het tot hen door dat ze zich wel konden bewegen, dat ze terug konden vuren, dat de dood nog lang niet onvermijdelijk was.

Het optreden van de hospiks bevorderde deze stemming. De twee aan de compagnie verbonden gewondenverzorgers, die van Stein instructies hadden gekregen, hadden de derde terreinplooi bereikt waarachter het tweede peloton lag en deden korte uitvallen in het dal ervóór om gewonden te halen. Er waren in totaal vijftien gewonden en zes doden. De twee dragers lieten de doden liggen, maar wisten een voor een alle gewonden te verzamelen voor de mannen met de brancards. Zonder drukte, rustig, serieus en een tikje schools door de brillen die ze droegen, bewoog het tweetal zich op en neer langs de helling, legde noodverbanden aan, strooide met sulfapoeder, en sleepte of droeg de gewonde mannen weg. Mortiergranaten sloegen hen ondersteboven, mitrailleurvuur deed het zand om hen heen opspatten, maar niets kon hen raken. Beiden zouden sneuvelen voor de week voorbij was (en vervangen worden door mannen die de compagnie lang niet zo bewonderde), maar dit keer stapten ze onkwetsbaar rond over het gevaarlijke terrein: twee gewone, nuchtere kerels die de huilende en nagenoeg hulpeloze gewonden bijstonden zoals hun officiële plicht was. Uiteindelijk begrepen vrij veel mannen van het eerste peloton dat een zekere mate van beweging mogelijk was, dat ze bijvoorbeeld hun hoofden ver genoeg omhoog konden steken om te zien wat er om hen heen gebeurde, zolang ze maar niet allemaal tegelijk opstonden om te wuiven en te schreeuwen 'hier zitten we!' Geen van hen had tot dan toe ook maar één Japanner te zien gekregen.

Het was Doll die de eerste Jappen ontdekte. Toen hij op een bepaald ogenblik merkte dat de mannen om hem heen zich begonnen te roeren en zachtjes naar elkaar riepen, raapte Doll al zijn moed bijeen en hief zijn hoofd op totdat zijn ogen boven de rand van de ondiepe kuil uitkwamen, waarin hij was weggekropen. Het eerste dat hij zag was het achterste gedeelte van de kleine heuvelrug aan de linkerkant, waar deze overging in de rotsige helling die omhoogliep naar Heuvel 210. Hij zag drie figuurtjes die iets droegen wat alleen maar een machinegeweer kon zijn, nog bevestigd aan de driepoot. Ze renden over de rug terug naar Heuvel 210, met voorovergebogen bovenlichaam, op dezelfde wijze waarop hij naar deze plek was gehold. Doll was stomverbaasd en kon zijn ogen niet geloven. Ze bevonden zich op ongeveer tweehonderd meter afstand. De twee achterste mannen droegen samen de mitrailleur, terwijl de voorste niets bij zich scheen te hebben. Doll schoof zijn geweer naar boven en zette het vizier vier klikken omhoog. Hij lag met alleen zijn linkerarm en schouder buiten zijn kleine kuil, richtte op de voorste man, even voor hem uit en haalde toen over. Het geweer gaf een stevige terugslag en de man viel neer. De twee achter hem sprongen tegelijk opzij, als een stel geschrokken maar goed op elkaar afgestemde paarden en renden verder. Ze lieten de mitrailleur niet vallen, ze aarzelden geen moment en raakten zelfs niet uit de pas. Doll schoot weer, maar miste. Toen werd hij zich bewust van de fout die hij had gemaakt. Als hij een van de mannen met de mitrailleur had getroffen, hadden ze het wapen laten vallen, en dan hadden ze het moeten achterlaten of anders de tijd nemen om het weer op te pakken. Voordat hij een derde schot kon afvuren, verdwenen ze tussen de rotsen. Doll kon zo nu en dan iets van hun ruggen of hun hoofden zien, maar nooit lang genoeg om goed te kunnen schieten. De andere man was blijven liggen op de plaats waar hij was neergevallen.

En zo had Doll dus zijn eerste Japanner gedood, had hij voor het eerst een mens gedood. Doll had veel gejaagd en herinnerde zich nog heel goed het eerste hert dat hij had geschoten. Maar dit was een heel bijzondere ervaring, zoiets als de eerste vrouw die je neemt; het was een veel te ingewikkeld gevoel om het alleen te verklaren als trots over een goed volbrachte taak. Goed schieten, op wat dan ook, was altijd plezierig. En Doll haatte de Japanners, die vieze, gele Jappen. Hij zou persoonlijk met plezier alle levende Jappen afgeschoten hebben als het Amerikaanse leger en de Amerikaanse marine hem daartoe een veilige gelegenheid zouden hebben geboden en hem de munitie ervoor ter beschikking hadden gesteld. Maar achter dit dubbele genoegen lag nog iets. Iets wat te maken had met schuld. Doll voelde zich schuldig. Hij kon het niet helpen. Hij had een mens gedood, iets wat nog erger was dan een verkrachting. Maar niemand in de hele wijde pestwereld kon hem iets verwijten. Daar kwam het plezier weer om de hoek kijken. Niemand kon hem iets maken. Hij had een moord gepleegd en niemand mocht er iets van zeggen. Hij keek naar het figuurtje op de helling. Hij had graag geweten waar hij de vent had geraakt (hij had op zijn borst gemikt) en of hij direct was gestorven of dat hij nog leefde en nu bezig was langzaam dood te gaan. Doll voelde de neiging om dwaas te grinniken en te giechelen. Hij vond zichzelf stom en wreed en gemeen en ver boven iedereen verheven. Dit gaf hem in ieder geval veel zelfvertrouwen.

Op dat ogenblik zuchtte een mortiergranaat gedurende een halve seconde en explodeerde toen in een angstige fontein van modder op tien meter van hem af en Doll ontdekte dat het met zijn zelfvertrouwen toch niet zo heel best gesteld was. Voordat hij kon denken had hij zich al met een rukkerige beweging teruggetrokken in de kleine kuil, terwijl een panische angst door al zijn aderen liep, dikke kwikdraden door glazen thermometers. Na een paar tellen wilde hij zijn hoofd weer opheffen, maar ontdekte dat hij het niet kon. Stel je voor dat juist op het moment dat hij opkeek er weer een zou ontploffen en een scherf hem recht tussen de ogen zou treffen. Of in zijn gezicht zou kerven, of door zijn helm zou scheuren en zijn schedel splijten. Dat idee was hem te machtig. Maar na enige tijd werd zijn ademhaling wat rustiger en hief hij zijn hoofd op, zodat hij weer over de rand kon kijken. Dit keer waren er vier Japanners bezig de met gras begroeide heuvelrug te verlaten op weg naar Heuvel 210. Toen hij hen in zicht kreeg renden ze al. Twee van hen droegen een mitrailleur, de derde de munitiekisten en de vierde niets. Doll bracht zijn geweer opnieuw in positie en mikte op de mitrailleurdragers. Toen het groepje de open plek passeerde, schoot hij vier keer en miste. Ze verdwenen al snel achter de rotsen.

Doll was zo woedend dat hij wel een stuk uit zijn eigen arm had kunnen bijten. Zichzelf vervloekend bedacht hij dat hij zes schoten had gelost en dus schoof hij een nieuwe houder in zijn geweer en stak de twee nog ongebruikte patronen in zijn broekzak. Daarna ging hij liggen om op nieuwe Japanners te wachten. Pas op dat moment drong tot hem door dat wat hij had waargenomen wellicht van grotere betekenis was dan de vraag of hij misschien nog een tweede Jap te pakken zou krijgen. Maar wat moest hij doen? Hij herinnerde zich dat Big Queen vlak naast hem had gedraafd toen ze zich op de grond hadden laten vallen.

'Hé, Queen!'

Na enige tijd kwam er een gedempt antwoord. 'Ja?'

'Heb je die Jappen gezien die de heuvelrug verlieten?'

'Ik heb eigenlijk niks gezien,' riep Queen zacht, maar eerlijk terug.

'Waarom steek je die grote kop van je dan niet omhoog om om

je heen te kijken, verdomme?' Doll kon het niet nalaten te spotten. Hij voelde zich plotseling heel sterk, volkomen zeker van zichzelf en bijna vrolijk.

'Loop naar de bliksem, Doll,' antwoordde Queen.

'Nee, sergeant' – hij gebruikte de rang met opzet – 'ik maak geen grapjes. Ik heb zeven Jappen geteld op die linkse heuvelrug. Ik heb er een te pakken gekregen,' voegde hij er bescheiden aan toe, zonder echter te vermelden hoe vaak hij mis had geschoten.

'Nou, en?'

'Ik denk dat ze zich vandaar terugtrekken. Misschien moet iemand dat aan Bugger Stein melden.'

'Wil jij dat soms doen?' Queens zachte stem droop van het sarcasme.

Dat idee was bij Doll niet opgekomen. Maar nu wel. Hij had de twee hospiks al enige tijd op de helling zien rondlopen en er was hun niets overkomen. Hij kon ze nu ook zien, door slechts even zijn hoofd om te draaien. 'Waarom niet?' riep hij opgewekt terug. 'Natuurlijk zal ik voor jou het bericht aan Bugger Stein overbrengen.' Plotseling klopte zijn hart in zijn keel.

'Jij zal dat godverdomme wel uit je hoofd laten,' riep Queen. 'Jij blijft liggen waar je ligt en je houdt je bek. Da's een bevel.'

Doll antwoordde niet direct. Langzamerhand klopte zijn hart weer normaal. Hij had zich voor het gevaarlijke karwei aangeboden en zijn voorstel was afgeslagen, hij hoefde het niet te doen. Maar er was iets anders wat hem dreef, iets wat hij niet bij name kon noemen. 'Oké,' riep hij terug.

'Ze zullen ons hier over een poosje wel weghalen. Jij blijft liggen, dat is een bevel.'

'Oké, oké,' riep Doll. Maar dat wat hem voortdreef liet hem niet los. Hij had een vreemd tintelend gevoel in zijn buik en kruis. Rechts van hem klonk opeens een vuurstoot op uit een mitrailleur, die zijn oor nu als Japans herkende en onmiddellijk daarna volgde een kreet van pijn. 'Hospik! Hospik!' werd er geroepen. Het leek wel of het Stearns was. Nee, het was niet zo gemakkelijk, ook al liepen die twee hospiks daar rond. Het tintelende gevoel werd sterker en Dolls hart begon weer hevig te bonzen. Hij was nooit eerder zo opgewonden geweest. Iemand moest dit bericht toch overbrengen aan Bugger Stein. Iemand moest een... een held zijn. Hij had al een mens gedood, als je een Jap tenminste een mens kon noemen. En niemand, niemand in de hele wereld kon er iets op aanmerken. Doll trok zijn rechterwenkbrauw op en om zijn lippen speelde dat speciale grijnsje waar al zijn bekenden zo vertrouwd mee waren.

Hij wachtte niet op Big Queen en vroeg ook geen toestemming. Toen hij zich in zijn kuil had omgedraaid zodat hij met het gezicht in achterwaartse richting lag, bleef hij even volkomen onbeweeglijk liggen en bereidde zich voor op zijn daad, terwijl zijn hart heftig tekeerging. Hij kon zich er nog niet toe zetten om in beweging te komen, maar hij wist zeker dat hij het ging doen. In wat hem dreef, wat hem aanspoorde, zat ook iets van een beroep op God, van dobbelen met je levenskansen, van een uitdaging aan het heelal. Het wond hem meer op dan al de jacht-, gok- en neukpartijen uit zijn hele leven bij elkaar. Toen hij startte, was hij in een oogwenk geheel overeind en rende, maar niet op volle snelheid; hij liep met ongeveer halve snelheid, waarbij je je lichaam veel beter onder controle had. Hij draafde met het bovenlichaam voorovergebogen en het geweer in beide handen, net als de Japanner die hij had neergeschoten. Een kogel deed nog geen meter links van hem zand opstuiven en hij wijzigde zijn koers iets naar rechts. Tien meter verderop ging hij schuin naar links. En toen was hij over de derde terreinplooi waarachter het tweede peloton lag, dat hem vol verwondering aanstaarde. Doll giechelde. Hij trof kapitein Bugger Stein achter de tweede plooi, waar hij net was aangekomen. Doll was niet eens buiten adem.

Majoor Welsh, Stein en Band lagen achter de top van de tweede plooi toen Doll aan kwam draven, gebogen, giechelend en lachend, zodat hij de eerste ogenblikken niets kon zeggen. Welsh, die Doll altijd een snotaap had gevonden, vond dat hij eruitzag als een jonge rekruut, die grinnikend een hoerenkast verlaat na voor het eerst van zijn leven echt geneukt te hebben. Hij keek hem onderzoekend aan om te zien waarom hij die indruk maakte.

'Wat is er verdomme zo grappig?' snauwde Stein.

'Dat ik die gele schoften die op me schoten zo heb misleid,' zei Doll giechelend, maar dat verstomde snel onder Bugger Steins strakke blik.

Welsh luisterde met de anderen naar het verhaal over de zeven Jappen met de twee mitrailleurs die hij de linker heuvelrug had zien verlaten. 'Ik geloof dat ze zich daar gaan terugtrekken, kap'tein.'

'Wie heeft je hierheen gestuurd?' vroeg Stein.

'Niemand, kap'tein. Ik ben uit mezelf gekomen. Ik vond dat u dit moest weten.'

'Daar had je gelijk in.' Stein knikte en keek heel ernstig. Welsh, die op zijn knieën zat, voelde het verlangen om te spuwen. Bugger Stein speelde vandaag echt de compagniescommandant. 'Ik zal dit niet vergeten, Doll.'

Doll antwoordde niet, maar grijnsde. Stein, die gehurkt op één knie zat, wreef met zijn hand over zijn ongeschoren kin en knipoogde achter zijn brillenglazen. Doll stond nog steeds recht overeind.

'Ga toch liggen, verdomme,' zei Stein geïrriteerd.

Doll keek op zijn gemak om zich heen en verwaardigde zich toen om op zijn hurken te gaan zitten.

'George,' zei Stein, 'haal een vent met een kijker en laat die het laatste stuk van de linker heuvelrug observeren. Ik moet het onmiddellijk weten als iemand probeert die rug te verlaten. Hier,' zei hij en hij deed zijn eigen verrekijker af, 'neem de mijne maar.'

'Ik zal het zelf wel doen,' zei Band en hij glimlachte vreemd, waarbij zijn tanden bloot kwamen en zijn ogen schitterden. Hij vertrok.

Stein keek hem lang na en Welsh wilde in lachen uitbarsten. Stein wendde zich weer tot Doll en stelde hem vragen over de aanval, de omvang van de verliezen en de huidige toestand en positie van het peloton. Doll wist niet zoveel. Hij had luitenant Whyte zien sneuvelen en wist dat sergeant Grove was gevallen, maar niet of die ook dood was. Hij had – ze hadden allemaal, verbeterde hij zichzelf – de handen vol gekregen toen de eerste serie mortiergranaten tussen hen in begon te vallen. Hij dacht dat hij een groep van een man of vijf in het hoge gras aan de voet van de rechter heuvelrug had zien verdwijnen, maar zeker wist hij het niet. En hij had de mitrailleurgroep ver voor zich uit zien rennen en ze allemaal zien vallen als slachtoffers van één mortiergranaat. Stein vloekte toen hij dit hoorde en vroeg wat ze daar sowieso eigenlijk deden. Dat wist Doll natuurlijk niet. Hij meende dat het centrum, weggedoken in de door de Amerikaanse artillerie gemaakte granaattrechters en holten, voorlopig tamelijk veilig was, zolang de Jappen tenminste geen zware mortierbarrage op dat stuk terrein wierpen. Nee, hij was zelf al die tijd niet erg bang geweest. Waarom wist hij niet.

Welsh luisterde nauwelijks naar wat ze zeiden. Hij keek op naar het tweede peloton dat plat op de grond in linie lag, achter de top van de derde plooi. Het peloton lag zo plat als maar mogelijk was, wangen en buiken stevig tegen de grond gedrukt, de gezichten vreemd door het wit van starende ogen en ontblote tanden. Ze keken allemaal naar achteren, deze kant op, om te zien of hun commandant misschien wel het bevel zou geven dat ze opnieuw de plooi over moesten trekken. Het tweede peloton zou een prachtfoto opleveren voor thuis, zag Welsh – zonder ook maar een seconde de loop van zijn gedachten te verstoren. Natuurlijk zou de foto wel worden aangepast aan de behoefte van het moment als de kranten, de regering, het leger en *Life* hem te pakken hadden. Het onderschrift zou waarschijnlijk luiden: *Vermoeide infanteristen rusten uit op een vei-*

lig plekje na op heldhaftige wijze een stelling te hebben veroverd. De eerste ploeg tijdens de rust. Koop oorlogsobligaties tot je kont er zeer van doet.

Maar deze min of meer visuele gedachten hadden niets te maken met wat er zich op een ander, dieper niveau in Welsh' hoofd afspeelde. Hij dacht hoofdzakelijk over zichzelf na. Hij schiep er genoegen in te bedenken dat, als hij werd neergeschoten, de regering niemand had om het doodsbericht met plichtmatig rouwbeklag naartoe te zenden. Hij wist hoe gek die rotzakken van regeringsambtenaren op hun baantjes en hun werk waren en vooral op hun autoriteit. Toen hij de eerste keer in dienst was gekomen, had hij een valse voornaam en tweede voorletter opgegeven. Hij en zijn familie hadden sindsdien nooit meer iets van elkaar vernomen. Als hij daarentegen alleen maar kreupel zou worden of op andere wijze verminkt raakte, dan zou zijn vijand, de regering, hem moeten verzorgen, omdat hij geen naaste familie had. Zo was hij de bureaucratie naar twee kanten te slim af geweest. Zijn uitzicht op het tweede peloton vervaagde even doordat hij zichzelf in een van die afschuwelijke Hospitalen voor Oorlogsveteranen zag, ergens in de provincie, een oude man in een rolstoel, met een fles gin verborgen onder zijn dunne, goedkope kamerjas, kakelend en kwekkend tegen die enorm truttige lesbische verpleegsters en tegen de stomme, onbetekenende dokters die dachten dat ze Alexander de Grote waren. Hij zou het ze voor de donder niet gemakkelijk maken...

'Het is dus niet zo dat jullie daar geen kant uit kunnen,' hoorde hij Stein zeggen. 'Ze hadden me verteld...'

'Nou, min of meer wel, kapitein,' zei Doll. 'U ziet, ik ben ongedeerd weggekomen. Maar met de hele troep zou het niet zijn gelukt.'

Stein knikte.

'Maar met twee of drie tegelijk is het te doen, denk ik. Als het tweede peloton ons dekking zou geven.'

'We weten niet eens waar die verrekte mitrailleurnesten precies zitten,' zei Stein zuur.

'Ze zouden zoekvuur kunnen geven, nietwaar?' stelde Doll deskundig voor.

Stein staarde hem boos aan; ook Welsh wierp hem een woedende blik toe. Welsh had zin om die nieuwe held een schop voor z'n kont te geven: nu al bezig zijn compagniescommandant van advies te dienen – over zoekvuur nota bene.

Welsh kwam ertussen. 'Zeg, kap'tein!' zei hij met rauwe stem. 'Is 't goed als ik erheen ga om die kerels voor u op te halen?' Hij keek dreigend naar Doll, die als de vermoorde onschuld zijn wenkbrauwen optrok.

'Nee.' Stein wreef over zijn kaak. 'Nee, ik kan je niet missen. Straks heb ik je misschien nodig. In elk geval, ik geloof dat ik ze daar nog even laat. Ze schijnen niet al te veel last van het vuur te hebben en als we die rechtse rug van voren kunnen bereiken, kunnen zij misschien met een flankbeweging loskomen.' Hij zweeg even. 'Wat mij interesseert is de groep op rechts die dat hoge gras op die rug heeft bereikt. Als zij...'

Hij werd onderbroken door George Band die voorovergebogen de kleine helling kwam afhollen. 'Hé, Jim! Zeg, kapitein Stein! Ik heb er net nog vijf van die linkerrug zien wegtrekken, met twee mitrailleurs. Ik geloof werkelijk dat ze ervandoor gaan.'

'Echt waar?' vroeg Stein. 'Echt?' Zijn stem klonk opgelucht, alsof hij zojuist had vernomen dat de strijd voor onbepaalde tijd was uitgesteld. Nu kon hij tenminste iets doen. 'Gore! Gore!' begon hij te schreeuwen. 'Luitenant Gore!'

Het kostte een kwartier om Gore op te sporen, hem orders te geven, het derde peloton te verzamelen en weg te sturen.

'We weten vrij zeker dat ze zich geheel terugtrekken, Gore. Maar word niet onvoorzichtig, zoals Whyte. Misschien hebben ze nog een achterhoede laten zitten. Misschien is het een val. Doe dus langzaamaan. Laat je verkenners eerst de zaak goed bekijken. Om te naderen lijkt me die geul vanaf Heuvel 209 het meest geschikt. Ga achter de middelste terreinplooi naar links tot je bij de geul bent en ga dan de geul in naar beneden. Als je daar onder mortiervuur komt te liggen, zoals gisteren gebeurde, moet je toch doorgaan. En als je water aantreft aan de voet van de helling, laat het me dan weten. We hebben nu al gebrek aan drinkwater. Maar het voornaamste... Het voornaamste, Gore, is dat je niet meer mensen verliest dan absoluut noodzakelijk is.' Dit punt werd voor Stein steeds belangrijker, bijna tot aan het wanhopige toe. Als hij niet iets concreets had om zijn gedachten bezig te houden, piekerde hij daar voortdurend over. 'En nu naar voren, jongen, en succes!' Mannen, mannen; hij raakte al zijn mannen kwijt; mannen met wie hij had samengeleefd; mannen voor wie hij verantwoordelijk was.

Het duurde een halfuur voordat Gores reservepeloton eindelijk bij het uitvalspunt aan de voet van de begroeide heuvelrug was. Wat het tempo betrof volgde hij zijn orders wel op, dacht Stein ongeduldig. Het was nu negen uur geweest. Intussen was Band teruggekomen van zijn observatieplek met de mededeling dat nog drie kleine groepjes de linkerrug hadden verlaten met mitrailleurs; maar gedurende het laatste kwartier had hij er geen gezien. Ook de kleine Charlie Dale, de tweede kok, was in de tussentijd teruggekeerd;

zijn smalle, dicht bijeengeplante ogen fonkelden, maar zijn gezicht stond donker en dreigend. Hij vertelde Stein dat hij de gewondendragers naar de laagte tussen de voorste en middelste terreinplooi had gebracht, vier ploegen van vier, zestien man in totaal, die al bezig waren de eerste van de acht ernstige gewonden weg te voeren. Toen vroeg hij of er nog meer karweitjes voor hem waren.

Korporaal Fife, die niet ver van de compagniescommandant lag met de radio, waar hij nu wel de vaste man voor scheen te zijn geworden, vond dat hij nog nooit zo'n griezelige uitdrukking op een menselijk gezicht had gezien. Misschien was Fife een tikje afgunstig omdat hij zelf zo bang was. Charlie Dale was in elk geval niet bang. Zijn mond hing open en vertoonde een enigszins onnozel grijnsje; zijn felle en toch duister kijkende oogjes zwierven voortdurend heen en weer en duidelijk was op zijn gezicht de voldoening te lezen over al die aandacht die hem zo plotseling ten deel viel. Fife bekeek hem eens en wendde toen, misselijk van wat hij zag, zijn hoofd af en sloot zijn ogen, met zijn oor aan de radio. Dat was zijn werk; het was hem opgedragen en hij zou het doen; maar hij mocht barsten als hij zich opgaf voor iets dat hij niet hoefde te doen. Dat kon hij niet. Daar was hij te bang voor.

'Ja,' zei Bugger Stein tegen Dale. 'Jij...'

Hij werd onderbroken door de explosie van een mortiergranaat midden in het tweede peloton op de achterste helling van de derde terreinplooi. De zware galmende slag viel bijna samen met een luide kreet van pure angst, die na het wegsterven van de explosie voortduurde tot de man geen adem meer had. Uit de linie die tegen de helling aanlag was een man weggevallen, die nu omlaagrolde, ineenkrimpend, schoppend en buitelend, en met beide handen naar zijn rug grijpend. Toen hij weer lucht kreeg, begon hij opnieuw te gillen. Alle anderen drukten zich tegen de vertroostende grond, die echter zeker niet al hun vrees kon wegnemen, en wachtten op het begin van een barrage. Maar er gebeurde niets en een ogenblik later kwamen de hoofden weer omhoog om te kijken naar de kronkelende man die nog altijd schopte en gilde.

'Ik geloof niet dat zij ons beter kunnen zien dan wij hen,' mompelde Welsh met nauwelijks bewegende lippen.

'Ik geloof dat het soldaat Jacques is,' zei luitenant Band geïnteresseerd.

Zijn geschreeuw klonk nu anders, het verried dat een afschuwelijk besef tot de man was doorgedrongen, in plaats van de schrik, de ontzetting en de pure angst van het eerste ogenblik. Een van de gewondenverzorgers ging naar hem toe, scheurde met behulp van twee pelotonskameraden het hemd van de gewonde stuk en gaf hem een morfine-injectie. Na enkele seconden kwam hij tot rust. Toen hij stillag, trok de hospik zijn handen los en rolde hem om. Nadat zijn koppel was losgemaakt en zijn hemd omhooggetrokken, bekeek de hospik zijn wond, schudde vertwijfeld zijn hoofd, haalde sulfapoeder te voorschijn en begon te strooien.

Achter de middelste plooi stond Bugger Stein toe te kijken, wit weggetrokken, zijn lippen verstrakt en met ogen die alsmaar knipperden achter de brillenglazen. Voor het eerst had hij van dichtbij gezien hoe een van zijn mannen gewond raakte. Naast hem bezag Band dezelfde gebeurtenis met een uitdrukking van vriendelijke, meelevende belangstelling op zijn gezicht. Voorbij Band was Fife even overeind gekomen, maar toen hij zag hoe de man kronkelde en schopte was hij uit afschuw meteen weer gaan liggen. Hij kon maar aan één ding denken: als híj het eens was geweest? Hij had het heel goed zelf kunnen zijn en het kon hem nog steeds overkomen.

'Gewondendragers! Gewondendragers!' Stein had zich plotseling omgedraaid naar de laagte waar twee van de vier brancardgroepen nog niet met hun last waren vertrokken. 'Gewondendragers!' riep hij, zo luid als hij maar kon. Een van de ploegen kwam op een sukkeldrafje aanzetten.

'Maar, Jim,' zei luitenant Band. 'Echt, Jim, ik vind niet...'

'Godverdomme, George, hou je kop! Bemoei je er niet mee!' De dragers arriveerden buiten adem. 'Ga die man ophalen,' zei Stein, over de heuvelrug heen wijzend naar de plek waar de hospik nog altijd bij het slachtoffer knielde.

De aanvoerder van het viertal had duidelijk gedacht dat er hier iemand van de compagniesstaf gewond was geraakt. Nu zag hij zijn vergissing in. 'Luister eens,' protesteerde hij, 'er liggen er daar al acht of negen die we ook moeten... We kunnen niet...'

'Jezus, man, spreek me niet tegen! Ik ben kapitein Stein! Ga die man halen, heb ik gezegd!' blafte Stein hem toe.

De soldaat week ontsteld achteruit. Natuurlijk droeg niemand zijn insignes.

'Maar, Jim, echt,' zei Band, 'hij is niet...'

'Wat mankeert jullie, verdomme, jullie allemaal? Ben ik hier de commandant, ja of nee?' Stein was buiten zichzelf van woede; even leek het of hij in snikken zou uitbarsten. 'Heb ik het hier voor het zeggen of niet? Ben ik kapitein Stein of verdomme een gewone soldaat! Wie geeft hier de bevelen, hè? Ik zei: ga die man ophalen!'

'Ja, kapitein,' zei de oudste drager. 'Komt voor elkaar, kapitein. Meteen.'

'Als hij daar blijft liggen kan het zijn dood zijn,' zei Stein, nu op redelijker toon. 'Hij is ernstig gewond. Breng hem naar de bataljonshulppost en zie of ze daar iets voor hem kunnen doen.'

'Ja, kapitein,' zei de man. Hij spreidde in een verontschuldigend gebaar zijn handen uit. 'Anderen zijn er ook ernstig aan toe, kapitein. Dat bedoelde ik, anders niet. We hebben er daar nog drie die elk moment kunnen sterven.'

Stein staarde hem aan zonder dit te begrijpen.

'Dat gaat het nou om, Jim,' zei Band achter hem sussend. 'Begrijp je? Vind je niet dat hij zijn beurt moet afwachten? Dat is toch gewoon eerlijk?'

'Zijn beurt afwachten? Zijn beurt afwachten? Eerlijk? Mijn god!' zei Stein. Hij staarde hen allebei aan, zijn gezicht spierwit.

'Natuurlijk,' zei Band. 'Waarom moet hij voorrang krijgen?'

Stein gaf hem geen antwoord. Even later richtte hij zich tot de oudste drager. 'Ga hem ophalen,' zei hij strak. 'Zoals ik gezegd heb. Breng hem naar de BHP. Dat is een bevel, soldaat.'

'Ja, kapitein.' De stem van de man klonk dof. Hij wendde zich tot de anderen van de ploeg. 'Kom op, jongens. We gaan die vent oppikken.'

'Nou, waar wachten we dan op, verdomme?' snauwde een van hen stoer. 'Vooruit, Hoke. Of ben je bang om zo dicht bij de kogels te komen?' Onder de omstandigheden was het een belachelijke opmerking. De groepsoudste was duidelijk niet bang.

'Kop dicht, Witt,' zei hij. 'Bemoei je er niet mee.'

Ze zaten allemaal gehurkt. De man die hij had toegesproken stond plotseling op. Hij was klein en tenger en de Amerikaanse legerhelm die zo klein leek als Big Queen hem droeg, zag er op zijn hoofd uit als een enorme omgekeerde pot en maakte bijna zijn ogen onzichtbaar. Hij liep naar de plek waar Welsh half zat, half lag.

'Hallo, m'joor,' zei de kleine man met een moordlustige grijns.

Pas toen beseften Stein en de overige aanwezigen van de Charliecompagnie dat deze Witt hun eigen Witt was, dezelfde die door een handige gezamenlijke actie van Stein en Welsh was overgeplaatst voordat de divisie naar het gevechtsterrein was overgebracht. Ze waren allemaal stomverbaasd, precies zoals Witt had gewild. En korporaal Fife wel heel in het bijzonder. Fife, die nog steeds plat tegen de grond lag met zijn oor aan de radio, ging breed lachend rechtop zitten.

'Goeie god! Ha die Witt!' riep hij verheugd uit.

Witt, die zich kranig hield aan zijn belofte van enkele dagen geleden, liet zijn blik over de korporaal glijden alsof die niet bestond.

Ten slotte keek hij weer naar Welsh.

'Hallo, Witt,' zei Welsh. 'Ben jij hospik tegenwoordig? Ik zou maar gaan liggen als ik jou was.'

Stein zei niets. Hij had zich schuldig gevoeld toen hij Witt uit de compagnie wegzond; hij wist hoe graag Witt had willen blijven. Maar Stein was ervan overtuigd dat zijn beslissing in het belang van de compagnie was.

Witt negeerde de waarschuwing van Welsh en bleef rechtop staan.

'Nee, m'joor. Nog altijd bij de Geschutscompagnie. Maar zoals u weet, m'joor... nog steeds geen geschut. En ze hebben ons dus maar aan het werk gezet bij die bootjes op de rivier en als hospiks.' Hij maakte een gebaar met zijn hoofd. 'Wie moeten we daar ophalen, majoor?'

'Jacques,' zei Welsh.

'De ouwe Jockey?' zei Witt. 'Verdomme, da's nou spijtig.' Zijn drie ploeggenoten waren al vertrokken en daalden op een holletje de helling af. Witt keerde zich om, wilde hen volgen, maar draaide zich weer terug en richtte het woord tot Bugger Stein: 'Kap'tein, zou ik alstublieft bij de kompie mogen terugkomen? Nadat we Jockey naar de BHP hebben gebracht? Ik kan gemakkelijk wegkomen en ze geven Hoke wel een nieuwe vierde man. Mag het, kap'tein?'

Stein voelde zich gevleid. Hij raakte er ook enigszins door in verwarring. Deze hele kwestie van de gewondendragers en soldaat Jacques liep uit de hand en leidde zijn aandacht te veel af van het plan dat hij aan het bedenken was. 'Tja, ik...' zei hij en zweeg toen, zijn denkvermogen ineens totaal geblokkeerd. 'Natuurlijk moet je dan wel iemands toestemming hebben.'

Witt grijnsde cynisch. 'Spreekt vanzelf,' zei hij. 'En mijn geweer. Dank u wel, kap'tein.' Hij draaide zich om en ging zijn ploeggenoten achterna.

Stein deed zijn best om de verwarde draden van zijn gedachten weer te rangschikken. Even staarde hij naar de verdwijnende Witt. Dat iemand ernaar kon verlangen om midden in een aanval naar een tirailleurcompagnie aan het front terug te keren, was voor hem een groot raadsel. Maar er school iets heel romantisch in. Als een verhaal van Kipling. Of *Beau Geste*. Nu, wat had hij ook weer voor plan willen opstellen?

Dicht in de buurt van Stein – zoals Bugger hem had opgedragen toen hij hem de zorg over de radio toevertrouwde – was korporaal Fife weer plat op de grond gaan liggen met zijn ogen gesloten. Hoewel hij wist dat de ruzie van enkele dagen geleden er de oorzaak van was dat Witt hem zojuist had genegeerd, zag hij het tegen wil en dank toch ook als een gebaar van verachting en afschuw over zijn lafheid in deze situatie – alsof Witt in één oogopslag had gezien wat er zich in zijn geest afspeelde. Toen hij zijn ogen weer opendeed, keek hij recht in het bleke gezicht van de kleine Bead, op nog geen meter afstand; zijn ogen puilden uit van vrees en knipperden bijna hoorbaar, als een soort reuzenkonijn.

'Dale!' riep Bugger. 'Luister goed,' zei hij, zich uit alle macht concentrerend op het probleem.

Charlie Dale kroop dichterbij. Toen hij pas was teruggekeerd van zijn opdracht had hij zichzelf gedwongen een hele tijd overeind te blijven staan, maar toen de mortiergranaat ontplofte, waardoor Jacques werd gewond, was hij gaan liggen. Nu had hij een compromis gevonden en hurkte. Bugger had hem juist iets willen zeggen, hem misschien een nieuwe opdracht willen geven, toen Jacques werd getroffen en de dragers waren verschenen. Dale voelde onwillekeurig een tikje ergernis. Niet door Jacques natuurlijk. Hij kon niet kwaad zijn op Jockey. Maar hij had wel een geschikter moment kunnen uitkiezen om gewond te raken. En die vervloekte hospiks en die verdomde bolsjewiek Witt hadden wel wat minder waardevolle tijd van de compagniescommandant in beslag kunnen nemen. Vooral omdat die Dale juist iets had willen zeggen dat misschien heel belangrijk was. Dale had lange tijd niet zo'n mooie kans gekregen op een persoonlijk gesprek met de compagniescommandant, hij was nu eindelijk eens bevrijd van die vervloekte Storm die altijd maar commandeerde, en van die smerige vette troep in de keuken, waar je massa's eten moest klaarmaken, zodat een stel kerels zich konden volvreten. Dale was blij met deze kans. Hij kreeg meer aandacht dan hij bij dit onderdeel ooit had gehad; ze begonnen hem nu eindelijk te waarderen en het enige dat hij hoefde te doen was een paar berichten overbrengen door licht mitrailleurvuur heen dat hem toch niet kon raken. Een eitje. Even verderop zag hij die ellendige Storm naast majoor Welsh plat op zijn buik liggen. Hij keek deze kant uit. Nog hurkend gaf Dale zijn gezicht een eerbiedige uitdrukking, terwijl hij vol aandacht luisterde naar zijn commandant. Een heimelijke opwinding maakte zich van hem meester.

'Ik moet weten hoe de situatie bij het derde peloton is,' zei Bugger tegen hem. 'Dat moet jij voor me uitvinden.' Hij beschreef de plaats waar het peloton zich bevond en vertelde hem hoe hij er moest komen. 'Meld je bij luitenant Gore als je hem kunt vinden. Ik moet weten of ze die met gras begroeide rug al dan niet hebben ingenomen en liefst zo gauw mogelijk. Maak dus voort.'

'Tot uw dienst, kap'tein,' zei Dale en zijn ogen straalden.

'Ik wil jou en Doll graag aan mijn staf verbinden,' zei Bugger. 'Er is hier voor jullie allebei nog veel te doen. Jullie hebben buitengewoon waardevol werk verricht.'

'Ja, kap'tein,' zei Dale glimlachend. Toen keek hij strak naar Doll en zag dat die hem op dezelfde manier aankeek.

'Ga!'

'Oké, kap'tein.' Hij salueerde vluchtig maar enthousiast en begon in gebukte houding het lage terrein achter de plooi over te steken, zijn geweer op de rug, zijn Thompson in zijn handen. Hij hoefde niet ver te lopen. Op de hoek waar de kam en de geul elkaar vóór Heuvel 209 ontmoetten, kwam hij een soldaat van het derde peloton tegen, die onderweg was met het bericht dat het derde peloton de met gras begroeide heuvelrug links zonder een schot te vuren had bezet en zich daar nu ingroef. Samen keerden ze terug naar Bugger Stein, Dale enigszins teleurgesteld. Stein had Dales terugkomst niet afgewacht. Terwijl hij nog met Dale praatte, was er in zijn hoofd een plan ontstaan. Of het derde peloton de linkerrug wel of niet had veroverd, maakte eigenlijk weinig verschil. Ze konden in dat geval meer dekkingsvuur geven en dat zou prettig zijn, maar absoluut noodzakelijk was het niet, omdat de manoeuvre die hij zich voorstelde, betrekking had op de mannen van het eerste peloton die ondanks het mitrailleurvuur het dichtere gras aan de voet van de heuvelrug rechts hadden bereikt. Die rechtse rug was kennelijk de moeilijkste en zou het struikelblok kunnen vormen. Met de mannen die daar al lagen plus twee groepen van het tweede peloton wilde Stein zoiets als een frontale aanval doen met twee vleugels, gericht tegen de voornaamste kracht op die rug, waarvan de plaats nog niet bekend was. Het centrum moest standhouden en de vleugels moesten aan weerskanten een omtrekkende beweging maken om de belangrijkste versterkingen te isoleren. De rest van het tweede peloton zou dekkingsvuur kunnen geven vanaf de derde terreinplooi. Het eerste peloton – of wat ervan over was, bedacht Stein wrang – kon hetzelfde doen langs de flank van hun vooruitgeschoven positie in de granaattrechters. Met dit doel voor ogen had hij na het vertrek van Charlie Dale Doll teruggezonden naar het even stil geworden inferno achter de derde terreinplooi, waar de mannen van het eerste peloton nog zwetend van angst in hun gaten lagen. Doll was net weg toen de hospiks terugkwamen met Jaques. Stein bezweek voor het verlangen even naar hem te kijken. De anderen konden dit evenmin nalaten.

Ze hadden hem voorover op de brancard gelegd. De hospik had een kompres op de wond gedrukt. Er was een langwerpig stuk vlees onder uit zijn rug gerukt. Jacques' gezicht hing over de zijkant van de brancard en zijn halfgesloten ogen stonden glazig van de morfine en de shock, maar hadden ook een eigenaardige vragende uitdrukking. Het was alsof hij hun of iemand anders vroeg: 'Waarom?' Waarom was hem, John Jacques, legernummer zo en zo, dit speciale lot beschoren? Ergens had een vreemde een metalen buis in een loop laten vallen, zonder precies te weten waar die terecht zou komen, niet eens zeker waar hij terecht *moest* komen. De buis was opgestegen en daarna gedaald. En waar was hij geland? Boven op John Jacques, legernummer zo en zo. Toen hij explodeerde, waren duizend scherpe stukjes metaal zoevend alle kanten op gesuisd. En wie was de enige die was geraakt? John Jacques, legernummer zo en zo. Waarom? Waarom juist hij? Geen enkele vijand had speciaal gemikt op John Jacques, legernummer zo en zo. Geen enkele vijand wist dat John Jacques, legernummer zo en zo, bestond. Net zomin als hij de naam en de personalia kende van de Japanner die de metalen buis in de loop had laten vallen. Waarom dus? Waarom nu juist John Jacques, legernummer zo en zo? Waarom niet iemand anders? Waarom niet een van zijn vrienden? En nu was het gebeurd. Straks zou hij sterven.

Stein moest zich dwingen om naar iets anders te kijken. Hij zag dat Witt als achterste brancarddrager fungeerde. Omdat hij de kleinste van de twee was, moest hij zich meer inspannen om het geheel horizontaal te houden. Nog denkend aan Doll en het eerste peloton, overwoog Stein een ordonnans naar sergeant Keck te sturen, die nu het bevel voerde over het tweede peloton, toen Charlie Dale en de andere soldaat terugkwamen.

Doll was met tegenzin gegaan. Toen hij de eerste keer terugkwam was het helemaal zijn bedoeling niet geweest om als ordonnans lastige karweitjes op te knappen voor Bugger Stein. Eerlijk gezegd wist hij niet waarom hij zich hiertoe bereid had verklaard. Maar nu zat hij eraan vast. Bovendien was hij woedend omdat zijn opdracht zoveel zwaarder was dan die van Dale. Iedere sukkel kon naar *achteren* gaan, de ziekendragers volgen, en ook naar voren als er een beschermde route was, waarop je geen enkel gevaar liep. Hoe hij zijn eigen opdracht moest uitvoeren, wist hij nog niet helemaal. Whyte was dood. Grove ook, of zwaargewond, zodat Skinny Culn nu het bevel voerde, mits ook die niet dood of gewond was. Sergeant Culn was een 28-jarige joviale Ier met een rond, rood gezicht en een mopsneus, een beroeps, die dus wel zou weten hoe hij een peloton moest aanvoeren. Maar Doll had er geen idee van waar hij hem kon vinden. De enige van wie Doll wist waar hij lag was Big Queen. Hij zou dus van het ene gat naar het andere moeten lopen en wie weet hoe lang moeten zoeken. Het idee lokte Doll niet aan. Hij had Dale die opdracht graag gegund.

Voor hij vertrok, lag hij achter de rand van de terreinplooi tussen de mannen van het tweede peloton te kijken naar het open terrein dat hij moest oversteken. De soldaten, die allemaal dicht tegen de grond gedrukt lagen, keken onverschillig, met norse nieuwsgierigheid toe. Hij was zich ervan bewust dat hij zijn ogen half dichtkneep, zijn neusgaten wijd opensperde en zijn kaken opeenklemde. Hij leek een knappe soldaat zoals hij daar lag te turen, maar de mannen van het peloton voelden geen spoor van sympathie voor hem. Wat verder naar voren ondersteunde een hospik een dikke soldaat, die een kogel in zijn kuit had gekregen en hoorbaar kreunde. Doll voelde een geamuseerde minachting; waarom hield die vent zijn kiezen niet op elkaar? Weer voelde hij een weemakende opwinding die in zijn buik klauwde, die zijn hart deed bonzen, zijn kruis deed jeuken en zijn middenrif scheen te verlammen, zodat hij steeds langzamer ademhaalde en nog langzamer, tot zijn gehele wezen een en al concentratie was. Plotseling sprong hij op en rende weg. Hij liep in gebukte houding, geheel ongedekt, zoals hij ook was aangekomen. Rechts en links van hem sloegen kogels in. Hij maakte zigzagbewegingen. Tien seconden later was hij alweer terug in de ondiepe kuil en riep hij hijgend Queens naam, terwijl hij de neiging kreeg om in lachen uit te barsten. Hij had wel geweten dat het goed zou gaan. Een mitrailleursalvo streek over de rand van zijn kuil en bepoederde hem met zand, maar de kogels floten verder.

Maar dit was nog maar het begin. Hij moest Culn nog zoeken. En de gesmoorde stem van Big Queen die onder in zijn trechter lag, vertelde hem dat Culn ergens wat verder naar rechts moest liggen, tenminste, daar had Queen hem voor de aanval gezien. Maar toen Doll zich naar rechts had laten rollen, gaf de man die daar ergens in de buurt moest liggen geen antwoord. Terwijl hij riep vormde zich in Dolls keel een grote zachte brok angst. Hij probeerde die door te slikken maar het ging niet. Dat was nu precies wat hij had gevreesd toen hij nog achter de derde terreinplooi lag en tegen zijn taak had opgezien. Hij zou de trechters moeten langsgaan op zoek naar Culn.

Nou ja, vooruit dan maar, verdomme. Hij zou eens wat laten zien. Hij was niet bang, het was allemaal doodeenvoudig. En dan maar afwachten wat dat prutsventje van een Dale zou presteren. Hij was Don Doll en hij zou de oorlog overleven. De klootzakken. Opnieuw daalde die grote, allesomvattende rust op hem neer, die zijn ademhaling vertraagde, die alles voor hem afsloot, terwijl hij opstond. Hij voelde het tintelen van zijn ballen in zijn broek. Het was precies hetzelfde gevoel dat hij als kind had, als hij opgewonden was. Wat zouden ze staan te kijken, wat zou Bugger Stein staan te kijken als hij terugkwam.

In feite was Stein de ordonnans die hij naar het eerste peloton had gezonden totaal vergeten. De verdere ontwikkelingen hadden al zijn aandacht opgeëist. Toen Dale het goede nieuws over het derde peloton bracht, besloot hij Keck niet te ontbieden maar naar hem toe te gaan. Als hij zelf bij het tweede peloton achter de terreinplooi lag, kon hij de aanval leiden en gadeslaan. Met deze gedachte voor ogen had hij George Band en sergeant Storm met zijn koks teruggezonden om zich via de gedekte route bij het derde peloton te voegen. Band zou het bevel krijgen en zich gereedhouden om als Steins aanval slaagde van rechts aan te vallen. Band met zijn bizarre, bloeddorstige grijns, zijn voortdurende, zakelijke adviezen, en zijn rustige, ongeëmotioneerde belangstelling voor de gewonden, begon steeds meer op Steins zenuwen te werken en dit was een goede manier om hem kwijt te raken en hem toch nuttig werk te laten doen. Stein besloot overste Tall, de bataljonscommandant, op te roepen.

Er waren steeds meer dingen die Steins zenuwen steeds verder op de proef stelden. In de eerste plaats kon hij er geen moment zeker van zijn dat wat hij deed goed was, en niet beter en met minder offers op een andere manier had kunnen gebeuren. Dat gevoel had hij ook met betrekking tot de aanval die hij nu wilde opzetten. Hierbij kwamen nog zijn eigen angst en nervositeit, die zijn energie steeds meer ondermijnden. Het gevaar flitste en flikkerde als een kapotte neonbuis. Als hij zich oprichtte, kon hij worden getroffen door een kogel. Als hij een paar stappen deed, kon hij binnen de explosiezone van een juist naderende mortiergranaat komen. Dat hij zijn vrees voor de manschappen verborgen moest houden, vergde nog meer van zijn energie. Bovendien had hij een van zijn veldflessen al leeg gedronken en de andere al voor een derde deel, zonder ook maar een greintje van zijn dorst te hebben gelest. En daarbij werd hij zich steeds pijnlijker bewust van de apathie om hem heen. De mannen deden wat hij hun zei, als hij hun persoonlijk en uitdrukkelijk beval iets te doen. Maar verder lagen ze gewoon met hun wang tegen de grond gedrukt naar hem te staren, afgezien van enkele vrijwilligers zoals Dale en Doll. Misschien hadden de mannen in de Burgeroorlog initiatief getoond en waren ze enthousiast geweest. Het kenmerk van deze oorlog scheen de apathie te zijn.

Stein had Tall al bericht over de Japanse evacuatie van de met gras begroeide heuvelrug links en erbij gezegd dat die door het derde peloton van de C-compagnie zou worden bezet; hij was dan ook stomverbaasd toen de overste hem door de walkietalkie begon uit te kafferen, omdat hij te ver naar rechts lag. Hij kreeg niet eens de kans een verklaring te geven van de aanval die hij wilde lanceren. De radio was heel geschikt om iemand iets uit te leggen of om een monoloog af te steken, want de luisteraar kon niets terugzeggen zolang de spreker de knop ingedrukt hield; Tall verstond de kunst dit uit te buiten, maar Stein niet.

'Maar dat begrijp ik niet. Hoe bedoelt u, te ver naar rechts? Ik zag toch dat ze die rug links hebben geëvacueerd. En dat die door mijn derde peloton wordt bezet. Hoe kan ik dan te ver naar rechts liggen? U was het er toch mee eens om vanaf rechts aan te vallen? Over.'

'Godverdomme, Stein!' riep de overste met koude, schrale, nijdige stem. 'Ik zeg je dat je linkerflank ongedekt is.' Stein kreeg geen kans om te zeggen dat daarvan geen sprake was, omdat de overste de radio benutte om zich aan retoriek te buiten te gaan. 'Weet je wat ik bedoel als ik zeg dat je linkerflank ongedekt is? Heb je ooit een handboek over tactiek gelezen? Je linkerflank is *ongedekt*. En daar moet je verdomme wat aan doen. Je moet erheen! Over!'

Het moment om te protesteren was voorbijgegaan terwijl Talls duim op de knop rustte; nu kon Stein zich slechts verdedigen terwijl woede en nervositeit in hem ziedden. 'Maar godverdomme overste, daarom spreek ik u juist! Ik doe mijn best! Ik tref voorbereidingen om die met gras begroeide helling rechts in te nemen.' Hij zweeg, vergat 'over' te zeggen en het bleef een hele tijd stil. 'Over,' zei hij. 'Godverdomme.'

'Stein, ik zeg je toch dat je al te ver naar rechts bent gegaan,' klonk Talls stem vanuit de veilige verte. 'Je gaat steeds te veel naar rechts. Over.'

'Goed, maar wat moet ik dan doen? Moet ik de rest van mijn compagnie ook bij die met gras begroeide heuvelrug terugtrekken? Over.' Het zou, dat wist hij, een krankzinnige manoeuvre zijn.

'Nee. Ik heb besloten de reservecompagnie links van je in te zetten, met het bevel daar aan te vallen. Aan te vallen, Stein, versta je me? Ze krijgen bevel daar aan te vallen. En ik zal de commandant van Baker zeggen dat hij een reservepeloton naar jou stuurt. Over.'

'Wilt u dat ik doorga met de aanval?' vroeg Stein, omdat hem dit na alles wat hij had gehoord nog niet duidelijk was. 'Over.'

'Ja, wat dacht je dan?' krijste de verontwaardigde stem van de overste. 'Wat dacht je dan, Stein? Jij zit daar toch niet om vakantie te houden? Vooruit, opschieten!' Het bleef even stil en Stein hoorde de zender kraken en iets wat klonk als een beleefd gemompel. Eenmaal hoorde hij overste Tall duidelijk eerbiedig zeggen: 'Jazeker, generaal.' Daarna zette de overste het gesprek met hem voort; hij klonk nu wat vriendelijker en jovialer. 'Opschieten, kerel! Laat eens wat zien,' zei Tall enthousiast. 'Over en sluiten.'

Toen Stein tot zichzelf kwam staarde hij in de grote, nerveuze ogen van Fife. Hij gaf de radio aan de jongen. Zo, dat was dan dat. Hij had niet eens de gelegenheid gekregen zijn aanvalsplan uiteen te zetten en dat had hij graag willen doen, omdat hij er helemaal niet zeker van was of het een goed plan was. Maar de hoge omes waren kennelijk op de radiopost aangekomen. Het had geen zin Tall nogmaals op te roepen wanneer die om hem heen stonden.

Ja, het gepoetste koper. De waarnemers. Vandaag was er zelfs een admiraal bij. Plotseling kreeg Stein een akelig, beklemmend beeld, waardoor hij even roerloos, met uitpuilende ogen bleef staan; hij zag hoe zich op Heuvel 207 weer precies dezelfde scène afspeelde, waarvan hij twee dagen geleden getuige was geweest. Daar stond weer een nerveuze, bezorgde bataljonscommandant met een verrekijker, terwijl dezelfde gereserveerde maar even nerveuze superieuren figuurlijk over zijn schouder meekeken, dezelfde dicht opeengedrongen menigte pionnen en andere schaakstukken, die hun halzen rekten als toeschouwers bij een sportwedstrijd; ze waren er allemaal, ze maakten hetzelfde mee als hun collega's van twee dagen terug. En hier in de vallei lagen weer zwetende kapiteins en hun mannen, die dezelfde bewegingen maakten. Maar ditmaal was hij, Jim Stein, een van hen, hij was ingezet. De mannen speelden de ingewikkelde komedie dat ze zich bij alles wat ze deden door de wetten van de nuchtere logica en de tactiek lieten leiden. En morgen zouden het weer anderen zijn. Het was een gruwelijke gedachte: ze deden allemaal hetzelfde, ze waren allemaal onmachtig om hier een eind aan te maken en ze geloofden allemaal vol trotse overtuiging dat ze vrije mensen waren. In zijn verbeelding zag hij nu tientallen naties, miljoenen mannen die op duizenden heuvels overal ter wereld hetzelfde deden. En het beeld ging verder. Het was de conceptie – de conceptie? nee, de realiteit – van de moderne staat in actie. Het was zo'n weerzinwekkend beeld dat Stein het niet kon aanvaarden, er niet in wilde geloven. Hij verdrong het en knipperde met zijn uitpuilende ogen. Het eerste dat nu moest gebeuren was dat hij zijn commandopost overbracht naar de achterzijde van de derde terreinplooi, waar Keck en zijn peloton lagen.

Vanaf de derde terreinplooi was nog niet veel te zien. Stein en zijn sergeant lagen vlak onder de bovenste rand te kijken en te praten. Vóór hen verhief zich op ongeveer honderd meter afstand de met gras begroeide heuvelrug, schijnbaar geheel verlaten. Daarachter lagen in de verte de hogere hellingen van de Olifantskop, hun eigenlijke doel. Het met stenen bezaaide open terrein vlak vóór hen liep zachtglooiend vijftig meter door en werd daarna vlak.

Tactisch gezien had luitenant Whyte (wiens lijk nog een eindje voorbij de top op de helling lag) met zijn aanval absoluut niets bereikt, dat zag Stein onmiddellijk in. Whytes peloton, dat meer naar links had gelegen, daar waar hij nu het oogwit en de bezwete gezichten van het tweede peloton naar hem zag kijken, was over de hele breedte opgerukt; als een golf was het over het open terrein geslagen en het had de twee dwarsruggen alleen incidenteel aangevallen, waardoor de mannen het vuur van beide ruggen en van de heuvel zelf hadden aangetrokken. Whyte had het niet onhandiger kunnen aanpakken.

Maar dat was voorbij. Nu telde alleen het heden. Zijn eerste probleem, meende Stein, was hoe hij zijn mannen uit deze nog betrekkelijk veilige positie over die rottige kale vlakte moest brengen naar de betrekkelijk veilige voet van de heuvelrug, waar ze zich in een defilade bevonden tegen mitrailleurs en te dichtbij waren voor de Japanse mortieren. Als ze daar maar eenmaal waren... Maar om er te komen...

Stein had al besloten dat hij slechts twee groepen van zijn tweede peloton zou gebruiken, die dan steun zouden krijgen van de mannen die daar al in dekking lagen. Hij wist niet zeker of het genoeg zou zijn en had geen tijd gekregen er met overste Tall over te spreken, maar hij wilde niet meer manschappen inzetten voor hij er een idee van had op hoeveel tegenstand ze zouden stuiten. Hij had ook al besloten hoe hij de twee groepen ging kiezen; hij had hieraan zelfs de meeste aandacht geschonken. Hevig schuldgevoel knaagde aan hem bij de gedachte dat hij moest bepalen wie hij het vuur in wilde sturen. Sommigen zouden zeker sneuvelen en hij wilde niet met het idee rondlopen dat hij ze had uitgekozen. Daarom besloot hij eenvoudig de eerste twee groepen aan te wijzen die het meest rechts lagen (voor hen was de afstand het kortst) en het geluk of het toeval of het noodlot of welke macht het dan ook was die over het leven besliste, te laten kiezen. Als hij het zo aanpakte zou geen vergeldende macht zich ooit op hem kunnen wreken. Tegen de helling gelegen zei hij tegen Keck welke groepen hij wilde inzetten. Keck, die het natuurlijk wist, die altijd precies wist waar zijn mensen zich bevonden, knikte en zei dat dit de groepen van McCron en Beck waren, de tweede en derde groep. Stein knikte terug, hij had medelijden met hen. McCron, dat was die bezorgde moederkloek, en Milly Beck was een dienstklopper. John Bell zat in de groep van McCron.

Maar voor hij de twee groepen kon uitzenden, meende Stein, moest hij weten hoe het ervoor stond met de mannen die al aan de voet van de heuvelrug lagen. Ze hoefden het moordende vuur van de vlakte niet meer te trotseren, maar hoe waren ze eraan toe? Waren er gewonden? Was er een onderofficier bij hen? Was hun moreel nog ongebroken? Stein vond dat hij dit eerst moest uitvinden en dus moest hij er iemand heen zenden. Hij stuurde Charlie Dale.

Het was een indrukwekkende vertoning. Het kleine mannetje likte zijn lippen af, het onnozele lachje kwam weer op zijn gezicht, hij sjorde aan zijn geweer en zijn Thompson en knikte. Hij was er klaar voor. Stein, die Dale nooit sympathiek had gevonden, keek hem na met toenemende bewondering, waardoor zijn antipathie slechts groeide. Op een sukkeldrafje, onverstoorbaar (dat kon je zien aan de houding van zijn rug) liep hij over het open terrein in de richting van de heuvelrug. Hij draafde voorovergebogen, zoals ze allemaal instinctief deden, maar hij maakte geen zigzagbewegingen. Hij werd niet geraakt. Op zijn bestemming aangekomen dook hij in het hoge gras en verdween. Drie minuten later kwam hij weer te voorschijn en sjokte onverstoorbaar terug. Stein vroeg zich onwillekeurig af wat de man zou denken, maar wilde er niet naar informeren.

Charlie Dale zou het hem met plezier hebben verteld. Maar eigenlijk had hij nauwelijks nagedacht. Er was hem verteld dat de Jappen allemaal slechte ogen hadden, brillen droegen en niet behoorlijk konden schieten. Hij wist dat hij niet zou worden geraakt. Op de heenweg had hij voortdurend naar de voet van de heuvelrug gekeken en daarop al zijn aandacht geconcentreerd. Op de terugweg had hij naar een bepaalde plek aan de bovenkant van de terreinplooi gekeken. Het enige waaraan hij had gedacht en wat hem ergerde, was dat Storm en de andere koks naar het derde peloton waren gestuurd en hem dus niet konden zien. En hij had bedacht dat hij na het opknappen van nog zo'n paar karweitjes een kans had om in ieder geval als korporaal of misschien wel als sergeant in een tirailleurpeloton te komen, zonder eerst als gewoon soldaat te dienen. Dan zou hij van de keuken af zijn. Dit was van het begin af zijn plan geweest. En het was hem niet ontgaan dat er al vrij veel verliezen waren bij de onderofficieren.

Dale kwam als een held bij de derde terreinplooi aan. Wat hij had gepresteerd was ook niet gering. Wie hem had zien lopen had zelf kunnen zien aan hoeveel geweer- en mitrailleurvuur hij zich had blootgesteld. Alle soldaten die zelf niet bereid waren geweest om te gaan en het ook niet gedaan zouden hebben, waren verrukt over hem en Dale was zeer ingenomen met zichzelf. Iedereen die hij passeerde toen hij naar Stein ging om rapport uit te brengen, sloeg hem op de schouder en hij meldde Stein dat met de mannen aan de voet van de heuvelrug alles in orde was, hun moreel was prima, maar er was geen onderofficier bij hen. Er lagen alleen soldaten.

'Goed,' zei Stein, die nog naast Keck tegen de terreinplooi lag. 'Luister. Zij hebben daar geen sergeant en de sergeants hier moeten bij hun eigen groep blijven. Ik benoem jou tot tijdelijk sergeant, dan kun jij het bevel over die jongens daar voeren. Ga je daarmee akkoord?'

'Natuurlijk,' zei Dale meteen. Weer verscheen die onaangename glimlach, weer likte hij zijn lippen af. 'Graag zelfs, kap'tein.' Zijn hoofd tussen de permanent gebogen schouders wipte een paar maal op en neer en zijn gezicht kreeg een uitdrukking van kennelijk geveinsde nederigheid. 'Als u tenminste denkt dat ik goed genoeg ben, kap'tein. Als u denkt dat ik het aankan.'

Stein keek hem met nauwelijks verholen weerzin aan. Maar Charlie Dale merkte het niet op – of toch wel? 'Oké,' zei Stein. 'Ik benoem jou tot tijdelijk sergeant. Jij gaat met de anderen mee.'

'Ja, kap'tein,' zei Dale. 'Maar moet u dan niet *hierbij* zeggen?'

'Wat?'

'Ik zeg: moet u dan niet "hierbij" zeggen? Om me officieel te benoemen, weet u?' Ergens in het duistere labyrint van Dales trage hersens scheen aan Steins eerlijke bedoelingen te worden getwijfeld.

'Nee. Ik hoef niet "hierbij" te zeggen. Ik hoef niet meer te zeggen dan ik al heb gezegd. Jij bent tijdelijk sergeant en gaat met de anderen mee.'

'Ja, kap'tein,' zei Dale en hij kroop weg.

Stein en Keck wisselden een blik. 'Ik geloof dat ik maar beter ook mee kan gaan, kapitein,' zei Keck. 'Er moet daar iemand zijn die de leiding neemt.'

Stein knikte langzaam. 'Ik geloof dat je gelijk hebt. Maar wees voorzichtig. Ik kan je niet missen.'

'Ik pas zo goed op mezelf als iemand hier maar op zichzelf kan passen,' was het humorloze antwoord van Keck.

De spanning over de op handen zijnde aanval werd om hen heen voelbaar en nam toe. Ze weerspiegelde zich op de bezwete gezichten van het tweede peloton en alle ogen gingen naar de leiders, als een rij zonnebloemen naar de zon. Links waren de eerste elementen van het derde peloton opnieuw zichtbaar geworden, nu in de laagte tussen de tweede en de derde plooi; de voorste mannen renden in gebukte houding naar Stein toe; in een lange rij volgden de anderen.

Over de tweede terreinplooi naderde, ook gebukt, een eenzame figuur. Het was Witt, die terugkeerde, nu met een geweer en wat extra patroonhouders. Alles scheen zich te concentreren. Het moment van de waarheid, dacht Stein, op zijn horloge kijkend: twee over twaalf. Het moment van de waarheid, wat een onzin! Mijn god, lagen ze hier al zo lang? Het leken slechts enkele seconden. En tegelijk jaren. Soldaat Doll – of zijn noodlot – had dit moment uitgekozen om terug te keren van zijn gevaarlijke missie naar het eerste peloton.

Doll kwam ongeveer halverwege het tweede peloton de helling oprennen, liet zich over de top heen vallen en holde toen langs de achterzijde van de terreinplooi naar Stein om zich te melden. Hij had sergeant Culn gevonden. Maar voor hij meer kon vertellen zat hij bijna een minuut naar adem te happen. Ditmaal giechelde hij niet; zijn zorgeloze pose was verdwenen. Zijn gezicht droeg de sporen van de spanning die hij had doorstaan; aan weerskanten van zijn opengezakte mond liep een diepe rimpel. Hij had langs de rij op onregelmatige afstanden geslagen trechters gelopen, roepend naar Skinny Culn terwijl er van alle kanten op hem werd gevuurd. De mannen die in de gaten lagen, hadden hem verrast en ongelovig aangekeken. Zijn lichamelijke krachten, ondermijnd door zijn verbeelding, dreigden hem in de steek te laten. Maar ten slotte was drie gaten verderop een hand met een arm verschenen, die het vertrouwde signaal voor 'Verzamelen bij mij' had gegeven. Toen Doll stilstond, zag hij Culn, die rustig op zijn zij lag, zijn geweer tegen zijn borst gedrukt, en die hem met een wrang lachje had begroet. 'Kom erbij, jongen,' had Culn gezegd, maar Doll was al in de trechter gesprongen. Er was geen ruimte geweest voor twee man. Terwijl ze half op elkaar lagen had Doll Culn op de hoogte gebracht van de verliezen, Steins plan uiteengezet en hem verteld wat er van het eerste peloton werd verwacht. Culn had over zijn rossige stoppels gewreven. 'Ik krijg dus het bevel over het peloton. Wel, wel. Oké, vertel hem maar dat ik het zal proberen. Maar zeg Bugger ook dat we hier een beetje gedemoraliseerd zijn, zoals ze dat in de handboeken noemen. Maar ik zal mijn best doen.' Geen minuut later was Doll alweer terug achter de derde terreinplooi, waar het hem enorm veilig scheen, en meldde hij zich bij Stein. Hij klonk trots terwijl hij rapport uitbracht.

Doll had zich niet afgevraagd hoe hij zou worden ontvangen, maar hij had in ieder geval meer verwacht. Charlie Dale was echter vóór hem teruggekeerd, van een gevaarlijker missie, en die had minder dramatisch gedaan. Bovendien kwam het derde peloton juist aan, zodat Stein zijn aandacht daarvoor nodig had. En bovendien waren de gedachten van alle mannen bij de komende aanval. Bugger luisterde naar het rapport, knikte en gaf hem een klopje op zijn arm, zoals men een afgerichte zeeleeuw een visje toewerpt nadat die zijn kunstje heeft gedaan. Doll kon gaan; zijn dapperheid, zijn heldenmoed vonden geen waardering. Hij was verbaasd dat hij nog leefde en snakte ernaar iemand te vertellen hoe hij op het nippertje aan de dood was ontsnapt. Maar toen hij ging zitten viel zijn blik op Charlie Dale, die hem met een superieure, wraakzuchtge grijns zat op te nemen. Terwijl hij terugstaarde, kon Doll niet anders dan luisteren naar de kleine Bead, die naast hem lag en hem van Dales buitengewone prestatie vertelde.

En Dale was de enige niet. Witt, de krankzinnige vrijwilliger, die sentimentele gek uit Kentucky, die absoluut bij een tirailleurcompagnie onder vuur wilde horen, was achter Doll neergehurkt terwijl deze rapport uitbracht en had zich meteen daarna tot Stein gewend. Hij meldde zich en toen Stein hem in een paar woorden uitlegde wat er ging gebeuren, vroeg hij toestemming om aan de aanval deel te nemen. Stein, niet in staat zijn verbazing geheel te verbergen, knikte instemmend en deelde Witt bij Milly Becks groep in. Het was de druppel die de emmer deed overlopen, de laatste klap waarmee het noodlot in zijn gezicht sloeg, dat Charlie Dale ook aan de aanval zou deelnemen – nog wel als sergeant. Hij moest iets zeggen. Dolls vraag kwam even instinctief als de kreet van pijn bij iemand die zich in z'n vinger snijdt. Vol afgrijzen hoorde hij zichzelf luid, resoluut en vol zelfvertrouwen vragen of hij ook mee mocht. Toen Stein ja zei en hem naar de groep van McCron stuurde, beet hij onder het wegkruipen zo hard op de binnenkant van zijn onderlip dat de tranen hem in de ogen sprongen. Hij zou nog iets ergers willen doen: met zijn hoofd op een rotsblok beuken, zich een groot stuk uit zijn arm bijten. Waarom deed hij zichzelf zoiets aan? Waarom?

Nu hield niets hen meer tegen. Alles was geregeld. Ze konden vertrekken. Stein en Keck lagen naast elkaar tegen de helling van de lage terreinplooi, naast hen lag Welsh, zwijgzaam en in zichzelf gekeerd. Voor de laatste keer keken ze over de rand. Stein had het derde peloton ongeveer dertig meter achter en beneden hen in twee echelons van elk twee groepen opgesteld; de mannen hadden opdracht aan te vallen en alle voordelen die ze zagen uit te buiten. Hij had zijn mortiergroep bevolen het vuur meer naar achteren op de heuvelrug te verplaatsen. De enige mitrailleur waarover hij nog beschikte, was achter de derde terreinplooi in stelling gebracht. Op de met gras begroeide heuvelrug links werd hevig geschoten, maar Stein kon nergens mannen van Baker ontdekken. Terwijl hij nog keek, explodeerden er op die rug twee Japanse mortiergranaten. Of ze slachtoffers hadden gemaakt, was van hieraf onmogelijk te zeggen.

'Ik geloof dat we hen het beste in groepjes van drie of vier en met onregelmatige tussenpozen kunnen sturen,' zei hij, het hoofd naar Keck wendend. 'Laat ze zich verspreiden als ze er eenmaal zijn. Laat hen dan in sprongen of in linie voorwaarts gaan. Je moet het zelf maar beoordelen – ik geloof dat het nu maar moet gebeuren.'

'Ik ga met de eerste vier,' zei Keck schor. Hij staarde voor zich uit. 'Luister eens, kap'tein,' vervolgde hij, naar Stein kijkend en toen naar Brass Band die zojuist was genaderd, 'ik moet u nog iets zeggen. Die Bell is een flinke kerel. Hij houdt het hoofd koel. Hij heeft mij op weg geholpen, ook toen het peloton na de aanval vastzat.' Hij zweeg even. 'Dat wou ik u even zeggen.'

'Oké, ik zal het onthouden.' Stein voelde een onuitsprekelijke, bijna ondraaglijke smart, waartegen hij weerloos was. Hij moest zijn blik afwenden. Keck, naast hem, begon weg te kruipen.

'Geef ze op hun donder, sergeant!' riep George Band opgewekt. 'Geef ze ervan langs!'

Keck stopte even en keek om. 'Ja, ja,' zei hij.

De drie groepen, versterkt met drie soldaten, lagen nu enigszins afzijdig van de rest van het peloton. Qua houding en gelaatsuitdrukking deden de meesten sterk denken aan schapen die naar de slachtbank worden geleid. Ze wachtten. Keck hoefde slechts naar ze toe te kruipen en hun de laatste instructies te geven. 'Oké, jongens, daar gaan we dan. We vertrekken in groepjes van vier. Verplaatsen met sprongen heeft geen zin; zodra je vaart mindert vorm je een beter doelwit. Rennen dus, het hele eind. We hebben geen keus. Ze hebben ons hiervoor aangewezen, dus we moeten gaan. Ik vertrek met de eerste vier om jullie te laten zien hoe eenvoudig het is. Charlie Dale gaat met mij mee. Dale? Dan kun jij de lui die daar liggen aanvoeren. We gaan.'

Hij kroop naar het punt vanwaar ze zouden vertrekken, even voorbij de plaats waar het groepje officieren en manschappen van de CP lagen, en op dit moment deed zich bij de C-compagnie het eerste geval van openlijk getoonde lafheid voor, als je dat zo tenminste kon noemen en als je sergeant Stack niet meetelde. Een forse, mooi gespierde Italiaanse dienstplichtige, een zekere Sico uit Philadelphia, bleef plotseling zitten; hij hield zijn buik vast en kreunde. De rij achter hem kwam tot stilstand en toen iemand riep, hielden de mannen voor hem ook stil. Zijn groepscommandant Beck kroop naar hem toe. Beck was nog erg jong, maar toch een echte dienstklopper. De geweren van zijn groep waren bij inspectie altijd het allerschoonst geweest sinds hij na zes dienstjaren bij de compagnie was gekomen en meteen het bevel erover had gekregen. Hij was niet echt een rotvent, maar wel streng. Op andere gebieden was hij bepaald niet intelligent, zijn interesses waren zeer beperkt; het leger was zijn leven. Nu schaamde hij zich omdat dit met iemand uit zijn groep gebeurde. Hij was woedend. 'Godverdomme, Sico, sta op,' zei hij met een strenge commandostem. 'Of ik schop je zo hard in je buik dat je je pas goed beroerd voelt.'

'Ik kan niet opstaan, sergeant,' zei Sico. Zijn gezicht was grotesk vertrokken. En zijn ogen waren poelen van angst, bodemloos, triest en een beetje schuldig. 'Als ik kon ging ik mee. Dat weet u toch. Ik ben ziek.'

'Ziek, me reet,' zei Beck, die weinig vloekte, laat staan het woord godverdomme in de mond nam.

'Wacht even, Beck,' zei Keck. 'Wat heb je, Sico?'

'Ik weet het niet, sergeant. Last van mijn maag. Buikpijn. En kramp. Ik kan niet omhoogkomen. Ik ben ziek,' zei hij, terwijl hij Keck smekend aankeek met die donkere, gemartelde gaten van ogen. 'Ik ben ziek,' zei hij nogmaals en als om het te bewijzen begon hij te kotsen. Hij deed niet eens pogingen zijn hoofd af te wenden, zodat het braaksel uit zijn mond borrelde en over zijn overhemd liep en over zijn handen die hij tegen zijn buik hield. Hij keek Keck hoopvol aan, maar wekte ook de indruk dat hij zo nodig bereid was dit nogmaals te doen.

Keck bestudeerde hem even. 'Laat hem maar,' zei hij tegen Beck. 'Kom mee. Een hospik zal je wel verzorgen, Sico,' zei hij tegen hem.

'Dank u, sergeant,' zei Sico.

'Maar...' begon Beck.

'Ik weet wat ik doe,' zei Keck, die al verder kroop.

'Oké,' zei Beck en hij volgde hem.

Sico bleef zitten en keek naar de mannen die langs hem heen trokken. De hospiks zorgden inderdaad voor hem; de jongste van de twee die al even ernstig keek als zijn gebrilde, verlegen superieur, kwam hem halen en Sico wankelde voorovergebogen van pijn, met zijn handen voor zijn buik, met hem mee. Af en toe kreunde hij luid en hij kokhalsde nu en dan, maar vond het blijkbaar niet nodig nog eens te braken. Zijn gezicht leek vervallen, zijn ogen staarden, alsof ze een geest hadden gezien. Niemand zou hem er ooit van overtuigen dat hij niet echt ziek geweest was. Als hij in het voorbijgaan mannen van Charlie zag, keek hij hen smekend aan, alsof hij om begrip vroeg. Zij keken met neutrale gezichten terug. Er werden geen minachtende blikken geworpen. Integendeel, hun bezwete, van angst vertrokken gezichten stonden eerder onnozel en een tikje jaloers, alsof ze zijn voorbeeld graag hadden gevolgd, maar betwijfelden of zij het er zo goed zouden afbrengen. Sico, die deze blik wel begreep, voelde zich er blijkbaar niet door gesterkt. Hij wankelde verder, ondersteund door de hospik, en de mannen van Charlie zagen hem voor het laatst toen hij achter de tweede terreinplooi verdween.

Inmiddels was voor Kecks mannen het spitsroeden lopen begonnen. Keck ging als eerste met Dale en twee soldaten. Iedere groepscommandant, eerst Milly Beck, toen McCron, hield toezicht terwijl zijn mannen in groepjes van vier de helling afrenden. Ze bleven allen ongedeerd op twee uitzonderingen na. Een was een 'boerenjongen' uit Mississippi, een man van bijna veertig, van wie niemand in de compagnie iets wist omdat hij nooit praatte. Hij was op slag dood. Maar met de ander gebeurde voor het eerst die dag iets wat iedereen erg vond.

Eerst dachten ze dat de tweede man ook dood was. Hij was onder het rennen geraakt, tegen de grond gesmakt en precies als de man uit Mississippi roerloos blijven liggen. Dat was dat. Als iemand op slag dood was, kon niemand er meer iets aan doen. De man had opgehouden te bestaan. De anderen leefden verder, zonder hem. De gewonden daarentegen werden geëvacueerd. Zij zetten hun levens ergens anders voort. Ze zouden elders doorleven of alsnog sterven. En dus hielden ook zij op te bestaan voor de mannen die achterbleven en hen snel vergaten. Zonder een vurig geloof in een Walhalla was dit nog de beste manier om het probleem op te lossen. Maar soldaat Alfredo Tella uit Cambridge, Massachusetts, die zoals hij vaak schertsend verklaarde nooit de aldaar gevestigde Harvard-universiteit had bezocht, maar wel heel wat putjes aan de voet van de met klimop begroeide muren had leeggeschept, vormde een uitzondering.

Tella was niet onmiddellijk gaan gillen; zijn gegil was althans op Bugger Steins CP pas hoorbaar geworden, toen Kecks aanval al grotendeels was uitgevoerd. En in die tussentijd gebeurde er nogal wat.

Voorlopig was er voor wie over de rand van de terreinplooi keek nog niet veel te zien. Er lagen twee nieuwe lijken op de helling en dat was alles. Keck en zijn rennende mannen waren weggedoken in het hoge gras en daar schijnbaar spoorloos verdwenen. De Japanners hadden het vuren gestaakt. Boven de met gras begroeide rug heerste stilte – als men tenminste het onafgebroken geknetter en geknal hoog in de lucht niet meerekende, waar explosies nog altijd tegen elkaar op botsten. Bij de derde terreinplooi lagen de mannen van de CP te wachten en te kijken.

Helaas had men bij de Japanse zware mortieren die de hoge punten van de Olifantskop nog krachtig bezet hielden, de naar voren gerichte beweging van de Amerikaanse troepen ook opgemerkt. Op het vlakke terrein tussen de plooien ontplofte een mortiergranaat. Deze raakte niemand, maar er kwamen er meer. Mortiergranaten lieten nu om de minuut hun fonteinen van doodsangst, zand en scherven omhoogspuiten, terwijl de Japanse schutters het terrein afzochten, zoekend naar Amerikaans vlees. Het was nog geen barrage, maar het vrat aan de zenuwen en enkele mannen raakten gewond. Het gevolg was dat slechts enkelen, zoals Stein, Band en Welsh, Kecks aanval konden zien. De meesten lagen zo plat mogelijk op de grond.

Stein beschouwde het als zijn plicht om te kijken, te observeren. Trouwens, wat dekking betrof had je hier weinig keuze. Er waren geen dekkingsgaten en het ene vlakke plekje was even goed als het andere. Dus lag hij met alleen zijn helm en zijn ogen boven de rand van de plooi te wachten en te kijken. Hij kon niet ontkomen aan het sterke voorgevoel dat er binnenkort een mortiergranaat midden in zijn rug zou ontploffen. Hij wist niet waarom ook Band besloot te blijven kijken, maar hij vermoedde dat hij het deed in de hoop nieuwe gewonden te zullen zien. Stein besefte dat het niet netjes van hem was zoiets te denken. En wat Welsh betrof, Stein had geen idee waarom die vent met zijn platte, uitdrukkingsloze gezicht het risico nam om te kijken, vooral nadat hij met niemand een woord had gewisseld nadat hij zijn Thompson aan Keck had gegeven. Zo lagen ze daar met z'n drieën, terwijl er ergens achter hen een mortiergranaat explodeerde en een minuut later weer een en na nog een minuut opnieuw een. Na geen van de explosies klonk gegil.

Toen ze eindelijk de mannen zagen, waren die op ongeveer een derde van de helling. Keck was erin geslaagd zijn mensen zo ver te brengen zonder dat ze werden opgemerkt. Nu kwamen ze overeind en begonnen in een rij, die in het midden een beetje doorboog, als een touw dat onder zijn eigen gewicht zakt, al schietend de helling te bestormen. Bijna onmiddellijk vuurden de Japanners terug, waarop er direct mannen neervielen.

Als soldaat Alfredo Tella uit Cambridge al had gegild voor het zover was, dan had niemand hem gehoord. En nu hadden de aanvallers en de toeschouwers slechts belangstelling voor het gevecht, zodat er nog niemand was die hem hoorde.

Het gevecht duurde kort, maar er gebeurde van alles. Toen Keck in de defilade was aangekomen, had hij eerst gezorgd dat Dale de ongeorganiseerde groep soldaten die hier lag, verzamelde. Daarna had hij, in het hoge gras liggend, de aankomende soldaten naar rechts gedirigeerd. Nadat ze een linie hadden gevormd had hij het bevel om te kruipen gegeven. Het gras dat hier bijna tot borsthoogte reikte, had een warrige onderlaag van aaneengegroeide dorre stengels. Ze stikten er bijna van het stof, armen en voeten raakten telkens verward in de halmen, en ze hadden totaal geen uitzicht. Gedurende wat hun een eeuwigheid toescheen kropen ze. Het was enorm inspannend. De meesten hadden hun hele watervoorraad verbruikt en dat was een van de voornaamste redenen waarom Keck hen na een poos liet stoppen. Naar zijn schatting waren ze nu halverwege de helling en hij wilde niet dat er mannen zouden flauwvallen. Terwijl Keck lag uit te rusten om wilskracht te verzamelen, dacht hij aan de gezichten van de mannen toen ze aan de voet van de helling waren aangekomen en wegdoken in het gras: verwilderde koppen met ogen waarin slechts het wit te zien was, wijd opengesperde monden, de huid rond de ogen strak gespannen. Ze waren allemaal doodsbang geweest. Keck voelde met hen even weinig medelijden als met zichzelf. Hij was ook doodsbang. Diep ademhalend stond hij plotseling op uit het gras en schreeuwde: 'Overeind! Overeind en NAAR VOREN!'

De mannen achter de rand van de terreinplooi konden de operatie uitstekend volgen. Voor degenen die zich op de heuvelrug zelf bevonden was dit minder eenvoudig. Maar John Bell, die met zijn geweer in de hand stond en probeerde te schieten terwijl hij door het stugge gras liep, zag toch verschillende belangrijke dingen. Zo was hij bijvoorbeeld de enige die zag dat sergeant McCron zijn gezicht met zijn handen bedekte en huilend in het gras ging zitten. Toen ze zich hadden opgericht, was het Japanse vuur het eerste moment zo hevig, dat het een ontreddering veroorzaakte zoals je voelt in een door een stormwind voortgedreven hagelbui. De Japanners waren slim geweest; ze hadden gewacht met vuren tot ze doelen hadden om op te schieten. Vier mannen uit McCrons groep waren onmiddellijk neergevallen. Rechts kreeg een jonge dienstplichtige, Wynn, een kogel in zijn keel en hij gilde met ongelovige, van doodsangst sidderende stem 'o, mijn god!' toen er een straal bloed uit zijn hals spoot. Hij sloeg met de houterige bewegingen van een marionet tegen de grond en verdween in het gras. Naast hem kreeg soldaat eersteklas Earl, die wat kleiner van stuk was, een kogel vol in het gezicht, misschien van hetzelfde mitrailleursalvo. Hij plofte geluidloos neer, kijkend als iemand die een rotte tomaat op zijn gezicht uiteen voelt spatten. Links van Bell sloegen er nog twee tegen de grond, gillend van angst dat ze geraakt waren. Dit alles greep McCorn blijkbaar te heftig aan; hij had zijn jongens zoveel maanden achtereen bemoederd en nu liet hij zijn geweer vallen en ging huilend op de grond zitten. Bell was verbaasd dat hij zelf nog niet dodelijk verwond was. Hij kon maar aan één ding denken, en dat was verdergaan. Hij moest verder. Als hij ooit terug wilde komen bij zijn vrouw Marty, als hij haar ooit nog wilde zien, haar zoenen, zijn hoofd tussen haar borsten leggen, of tussen haar benen, haar liefkozen en likken en strelen, dan móest hij verder. En dat betekende dat hij ervoor moest zorgen dat de anderen meegingen, want het had geen zin om alleen verder te gaan. De aanval zou een keer ophouden. Er moest een bepaald tijdstip zijn waarop er een eind aan zou komen. Met luide, schril uitschietende stem begon hij de rest van McCrons groep aan te moedigen. Toen hij omkeek zag hij dat Milly Beck, die een eindje achter hem wat meer naar het midden liep, met een van haat vertrokken gezicht zijn mannen voortdreef. Bell was geschokt: Beck was anders altijd zo beheerst en sprak bijna nooit met stemverheffing. Nog wat lager liep Keck, luid brullend en omhoogvurend met de Thompson van Welsh. Een dwaas zinnetje schoot Bell te binnen en hij begon de anderen luid en zinloos toe te roepen: 'Voor Kerstmis thuis! Voor Kerstmis thuis!'

Verder. Verder. Het was een belachelijke kreet, een dwaas idee waarvan hij zich later zou afvragen hoe hij er ooit op was gekomen. Als hij inderdaad levend thuis wilde komen, dan zou het toch zeker het beste zijn zich in het hoge gras schuil te houden en niet verder te gaan.

Charlie Dale, helemaal links, ontdekte de eerste mitrailleurstelling, de eerste die ze echt zagen. De stelling was niet meer dan een gewoon gat in de grond, afgedekt met stokken en kunaigras en met maar één mitrailleur erin. Uit het donkere gat zag hij de vuurspuwende loop opdoemen. Dale was waarschijnlijk de koelste van het hele stel. Hij was een man zonder fantasie en had zijn groep snel verzameld. Het bleek dat de mannen graag bereid waren zijn gezag te aanvaarden, zolang hij ze maar vertelde wat ze moesten doen. Nu moedigde hij ze aan, maar niet loeiend en brullend, zoals Keck en Bell. Dale vond dat het een veel betere indruk maakte als een onderofficier niet zo tekeerging. Tot dusver had hij nog geen schot gelost. Waarom ook? Er was niets waarop hij kon vuren. Maar toen hij de stelling zag, ontzekerde hij snel zijn Thompson en schoot er van twintig meter afstand een heel magazijn op leeg. Maar plotseling, voor hij de trekker kon loslaten, haperde het wapen. Zijn salvo was echter al voldoende om de mitrailleur in ieder geval tijdelijk het zwijgen op te leggen. Dale rende erheen terwijl hij een granaat uit zijn zak haalde. Vanaf tien meter slingerde hij die weg als een honkbalwerper, waarbij hij zijn arm gemeen verrekte. De granaat verdween het gat in en stokken, graspollen en drie slappe poppen zeilden door de lucht terwijl de mitrailleur kantelde. Zijn lippen aflikkend keek Dale om naar zijn groep; zijn kraalogen glommen van trots. 'Kom op, jongens,' zei hij, 'we gaan verder.'

Het was bijna afgelopen. Aan de rechterzijde ontdekte soldaat eersteklas Doll samen met een andere man nog een kleine stelling. Ze schoten er allebei een patroonhouder op leeg. Doll gooide een granaat in het gat en scoorde zo de gelijkmaker in de zwijgend uitgevochten wedstrijd tussen hem en Charlie Dale, ook al was hij dan niet benoemd tot tijdelijk sergeant. Wat zal die opkijken, dacht hij tevreden, want hij wist niet dat ook Dale er een had vernietigd. Maar zijn blijheid was van korte duur en die van de anderen ook. Ze moesten verder en het buiten gevecht stellen van twee mitrailleurs maakte weinig verschil; het Japanse vuur bleef bijna net zo hevig. Nog steeds werden er mannen geraakt. Ze hadden nog geen enkele belangrijke bunker opgespoord. Recht voor hen, ongeveer dertig meter verder, bevond zich een rotsrichel die zich langs hun hele front uitstrekte. Instinctief rende iedereen daarheen terwijl Keck achter hen hijgend het zinloze bevel brulde: 'Die richel! Allemaal naar die richel!'

Allemaal doken ze achter de beschermende richel, hoorbaar snakkend naar adem. Het geklim in deze hitte en alle emoties hadden te veel van hen gevergd. Enkele mannen braakten. Iemand bereikte de richel, maakte een kort, gorgelend geluid, toen draaiden zijn ogen in hun kassen en viel hij bewusteloos achterover. Er was niets waarmee ze hem schaduw konden verschaffen. Beck, de fanatiekeling, maakte zijn koppel en zijn uniform los. Daarna lagen ze in de blakerende middagzon achter de richel en roken het hete, naar zomer geurende stof. Om hen heen zoemden insecten. Het vuren was gestaakt.

'Tja, wat doen we nou, Keck?' vroeg een van hen ten slotte.

'We blijven hier gewoon liggen. Misschien sturen ze ons versterkingen.'

'Haha! Om wat te doen?'

'Om die rotstellingen hier te veroveren!' riep Keck klagend. 'Wat dacht je dan?'

'Bedoel je dat jij nog verder wilt gaan?'

'Ik weet het niet. Nee. Niet met de aanval om de hele heuvel te veroveren. Maar als wij versterking krijgen, dan zouden we hier wat kunnen verkennen en misschien ontdekken waar die vervloekte mitrailleurstellingen zijn. In ieder geval kunnen we beter hier liggen dan teruggaan. Of wou jij soms terug?'

Niemand reageerde hierop en Keck vond het niet nodig zijn standpunt toe te lichten. Ze telden de koppen en ontdekten dat er twaalf man, gedood of gewond, op de helling waren achtergebleven. Dat was bijna een hele groep, bijna een derde van hun totale sterkte. McCron ontbrak ook. Toen Bell vertelde wat er met McCron was gebeurd, benoemde Keck Bell in diens plaats tot tijdelijk sergeant, wat Bell steenkoud liet. 'Hij moet maar op zichzelf passen, net als de gewonden,' zei Keck. Ze bleven liggen in de hete zon. Mieren kropen rond in het zand aan de voet van de richel.

'Wat doen we als er een hele groep Jappen komt die ons hier naar beneden gooit?' vroeg een van hen.

'Dat lijkt me niet waarschijnlijk,' zei Keck. 'Zij zijn er slechter aan toe dan wij. Maar we kunnen beter een wachtpost uitzetten. Doll.'

Bell lag met zijn gezicht tegen de rots naar Witt te kijken. Witt beantwoordde zijn blik. Zwijgend lagen ze in de met insectengegons gevulde stilte naar elkaar te staren. Bell overwoog dat Witt er goed doorheen was gekomen. Net als hijzelf. Welke macht bepaalde of die ene man of die andere zou worden getroffen en gedood? Het door Bugger opgezette aanvalletje was nu voorbij. Als dit een film was, bedacht hij, zou dit het einde zijn en zou er iets beslissends zijn gebeurd. In een film of een boek zou het verhaal worden opgebouwd naar de dramatische climax van de aanval en als die aanval dan kwam, was dat een bevredigend moment. Een moment van beslissende betekenis, dat tenminste oppervlakkig gezien zinvol was en beladen met emotie. En onmiddellijk daarna was het voorbij. Het publiek kon naar huis gaan en nadenken over de betekenis van zo'n gebeurtenis en de erdoor opgewekte gevoelens. Zelfs als de held sneuvelde, bleef het zinvol. Kunst, dacht Bell, scheppende kunst; wat een flauwekul.

Naast hem kwam Witt, die blijkbaar geen last had van dit soort problemen, overeind tot hij op z'n knieën zat en stak zijn hoofd voorzichtig over de rand. In Bells hoofd maalde het maar door.

Hier was geen sprake van enige betekenis en niets leek zinvol. En de gevoelens waren zo talrijk en zo tegenstrijdig dat ze onontwarbaar waren geworden en er geen touw meer aan vast te knopen was. Er was niets beslist, niemand was iets wijzer geworden. Maar het belangrijkste was dat er niets door was beëindigd. Zelfs al hadden ze de hele heuvelrug veroverd, dan nog zou dat het einde niet zijn geweest. Want morgen of de dag daarna of de dag daar weer na zouden ze bevel krijgen dit alles te herhalen – en misschien zelfs onder nog slechtere omstandigheden. Dat idee was zo overweldigend, zo verdovend, dat het Bell tot in zijn diepste wezen trof. Eiland na eiland, heuvel na heuvel, bruggenhoofd na bruggenhoofd, jaar in, jaar uit. Het was een verpletterende gedachte.

Eens zou er natuurlijk wel een einde aan komen en dat einde zou voor hen, door het verschil in industriële productie, wel de overwinning inhouden. Maar dat toekomstige moment had geen enkel verband met welk individu ook dat nu aan de strijd deelnam. Aan het eind zouden er genoeg mannen over zijn, maar geen enkele individuele soldaat *kon* het overleven. De hele zaak was zo omvangrijk, zo gecompliceerd en technologisch dat één enkel individu daarin onmogelijk van betekenis kon zijn. Alleen groepen, combinaties van individuen telden mee, alleen *aantallen* mannen.

Het gewicht van dit idee was enorm, bijna te zwaar om te dragen en Bell wilde zijn geest ervan afkeren. Vrije individuen? Onzin. Ergens tussen het moment waarop de eerste mariniers hier waren geland en de strijd van vandaag, had zich het karakter van de Amerikaanse oorlogvoering gewijzigd. Dit was geen individualistische oorlog meer, maar een collectivistische – of was dat slechts verbeelding, kwam het soms alleen voort uit het feit dat hij er nu zelf aan deelnam? Maar vrije mensen, vrije individuen? Wat een belachelijke mythe! *Aantallen* vrije individuen misschien, collectieven van vrije individuen. En ten slotte werd de conclusie van Bells ernstige overpeinzingen duidelijk.

Tijdens een onbepaald moment tussen gisteren rond deze tijd en het heden was het plotseling – zonder dat hij er systematisch over had nagedacht – helder geworden dat John Bell statistisch, wiskundig, rekenkundig, hoe je het ook zag, deze oorlog onmogelijk kon overleven. Het was onmogelijk dat hij naar zijn vrouw, Marty, zou terugkeren. En dus maakte het eigenlijk geen verschil meer wat Marty deed, of ze hem trouw bleef of niet, want hij zou er toch niet meer zijn om haar te beschuldigen, haar aan te klagen.

Het gevoel dat deze openbaring in Bell wakker riep had niets te maken met zelfopoffering, aanvaarding of resignatie, met vrede en rust. Integendeel, het was een irritant gevoel, een schrijnend gevoel van hopeloze, machteloze wanhoop, dat een verlangen in hem opriep om rond te kruipen en zijn heupen en zijn rug tegen de stenen te wrijven om de jeuk te verdrijven. Zijn gezicht lag nog steeds tegen de rots.

Witt, die geknield naast hem lag en over de rand uitkeek, begon plotseling te schreeuwen en tegelijkertijd gilde Doll van de andere kant.

'D'r komt wat aan!'

'Ze komen eraan! Ze komen eraan!'

Het groepje achter de richel kwam als één man in beweging, het geweer in de aanslag. Op veertig meter afstand renden zeven hongerig uitziende Jappen met gehelmde hoofden en kromme benen over onbegroeid terrein in hun richting; allemaal met een handgranaat in hun rechter en het geweer met de bajonet in de linkerhand. Ook Kecks Thompson was, nadat hij bij de beklimming zowat al zijn munitie had verschoten, onklaar geraakt. Geen van de pistoolmitrailleurs was nog schietklaar te krijgen. Maar het geconcentreerde geweervuur vanaf de richel maakte korte metten met de zeven Japanners. Slecht één kreeg de kans om zijn handgranaat te werpen, maar die kwam niet ver genoeg en was een blindganger. Op het ogenblik dat de blindganger had moeten ontploffen, klonk er achter hen een luide, daverende en toch gedempte explosie. Opgewonden door de aanval bleven ze schieten op de zeven gestalten op de helling. Toen ze ophielden was er slechts in twee lichamen wat beweging te zien. Witt, de man uit Kentucky, legde in de plotselinge stilte nog eens nauwkeurig aan en schoot in beide lijven nog een kogel. 'Je weet het nooit met die verraderlijke harakirigekken,' zei hij. 'Ook als je ze geraakt hebt, ben je nog niet van ze af.'

Bell herinnerde zich als eerste de explosie achter hen en draaide zich om om te zien waardoor die was veroorzaakt. Hij zag sergeant Keck op zijn rug liggen met gesloten ogen, in een vreemde groteske houding, de ring en veiligheidspin van een handgranaat nog in zijn rechterhand. Bell riep hem iets toe, rende op hem af en toen draaiden ze hem voorzichtig om en ontdekten dat ze niets meer voor hem konden doen. Zijn hele rechterbil en een stuk van zijn rug waren weggerukt. Een deel van zijn inwendige organen was zichtbaar, pompte nog en deed blijkbaar zijn werk alsof er niets was gebeurd. Uit de grote open wond kwamen voortdurend golven bloed. Ze legden hem voorzichtig weer neer.

Het was duidelijk wat er gebeurd was. Tijdens de aanval had Keck, waarschijnlijk omdat zijn Thompson niet meer werkte, naar zijn heupzak gegrepen om een granaat te pakken. En in zijn opwinding had hij het ding beetgepakt bij de ring van de veiligheidspin. Bell werd vervuld van een duizelig makende angst, terwijl hij dacht aan Keck die daar gestaan moest hebben, kijkend naar de pin in zijn hand. Keck was uit het groepje teruggesprongen en tegen een kleine zandhoop gaan zitten om de anderen te beschermen. En toen was de granaat afgegaan. Keck protesteerde niet toen ze hem bewogen. Hij was bij bewustzijn, maar wilde blijkbaar niet praten en gaf er de voorkeur aan zijn ogen gesloten te houden. Twee van hen gingen bij hem zitten en probeerden hem toe te spreken, terwijl de anderen terugkeerden naar de richel, maar Keck antwoordde niet en hield zijn ogen dicht. De spiertjes bij zijn mondhoeken trilden spasmodisch. Hij opende slechts één keer zijn mond. Met gesloten ogen zei hij heel duidelijk: 'Wat een stomme rekrutenstreek!' Vijf minuten later hield hij op met ademhalen. De mannen gingen terug. Milly Beck, de oudste aanwezige onderofficier, voerde nu het bevel.

Stein had vanaf de top van de derde tereinplooi de dwaze tegenaanval van de Japanners gezien. De zeven Jappen waren van achter een enorm vooruitstekend rotsblok te voorschijn gekomen, al dravend en reeds te dicht bij de Amerikanen om het Stein mogelijk te maken zijn ene mitrailleur te gebruiken. Die tegenaanval was bovendien toch gedoemd te mislukken. Waarom hadden ze die uitgevoerd? Als ze Steins peloton van de richel wilden verdrijven, waarom hadden ze dan geen massale aanval ingezet? Waarom juist die zeven man? En waarom kwamen ze over open terrein? Ze hadden door het hoge gras kunnen sluipen tot ze vlak bij Keck waren, om vandaar hun handgranaten te werpen. Hadden die zeven man dit op eigen houtje gedaan, zonder dat iemand er bevel toe had gegeven? Of waren het waanzinnige, religieuze vrijwilligers die een of ander Nirwana wilden bereiken, of hoe ze dat ook noemden? Stein begreep ze niet en had ze nimmer begrepen. Hun ongelooflijk verfijnde theeceremonie; hun uitzonderlijk gevoelige schilderwerk en gedichten; hun waanzinnig wrede, sadistische onthoofdingen en martelingen. Hij was een vreedzaam man. Ze joegen hem schrik aan. Toen het geweervuur van het peloton het zevental zo vlot opruimde, verwachtte hij dat er nog een tweede, grotere aanval zou volgen, maar eigenlijk voelde hij intuïtief al aan dat dat niet zou gebeuren en hij had gelijk.

Stein had niet gedacht dat er bij de kleine aanval iemand gewond zou zijn geraakt en dus was hij zeer verwonderd toen de mannen ineens rondom een figuurtje dat op de grond lag stonden. De richel lag iets boven het punt waar hij zich bevond en op die afstand – meer dan tweehonderd meter – was het onmogelijk om te zien wie de gewonde was. Hij hoopte vurig dat het niet Keck zou zijn, toen hij Band toeriep hem zijn verrekijker terug te geven. Hij stelde in en zag meteen dat het Keck wel was. Op dat moment floot een geweerkogel op enkele centimeters van zijn hoofd voorbij. Hij schrok hevig, liet zich vallen en rolde tweemaal om naar links. Hij had er niet aan gedacht de lenzen af te schermen en de schittering had zijn positie verraden. Daarom legde hij er nu zijn handen omheen, zag dat Keck dood was en dat sergeant Beck naar hem keek – of in ieder geval in zijn richting keek – en met hand en arm het oude velddienstteken gaf dat hij versterking nodig had. Vijfendertig meter achter Stein explodeerde opnieuw een mortiergranaat en iemand gilde. En weer zocht Stein dekking.

De uitputting, spanning en angst maakten Stein doodmoe. Toen hij op zijn horloge keek, kon hij nauwelijks geloven dat het al na enen was. Plotseling had hij een razende honger. Hij legde de kijker neer, haalde een D-rantsoen te voorschijn en knabbelde daar even op, maar hij kon de chocola niet doorslikken omdat zijn mond te droog was door gebrek aan water. Het grootste deel spuugde hij weer uit. Toen hij opnieuw door de verrekijker keek, zag hij dat Beck nog steeds hetzelfde gebaar maakte, er toen opeens mee ophield en zich omdraaide. Stein vloekte. De kleine aanval met drie groepen was mislukt en vastgelopen. Er waren te weinig mannen ingezet. Stein betwijfelde of hij eigenlijk wel genoeg mannen voor een behoorlijke aanval had. Kort daarvoor had hij gezien hoe twee hele pelotons van de Baker-compagnie, die op de linker heuvelrug hadden aangevallen, terug kwamen draven nadat ze een mislukte aanval op de Kegelbaan hadden gedaan om de rechtse begroeide heuvelrug uit de flank te kunnen bestoken. En Beck wilde versterkingen!

Die hele verrekte heuvelrug was één grote massa mitrailleursnesten, gewoon een vesting. Hijzelf naderde snel het punt waarop hij van geestelijke uitputting in elkaar zou storten. Het was heel moeilijk om tegenover je mannen te doen alsof je geen vrees kende en voelde, terwijl je tot aan je nek toe één bonk angst en schrik was. En Beck vroeg om versterkingen!

Stein had met tranen in de ogen toegekeken toen Keck zijn drie miserabele groepjes tegen die verdomde heuvelrug had laten optrekken. George Band had naast hem gelegen en vol enthousiasme door de kijker de bewegingen van de aanvallers gevolgd, met een harde glimlach op zijn gezicht. Maar Stein had tranen in zijn ogen en een brok in zijn keel, en hij had snel zijn ogen moeten afvegen. Hij zag persoonlijk elk van de twaalf man neergaan. Het waren zijn mannen, het was zijn verantwoordelijkheid, en hij had tegenover hen gefaald bij elke man die viel. En nu moest hij er nog meer heensturen.

Hij zou natuurlijk de twee nog resterende groepen van het tweede peloton kunnen zenden en dan het reservepeloton op de top leggen om dekkingsvuur te geven. Dat zou misschien wel lukken. Maar voor hij ertoe overging, wilde hij eerst met overste Tall praten en diens mening en instemming vragen. Stein wilde de verantwoordelijkheid niet weer alleen dragen. Hij rolde zich op zijn andere zij en maakte korporaal Fife met gebaren duidelijk dat hij hem de radio moest brengen. Mijn god, hij was doodop. Juist op dat moment hoorde Stein voor het eerst de dunne, hoge gilgeluiden uit de kleine vallei.

Ze leken afkomstig van een waanzinnige. Wat aan volume ontbrak, en dat was nogal wat, werd goedgemaakt met doordringendheid en tijdsduur. De gillen kwamen in series, waarbij elke kreet minstens vijf volle seconden duurde en het geheel zeker dertig seconden. Daarna heerste er stilte onder het daverende lawaai daarboven, dat hen voortdurend omhulde.

'Jezus christus,' zei Stein geschrokken. Hij keek naar Band, die terugkeek met strakke ogen waarin de pupillen heel groot waren geworden.

'Godallemachtig,' zei Band.

Van ergens beneden hen kwam opnieuw die schelle serie gillen. Stein vond de man zonder moeite met de kijker, die hem heel dichtbij bracht, te dichtbij. Hij was bijna aan de voet van de helling neergevallen, niet ver van die ander, Catt uit Mississippi, die door de kijker gezien beslist dood was. Nu trachtte de man terug te kruipen. Hij was in zijn kruis geraakt door een vuurstoot van een zware mitrailleur. Heel zijn buik was opengereten. Hij lag op zijn rug, met zijn hoofd hellingopwaarts, en probeerde met beide handen op zijn buik zijn ingewanden bijeen te houden en tegelijkertijd centimeter voor centimeter de helling op te komen door zich met zijn voeten af te duwen. Stein zag de blauw geaderde lussen van uitpuilende darmen tussen de bloederige vingers. De man was zijn helm kwijtgeraakt en had het hoofd ver in de nek geworpen, zijn mond en ogen stonden wijd open en hij staarde recht naar boven, naar Stein, alsof hij het Beloofde Land zag. Terwijl Stein hem gadesloeg, hield hij zijn opwaartse beweging in, legde zijn hoofd plat neer, sloot zijn ogen en slaakte weer een serie hartverscheurende gillen. Daarna rustte hij, slikte en gilde iets anders.

'Help, help me!' hoorde Stein. Hij voelde zich misselijk en duizelig worden, liet zijn kijker zakken en gaf hem aan Band.

'Tella,' zei hij.

Band keek lange tijd, daarna liet ook hij de verrekijker zakken. Er lag een doffe, bange blik in zijn ogen toen hij Stein aankeek. 'Wat moeten we doen?'

Stein probeerde een antwoord te bedenken maar voelde opeens dat iets zijn been raakte. Hij gilde en sprong op, terwijl een panische schrik door zijn lichaam jaagde. Hij draaide zich bliksemsnel om en keek langs de helling omlaag in de door angst beheerste ogen van korporaal Fife, die hem de radio toestak. Stein was te geschrokken om schaapachtig te lachen of woedend te worden en wuifde het toestel ongeduldig weg. 'Nu niet. Nu niet.' Hij riep om een hospik; een van de twee was al onderweg. Van beneden kwam weer dat waanzinnige gegil, net als tevoren, onveranderd.

Stein en Band waren niet de enigen die het gillen hadden gehoord. Het gehele restant van het tweede peloton dat langs de top van de terreinplooi lag had het gehoord. Evenals de hospik, die nu in gebogen houding langs de top naar Stein toe rende. Fife had het gegil eveneens gehoord.

Toen de commandant hem met zijn radio had weggewuifd, was Fife in elkaar gezakt op de plaats waar hij zich bevond en hij lag zo plat als maar mogelijk was. De mortiergranaten vielen nog steeds regelmatig, met tussenpozen van ongeveer één minuut; soms kon je het zoevende geluid gedurende twee seconden horen, voordat de granaten de aarde raakten en explodeerden; Fife was doodsbenauwd. Hij had zijn denkvermogen volkomen verloren en was een stuk onbeweeglijk protoplasma geworden, dat wel in beweging was te krijgen, maar alleen als daartoe de juiste prikkels werden gebruikt. Sinds het moment waarop hij zich had voorgenomen om precies te doen wat hem was bevolen, maar dan ook precies dat en absoluut niets meer, had hij voortdurend op dezelfde plek gelegen waar hij zich bevond toen Stein om de radio riep. Nu lag hij precies op de plaats waar hij zich had laten vallen en wachtte tot men hem zou zeggen iets anders te doen. Hij werd hierdoor niet echt gerustgesteld, maar hij wilde niets meer doen of zien dan hem werd bevolen. Als zijn lichaam dan niet meer zo best functioneerde, zijn geest werkte nog prima en Fife realiseerde zich dat de overgrote meerderheid van de compagnie precies zo reageerde als hij. Maar er waren nog altijd mannen die om een of andere reden uit zichzelf opstonden en rondliepen en aanboden om dingen te doen, zonder dat het hun werd gevraagd. Fife wist dit omdat hij het had gezien – anders zou hij het niet hebben geloofd. Zijn reactie hierop was een intense heldenverering, doordrenkt van een diep ontzag en voor twee derde bestaande uit bodemloze haat en schaamte. Toen hij probeerde zijn eigen lichaam overeind te krijgen om ook te gaan rondlopen, merkte hij dat hij dit gewoon niet kon. Hij was blij dat hij secretaris was, wiens taak het was voor de verbindingen te zorgen en dat hij geen groepscommandant was, die daar bij Keck, Beck, McCron en de anderen moest zijn. Maar veel liever zou hij secretaris zijn geweest van de staf van het bataljon daar achter op Heuvel 209, of nog liever secretaris van de regimentsstaf, die zich nog onder de palmen aan zee bevond. Het beste van alles moest echter zijn om als secretaris op het hoofdkwartier van het leger in Australië of in Amerika te zitten. Vlak boven hem op de helling kon hij Bugger Stein horen praten met de hospik en hij ving de woorden 'zijn buik opengereten' op. En toen hoorde hij het woord 'Tella'. Het was dus Tella die daar beneden zo akelig lag te gillen. Dit was het eerste concrete nieuws dat tot Fife doordrong sinds de dood van de twee luitenants en Grove. Hij voelde zich misselijk en drukte zijn gezicht in de aarde, terwijl Bugger en de hospik wegliepen om vanaf een ander punt nog eens te kijken. Tella was een tijdlang zijn kameraad geweest. Hij was gebouwd als een Griekse god, niet erg intelligent, maar altijd even opgewekt en vriendelijk. En nu onderging Tella het lot dat Fife zichzelf in gedachten al de gehele morgen had toegeschreven. Fife was misselijk. Het was allemaal zo totaal anders dan in de boeken die hij had gelezen, zoveel *absoluter*. Langzaam, zwetend van angst hief hij eventjes zijn hoofd een ietsje op om met pijnlijke, schrikachtige ogen te kijken naar de twee mannen met de verrekijkers. Ze stonden nog steeds te praten.

'Kun je er iets van zeggen?' vroeg Stein.

'Ja, kap'tein, meer dan genoeg,' antwoordde de hospik. Het was de oudste van de twee, de man die het ernstigst leek. Hij gaf Stein de kijker en zette zijn bril weer op. 'Niemand kan meer iets doen om *hem* te helpen. Hij is dood voor we hem bij een dokter kunnen brengen. En er zit allemaal vuil op zijn ingewanden. Dat is zelfs met sulfapoeder niet goed te maken. Niet in deze wildernis.'

Het duurde even voor Stein sprak. 'Hoe lang nog?'

'Twee uur. Misschien vier, en misschien één of nog minder.'

'Maar jezus, man,' barstte Stein los, '*niemand* van ons kan dat zolang uithouden.' Hij zweeg. 'En dan zeg ik nog niks van hemzelf. En ik kan je ook niet vragen om daar beneden naar hem toe te gaan.'

De hospik bestudeerde het terrein. Hij knipperde een paar keer met zijn ogen achter de brillenglazen. 'Het is misschien te proberen.'

'Maar je zegt zelf dat niemand meer iets voor hem kan doen!'

'Ik kan hem in ieder geval een ampul morfine toedienen.'

'Zou één genoeg zijn?' vroeg Stein. 'Ik bedoel, zou één hem stilhouden?'

De hospik schudde zijn hoofd. 'Niet voor lang, maar ik zou hem ook twee shots kunnen geven en drie of vier ampullen bij hem kunnen achterlaten.'

'En als hij die niet inspuit? Hij ijlt nu al. Kun je ze niet bijvoorbeeld allemaal tegelijk toedienen?' vroeg Stein.

De hospik keek hem recht aan. 'Dat zou zijn dood zijn, kap'tein.'

'O,' zei Stein.

'Dat kan ik niet doen,' zei de hospik. 'Dat kan ik echt niet doen.'

'Oké,' zei Stein verbeten. 'Nou, wil je het proberen?'

Van beneden steeg het onmenselijke gegil weer op, onveranderd, mechanisch, steeds hetzelfde, maar nu tegen het einde een beetje trillerig.

'Mijn god,' zei Stein, 'ik hoop dat hij niet gaat huilen. Verdomme,' schreeuwde hij en hij balde zijn vuisten. 'Mijn hele compagnie zal geen greintje vechtlust overhouden, als we hem niet op een of andere manier tot zwijgen brengen.'

'Ik zal naar hem toegaan, kap'tein,' zei de hospik plechtig. 'Dat is tenslotte mijn taak. En het is beslist de moeite waard, nietwaar kap'tein?' Hij knikte in de richting van Tella. 'De moeite waard om iets te doen aan dat gegil?'

'Godsamme,' zei Stein, 'ik weet het niet.'

'Ik doe het vrijwillig, ik ben al eerder daar beneden geweest. Mij raken ze niet.'

'Maar toen ging je verder naar links, daar is het niet zo erg.'

'Ik doe het vrijwillig,' zei de hospik en hij knipperde met zijn ogen.

Stein wachtte nog vele seconden voor hij zei: 'Wanneer wil je gaan?'

'Kan me niet schelen,' zei de hospik. 'Nu.' Hij kwam overeind, maar Stein hield hem tegen. 'Nee, wacht nog even. Ik kan je beter wat dekkingsvuur geven.'

'Ik ga liever meteen, kap'tein. Des te eerder ben ik ervan af.'

Ze hadden naast elkaar gelegen, hun helmen hadden elkaar geraakt en nu draaide Stein zich een halve slag om om de jongen te kunnen aankijken. Hij vroeg zich af of hij met z'n gepraat hem ertoe had gebracht om zich vrijwillig voor dit karwei aan te bieden. Misschien wel. Hij zuchtte. 'Oké, ga maar.'

De hospik knikte, keek even strak voor zich uit, sprong op en was verdwenen over de top van de terreinplooi.

Het was al bijna voorbij voordat het begon. Hij rende als een vluchtend bosdier omlaag, met zijn medische uitrusting achter zich aanfladderend. Zodra hij de gewonde Tella bereikte, liet hij zich op zijn knieën vallen, terwijl zijn vingers al zochten naar de injectienaald en de ampullen. Voordat hij het beschermkapje van de naald kon krijgen, opende één enkel machinegeweer het vuur vanaf de heuvelrug. Door zijn verrekijker zag Stein hem met een schok de rug rechten, ogen en mond wijd open, het gezicht verslapt, niet zozeer uit ongeloof of mentale schok, als wel door de puur lichamelijke verrassing. Een van de kogels die hem trof en die niet op bot afketste, zag hij door de hospik heen gaan en een knoop meenemen, waardoor zijn blouse een eindje open viel. Stein zag dat hij de nu ontblote naald, opzettelijk of in een reflex, onder de opgerolde mouw in zijn eigen bovenarm stak. Daarna viel hij voorover op zijn gezicht, de naald in zijn handen onder zich verpletterend. Daarna bewoog hij niet meer.

Stein hield de kijker nog steeds op hem gericht en wachtte. Hij had het gevoel dat er nog iets belangrijkers te gebeuren stond, iets wat de hele aarde zou doen beven. Een paar seconden geleden was hij nog springlevend geweest en had met Stein gesproken; nu was hij dood. Zomaar dood. Maar Steins gedachten werden afgeleid door twee dingen voordat ze in die richting verder konden gaan. Eén ervan was Tella, die nu begon te schreeuwen op een hoge, beverige falsettoon, hysterisch en totaal anders dan zijn gegil van zonet. Stein, die hem bijna vergeten was doordat hij ingespannen naar de hospik had gekeken, zag dat hij zich had omgeworpen en met zijn gezicht in de aarde lag. Hij was blijkbaar weer getroffen, want terwijl één met bloed bevlekte hand zijn ingewanden bijeen trachtte te houden, graaide de andere naar een nieuwe wond op zijn borst. Stein bedacht dat als ze toch weer op hem schoten, het beter zou zijn geweest als ze hem hadden gedood. Dit gillende geschreeuw, dat alleen werd onderbroken als hij huilend naar adem moest happen, klonk oneindig veel akeliger dan het gegil ervoor, want het was doordringender en hield langer aan. Maar de Jappen vuurden niet meer. En om te bewijzen dat dit opzettelijk was, klonk van ver een stem met een oosters accent die riep: 'Huil maal, Yank, huil maal...'

Het tweede ding dat Steins aandacht trok was iets wat hij plotseling vanuit zijn ooghoek zag terwijl hij naar Tella keek en zich afvroeg wat hij moest doen. Op de rechter heuvelrug kwam opeens een figuurtje te voorschijn dat naar achteren over het vlakke gedeelte sloop en toen de helling van de terreinplooi begon te beklimmen. Toen hij de kijker op hem richtte, zag Stein dat het sergeant McCron was, die zijn handen wrong en huilde. Over zijn vuile gezicht liepen twee grote witte strepen huid van de ogen naar zijn kin en versterkten en accentueerden zijn ogen, alsof hij de tragische make-up droeg van een acteur in een Grieks drama. Hij naderde terwijl de Japanse mitrailleurs en geweerschutters van alle kanten het vuur op hem openden en rondom hem het zand deden opspuiten. Maar hij liep verder, met opgetrokken schouders, handenwringend en meer lijkend op een oude vrouw bij een opgebaard lijk dan op een infanterist uit de frontlinie. Hij versnelde zijn pas niet en trachtte evenmin de om hem heen fluitende kogels te ontwijken. Woedend, zijn ogen niet gelovend, keek

Stein toe, versteend achter zijn kijker. McCron werd niet geraakt. Toen hij de top van de plooi bereikte, ging hij naast zijn kapitein zitten, nog altijd zijn handen wringend en jankend.

'Dood,' zei hij, 'allemaal dood, kap'tein. Allemaal. Alle twaalf. Twaalf jonge kerels. Ik zorgde voor ze, ik heb ze alles geleerd. Ik heb ze geholpen. En nu zijn ze dood, *dood*!'

Hij sprak blijkbaar alleen over zijn eigen groep die uit twaalf man had bestaan. En Stein wist dat die niet allemaal dood konden zijn.

Hij zat nog steeds rechtop en onbeschermd naast de kapitein, die op zijn buik lag. Maar nu pakte iemand hem bij zijn enkels en trok hem omlaag. Korporaal Fife, die de kotsende Sico had zien gaan en die nu opkeek naar McCron met ogen waarin de vrees zich overduidelijk manifesteerde, had de indruk dat er op het gelaat van de sergeant iets lag wat men misschien geen sluw trekje kon noemen, maar dat toch bewees dat wat hij zei weliswaar de waarheid was, maar niet de gehele waarheid. Het leek Fife dat McCron net als Sico een aanvaardbaar en redelijk excuus had gevonden. Fife werd er niet kwaad om, integendeel, het maakte hem jaloers. Hij snakte ernaar zelf iets te vinden wat hij met succes zou kunnen gebruiken.

Stein voelde klaarblijkelijk zelf ook iets dergelijks. Hij keek nog slechts even naar de handenwringende, huilende, maar nu veilige McCron, draaide zich toen om en riep de hospik.

'Hier ben ik, kap'tein,' zei de jongste hospik, die zich vlak boven hem bevond. Hij was uit zichzelf hierheen gekomen.

'Breng hem naar achteren. Blijf bij hem. En als je daar komt, zeg dan dat we een andere hospik nodig hebben, ten minste één, begrepen?'

'Ja, kap'tein,' zei de jongen op plechtige toon. 'Kom, jongen, ga maar mee. Het komt allemaal in orde.'

'Snap je niet dat ze allemaal dood zijn?' vroeg McCron ernstig. 'Hoe *kan* het dan ooit nog in orde komen?' Maar hij liet zich bij de arm wegvoeren. Het laatste dat de Charlie-compagnie van hem zag was dat hij en de hospik verdwenen achter de tweede terreinplooi, tachtig tot honderd meter achter hen. Enkelen van hen zouden zijn bleke, neurotische gezicht later weerzien in het hospitaal van de divisie, maar de compagnie als geheel zag hem niet meer terug.

Stein zuchtte. Nu deze laatste crisis was opgelost en uit de weg was, kon hij zijn aandacht weer richten op Tella. De Italiaan schreeuwde nog steeds zijn doordringend gegil door de vallei en er klonk in zijn stem geen enkele aanwijzing dat hij het spoedig zou opgeven. Als dit zo doorging zouden ieders zenuwen knappen. Een vluchtig ogenblik had Stein een aanlokkelijk romantisch beeld voor ogen; hij had zijn karabijn gepakt en de stervende man een kogel door het hoofd gejaagd. Dat zag je in de bioscoop en dat las je in de boeken. Maar het droombeeld vervaagde snel, onvervuld. Hij was er de man niet naar en dat wist hij. Achter hem lag zijn reservepeloton, de gezichten in het zand gedrukt. Gespannen, lege, vuile gezichten staarden naar hem; een lange rij witte, gekwelde ogen. Het gegil leek de lucht te versplinteren, het was als het geluid van een enorme cirkelzaag die geweldige eiken blokken doorzaagde en bevende ruggengraten in stukjes kliefde. Stein wist niet wat hij moest doen. Hij kon er niet nog iemand naartoe zenden. Een hete, wilde woede steeg in hem op bij de gedachte dat McCron op zijn gemak zonder een schrammetje door al dat vuur heen was gewandeld. Hij gebaarde woest naar Fife dat hij hem de radio moest aangeven om het gesprek met Tall te voeren dat door Tella's eerste gegil niet was doorgegaan. Op het moment dat hij zijn mond tuitte om te fluiten rees een groot groen voorwerp dat leek op een rotsblok met daarop een klein metaalkleurig steentje ineens van de grond af omhoog. Losse delen flapperden en een luid gebrul weerklonk. Het vreemde voorwerp sprong over de top van de plooi en gromde venijnige obscene woorden voordat Stein het woord Welsh! had kunnen uiten. De majoor holde reeds op volle snelheid de vallei in.

Welsh zag alles vóór zich in een wonderlijke, ongelooflijk scherpe helderheid: de rotsige helling bedekt met dun gras, doorzeefd met gaten van granaten en kogels, het hete, heldere zonlicht in de diepblauwe hemel, de ongelooflijk witte wolken boven de hoge, torenhoge kop van De Olifant, de gele rust van de heuvelrug vóór hem. Hij wist niet hoe het kwam dat hij dit deed en ook niet waarom. Hij was alleen maar woedend, vervuld van een diepe, zwarte, bittere haat tegen alles en iedereen op deze hele, verrekte strontwereld. Hij voelde niets. Gedachteloos rende hij verder. Hij keek nieuwsgierig en onverschillig – alsof ze niets met hem te maken hadden – naar de zandwolkjes die werden opgejaagd door inslaande kogels. Woest was hij, woest. Er lagen drie lichamen op de helling, twee dood en het derde nog levend en gillend. Tella moest ophouden met dat gegil, dat was onwaardig. Stofwolkjes omgaven hem nu aan alle kanten. Het kletterende lawaai dat de hele dag in de lucht had gehangen was nu bijna tot op de grond gezakt. Het was nu op hem persoonlijk gericht en op niemand anders. Welsh rende verder en onderdrukte de neiging om te giechelen. Een vreemde extase had zich van hem meester gemaakt. Hij was het doelwit, hij alleen was het doel. Eindelijk was alles overduidelijk. De waarheid kwam eindelijk aan het licht. Hij had het overigens altijd wel geweten. Hij brulde: 'Barst maar!'

tegen de hele wereld, zo hard hij maar kon. En al brullend spurtte Welsh verder. Pak me maar als je kan, raak me maar!

Voortdurend professioneel zigzaggend volbracht hij zijn wedloop met de dood. Als een verdomde idioot als McCron er zo maar doorheen kon lopen, dan moest een intelligente vent als hij, die in het bezit was van al zijn vermogens, ook beneden en weer terug op de top kunnen komen. Maar toen hij glijdend op zijn buik de verminkte Italiaanse jongen bereikte, werd het hem opeens duidelijk dat hij niet eerst had bedacht wat hij zou doen als hij hier aankwam. Plotseling wist hij absoluut niet meer wat hij verder moest doen. Toen hij naar Tella keek lag er een verlegen, vriendelijke grijns op zijn gezicht. Voorzichtig, nog altijd verlegen, raakte hij de ander even aan bij de schouder. 'Hoe gaat het, jongen?' schreeuwde hij stompzinnig.

Midden in een gil rolde Tella met zijn ogen als een dol geworden paard, totdat hij kon zien wie het was. Maar hij hield niet op met gillen.

'Je moet stil zijn!' schreeuwde Welsh en hij keek hem grimmig aan. 'Ik ben hier om je te helpen.'

Maar het leek Welsh allemaal onwerkelijk. Tella was stervende, misschien was dat voor Tella iets reëels, maar voor Welsh hadden de blauwgeaderde ingewanden, de vliegen, de bebloede handen, het bloed dat elke keer als hij ademhaalde langzaam wegvloeide uit die andere, nieuwe wond in de borst, niet meer werkelijkheid dan een filmscène. Hij was John Wayne en Tella was John Agar.

Eindelijk hield het gegil vanzelf op, door gebrek aan zuurstof. Tella ademde in, waardoor er weer bloed uit de wond in zijn borst stroomde. Toen hij eindelijk sprak was dat op een toon die slechts iets lager lag dan het gegil. 'Godverdomme!' gilde hij. 'Ik ga dood! Ik ga dood, majoor. Kijk maar, ik ben helemaal kapot! Maak dat je wegkomt! Ik *sterf*!' Weer haalde hij adem en weer drong daarbij nieuw bloed uit zijn borst naar buiten.

'Oké!' schreeuwde Welsh. 'Maar doe dat niet zo lawaaiig, verdomme!' Zijn ogen knipperden en de rillingen liepen over zijn rug telkens als kogels weer zand om hem heen opwierpen.

'Hoe wil je me dan helpen?'

'Ik ga je terugbrengen.'

'Dat kan niet! Als je me verdomme wilt helpen, schiet me dan dood!' schreeuwde Tella, zijn ogen wijd open, de oogballen woest heen en weer rollend.

'Je bent gek!' schreeuwde Welsh boven het lawaai uit. 'Je weet dat ik dat niet kan doen!'

'Natuurlijk kan je dat! Je hebt een pistool! Pak dat dan, godverdomme! Schiet, maak er een eind aan! Ik kan het niet meer uithouden! Ik ben bang!'

'Doet het veel pijn?' schreeuwde Welsh terug.

'Natuurlijk, stomme klootzak!' schreeuwde Tella. Toen zweeg hij, haalde adem, bloedde weer en slikte, zijn ogen gesloten. 'Je kunt me niet terugbrengen.'

'Dat zullen we weleens zien,' zei Welsh grimmig. 'Vertrouw maar op ouwe Welsh. Heb ik je ooit besodemieterd?' Hij wist nu dat hij niet veel langer hier zou kunnen blijven. Hij schrok, sprong en danste al, telkens als het vuren weer schoksgewijs oplaaide. Gebukt liep hij naar Tella's hoofd, greep hem onder de oksels en trok. Welsh voelde dat het lichaam in zijn armen al werd uitgerekt voordat Tella gilde.

'Aaaaa-uuu!' Het was een afgrijslijk geluid. 'Je vermoordt me, je trekt me in tweeën! Leg me neer, godverdomme! Leg me neer!'

Welsh liet hem snel vallen, in een reflex, zonder na te denken. Veel te vlug. Tella smakte zwaar neer, huilend. 'Vuile klootzak. Stommeling! Laat me met rust! Raak me niet aan!'

'Hou op met dat gegil,' zei Welsh, die zichzelf een onuitsprekelijke stomkop vond. 'Dat is onwaardig.' Hij knipperde met zijn ogen, zijn zenuwen sidderden, als slierten franje die wapperen in de wind, en dreigden hem helemaal in de steek te laten, maar hij kroop vastberaden naar de andere kant van Tella. 'Goed, dan doen we het anders!' Hij stak één arm onder de knieën van de Italiaan en de andere onder zijn schouders en tilde hem op. Tella was geen klein kereltje, maar Welsh was groter en beschikte op dat moment over bovenmenselijke kracht. Maar toen hij hem ophief en hem zo als een kind wilde dragen, sloeg het lichaam dubbel als een dichtknippend zakmes. En weer klonk een afgrijslijke gil.

'Aaaaa-uuu! Leg me neer! Leg me neer! Je breekt me in tweeën! Leg me neer!' Dit keer was Welsh in staat hem zachtjes op de grond te leggen.

Huilend en gillend schold Tella hem de huid vol. 'Klootzak! Vuile schoft! Rotzak! Laat me met rust! Donder op! Stomme strontkop, donder op! Wegwezen!' Hij wendde zijn hoofd af, sloot zijn ogen en begon weer wanhopig, jammerend, door merg en been gaand te gillen.

Vijf meter boven hen stikte een mitrailleur een keurige rij gaatjes van links naar rechts in de helling. Welsh zag het toevallig. Hij nam niet eens de moeite om te bedenken dat de schutter alleen maar iets lager hoefde te richten. Het enige waar hij nu nog aan kon denken was hier weg te komen. Maar hoe kon hij dat doen? Hij was het hele eind hierheen gerend, had Tella niet gered en hem ook niet tot zwijgen gebracht. Niets had hij gedaan. Alleen had hij meer pijn veroorzaakt. Pijn. Een plotselinge, wanhopige ingeving deed hem over het lichaam van Tella heen springen. Hij graaide in de zakken van de dode hospik.

'Hier!' brulde hij. 'Tella, neem dit! Tella!'

Tella hield op met gillen en opende zijn ogen. Welsh wierp hem twee morfine-ampullen toe en doorzocht een andere zak.

Tella greep er een beet. 'Meer!' schreeuwde hij. 'Meer!'

'Hier!' brulde Welsh en wierp hem een handvol ampullen toe die hij in de andere zak had gevonden. En toen draaide hij zich om en wilde wegrennen. Maar iets hield hem tegen. Ineengedoken als een sprinter die op het startschot wacht, keek hij nog één keer naar Tella. Tella haalde het kapje van een van de spuiten af en keek terug. Zijn ogen waren heel groot en wit. Eén ogenblik staarden ze elkaar aan.

'Vaarwel!' riep Tella. 'Vaarwel, Welsh!'

'Vaarwel, jongen!' schreeuwde Welsh. Hij kon niets anders bedenken. Bovendien, voor meer had hij geen tijd, want hij holde reeds uit alle macht en keek niet om naar Tella om te zien of die de morfine ook inspoot. Maar toen ze hem later die middag veilig konden bereiken, vonden ze tien lege ampullen om hem heen liggen. De elfde was in zijn arm blijven steken. Hij had ze allemaal achter elkaar gebruikt en op zijn dode gelaat lag een enigszins ontspannen uitdrukking.

Welsh holde met gebogen hoofd en spande zich niet in om te zigzaggen. Nu krijgen ze me te pakken, dacht hij. Na al die ellende, na die gevaarlijke afdaling, na al die tijd die ik daar beneden ben geweest; het is te mooi, je zult het zien, nu krijgen ze me. Dat was zijn lot, zijn pech. Hij wist heel zeker dat ze hem zouden raken. Maar het gebeurde niet. Hij holde en holde en toen viel hij halsoverkop achter de kleine terreinplooi neer en bleef daar liggen, halfdood van uitputting. Achter zijn gesloten oogleden zag hij Tella's verkrampte gezicht en de uitpuilende blauwe ingewanden. Waarom was hij godverdomme zo stom geweest? Hij snikte in zijn wilde pogingen om adem te halen en beloofde zichzelf plechtig zich nooit weer door zijn krankzinnige gevoelens te laten leiden.

Pas toen Bugger Stein naar hem toekroop om hem op de rug te kloppen en te feliciteren, liet Welsh zich gaan.

'Majoor, ik heb alles door de kijker gezien,' hoorde hij en tegelijk voelde hij dat er een hand vriendschappelijk op z'n schouder werd gelegd. 'Ik wil je zeggen dat ik je morgen in de dagorder zal laten vermelden. Ik zal je aanbevelen voor de Zilveren Ster. Ik kan alleen maar zeggen dat...'

Welsh opende zijn ogen en keek in het vriendelijke joodse gezicht van zijn commandant. Welsh' blik zei Stein genoeg, want hij brak zijn zin af en zweeg.

'Kap'tein,' zei Welsh met grote nadruk, tussen zijn schokkende ademteugen door, 'als u nog één woord zegt om me te bedanken, sla ik u meteen boven op uw smoel. En als u mij in die verdomde dagorder laat zetten, leg ik binnen twee minuten mijn strepen af en dan kunt u deze armzalige, uitgescheten troep verder in uw eentje leiden. Verdomd, ik meen het. Al zou ik ervoor in de cel komen. Ik meen het!'

Hij sloot zijn ogen. Daarna rolde hij weg van Bugger, die niets zei. Nog niet tevreden met de afstand tussen hem en Bugger, kroop Welsh op handen en voeten verder naar rechts tot hij helemaal alleen lag. Hij sloot zijn ogen weer en luisterde naar de vallende mortiergranaten, die nog altijd om de paar minuten explodeerden. Hij kreunde en zei bij zichzelf telkens een paar woorden die hem hielpen de zaken helder te houden: 'Eigendom! Bezit! Allemaal vanwege dat kutbezit!' Hij was uitgedroogd, maar zijn beide veldflessen waren leeg. Na een tijdje haalde hij de derde te voorschijn en nam één kostbaar slokje van de kostbare gin zonder zijn ogen te openen.

Iedereen leed onder het gebrek aan water. Ook Stein had dorst en zijn veldflessen waren net zo leeg als die van Welsh. En Stein had geen gin. Bovendien moest hij nog altijd met overste Tall spreken. Hij zag ertegen op en Welsh had, door van hem weg te kruipen en zo onvriendelijk op zijn goed bedoelde woorden te reageren, er niet toe bijgedragen dat Stein zich erg zeker voelde. Hij kroop langzaam terug naar Fife en zijn radio. Hij begreep dat de majoor, gek of niet, absoluut alleen wilde zijn. Het voorval had hem natuurlijk vreselijk aangegrepen. Hij had een verminkte man geholpen zichzelf te doden en daarbij zelf een enorm risico gelopen. Zijn reactie was dus volkomen normaal. Maar desondanks had Stein, toen Welsh zijn ogen opende en hem met die afschuwelijke blik aankeek, even de indruk gekregen dat hij zo fel reageerde omdat Stein joods was. Hij had gedacht dat hij dit soort gevoelens al jarenlang ver achter zich had gelaten. Hij glimlachte verbeten. Om wat hij zojuist had gedacht en om wat hij onmiddellijk daarna dacht. Het was de schuld van die vervloekte Angelsaksische Tall, met zijn kortgeknipte blonde haar en zijn oude en toch jongensachtige gezicht en zijn lange, magere soldatenlijf. West Point, 1928. Iedere keer als Stein door de verplichtingen van zijn militaire loopbaan in contact kwam met dit indrukwekkende heerschap, was hij zich er meer dan anders van bewust dat hij een zoon was van het uitverkoren volk, een jood. Hij gebaarde tegen Fife dat die hem de telefoon moest geven.

Toen Stein de telefoon aanpakte, had hij het zonderlinge gevoel dat zijn arm, zijn hele lichaam, te vermoeid en te zwak was om het bijna niets wegende instrument naar zijn oor te brengen. Verwonderd wachtte hij af. Langzaam kwam de arm omhoog. Hij was al doodop en de dood van Tella had hem harder aangepakt dan hij had vermoed. Hoe lang zou hij het nog kunnen volhouden? Hoe lang zou hij nog kunnen toekijken terwijl zijn mannen werden gedood, zonder dat hij zou ophouden te functioneren? En plotseling was hij voor het eerst vreselijk bang dat hij zou instorten. Deze vrees was, samen met de al enorme last van zijn lichamelijke angst voor zichzelf, bijna te veel om te dragen, maar haalde tegelijkertijd een reserve aan energie diep uit zijn binnenste te voorschijn. Hij floot in de microfoon.

Terwijl hij floot en wachtte, lagen om hem heen de overige leden van zijn staf plus de restanten van het tweede en het derde peloton. De mannen lagen tegen de grond gedrukt en staarden naar hem met witte ogen en afgetrokken gezichten; allen keken naar hem en verwachtten dat hij ze op de een of andere manier uit deze rotzooi zou redden, zodat ze nog verder konden leven. Stein moest lachen om de uitdrukkingen op de gezichten van Storm en zijn koks, die zo heel duidelijk lieten merken dat ze meer dan genoeg hadden van dit vrijwillig voor frontsoldaatje spelen. Als ze hier levend vandaan kwamen, waren ze beslist niet van plan zich ooit weer als vrijwilliger te melden. En zij waren niet de enigen. Op de gezichten van foerier MacTae en zijn secretaris lag dezelfde uitdrukking.

Stein hoefde niet lang te wachten. Hij floot nog toen er al een reactie kwam, van overste Tall zelf en niet van de verbindingsman. Het was geen lang gesprek, maar in zekere zin wel een van de belangrijkste die Stein ooit had gevoerd. Jazeker, Tall had de kleine aanval van de drie groepen gezien en had het prachtig gevonden. Ze hadden goede posities veroverd. Maar voor Stein verder iets kon zeggen, wilde hij weten waarom Stein de aanval niet had doorgezet om de behaalde successen te consolideren? Wat was er met hem aan de hand? Die mannen in de voorste linie moesten onmiddellijk versterkingen krijgen. En wat deden ze nu eigenlijk? Tall kon hen door de kijker zien, ze lagen net achter de richel. Ze hadden al lang bezig moeten zijn om de mitrailleursnesten op te ruimen.

'Ik vrees dat u niet helemaal begrijpt wat hier gebeurt, overste,' zei Stein geduldig. 'We liggen onder geconcentreerd vuur en we hebben zware verliezen geleden. Ik was van plan meteen versterkingen te sturen, maar er gebeurde iets verschrikkelijks dat... We hadden een man die...' Hij aarzelde slechts even. 'Een man die in zijn buik werd geraakt en die heel wat moeilijkheden veroorzaakte door zijn gegil en gekerm. Maar dat is nu voorbij en ik ben van plan direct versterkingen uit te sturen.' Stein slikte moeilijk. 'Over.'

'Mooi,' klonk Talls ferme stem; zijn enthousiasme van een tijdje geleden was echter verdwenen. 'O ja, wie was die man die de helling afrende? Wat heeft hij gedaan? De admiraal – admiraal Barr – heeft hem door zijn kijker gezien, maar kon het niet met zekerheid zeggen. Hij dacht dat hij iemand was gaan helpen, is dat juist? De admiraal wil de man voor iets voordragen. Over.'

Stein had de neiging om hysterisch te gaan lachen. Hem helpen? Ja, en of hij hem had geholpen! En hoe! Hij zou hierna nooit meer hulp nodig hebben! 'Er zijn twee mannen uitgetrokken, overste,' zei hij. 'Een van hen was onze oudste hospik. Die is gesneuveld. De ander...' Hij herinnerde zich nu wat hij min of meer aan Welsh had beloofd, al had hij het niet met zoveel woorden gezegd. 'De ander was een van mijn soldaten, ik weet nog niet wie, maar dat zal ik wel uitzoeken. Over.' En loop naar de bliksem met je admiraal. Wat doet die kerel hier?

Mooi. Mooi. Mooi. En nu wilde Tall weleens weten hoe het met de versterkingen zou gaan. Terwijl de mortieren onvermoeid de omgeving bleven afzoeken, zette Stein zijn plan uiteen: zijn reservetroepen naar deze terreinplooi brengen en de resterende twee groepen van het tweede peloton naar voren zenden, naar de andere drie – of eigenlijk als je met de verliezen rekening hield – de andere twee groepen, die zich al op de heuvel bevonden. 'Ik heb Keck ook verloren, overste. Daarboven. Hij was een van mijn beste mannen. Over.'

Het antwoord was een volkomen onverwachte uitbarsting van officiële woede. Twee groepen! Wat bedoelde hij daar in godsnaam mee? Twee groepen? Als Tall zei versterkingen, dan bedoelde hij versterkingen. Stein moest iedere man die hij had naar voren sturen en wel onmiddellijk, zonder een minuut af te wachten. Hij had dat al veel eerder moeten doen, namelijk zodra zijn mannen vaste voet op de heuvel hadden gekregen. En dat betekende dus dat ook het reservepeloton naar voren moest. En hoe zat het met Steins eerste peloton? Die lui lagen daar maar op hun luie kont en voerden geen bliksem meer uit. Stein moest ze langs de flank de heuvel op brengen, moest nu meteen een ordonnans naar hen toezenden met het bevel om aan te vallen, links om de heuvelrug heen. En zijn reservepeloton moest van de rechterzijde aanvallen. Dan kon het tweede peloton het centrum bezet houden en van daaruit druk uitoefenen. Een omsingeling. 'Moet ik je nou verdomme de allereerste beginselen van de infanteriestrategie nog voorkauwen terwijl je mannen de poten onder het lijf worden weggeschoten, Stein?' brulde Tall. '*Over*!'

Stein onderdrukte zijn woede. 'Ik ben bang dat u niet helemaal begrijpt wat hier gebeurt, overste,' zei hij veel rustiger dan hij zich voelde. 'Twee van mijn officieren zijn gesneuveld en er zijn heel wat soldaten gevallen. Ik geloof niet dat mijn compagnie die positie alleen kan veroveren. De Jappen zitten te goed ingegraven en hebben te veel vuurkracht. Ik verzoek u hierbij officieel, overste, en ik heb hier getuigen, mij toestemming te geven tot het uitzenden van een sterke verkenningspatrouille rechts om Heuvel 210 heen, door de wildernis. Ik geloof dat die hele stelling door een gevechtspatrouille kan worden ingenomen.' Was dat zo? Geloofde hij dat werkelijk? Of trachtte hij zich aan een strohalm vast te klampen? Hij had een vaag vermoeden, meer eigenlijk niet. Het was een intuïtief gevoel, maar gebaseerd op een aantal feiten. Er was uit die richting de hele dag nog geen vuur gekomen. Maar was dat voldoende bewijs?

'Over,' zei hij en hij probeerde al zijn waardigheid bijeen te schrapen – toen knipperde hij met zijn ogen en liet zich plat neervallen omdat een mortiergranaat op tien meter afstand over de kleine terreinplooi gierde en plotseling iemand gilde.

'NEE!' brulde Tall, alsof hij woedend, schreeuwend van machteloosheid had staan wachten totdat hij zijn knop kon indrukken en kon zeggen wat *hij* ervan dacht. 'Nee, zeg ik je. Ik wil een dubbele omsingeling. Ik beveel je aan te vallen, Stein, aan te vallen met elke beschikbare man. Ik stuur de B-compagnie uit op je linkerflank. En nu AANVALLEN, Stein, dat is een bevel!' Hij zweeg even om adem te halen. 'Over.'

Stein had zichzelf met enige verwondering 'officieel verzoek' horen zeggen en 'getuigen' en kon zijn eigen oren nauwelijks geloven. Hoe kon hij er zeker van zijn dat hij gelijk had? En toch was hij er zeker van. Tenminste, bijna zeker. Waarom was er vanuit die hoek niet gevuurd? In ieder geval moest hij nu of doen wat hem was bevolen of zijn poot stijf houden. Terwijl zijn hart in zijn keel klopte, zei hij op formele toon: 'Overste, ik moet u mededelen dat ik weiger uw bevel uit te voeren. Ik verzoek u opnieuw toestemming een patrouille te mogen uitzenden om de rechterflank heen. Het is nu 13 uur 21 en 25 seconden. Ik heb hier twee getuigen die gehoord hebben wat ik heb gezegd. Ik verzoek u aan uw zijde eveneens twee getuigen te nemen. Over.'

'Stein!' hoorde hij. Tall was razend. 'Kom niet met die verrekte advocatensmoesjes aanzetten, Stein! Ik weet wel dat je zo'n verdomde rotadvocaat bent. En hou nou je bek en doe wat ik gezegd heb. Ik heb gewoon geen woord verstaan van wat jij zojuist hebt beweerd. Ik herhaal mijn bevel. Over!'

'Overste, ik weiger mijn mannen uit te zenden voor een frontale aanval. Dat zou zelfmoord zijn. Ik heb met deze mannen tweeëneenhalf jaar samengewerkt en ik ben niet bereid ze allemaal de dood in te jagen. Dat is mijn definitieve beslissing. Over.'

Een eindje verderop langs de kam huilde iemand en Stein keek of hij kon zien wie het was. Tall was stom, ambitieus, zonder enig voorstellingsvermogen en kwaadaardig. Anders had hij een dergelijk bevel nooit gegeven.

Na de korte pauze klonk Talls stem koel en scherp als een scheermes. 'Dat is een heel belangrijke beslissing die je daar hebt genomen, Stein. Als je zo zeker van je zaak bent, zal er wel enige reden voor zijn. Begrijp me goed, ik trek mijn bevel niet in, maar als ik ontdek dat er verzachtende omstandigheden zijn wanneer ik bij je kom, dan zal ik daarmee rekening houden. Ik wil dat je op je post blijft tot ik bij je ben. Als het mogelijk is wil ik dat je die mannen op de heuvelrug in mars zet. Ik ben' – hij zweeg even – 'over tien of vijftien minuten bij je. Over en sluiten.'

Stein luisterde en kon zijn oren niet geloven; hij was geestelijk verdoofd en bang. Voor zover Stein wist, en hij wist natuurlijk niet alles, was er nog niet één keer een bataljonscommandant naar de voorste linies gekomen sinds de slag was begonnen en de divisie aan de gevechten had deelgenomen. Talls overdreven ambitie was in het hele regiment bespot en hij had hier op dit moment alle grote heren van het eiland bijeen om te laten zien wat hij kon, maar toch had Stein deze reactie niet verwacht. Maar wat had hij dan verwacht? Hij had gedacht dat als zijn protest sterk genoeg klonk, Tall hem zou toestaan om de patrouille om de rechterflank te zenden, voordat het noodzakelijk zou zijn om frontaal aan te vallen – ook al wist hij dat het eigenlijk al te laat op de dag was voor dit soort manoeuvres. En nu was hij bang. Dwaas eigenlijk, dat hij hier, doodsbenauwd en ieder ogenblik verwachtend geraakt te worden, op de grond lag, maar dat hij toch nog banger was voor een reprimande of een openlijke vernedering.

Hij moest twee dingen doen terwijl hij op Tall wachtte: te weten komen wie daar zojuist gewond was geraakt en de twee resterende groepen van het tweede peloton naar de heuvelrug zenden om Beck en Dale te helpen.

De gewonde bleek de kleine soldaat eersteklas Bead uit Iowa te zijn, Fifes hulpsecretaris. Hij was stervende. De mortiergranaat was nog geen vijf meter links van hem ontploft en had een scherf niet groter dan een kwartje in zijn linkerzij gedreven, na eerst dwars door de spieren van zijn linkerbovenarm te zijn gegaan. Het stuk dat uit zijn arm was gerukt zou zeker niet dodelijk zijn geweest, al had hij die arm waarschijnlijk wel moeten missen; maar er stroomde bloed uit het gat in zijn zij dwars door het kompres heen dat iemand erop had gedrukt. En van het kompres droop het bloed op de grond. Toen Stein arriveerde, gevolgd door Fife met de radio, stonden Beads ogen wijd open en sprak hij net iets luider dan fluisterend.

'Ik ga dood, kap'tein,' zei hij met krakende, brekende stem en zijn ogen rolden tot ze Stein zagen. 'Ik sterf! Ik. IK! Ik sterf en ik ben bang!' Hij sloot zijn ogen even en slikte. 'Ik lag daar gewoon en het trof me precies in de zij. Alsof iemand me een tikje gaf. Het deed nauwelijks pijn, het doet nu ook geen pijn. O, kap'tein!'

'Rustig maar, jongen, houd je maar kalm,' zei kapitein Stein vol zinloze, ongerichte woede.

'Waar is Fife?' fluisterde Bead met zijn ogen rollend. 'Waar is Fife?'

'Die is hier vlak bij me, jongen,' zei Stein. 'Fife!' Hij wendde zich af en voelde zich heel oud, een nutteloos man. Opa Stein.

Fife, die achter Stein was blijven liggen, kroop nu naar voren. Er lagen nog twee of drie andere mannen om Bead heen. Fife had eigenlijk helemaal niet naar Bead willen kijken; hij kon eenvoudig niet geloven in de realiteit van dit alles. Bead getroffen en stervend. Iemand als Tella bijvoorbeeld, dat was heel iets anders. Maar Bead, met wie hij zoveel dagen op de staf had zitten werken. Bead met wie hij had... Zijn gedachten schrokken daarvoor terug. 'Hier ben ik,' zei hij.

'Ik ga dood, Fife,' zei Bead.

Fife wist niet wat hij moest zeggen en herhaalde dus maar de woorden van Stein: 'Rustig aan. Ik weet het, blijf maar kalm, Eddie,' zei hij. Hij voelde zich gedwongen Bead bij zijn voornaam te noemen, iets dat hij nooit eerder had gedaan.

'Wil jij mijn familie schrijven?' vroeg Bead.

'Ja, dat zal ik doen.'

'Zeg ze maar dat ik niet veel pijn heb gehad. Zeg ze de waarheid.'

'Dat zal ik doen.'

'Hou mijn hand vast,' zei Bead, 'ik ben bang.'

Eén moment, een seconde aarzelde Fife. Homoseksualiteit, flikkers, nichten. Het waren woorden waar hij niet eens aan dacht. De aarzeling stamde uit een veel diepere laag in zijn bewustzijn. Toen realiseerde hij zich vol afgrijzen wat hij deed en greep Beads hand beet. Hij kroop dichter naar hem toe en stak zijn andere arm onder Beads schouders, zodat hij hem nu in zijn armen hield. Hij huilde, meer omdat het plotseling tot hem doordrong dat hij de enige vriend was die Bead in de hele compagnie had, dan omdat Bead doodging.

'Ik hou je hand vast,' zei hij snikkend.

'Knijp erin,' zei Bead. 'Harder.'

'Dat doe ik al.'

'O, Fife,' riep Bead uit. 'O, kap'tein!'

Zijn ogen sloten zich niet, maar ze zagen niets meer.

Even later legde Fife hem zachtjes neer en kroop in zijn eentje bij hem weg, huilend van schrik, van angst, huilend omdat hij intens bedroefd was en zichzelf haatte.

Nog geen vijf minuten later werd Fife zelf getroffen.

Stein was hem gevolgd toen hij wegkroop. Hij begreep niet helemaal waarom Fife huilde. 'Ga maar even ergens rustig liggen, jongen,' zei hij en hij klopte hem even op de rug. Stein had hem de radio al afgenomen toen hij hem naar Bead toezond en nu zei hij: 'Ik zal de radio wel een ogenblik bij me houden. Er komen nu toch geen gesprekken binnen,' voegde hij er met een bitter lachje aan toe. Fife, die geluisterd had naar zijn laatste gesprek met Tall en in feite een van zijn twee getuigen was geweest, begreep wat hij bedoelde, maar hij was niet in de stemming om te reageren. Dood. Dood, allemaal dood. Allemaal stervend. Niemand was er over. Er was *niets* over. Hij was helemaal in de war en het was allemaal zo verschrikkelijk omdat hij niets kon doen, hulpeloos was, niets kon zeggen. Hij moest hier blijven.

De mortiergranaten waren met een grote regelmatigheid op willekeurige punten langs de terreinplooi blijven vallen gedurende de tijd die Bead nodig had gehad om te sterven. En daarna. Het was wonderlijk om te zien hoe weinig mannen ze verwondden of doodden. Maar op alle gezichten lag dezelfde uitdrukking van grote angst, die de blikken vervaagde en de mannen in zichzelf deed terugtrekken. Fife had een geel gat in het zand gezien, een paar meter rechts van hem, en daar kroop hij naartoe. Je kon het nauwelijks een gat noemen. Iemand had met zijn handen, zijn bajonet of zijn pioniersschop een kleine holte gegraven, ongeveer vijf centimeter diep. Fife kroop erin en ging plat op zijn buik liggen met zijn wang in het zand. Langzamerhand hield hij op met huilen en zijn ogen stonden weer helder, maar terwijl gevoelens van spijt, schaamte en tegen zichzelf gerichte haat beetje bij beetje verdwenen, kwam de angst er weer voor in de plaats, totdat hij geheel vervuld was van vrees, lafheid en angstige slapheid. En zo lag hij daar. Was dit nou oorlog? Er was hier geen sprake van een immense krachtmeting, geen fantastisch degenwerk, geen brullend vikingheldendom, geen scherpschutterskunst. Het was hier slechts een kwestie van aantallen. En om die aantallen werd hij gedood. Waarom, in godsnaam, waarom had hij dat administratieve baantje niet aangenomen ver in het achterland, dat had hij immers kunnen krijgen?

Hij hoorde de zachte zoevende zucht van een mortiergranaat gedurende misschien een halve seconde. Hij kreeg niet eens de tijd om te bedenken dat dit iets met hém te maken had, voordat er met een enorme uitbarsting bijna boven op hem een explosie volgde en daarna zwarte duisternis. Hij had vaag de indruk dat er iemand schreeuwde, maar wist niet dat hij het zelf was. Het was alsof hij een donkere, onderbelichte film zag; hij had een vage indruk van zichzelf terwijl hij half krabbelend, half omhooggeworpen overeind kwam en toen met de handen voor zijn gezicht neerkwakte en de helling afrolde. Daarna niets meer. Dood? Zijn wij dood, is die ander dood? Ben ik, is hij?

Fifes lichaam kwam tot stilstand op de schoot van een man van het derde peloton, die met zijn geweer over de knieën zat. Het lichaam rukte zichzelf los en kroop op knieën en ellebogen weg, nog altijd met de handen voor het gezicht. Toen kwam Fife weer in dat lichaam terug, opende zijn ogen en zag dat de hele wereld gehuld was in een rode mist. Door dat wervelende rood zag hij het komische, geschrokken gezicht van Train, uit het derde peloton. Hij had nog nooit een man gezien die er zo weinig als een soldaat uitzag. Hij had een lange, dunne neus, een onderkaak zonder kin, een klein pruimenmondje en enorme bijziende ogen, die recht voor zich uit staarden door de dikke glazen van zijn bril.

'Ben ik getroffen? Ben ik getroffen?'

'J-ja,' mompelde Train. 'Ja, je b-bent gewond.' Hij stotterde dus ook. 'A-an j-je hoofd.'

'Erg? Is het erg?'

'D-at w-w-weet ik niet,' zei Train. 'J-je b-bl-bloedt aan je hoofd.'

'O ja?' zei Fife, en hij bekeek zijn handen die met iets vochtigs roods waren bedekt. Nu begreep hij waarom hij die rode mist had gezien. Dat was bloed geweest, dat over zijn wenkbrauwen was gestroomd en in zijn ogen terecht was gekomen. Mijn god, wat was dat rood! Toen sloeg de paniek door hem heen, zodat zijn hart leek te trappen en alles voor zijn ogen vaag en mistig werd. Misschien was hij nu wel stervende, hier op dit ogenblik. Heel voorzichtig betastte hij met zijn vingers zijn schedel en vond niets. Maar zijn handen kwamen glinsterend van het rode bloed terug. Hij had geen helm op en zijn bril was verdwenen.

'H-het zit v-van achteren,' zei Train.

Fife zocht opnieuw en vond de gewonde plek. Midden op zijn hoofd, bijna op de kruin.

'H-h-hoe v-v-voel j-je je?' vroeg Train bang.

'Ik weet het niet, het doet geen pijn, behalve wanneer ik het aanraak.' Nog altijd op handen en voeten had Fife zijn hoofd nu helemaal voorovergebogen, zodat het bloed op de grond droop in plaats van in zijn wenkbrauwen. Hij tuurde door die rode regen heen naar Train.

'K-k-kun j-je l-l-l-lopen?' vroeg Train.

'Ik weet het niet,' zei Fife en toen drong plotseling tot hem door dat hij vrij was. Hij hoefde hier niet meer te blijven. Hij was bevrijd. Hij kon gewoon opstaan en weglopen – als hij tenminste kon lopen, en niemand zou kunnen zeggen dat hij een lafaard was of hem voor de krijgsraad halen of in de bajes stoppen. Zijn opluchting was zo groot dat hij zich opgewekt voelde ondanks de wond.

'Ik geloof dat ik maar beter naar achteren kan gaan,' zei hij. 'Vind je ook niet?'

'J-j-ja,' zei Train, een beetje afgunstig.

'Nou,' zei Fife. Hij wilde iets belangrijks, iets afsluitends zeggen op dit geweldige moment, maar hij vond de woorden niet. 'Het ga je goed, Train,' zei hij ten slotte.

'D-d-dank j-je,' zei Train.

Voorzichtig kwam Fife overeind. Zijn knieën beefden, maar het vooruitzicht hier weg te komen gaf hem kracht, een kracht die hij anders waarschijnlijk niet zou hebben bezeten. Eerst langzaam, toen vlugger, begon hij naar achteren te lopen met gebogen hoofd en zijn handen tegen zijn voorhoofd om het bloed uit zijn ogen te houden. Met elke stap nam de vreugde over zijn bevrijding toe, maar in dezelfde mate groeide ook de angst. Als ze hem nu eens te pakken kregen. O, als ze hem nu eens met iets anders raakten, juist nu hij vrij was. Hij haastte zich zoveel als hij kon. Hij passeerde een aantal mannen van het derde peloton die plat op de grond lagen met hun door de schrik getekende gezichten, maar niemand zei iets tegen hem en hijzelf sprak ook niet. Hij nam niet de lange weg waarlangs ze gekomen waren over de tweede en eerste terreinplooi, maar liep recht door de vallei tussen de plooien in de richting van Heuvel 209. Pas toen hij halverwege de steile helling was, dacht hij aan de rest van de compagnie en stond even stil om om te kijken. Hij had de jongens iets willen toeroepen, een aanmoediging of zoiets, maar hij wist dat ze hem van hier af niet konden horen. Toen verschillende kogels van sluipschutters het stof rond hem deden opspuiten, draaide hij zich om, klom verder naar de top, ging eroverheen en daalde toen af naar de medische hulppost van het bataljon. Juist voor hij de top bereikte, stuitte hij op een groep mannen die de helling afdaalden en hij herkende onder hen overste Tall. 'Hou je goed, jongen,' zei de overste en lachte hem toe. 'Laat je niet klein krijgen! Je zult snel genoeg weer bij ons zijn.' Op de hulppost dacht hij ineens aan zijn nog bijna volle veldfles en begon, terwijl zijn handen beefden, gretig te drinken. Hij was er nu bijna van overtuigd dat hij niet zou sterven.

Toen Fife getroffen werd, was Stein juist van hem weggekropen. Fife was de ene kant uitgekropen en Stein de andere, nadat hij inmiddels de twee nog overgebleven groepen van het tweede peloton bevel had gegeven op te trekken en de posities van Beck en Dale te versterken op de begroeide heuvel. Hij had evengoed met Fife mee kunnen kruipen en dan zou hij op de plek zijn geweest waar de mortiergranaat neerkwam. Het gelukselement was griezelig groot. Stein werd er bang van. In ieder geval was hij al doodop, gedeprimeerd en angstig. Hij had Fife met bloed besmeurd naar achteren zien strompelen, maar er was niets wat hij kon doen, omdat hij al bezig was de twee groepen van het tweede peloton te vertellen wat ze moesten doen als ze de heuvel bereikt zouden hebben, en wat ze Beck moesten zeggen. Dat hield voornamelijk in dat hij als de donder aan het werk moest om een aantal van die machinegeweren buiten werking te stellen.

Niemand in de beide groepen leek blij met de opdracht, ook de beide sergeants niet, maar ze zeiden niets en knikten alleen maar even. Stein keek hen na en had graag nog iets ernstigs gezegd, iets belangrijks, iets waar ze wat aan hadden, maar hij kon niets bedenken. Hij wenste hun het beste en liet ze gaan.

En ook dit keer keek Bugger Stein ze door zijn verrekijker na. Hij zag tot zijn verbazing dat niemand werd getroffen en verwonderde zich nog meer toen hij hen door het gras naar de richel zag klimmen zonder dat een van hen werd geraakt. Pas toen vertelden zijn oren hem iets dat hem al veel eerder had moeten opvallen: het volume van het Japanse vuur was aanzienlijk verminderd sinds het moment waarop sergeant-majoor Welsh de helling was afgestormd om de verminkte soldaat Tella te helpen. Toen hij zijn kijker omhoogbracht en op de richel richtte nog voor de eerste mannen daar aankwamen, werd Stein al duidelijk wat er was gebeurd. Op de richel bevond zich nog maar de helft van Becks kleine troep van twee groepen. De rest was verdwenen. Op eigen gezag, zonder daartoe bevel te hebben gekregen, had Beck blijkbaar een deel van zijn groep uitgezonden tegen de Japanse stellingen en ogenschijnlijk had hij daarbij succes geboekt. Stein liet zijn kijker zakken en keek naar George Band, die zelf een kijker had veroverd en nu Stein even verbaasd aankeek als deze hem. Lange tijd staarden ze elkaar zwijgend aan. Juist toen Stein de nieuwe hospikken vertelde dat ze nu wel met een vrij grote mate van veiligheid de helling af konden dalen om de gewonden te halen, klonk achter hem een koele, rustige stem die zei: 'Ziezo, Stein.' Hij keek op en zag luitenant-kolonel Tall, zijn bataljonscommandant, die kalmpjes naar hem toe liep met een onversierd bamboestokje onder de arm dat hij al bij zich had zolang Stein hem kende.

Wat Bugger Stein en Brass Band niet konden weten, was dat sergeant Beck, die onbelangrijke figuur, in de laatste vijftien of twintig minuten op eigen initiatief vijf Japanse mitrailleursnesten buiten gevecht had gesteld, en dat ten koste van slechts één dode en zonder gewonden. Milly Beck, de onverstoorbare, saaie, sombere beroepsmilitair zonder verbeeldingskracht, die alles altijd volgens het boekje deed; Beck, voor wie niemand sympathie voelde, trad nu op de voorgrond op een wijze die niemand, ook waarschijnlijk de dode Keck, zijn chef, niet, had kunnen evenaren. Toen hij zag dat er voorlopig geen versterkingen zouden komen, bepaalde hij nauwkeurig zijn positie, precies zoals hij het had geleerd tijdens de cursus voor kleine gevechtstroepen die hij op Fort Benning had gevolgd, maakte gebruik van het terreinvoordeel door zes man rechts om de richel heen te zenden en zes man naar links onder leiding van de sergeanten Dale en Bell. De rest hield hij bij zich in het centrum, klaar om te vuren op elk doel dat zichtbaar zou worden. Het ging allemaal volgens plan. Zelfs de mannen die bij hem bleven, slaagden erin twee Japanners te doden die gevlucht waren voor de handgranaten van de door hem uitgezonden patrouilles. Dale en zijn mannen op de linkervleugel namen vier mitrailleursnesten voor hun rekening en keerden terug zonder dat ook maar een van hen was geraakt. Toen ze merkten dat de kleine richel niet meer bezet was, slaagden ze erin tot midden in de Japanse stelling door te dringen en vanaf de richel handgranaten te laten vallen in de achterdeuren van de twee overdekte en gecamoufleerde geschutsemplacementen die ze beneden zich zagen liggen. De twee andere mitrailleursnesten, die tegen de heuvel op lagen, waren moeilijker, maar door er voorbij te trekken en erlangs naar boven te kruipen, konden ze door de openingen granaten naar binnen werpen. Er werd op geen van hen een schot gelost. Ze keerden terug met aan het hoofd een lachende Dale, die zijn lippen likte en bijzonder ingenomen was met zijn verrichtingen. Het gevolg van de succesvolle actie was dat de vuurkracht van de Japanners links van de richel minstens met vijftig procent was verminderd. Hierdoor konden de versterkingen later veilig door de vallei optrekken.

Bell op de rechterflank was niet zo gelukkig, maar hij ontdekte wel iets wat van grote betekenis was. Hier aan de rechterkant liep de richel langzaam omhoog en nadat ze voorbij een klein mitrailleursnest waren getrokken, dat ze met handgranaten buiten werking stelden, stuitten Bell en zijn mannen op het centrale Japanse verdedigingspunt. De richel eindigde in een zeven meter hoge rotswand die verderop overging in een steile muur van steen die onbeklimbaar was. Vlak boven die rotswand, prachtig uitgehouwen en met schietgaten in drie richtingen, lag het Japanse centrum. Toen de voorste man boven de richel uitklom om te proberen om de rotswand heen te komen, werd hij doorzeefd met kogels uit ten minste drie mitrailleurs. Zowel Witt, de vrijwilliger uit Kentucky, als soldaat eersteklas Doll bevond zich bij Bells groep, maar geen van beiden ging op dat ogenblik voorop. Deze taak was voorbehouden aan een man die Catch heette, Lemuel C. Catch, een dronkaard en vroegere boksmaat van Witt. Hij stierf onmiddellijk en zonder enig geluid te maken. Ze haalden zijn lijk omlaag en trokken zich terug terwijl de hel losbrak, maar al het vuur lag boven hun hoofden. Voordat ze verder afdaalden ging sergeant Bell zo ver mogelijk terug langs de richel om de centrale stelling nog eens goed te bekijken, zodat hij er een duidelijke beschrijving van kon geven.

Waarom hij dat deed wist Bell niet. Misschien alleen maar uit verbittering en vermoeidheid en uit zijn verlangen om het einde van deze verrekte veldslag dichterbij te brengen. Maar Bell wist dat een duidelijke en accurate beschrijving later zeker van pas zou komen. Wat de reden ook was, het was een dwaze actie. Hij liet zijn mannen halt houden op ongeveer veertig meter van de rotswand, waar Catch was gesneuveld. Bell zei dat ze moesten wachten en gaf toen toe aan zijn waanzinnige verlangen om te gaan kijken. Hij liet zijn geweer achter en beklom de kleine richel met een granaat in de hand. Hij stak zijn hoofd boven de rand uit. De Japanners hadden het vuren geheel gestaakt. Er stonden wat struiken hier op de richel en daarom had hij deze plek gekozen. Langzaam klom hij naar boven, geleid door welk dwaas idee ook, totdat hij bij een open stuk aankwam, een positie waar men hem niet kon raken. Het enige dat hij kon zien was het eindeloze gras, langzaam oprijzend tot een heuveltje dat uit de richel omhoogstak. Hij trok aan de pin en wierp de handgranaat met alle kracht van zich af terwijl hij zelf wegdook. De handgranaat viel en explodeerde vlak voor het heuveltje en in de cycloon van mitrailleurvuur die volgde kon Bell vijf mitrailleurs tellen die door vijf openingen hun vuur naar buiten spuwden. Geen van die vijf gaten had hij vóór die tijd gezien. Toen het vuren stopte, kroop hij terug naar zijn mannen, om onbekende redenen zeer voldaan over zijn optreden. Waarom hij het ook had gedaan – hij wist het nog steeds niet – iedereen in de kleine groep keek vol bewondering naar hem op. Hij voerde ze terug om de richel heen tot de hoofdpositie van de compagnie op de derde terreinplooi in zicht kwam. Vanaf dat moment was het gemakkelijk om de terugweg te vinden. Evenals de groep van Dale troffen ook zij geen enkele Japanner aan op of nabij de richel. Waarom die richel, die de sleutel vormde tot de gehele stelling op de heuvelrug, niet bezet werd gehouden door tirailleurs of enige MG's, kwam niemand ooit te weten. Het kwam in ieder geval goed uit voor beide groepen en ook voor Becks kleine aanvalsplan. Ze waren erin geslaagd alle Japanners beneden de richel te verdrijven, een werkelijke frontlijn te formeren en daarmee de hele situatie radicaal te veranderen. Dat ze de toestand hadden gewijzigd precies op het ogenblik dat luitenant-kolonel Tall het gevechtsterrein betrad, was een van die ironische toevalligheden die zich weleens voordoen, maar absoluut niet van tevoren kunnen worden voorspeld en die het leven van mannen als Stein bijzonder kunnen verzwaren.

'Waarom liggen jullie hier waar je niets kunt zien?' was het volgende dat Tall zei. Hij stond recht overeind, maar omdat hij tien of twaalf meter naar achteren stond, kwamen alleen zijn hoofd en nog net zijn schouders boven de top uit. Stein merkte dat hij blijkbaar niet van plan was om verder te komen.

Stein vroeg zich af of hij hem zou zeggen dat de situatie veranderd was en wel in de laatste minuten voor zijn aankomst. Hij besloot daarover te zwijgen. Voor dit moment. Het zou te veel klinken als een verontschuldiging, als een zwakke smoes. In plaats daarvan zei hij: 'We observeren de richel, overste. Ik heb zojuist de beide andere groepen van mijn tweede peloton naar voren gezonden.'

'Ik zag ze vertrekken terwijl we hierheen liepen,' zei Tall. Stein zag dat de rest van zijn gezelschap, dat bestond uit drie soldaten als ordonnansen, zijn eigen sergeant en een jonge luitenant, Gaff genaamd, zijn plaatsvervangend commandant, het toch maar beter had gevonden om plat op de grond te gaan liggen. 'Hoeveel zijn er ditmaal getroffen?' Recht op de man af.

'Niemand, overste.'

Tall trok zijn wenkbrauwen op tot ze verdwenen onder zijn helm, die ver over zijn kleine, fijn gevormde hoofd heen zakte. 'Niemand? Helemaal geen verliezen?' Een mortiergranaat deed het zand in een enorme paddestoel opstuiven ergens vlak bij de achterwaarts liggende helling van de derde terreinplooi, en Tall kwam naar voren tot waar Stein lag en stond zichzelf toe op zijn hurken te gaan zitten.

'Niemand, overste.'

'Dat is heel iets anders dan de situatie die je me zojuist nog schetste.' Tall keek hem aan, op zijn gezicht een gereserveerde uitdrukking.

'Dat klopt, overste. De toestand is gewijzigd.' Stein bedacht dat hij het nu wel kon zeggen. 'In de laatste vier of vijf minuten,' voegde hij er nog aan toe, en verafschuwde zichzelf daarvoor.

'En waar schrijf je die verandering aan toe?'

'Aan sergeant Beck, overste. Toen ik de laatste keer keek, was de helft van zijn mannen verdwenen. Ik denk dat hij ze uitgestuurd heeft om enkele van die geschutsstellingen uit te schakelen en het ziet ernaar uit dat het is gelukt.'

Van ergens veraf begon een mitrailleur te ratelen en een lange lijn kogels sloeg in het zand, vijfentwintig meter beneden hen op het lagere gedeelte van de helling. Tall bleef op zijn hurken zitten en ook zijn stem veranderde niet. 'Zo, dus je hebt hem toch mijn bevel doorgegeven.'

'Nee, overste. Ik bedoel, ja overste, dat heb ik gedaan. Dat heb ik aan de twee nieuwe groepen meegegeven. Maar Beck had zijn mannen al uitgezonden voordat de nieuwe groepen arriveerden.'

'Juist, ja.' Tall draaide zijn hoofd iets en zijn blauwe ogen tuurden naar de met gras begroeide heuvelrug. Hij zei niets. De lange lijn van kogels streek weer vanaf een punt links van Stein voor hen langs, nu slechts vijftien meter beneden hen. Tall bewoog niet.

'Ze hebben u gezien, overste,' zei Stein.

'Stein, we gaan erheen,' zei Tall, zich niets van Steins opmerking aantrekkend. 'Allemaal, iedereen gaat met ons mee. Heb je verder nog officiële klachten of tegenwerpingen?'

'Nee, overste,' zei Stein slapjes. 'Nu niet meer. Maar ik zou graag mijn verzoek herhalen om een patrouille rechts de wildernis in te zenden. Ik ben ervan overtuigd dat het daar veilig is. Er is van die kant de hele dag geen schot gevuurd. Een Jappenpatrouille had ons vandaar zonder veel moeite onder zeer gevaarlijk kruisvuur kunnen leggen. Dat was eigenlijk wat ik verwachtte.' Hij wees voor zich uit naar het lage gebied tussen de terreinplooien, naar de plek waar de boomtoppen van de jungle nog net zichtbaar waren. Tall volgde de richting van zijn vinger.

'Het is nu in ieder geval te laat om daar nog een patrouille naartoe te zenden,' zei Tall.

'Een grote patrouille, ter sterkte van een peloton, met een mitrailleur. Ze zouden zich kunnen ingraven als ze niet voor het donker terug kunnen keren.'

'Wil jij graag een peloton verliezen, of zo? Bovendien zou je het hele centrum open moeten laten. We hebben de A-compagnie niet in reserve, Stein. Die bevindt zich achter op de rechterflank en vecht zijn eigen strijd. De B-compagnie is onze reserve en die is ingezet op je linkerflank.'

'Dat weet ik, overste.'

'Nee, we gaan mijn plan uitvoeren. We nemen iedereen mee naar de richel. Misschien kunnen we die heuvelrug nog innemen voor de nacht invalt.'

'Ik ben van mening dat de heuvelrug nu nog niet in te nemen is, overste,' zei Stein ernstig en schoof zijn bril recht.

'Ik ben het niet met je eens. In ieder geval kunnen we daar altijd een verdedigingsring leggen en ons ingraven, dat doe ik liever dan terugtrekken.'

De bespreking was voorbij. Rustig kwam Tall overeind tot hij helemaal rechtop stond. Opnieuw ratelde in de verte de mitrailleur en een fluitende lijn van kogels sloeg ditmaal op een paar meter van hun voeten in. Stein dook omlaag en het leek hem dat de kogels rondom Talls voeten en tussen zijn benen door schoten. Tall wierp een minachtende, geamuseerde blik op de heuvelrug en begon naar achteren de helling af te lopen terwijl hij ondertussen met Stein bleef praten. 'Maar eerst moet je een man naar je eerste peloton zenden en hun berichten dat zij in de flank naar de heuvelrug moeten optrekken. Ze moeten positie kiezen achter de richel en zich aansluiten bij Becks linkerflank. Zodra je man het eerste peloton veilig heeft bereikt, zal ik de B-compagnie waarschuwen dat die moet oprukken en daarna gaan wij zelf.'

'Goed, overste,' zei Stein. Hij knarste met zijn tanden, maar zijn stem klonk onbewogen. Langzaam, heel langzaam en met tegenzin kwam hij overeind om Tall te volgen. Maar voor hij een bevel kon geven, was de jonge kapitein Gaff, die plat op zijn buik had gelegen niet ver van hen vandaan, al naar hen toe gekropen.

'Ik zal wel gaan, overste,' zei hij tegen Tall. 'Ik zou het heel graag doen.'

Tall keek hem waarderend aan. 'Oké, John, doe jij het maar.' Met vaderlijke trots keek hij toe terwijl de jonge kapitein zich verwijderde.

'Flinke vent, mijn jonge plaatsvervanger,' zei hij tegen Stein.

Ze hadden dit keer geen verrekijker nodig. Het eerste peloton lag niet zo heel ver weg. Overeind staand met hun hoofden net boven de top uit keken Tall en Stein hoe Gaff deskundig omlaag zigzagde naar het met granaattrechters bedekte vlakke terrein links van de begroeide heuvel. Stein had hem gewezen waar hij Skinny Culn kon vinden, de nieuwe pelotonscommandant – door het wegvallen van de anderen. Enkele ogenblikken later begonnen mannen met korte sprongen en bij twee en drie tegelijk op te trekken.

'Goed,' zei Tall, 'en geef me nu de radio even.' Hij sprak er langdurig in.

'Oké,' zei hij. 'Nu zijn wij aan de beurt.'

Rondom hen begonnen de mannen in beweging te komen, alsof ze al hadden begrepen dat er iets te gebeuren stond.

Wat Stein ook op hem aan te merken had, en dat was heel wat, hij moest toegeven dat Talls aanwezigheid hier op het gevechtsterrein op alles en iedereen een positieve uitwerking had. Deels was dat natuurlijk ook te danken aan Becks prestatie, wat die nu ook precies inhield. Maar dat was het niet alleen en Stein moest het erkennen. Tall had iets met zich meegebracht dat hier vóór zijn komst niet was geweest; dat kon je zien aan de gezichten van de mannen. Ze leken niet meer zo bang, zo afwezig en teruggetrokken. Misschien kwam het slechts doordat ze nu het gevoel hadden dat uiteindelijk niet iedereen zou sterven. Sommigen zouden het overleven. Van dat besef naar de normale egoïstische reactie was maar een kleine stap: *ik* zal het overleven. Anderen worden misschien geraakt, mijn vrienden rechts en links van me zullen sterven, maar ik kom erdoorheen. Tall was vol zelfvertrouwen gearriveerd, had de touwtjes zelfverzekerd en beslist in handen genomen. Degenen die het overleefden, zouden dat aan Tall te danken hebben en zij die stierven konden toch niets meer zeggen. Dat was heel naar voor ze, vond iedereen; maar als ze eenmaal dood waren, dan telden ze toch eigenlijk niet meer mee, wel? Dat was de simpele waarheid en Tall had hun die waarheid gebracht.

Dit alles bleek duidelijk uit de manier waarop Tall de voorwaartse beweging liet uitvoeren. Hij stapte op en neer voor het front van het derde peloton – de hele groep lag plat op hun buik – en tikte met het bamboestokje in zijn rechterhand luchtig tegen zijn schouder terwijl hij, met gefronste wenkbrauwen van concentratie, de mannen kort uitlegde wat hij van plan was en waarom, en welke rol zij hierbij moesten spelen. Hij waarschuwde ze niet, moedigde ze niet overdreven aan. Uit zijn hele houding bleek overduidelijk dat hij dat minderwaardig zou hebben gevonden; ze verdienden iets beters; ze moesten nu eenmaal doen wat ze moesten doen en dat zouden ze ook doen zonder een chauvinistisch pleidooi van hem; geen onzin, geen aanstellerij. Toen de beweging was uitgevoerd en zowel het eerste als het derde peloton geïnstalleerd was achter de richel links en rechts van het tweede peloton, waren slechts twee mannen lichtgewond. Iedereen wist dat ze dit aan Tall te danken hadden. Zelfs Stein.

Maar nu ze zo ver waren gekomen, was duidelijk dat zelfs Tall hen niet verder zou krijgen. Het was over halfvier. Ze waren in gevecht geweest sinds het aanbreken van de dag en de meesten hadden al een uur of tien geen water meer gehad. Een aantal mannen zakte in elkaar. De zenuwen waren aangetast doordat allen urenlang onder vuur hadden gelegen en bovendien zonder water zaten: een vrij groot aantal mannen was dan ook niet ver meer van een zenuwinzinking af. Tall kon dat alles zelf heel goed zien. Maar nadat hij de rapporten van Beck, Dale en Bell in ontvangst had genomen, wilde hij, voor de nacht viel, toch nog één poging wagen om de centrale stelling aan hun rechterhand buiten gevecht te stellen.

Bij het kleine groepje officieren en onderofficieren rondom de overste bevonden zich nu ook die van de B-compagnie. Toen Charlie optrok naar de richel, had Baker volgens Talls door de radio gegeven bevel zijn derde aanval van de dag gelanceerd. Evenals de andere, was ook deze geen succes en in de verwarring was de helft van de B-compagnie bij het eerste peloton van Charlie terechtgekomen en daar blijven hangen. Terugkerend was de rest daar ook aangekomen en daarom had Tall hun leiders ook bij hem geroepen. 'Die centrale stelling is blijkbaar de sleutelpositie voor de hele heuvelrug,' zei Tall tegen de mannen om hem heen. 'Mannen... eh... *sergeant* Bell heeft wat dat betreft volkomen gelijk.' Hij keek Bell scherp aan en vervolgde: 'Van dat hooggelegen punt kunnen onze kleine gele broeders het hele min of meer vlakke terrein voor onze richel bestrijken, helemaal van onze rechterflank tot aan de Baker-compagnie links van ons. Waarom ze de richel onbezet hebben gelaten weet ik niet. Maar wij moeten die fout uitbuiten voordat ze hun vergissing bemerken. Als wij die grote bunker kunnen uitschakelen, zie ik niet in waarom we de hele heuvelrug niet nog voor het vallen van de nacht kunnen veroveren. Ik vraag vrijwilligers om daar naar boven te gaan en een poging te doen de centrale stelling op te blazen.'

Stein, die nu voor het eerst van de nieuwe aanval hoorde, was vervuld van afgrijzen en kon zijn oren niet geloven. Tall moest toch ook gezien hebben hoe vermoeid en uitgeput iedereen was. Maar Steins neiging om met Tall te discussiëren was verdwenen, zeker ten overstaan van meer dan de helft van de officieren van het bataljon.

Voor John Bell, die net als de anderen op zijn hurken zat, leek alles plotseling weer op een clichématige scène uit een derderangs oorlogsfilm. Dit kon toch niets te maken hebben met de dood. De luitenant-kolonel stond nog steeds rechtop, liep nog altijd heen en weer op de helling met zijn bamboestokje in de hand terwijl hij praatte, maar het viel Bell op dat hij er zorgvuldig voor zorgde dat zijn hoofd niet boven de richel uitstak. Bell had de aarzeling bij en de nadruk op het woord sergeant ook bemerkt. Dit was de eerste keer dat hij zijn bataljonscommandant ontmoette, maar dat was geen reden om aan te nemen dat Tall zijn geschiedenis niet zou kennen. Iedereen kende die. Misschien kwam het hierdoor dat hij opeens zei: 'Overste, ik zal graag een groep de weg wijzen naar die hoofdstelling.' Was hij gek geworden? Hij was woedend, dat wist hij, maar was hij ook krankzinnig? O, Marty!

Meteen klonk rechts van Bell een hoge stem. De stem van een man met gebogen schouders, grote grijpvingers en gekerfd gelaat. Tijdelijk sergeant Dale deed een poging om verdere roem te vergaren zodat hij voortaan niet meer in de keuken naar de pijpen van zijn gehate chef hoefde te dansen. Maar wat hem zelf tot zijn besluit dreef, wist Bell niet.

'Ik ga mee, overste! Ik bied me vrijwillig aan!' Charlie Dale stond op, deed de voorgeschreven drie passen voorwaarts en hurkte weer neer. Het was alsof Dale, de bevrijde kok, dacht dat zijn aanbod niet serieus zou worden genomen zonder die drie passen. Hij keek om zich heen met kleine oogjes die om een of andere onbegrijpelijke reden straalden. Bell vond het resultaat onaangenaam, belachelijk en lachwekkend.

Bijna nog voor Dale weer op zijn hurken zat, klonken nog twee stemmen op. Achter Bell kwamen tussen de soldaten uit zijn eigen kleine patrouillegroep soldaat eersteklas Doll en soldaat Witt naar voren. Beiden gingen veel dichter bij Bell dan bij Dale zitten, die een beetje apart van de anderen was neergehurkt. Bell kon niet nalaten tegen hen te knipogen.

Soldaat Doll, die nog woedend was over het feit dat Charlie Dales patrouille zoveel meer succes had gehad dan zijn eigen, schrok van Bells knipoogje. Waarom gaf die vent hem verdomme een knipoog? Vanaf het moment dat hij had gesproken en naar voren was gegaan, had Doll zijn hart weer in zijn keel voelen kloppen. Alles was weer vaag en schimmig geworden voor zijn ogen. Hij bewoog zijn tong in zijn mond en had het gevoel dat hij twee enigszins vochtige stukken vloeipapier over elkaar wreef. Hij had al in meer dan vier uur geen water gedronken en was zo vertrouwd geworden met het gevoel van dorst dat hij zich niet meer kon herinneren ooit geen dorst te hebben gehad. Maar dit gevoel van vloeipapier in zijn mond was de door de vrees gewekte dorst en Doll herkende het meteen. Hield Bell hem voor de gek, stak hij de draak met hem? Doll lachte voorzichtig in zijn richting, een koel lachje dat zo nodig in een seconde had kunnen verdwijnen.

Witt daarentegen, die geheel ontspannen links van Doll zat en wat dichter bij Bell, lachte en knipoogde terug. Witt voelde zich op zijn gemak. Hij had zich vast voorgenomen nergens voor terug te schrikken toen hij zich deze morgen vrijwillig weer had aangemeld bij zijn oude compagnie, en dus deinsde hij hier ook niet voor terug. Als Witt eenmaal een besluit nam, dan tobde hij er verder niet over, dan was de zaak beklonken. Wat hem betrof was deze door vrijwilligers uit te voeren patrouille een gewoon karweitje dat moest worden uitgevoerd door een kleine groep begaafde lieden van zijn soort. Hij had genoeg vertrouwen in zichzelf als soldaat om er zeker van te zijn dat hij voor zichzelf kon zorgen in elke situatie die behendigheid en bekwaamheid eiste; en wat ongeluk of pech betrof, als die hem ten val zouden brengen, nou, dan was je er geweest en dat was dat. Maar hij geloofde niet dat hij zou sneuvelen, en ondertussen was hij er vast van overtuigd dat hij velen van zijn oude kameraden zou kunnen helpen, misschien een groot aantal van hen het leven zou kunnen redden, hoewel sommigen, zoals die sufferd van een Fife, hem liever helemaal niet in de compagnie terug hadden gezien. Maar Witt wilde zoveel mogelijk mannen helpen of redden, zelfs Fife, als dat nodig was.

En daarnaast had Witt eerder die middag groot respect en zelfs bewondering gekregen voor Bell, toen die tijdens de patrouille de stunt had uitgehaald zich zo bloot te stellen. Witt, die in zijn carrière als beroepsmilitair driemaal korporaal was geweest en tweemaal sergeant, wist intelligentie en moed in een man te waarderen. En hoewel hij heel spaarzaam was met persoonlijke gevoelens, moest hij nu erkennen dat hij Bell graag mocht. Witt voelde dat Bell, net als hijzelf, over echte leiderskwaliteiten beschikte. Samen zouden ze veel kunnen doen om een groot aantal lui te helpen en het leven te redden. Hij mocht Bell wel, ook al was die officier geweest. En dus lachte en knipoogde hij terug tegen Bell, vol van gevoelens van verwantschap, en richtte daarna zijn aandacht weer op Tall, die – overste of niet – hem helemaal niet beviel.

De overste had nog geen kans gekregen om te spreken, zo snel en zo talrijk hadden de vrijwilligers zich gemeld. Hij had er nu vier.

Maar voor hij iets tegen hen kon zeggen, kreeg hij er snel nog drie bij. Een al wat oudere, enigszins calvinistisch uitziende tweede luitenant, die legerpredikant had kunnen zijn maar het niet was, kwam naar voren uit de groep van officieren van de B-compagnie en bood zich aan als vrijwilliger. Hij werd gevolgd door een sergeant van dezelfde compagnie. En toen deed Talls eigen plaatsvervanger, de jonge kapitein Gaff, zijn duit in het zakje en bood ook zijn diensten aan.

'Ik zou graag het bevel over de patrouille op me nemen, overste,' zei hij.

Tall stak zijn hand op. 'Dat is genoeg, dat is genoeg. Zeven is voldoende. Op het terrein waar jullie heen gaan zou je van meer mensen alleen maar last hebben, lijkt me. Ik weet dat er onder jullie nog velen zijn die ook graag waren meegegaan, maar die moeten wachten tot de volgende gelegenheid.'

Kapitein Stein, die deze woorden hoorde, keek door zijn brillenglazen scherp naar het gezicht van zijn commandant en zag tot zijn grote verbazing dat Tall doodernstig was, elk woord meende en beslist geen grapje maakte. Er lag geen spoor van ironie in zijn woorden.

Zich tot Gaff wendend, zei Tall: 'Goed, John, het is jouw kindje. Jij voert het bevel. Nu...'

Professioneel zette hij voor hen de operatie uiteen. Beknopt en helder, maar zonder het kleinste detail of het geringste voordeel te vergeten, legde hij de beste strategie uit. Zijn talent en de manier waarop hij er gebruik van maakte, dwongen onwillekeurig bewondering af. Stein, wetend dat hij niet de enige was, zag zich genoodzaakt toe te geven dat Tall een begaafdheid en een gezag bezat, waarover hijzelf niet beschikte.

'Het is vrijwel zeker dat de bunker door kleinere mitrailleurstellingen wordt beschermd. Maar het lijkt me het beste die voorlopig te negeren en indien enigszins mogelijk eerst de centrale stelling aan te vallen. Wanneer het voornaamste bolwerk eenmaal is gevallen, worden de kleinere stellingen vaak automatisch ontruimd, vergeet dat niet. Dat is alles, heren,' zei Tall, plotseling glimlachend. 'De onderofficieren keren naar hun posities terug, maar ik verzoek de officieren nog even te blijven. Zet je horloge gelijk met het mijne, John. Geef de Dog-compagnie – eens kijken – twaalf minuten, voor je de eerste keer radioverbinding zoekt. Zolang heb je wel nodig om er te komen.'

Toen de kleine aanvalsgroep rechts langs de richel verdween, had overste Tall de bataljonsstaf al opgebeld. Kapitein Stein, die bij de andere officieren neerhurkte omdat ze nog even moesten blijven, wierp een blik op zijn uitgeputte, naar water smachtende mannen achter de richel en vroeg zich af hoeveel hoger op de heuvel ze zouden komen, ook als de Japanse centrale stelling viel. Dertig meter misschien, voor ze bezweken? De aanvalsgroep verdween uit het zicht. Stein richtte zijn aandacht weer op Tall en het kleine groepje officieren van de compagnie; het waren er tien geweest, en nu nog maar zes. En terwijl de aanvalsgroep de plek naderde waar Bell zich eerder op de dag bloot had gegeven, zette overste Tall de officieren het tweede plan al uiteen, dat hij had bedacht voor het geval deze aanval zou mislukken. Als dat gebeurde, wilde Tall een nachtelijke aanval lanceren en de bunker bij verrassing innemen. Natuurlijk moest er in dat geval een verdedigende frontlijn komen; daarvoor konden ze dus vast hun maatregelen treffen. Tall was niet van plan zijn pogingen die avond te staken, zoals het tweede bataljon gisteren had gedaan. Hij zou zelf bij het bataljon blijven. Voorlopig was er natuurlijk nog altijd een kans, zij het een geringe, dat de aanvalsgroep succes zou hebben.

John Bell, die vooropkroop in het rijtje van zeven man dat de aanvalsgroep vormde, verdiepte zich niet in de vraag of deze aanval kon slagen. Er was slechts één gedachte die door zijn hoofd hamerde: hij had zich bereid verklaard *een groep naar de plek te brengen*. Hij had niet gezegd dat hij bereid was mee te vechten. Maar niemand behalve hijzelf had dit subtiele verschil opgemerkt. En nu moest hij hun niet alleen de weg wijzen, maar er werd ook van hem verwacht dat hij mee zou vechten en hij kon zich hieraan niet onttrekken zonder de indruk te wekken dat hij een laffe sukkel was. Trots! Trots! Godverdomme, wat deed de mens toch een vervloekt stomme dingen omdat zijn trots hem ertoe dwong! Hij hield zijn blik strak gericht op dat veranderende punt, waar de richel om de bocht van de helling verdween. Het zou verdomme zijn verdiende loon zijn als de Japanners plotseling hun fout hadden hersteld en een paar mannetjes hadden aangewezen om deze richel te verdedigen. Dan zou hij, omdat hij vooropging, het eerste doelwit zijn. Geërgerd draaide hij zich om en wenkte de anderen dat ze moesten opschieten, en terwijl hij dat deed ontdekte hij iets merkwaardigs. Het kon hem niet meer zoveel schelen. Het kon hem helemaal niet meer schelen. Uitputting, honger, dorst, vervuiling, de vermoeidheid van de voortdurende vrees, verzwakking door watergebrek, beurse plekken en gevaren hadden zo op hem ingebeukt dat er gedurende die laatste minuten – Bell wist niet precies wanneer – iets in hem was gebroken, waardoor hij zich geen mens meer voelde. Zoveel uiteenlopende emoties hadden hem geteisterd dat hij niet meer tot emoties in staat was. Hij was nog wel bang, maar hij was door zijn emotionele apathie (iets anders dan fysieke apathie) zo afgestompt dat zijn vrees niet meer dan een vaag gevoel van onbehaaglijkheid was. Het liet hem allemaal vrij koud. En deze onverschilligheid, dit gevoel overal buiten te staan, had niet tot gevolg dat hij slechter functioneerde, maar juist beter. Toen de anderen waren genaderd kroop hij verder, in zichzelf een liedje fluitend dat hij 'Ik ben een automaat' had genoemd en dat hij floot op de melodie van 'God Bless America'.

Ze verbeeldden zich dat ze mannen waren. Ze zagen zichzelf allemaal als echte mensen. Ja, waarachtig. Heel grappig. Ze dachten dat ze beslissingen namen en hun eigen leven leidden, en ze spraken fier over zichzelf als vrije mensen. In werkelijkheid waren ze hier en zouden ze hier blijven tot de staat hun via een andere machine vertelde dat ze ergens anders heen moesten en dan gingen ze daarheen. Maar ze gingen uit vrije wil, want ze waren vrije mensen. Ja, ja.

Toen hij de plek bereikte waar hij de centrale stelling had gezien, bleef hij liggen, zond Witt uit om te kijken en wees kapitein Gaff waar hij had gestaan.

Witt, die nu de kop nam – of eerder als wachtpost fungeerde, want ze kropen niet meer – had inderdaad het gevoel dat hij een man was, hij geloofde rotsvast dat hij een vrije wil bezat. Het idee hieraan te twijfelen was nooit bij hem opgekomen. Hij had besloten zich weer bij zijn vroegere onderdeel aan te sluiten en het plan opgevat als vrijwilliger aan deze onderneming deel te nemen. Voor zover hij het kon zien was hij een vrij mens. Vrij, blank en meerderjarig, iemand die zich door niemand liet koeioneren, en dat ook nooit zou doen. Naarmate het vooruitzicht van het gevecht dichterbij kwam, voelde hij dat spanning zich van hem meester maakte, precies zoals vroeger toen hij nog als mijnwerker bij stakingen had meegelopen met demonstraties. Nu had hij een kans om te helpen, een kans om zoveel mogelijk vrienden te redden, een kans om nog wat van die rot-Jappen neer te knallen; hij zou Bugger Stein, die hem als een lastig element uit de compagnie had gegooid, weleens laten zien wat hij waard was. In geknielde houding, een eindje van de richel af, hield hij zijn geweer in de aanslag. Hij had niet voor niets van jongsaf aan op eekhoorns geschoten, hij had niet voor niets zes jaar achter elkaar de kwalificatie Scherpschutter veroverd op de schietbaan. Zijn enige zorg was dat er daar bij kapitein Gaff achter hen iets zou gebeuren terwijl hij hier op de uitkijk stond en niet mee kon doen. Nou ja, dat merkten ze dan wel.

En Witt kreeg gelijk. Ze merkten het inderdaad. Nadat hem de plek was getoond, besloot de jeugdige kapitein Gaff, die als hij al nerveus was dit goed wist te verbergen, zelf even een kijkje te gaan nemen. Toen hij terugkwam, meende hij dat dit een heel geschikte plaats was om het vuur te observeren. Er was slechts één probleem: de kleine plek met de lage, dunne struiken bood te weinig dekking om de radio mee te kunnen nemen. 'Weet een van jullie hoe je met dat ding moet werken?' vroeg hij. Bell was de enige die het wist. 'Oké, dan blijf jij hier beneden en dan roep ik jou de gegevens van boven toe,' zei Gaff. Maar hij zou eerst de verbinding tot stand brengen en de coördinaten noemen. Daarna zette hij zijn plan uiteen. Wanneer de 81-ers de plek voldoende hadden bestookt, zou hij met zijn wakkere volgelingen de richel verlaten en door het gras zo dicht mogelijk naar de stelling toe sluipen voor ze hun handgranaten slingerden. 'Afgesproken?' Bells machines knikten met hun hoofden. 'Oké, daar gaan we dan.'

Gaff kroop door de uitholling voordat de eerste granaten overkwamen. Ze hoorden het fluisterend suizen van de projectielen die bijna vlak boven hen neerkwamen voor ze explodeerden en daarna was de hele helling een inferno van rook en vlammen en lawaai. Ze bevonden zich op slechts vijftig meter van de bunker en een regen van aardkluiten, steensplinters en stukjes gloeiend metaal daalde op hen neer. Iemand gebaarde naar Witt dat hij dekking moest zoeken tegen de wand en ze drukten hun gezichten allemaal tegen de scherpe stenen en knepen hun ogen dicht, terwijl ze verbeten vloekten op die ellendige kerels die de mortieren bedienden en weleens een te korte konden vuren, al gebeurde dat niet. Nadat dit een kwartier zo was doorgegaan en Gaff voortdurend veranderingen in de afstand naar beneden had gebruld, riep hij ten slotte: 'Oké! Zeg ze maar dat het genoeg is!' Bell deed het. 'Het lijkt me voldoende!' brulde Gaff omlaag. 'Wat ze kunnen bereiken hebben ze nu wel bereikt.' Toen aan het bevel ver achter hen gevolg werd gegeven, kwamen er geen mortiergranaten meer en volgde er een stilte die even overweldigend was als het gedaver van de explosies.

'Oké,' riep Gaff, veel zachter nu. 'We gaan!'

Als zij nog de hoop koesterden dat de mortierbarrage iedere Japanner in de stelling het leven had gekost, dan werden ze meteen uit de droom geholpen. Toen de oude, knorrige, calvinistisch uitziende tweede luitenant van de B-compagnie als eerste de richel verliet, was hij zo dom recht omhoog te klimmen, zodat hij zich tot zijn middel blootgaf. Een Japanse mitrailleurschutter schoot hem drie kogels in de borst. Hij viel plat voorover in de kleine uitholling, waarin hij had moeten afdalen, en bleef daar hangen, terwijl zijn benen degenen die nog voor de richel stonden in het gezicht schopten. Argwanend en zo behoedzaam als ze maar konden, trokken ze hem achter de richel. Terwijl hij met gesloten ogen, kort ademhalend, op zijn rug lag, leek hij knorriger dan ooit. Zijn ogen bleven dicht; hij legde beide handen op zijn doorschoten borst en bleef oppervlakkig ademhalen, met een zuur calvinistisch gezicht; zijn donkere stoppels glansden blauw in het licht van de namiddagzon.

'Tja, wat doen we nou?' bromde Charlie Dale. 'We kunnen hem niet meenemen.'

'We moeten hem hier achterlaten,' zei Witt. Hij was er juist bij gekomen.

'Jullie kunnen hem hier niet achterlaten,' protesteerde de sergeant van de B-compagnie.

'Oké,' snauwde Dale. 'Hij is van *jouw* compagnie. Blijf jij dan maar bij hem.'

'Echt niet,' zei de sergeant. 'Ik heb me niet vrijwillig aangeboden om nu bij hem te blijven zitten.'

'Ik had legerpredikant moeten worden,' zei de stervende met zwakke stem en gesloten ogen. 'Dat had ik kunnen doen, weet je. Ik ben bevestigd als predikant. Ik had nooit zo gek moeten zijn om infanterie-officier te worden. Mijn vrouw heeft het me nog zo gezegd.'

'We kunnen hem hier laten liggen en hem op de terugweg meenemen,' zei Bell. 'Als hij dan nog leeft.'

'Willen jullie met me bidden, jongens?' zei de luitenant.

'Onze Vader die in de hemelen zijt, Uw naam worde geheiligd.'

'Dat kunnen we niet doen, luitenant,' onderbrak Dale hem beleefd. 'We moeten verder. De kapitein wacht op ons.'

'Goed,' zei de luitenant, nog altijd zonder zijn ogen te openen. 'Dan doe ik het zelf wel. Gaan jullie maar, jongens. Uw Koninkrijk kome. Uw wil geschiede op aarde zoals in de hemel. Geef ons heden ons dagelijks...'

Terwijl ze een voor een eruit klommen, op hun buik, om niet dezelfde fout te maken als hij, murmelde de zwakke eentonige stem verder. Dale ging als eerste, met Witt op zijn hielen.

'De klootzak,' fluisterde Witt, toen ze zich allebei in de uitholling achter het dunne scherm van bladeren bevonden. 'Ik wou dat hij inderdaad legerpredikant geworden was. Nu hebben ze ons gezien. Ze weten dat we hier zitten. Dit wordt een hel.'

'Ja, en dan dat stomme kutgebed,' zei Dale, maar zonder veel overtuiging. Hij had het te druk met het spieden naar alle richtingen, zijn ogen wijd open van de spanning.

Bell was de laatste die de richel verliet en hij vond dat hij iets moest zeggen, een paar bemoedigende woorden, maar wat kon je zeggen tegen iemand die stervende was? 'Het ga u goed, luitenant,' zei hij ten slotte.

'Dank je, jongen,' zei de luitenant van Baker zonder zijn ogen te openen. 'Welke van het stel ben jij? Ik doe mijn ogen liever niet open.'

'Ik ben Bell, luitenant.'

'O ja,' zei de luitenant. 'Nou, als je een keer de kans krijgt, bid dan voor mijn ziel. Ik wil je niet in verlegenheid brengen. Maar baat het niet, dan schaadt het niet, toch?'

'Oké, luitenant,' zei Bell. 'Tot ziens.'

Terwijl hij de richel verliet drukte hij zijn gezicht zo stevig in het zand van de uitholling als hij maar kon. Hij hoorde nog steeds de zwakke, eentonige stem, die nu een ander gebed prevelde dat Bell nooit had gehoord en niet kende. Machines. Godsdienstige machines. Niet-godsdienstige machines. Legerpredikant Gray zal nu de Club van Beroepsmachines zijn zegen geven. Ja zeker. Het zand smaakte stoffig toen hij zijn mond erin drukte.

Kapitein Gaff, de plaatsvervangend bataljonscommandant, was helemaal naar het eind van de laagte gekropen en lag nu voorbij het dunne bladerscherm, twintig of dertig meter verderop.

'Is hij dood?' vroeg hij toen de anderen hem waren genaderd. Ze lagen nu allemaal op een rij in de laagte.

'Nog niet,' fluisterde Dale, die vlak achter hem lag.

Hier, waar ze geen scherm van bladeren meer hadden, voelden ze zich weerlozer, hoewel de laagte hen uit het zicht hield, maar het gras was er weliger dan dicht bij de richel en daarom wilde Gaff hier een poging wagen. Ze moesten met hun kleine linie van rechts naar binnen trekken, zei hij tegen Dale en Witt achter hem, die dit bevel moesten doorgeven. Als hij het teken gaf moesten ze de inzinking verlaten en door het gras in de richting van de bunker kruipen. Ze mochten niet vuren en geen granaten slingeren voor hij het volgende teken gaf. Hij wilde zo dicht mogelijk bij de bunker komen zonder te worden opgemerkt. 'Eigenlijk,' zei hij tegen Dale, 'zouden we vanaf hier ook rechtdoor kunnen gaan. Zie je? Na die kleine open ruimte kunnen we achter dat heuveltje liggen en ik vermoed dat we wel verder zouden kunnen kruipen tot we achter de bunker uitkomen.'

'Ja, kapitein,' zei Dale.

'Maar ik denk dat het te veel tijd zou kosten.'

'Ja, kapitein,' zei Dale.

'We zouden minstens een uur moeten sluipen,' zei Gaff ernstig.

'En ik vrees dat het dan al donker is.'

'Ja, kapitein,' zei Dale.

'Wat vind jij ervan?' vroeg Gaff.

'Ik ben het met u eens, kapitein,' zei Dale. Geen enkele officier zou verdomme de kans krijgen om Charlie Dale verantwoordelijk te stellen voor eventuele blunders.

'Is iedereen achter ons op de hoogte?' fluisterde Gaff.

'Ja, kapitein.'

Gaff zuchtte. 'Oké. Vooruit dan maar.'

Langzaam liet Gaff zijn buik over de rand van de laagte zakken tot hij zich in het gras bevond. Hij begon te kruipen, waarbij hij zijn geweer bij de loop achter zich aan sleepte, omdat hij het gras niet meer dan strikt noodzakelijk was in beweging wilde brengen. Een voor een volgden de anderen.

John Bell leek het een dwaze, waanzinnige nachtmerrie die hij eerder had gehad. Zijn ellebogen en voeten zakten weg in de gaten in het vlechtwerk van oude, dorre stengels; hij bleef steeds haken. Stof en zaadjes prikkelden in zijn neus en deden hem snakken naar adem. Stengels zwiepten hem in het gezicht. Plotseling wist hij weer wanneer hij dit eerder had beleefd: toen hij samen met Keck naar de richel was geslopen. Het leek dus niet alleen op een nachtmerrie. En Keck was nu dood.

Geen van hen had het flauwste benul van hoe het begon. Het ene moment kropen ze nog in volkomen stilte verder, ieder helemaal alleen en geïsoleerd, zonder contact met de anderen, en even daarna sloegen overal om hen heen de kogels van mitrailleurvuur in. Niemand van hen had geschoten, een granaat geslingerd, of zich vertoond. Misschien had een zenuwachtige vijand ergens een graspol zien bewegen en daarop gevuurd, waarna ze allemaal zijn voorbeeld hadden gevolgd. Hoe dan ook, ze lagen plotseling midden in het vuur, van elkaar afgesneden, niet in staat gezamenlijk iets te ondernemen. Iedereen lag plat voorover met het hoofd tegen de grond gedrukt en bad de goden of de goddeloosheid zijn leven te sparen. Er was geen onderling contact en het was dus ook onmogelijk om leiding te geven aan de actie van de patrouille. Niemand kon iets doen. En in deze statische situatie waarin het verlies nabij was, toonde soldaat eersteklas Doll dat hij een held was.

Doll, die lag te zweten van panische, dodelijke vrees, angst en lafheid, was plotseling niet meer in staat zich te beheersen. Er was die dag te veel van hem gevergd. Hij kermde met hoge falsetstem aan één stuk door het woord 'moeder!', wat niemand gelukkig verstond, hijzelf ook niet, en sprong op en rende op de Japanse stelling af, terwijl hij het geweer op zijn heup afvuurde op het enige schietgat dat hij kon ontdekken. Alsof de Japanners verbijsterd waren door zoiets onredelijks, hadden ze het vuren opeens gestaakt. Op hetzelfde moment overwon kapitein Gaff zijn eigen panische angst; hij sprong overeind en riep, zwaaiend met zijn arm: 'Terug!' De rest van de patrouille rende met hem voorop terug naar de inzinking. Maar Doll zette de aanval voort, steeds zijn bezweringsformule kermend: 'Moeder! Moeder!'

Toen zijn geweer was leeggeschoten, wierp hij het naar boven, trok zijn pistool en begon daarmee te vuren. Met zijn linkerhand haalde hij een granaat van zijn koppel, staakte even het schieten met zijn pistool om met één vinger de veiligheidspin eruit te trekken en wierp de granaat toen in een boogje op het gecamoufleerde dak van de stelling, die hij nu duidelijk kon zien omdat hij er nog maar twintig meter vandaan was. De granaat ontplofte, maar zonder enig resultaat. Toen vuurde hij weer met zijn pistool en stormde verder. Pas toen het wapen stokte omdat de patronen waren verbruikt, kwam hij tot zichzelf en besefte waar hij was. Hij hield in en holde weg. Gelukkig voor hem liep hij niet terug naar de anderen, maar draafde naar rechts – blindelings, al zou hij dit later ontkennen. De gebogen richel was nog maar tien meter van hem vandaan en hij had hem al bereikt voor de massale vuurkracht van de Japanners, die zich van de schrik schenen te hebben hersteld, hem kon vinden en neermaaien.

Terwijl hij de tien meter overbrugde, kwam een donker, rond, sissend voorwerp in een boog over zijn hoofd en viel een meter voor hem op de grond. Automatisch schopte Doll er met zijn voet tegen alsof het een bal was en rende door. Het voorwerp huppelde enkele meters verder en ontplofte toen in een wolk van zwarte rook, zodat Doll tegen de grond werd geslagen. Maar toen hij viel, merkte hij dat er niets onder hem was; hij viel over de richel heen. Uiterst pijnlijk zijn voet stotend, suisde hij naar de voet van de richel, kwam met een klap die al zijn botten deed rammelen terecht op de plek waar soldaat Catch vlakbij was gesneuveld en rolde toen een meter of twaalf langs de heuvelrug omlaag voor hij zichzelf kon tegenhouden. Een poosje bleef hij gewoon in het gras liggen, gekneusd, overal pijn voelend, met hortende stoten op adem komend; hij was half verblind en kon haast niet meer denken. Wat hem nu was overkomen was niet te vergelijken met zijn andere ervaringen: de snelle zigzag-ren naar de CP vanaf het eerste peloton, daarna de terugkeer om Skinny Culn te vinden; ook niet met de aanval op de heuvelrug onder Kecks leiding. Dit was afgrijselijk, uitsluitend en volkomen afgrijselijk, zonder iets bemoedigends of troostends. Hij hoopte innig dat hij er nooit zelfs meer aan zou hoeven te denken. Toen hij naar zijn schoen keek, zag hij een keurige, kleine snee, enkele millimeters lang, even boven zijn enkel. Waar zat hij eigenlijk, verdomme? Hij wist waar hij was, maar was hij alleen? Wat was er met de anderen gebeurd? Waar zaten die? Het enige waar hij op dat ogenblik naar verlangde was mensen te zien, zodat hij zijn arm om iemands schouders zou kunnen slaan en iemand zijn arm om die van hem legde. Terwijl hij hieraan dacht stond hij op, beklom de richel en rende hijgend terug tot hij aankwam bij de laagte, waar hij bijna tegen de anderen opbotste. Ze zaten allemaal tegen de rots aan ademloos uit te hijgen. Slechts een van hen, de sergeant van de B-compagnie, was gewond geraakt en had een verbrijzelde schouder, veroorzaakt door een mitrailleurkogel.

'Doll,' hijgde kapitein Gaff voordat Doll zijn excuses kon maken, hem een smoes vertellen of een verklaring kon geven voor zijn gedrag, 'ik zal je persoonlijk bij overste Tall voordragen voor het DSC. Je hebt ons allemaal het leven gered en ik heb nooit zo'n dapperheid gezien. Ik zal de voordracht zelf opstellen en erachteraan gaan. Dat beloof ik je.'

Doll kon zijn oren nauwelijks geloven. 'Ach, kap'tein, het was niks,' zei hij bescheiden, nog steeds buiten adem. 'Ik was bang.' Hij zag hoe Charlie Dale hem bekeek met een van haat vervulde jaloezie. Ha, stomme lul! dacht Doll, in een plotselinge opwelling van tevreden plezier.

'Maar de tegenwoordigheid van geest om je te herinneren dat die richel tien meter naar rechts lag,' hijgde Gaff, 'dat was fantastisch.'

'Nou ja, kap'tein, u weet, ik ben met de eerste patrouille meegeweest,' zei Doll en hij glimlachte naar Dale.

'Dat zijn er wel meer geweest,' zei de jonge kapitein Gaff. Hij ademde nog steeds zwaar, maar begon nu bij te komen. 'Voel je je goed? Ben je niet gewond?'

'Ik weet het eigenlijk niet, kap'tein,' zei Doll lachend en hij liet het kleine sneetje in zijn schoen zien.

'Hoe komt dat?'

'Van een Jappengranaat, die ik heb weggeschopt.' Hij boog zich voorover om de veters los te maken. 'Ik zal maar eens kijken.' Op de binnenzool lag een klein metaalsplintertje, als een steentje, dat tijdens het rennen omlaag moest zijn gezakt. Terwijl hij naar de richel draafde had hij er niets van gevoeld. 'Goh,' loog hij lachend, 'ik dacht dat ik een steentje in mijn schoen had gekregen.' De scherf was vlak boven zijn enkel door het leer gedrongen en had even zijn huid gekerfd; er zat een beetje bloed aan zijn sok, die vochtig was van het zweet. 'Mijn god!' riep Gaff uit. 'Het is maar een schram, maar ik zal je ook nog voordragen voor het Purperen Hart. Dat moet je er dan maar bij krijgen. Mankeert je verder niets?'

'Ik ben mijn geweer kwijt,' zei Doll.

'Neem dat van luitenant Gray maar,' zei Gaff. Hij keek de rij eens langs. 'We moeten maar teruggaan. En zeggen dat we het aanvalsdoel niet hebben kunnen veroveren. Kunnen enkelen van jullie luitenant Gray dragen?' Gaff wendde zich tot de sergeant van de B-compagnie. 'Hoe gaat het met jou? Denk je dat je het redt?'

'Met mij gaat het prima,' zei de sergeant van Baker, met een grijns die meer een grimas van pijn was dan iets anders. 'Het doet alleen zeer als ik lach. Maar ik wil *jou* graag bedanken,' zei hij, zich wendend tot Doll.

'Geen dank, hoor,' antwoordde Doll en hij lachte verlegen, met schitterende ogen; de plotselinge waardering maakte hem grootmoedig. 'Maar hoe moet het met die wond? Gaat dat wel goed?' Hij keek omlaag naar de rood bevlekte hand waarvan langzaam bloed droop terwijl de arm onbruikbaar afhing langs de zij van de sergeant; ineens was hij weer bang.

'O, best, best,' zei de sergeant optimistisch. 'Voor mij is het allemaal voorbij; ik word teruggestuurd. Ik hoop tenminste dat het ernstig genoeg is.'

'Kom op, mannen,' zei kapitein Gaff. 'We gaan. Later kunnen we er wel over praten. Dale, draag jij luitenant Gray, samen met Witt? Bell, help jij de sergeant? Ik neem de radio wel. En Doll, jij komt achteraan en let goed op. Die kleine gele broeders, om met de overste te spreken, zouden ons nog een patrouille achterna kunnen sturen, weet je.'

En zo begon het groepje aan de terugtocht. De Japanners kwamen hen niet achterna. Gaff met de radio ging voorop, daarna kwam Bell, achter hem de sergeant van de B-compagnie, en vervolgens Dale en Witt die het lichaam van de dode luitenant bij zijn twee voeten achter zich aan sleepten. Doll vormde de achterhoede. Ze maakten geen grootse indruk toen ze om de hoek kropen en weer in zicht van het bataljon kwamen. Maar Gaff had onderweg voortdurend tegen hen gesproken.

'Als we morgen nog een kans krijgen, geloof ik dat het wel lukt,' zei hij, 'en ik zal me zeker vrijwillig voor die taak aanmelden. Als we over de open ruimte kruipen en achter die kleine hoogte gaan liggen, kunnen we vandaar omtrekken en achter hen komen en daarna van boven af op hen losgaan. Dat hadden we nu ook moeten doen. Van boven af kunnen we zo gemakkelijk als wat handgranaten op hen neersmijten. Dat zal ik de overste vertellen.'

En wonderlijk genoeg wilden ze allemaal weer meegaan – behalve de sergeant van de B-compagnie, die natuurlijk niet mee *kon* gaan. Zelfs John Bell wilde weer mee, net als de anderen. Ze waren allemaal machines. Wat was dit eigenlijk? En waarom wilden ze het opnieuw proberen? Bell wist het niet. Wat was deze masochistische neiging tot zelfvernietiging die hem naar voren dwong, waar hij zich bloot moest stellen aan gevaar en aan kogelregens zoals die eerste keer bij de laagte? Hij was als kind eens (eens? vele malen op vele verschillende manieren, maar hij bedoelde nu de keer toen hij vijftien was en waarvan de herinnering zich plotseling zo sterk aan hem opdrong dat het leek of hij werkelijk weer daarginds was en het allemaal opnieuw beleefde), eens was hij op avontuur gegaan in de bossen van Ohio die vlak buiten zijn woonplaats begonnen. Dit speciale bos had een steile rots en een grot, als je een gat van drie meter in een rots tenminste een grot kan noemen, en boven op de rots stonden ook nog bomen en het bos eindigde daar vijftig meter verderop bij een met kiezels geplaveide landweg. Aan de andere kant van de landweg waren boeren in het veld aan het werk. Toen hij hun stemmen hoorde en het gesnuif en gerinkel van de paarden, voelde hij een aangename, heimelijke opwinding. Hij tuurde door het bladerscherm dat de grens van het bos vormde en zag vier mannen in overalls en rubberlaarzen, die naast een heg stonden vanwaar ze hem niet konden zien. De landweg werd ook door tamelijk veel auto's gebruikt. Een van de auto's, met een man en drie vrouwen erin, stopte en de inzittenden begonnen met de man te praten en Bell wist opeens wat hij ging doen. Heet van de opwinding die zich in zijn buik manifesteerde, liep hij tussen de bomen door terug, bijna helemaal tot de top van de rots en begon zijn kleren uit te trekken. Naakt als de dag waarop hij werd geboren, stond hij in de warme, rijpe junilucht, zijn stijve, kloppende penis voor zich uit, en hij kroop als een indiaan terug naar het bladerscherm, waarbij twijgjes en oude bladeren onder zijn blote voeten kraakten. Zijn kleren en zijn boterhammen liet hij daarginds liggen, want dat hoorde ook bij het spelletje: zijn kleren moesten zo ver weg zijn dat hij ze niet kon grijpen als hij werd betrapt of gezien, anders was het niet eerlijk. Hij ging vlak achter het scherm van bladeren staan, waar hij hen goed kon zien, zelfs de uitdrukking op hun gezichten, en masturbeerde sidderend van opwinding. Terwijl hij achter kapitein Gaff verderkroop onder een rotsrichel op Guadalcanal en de gewonde sergeant naast hem hielp, verstijfde John Bell plotseling en staarde voor zich uit als iemand die een openbaring krijgt. En die openbaring, voortspruitend uit een jeugdherinnering, was dat hij zich voor de patrouille had gemeld, dat hij die eerste keer naar de laagte was geklommen, en dat hij zelfs aan de mislukte aanval had deelgenomen uit niets anders dan seksuele motieven, al begreep hij zelf niet precies hoe dat mogelijk was. Maar hij had uit seksuele motieven gehandeld, precies zoals toen bij dat incident op de grindweg.

'Au,' zei de sergeant naast hem. 'Godverdomme!'

'O, sorry,' zei Bell.

Hij had in geen tijden aan die gebeurtenis gedacht. Toen hij zijn vrouw Marty ervan had verteld, was zij er opgewonden van geworden, zodat ze samen haastig naar bed waren gegaan om te vrijen. Aaaaaah, *Marty!* De geluidloze kreet scheen zijn mannelijkheid uit hem te persen.

Gewapend met zijn nieuwe kennis keek Bell heimelijk naar de anderen. Zat er aan hun reactie ook een seksueel tintje? Wie zou het zeggen? Hij kon het niet uitmaken. Maar hij wist nu al dat hij, zoals de anderen trouwens ook hadden verklaard, bereid zou zijn zich morgen opnieuw te melden voor een riskante onderneming als de kans zich voordeed. Deels kon dit worden verklaard uit esprit de corps en het besef samen iets moeilijkers te hebben gedaan dan de anderen. Voor een ander deel kwam dit door de invloed van kapitein Gaff, die hij steeds meer ging waarderen en bewonderen. En dan was er dat andere motief, voor hem tenminste, dat hij nauwelijks onder woorden kon brengen, maar dat in ieder geval seksueel van aard was. Zouden de anderen dat ook hebben? Was iedere oorlog in de kern van de zaak iets seksueels? Niet alleen maar in de theoretische psychologie, maar werkelijk, in je gevoelens en ervaringen? Een soort seksuele perversie? Of een complex van seksuele perversies? Dat zou een interessante stelling zijn en als het echt zo was, God helpe de mensheid.

Maar al slaagde Bell er niet in op de gezichten van zijn kameraden te lezen of ze al dan niet seksueel reageerden op wat ze deden, hij zag wel iets anders. Geestelijke verdoving, het besef geen mens meer te zijn, waarvan hij zich terwijl ze hierheen gingen al bewust was geworden, weerspiegelde zich steeds duidelijker op hun gezichten. Zelfs Gaff, die hier pas een paar uur was, kreeg er al iets van. Bell stond wat dat betrof dus niet alleen. En toen zij zich na een uitputtende tocht weer hadden aangesloten bij het bataljon, dat inmiddels al een defensieve linie had gevormd en hier in stelling was gegaan of zou kunnen gaan, zag hij diezelfde niet meer menselijke uitdrukking op vele gezichten, bij sommigen meer, bij anderen minder; maar de mate waarin scheen in rechtstreeks verband te staan met wat de eigenaar van het gezicht sinds de vroege ochtend had beleefd. De afgestompte blik was dan ook het duidelijkst zichtbaar bij zijn kleine patrouille en daarna bij de mannen die de tocht met Keck over het open terrein hadden meegemaakt.

Het was nu bijna donker. Tijdens hun afwezigheid hadden de mannen van de C-compagnie zich enkele meters achter de rotsrichel ingegraven. De geluiden van hun schermutseling waren gehoord en men had er terecht uit geconcludeerd dat de onderneming mislukt was. Daarom had de B-compagnie opdracht gekregen heuvelafwaarts van Charlie een stelling te maken in de vorm van een halve cirkel, om zo samen met de C-compagnie de verdediging te vormen. De mannen waren druk aan het werk om voor de nacht inviel de schuttersputten klaar te hebben. Het veroverde terrein zou dus niet worden prijsgegeven. Voor de leden van de patrouille werden, op bevel van overste Tall, door anderen schuttersputten gegraven.

Vrijwel onmiddellijk bleek dat ze inderdaad een kans zouden krijgen de bunker de volgende dag nogmaals aan te vallen. Overste Tall sprak hen hierover zodra hij kapitein Gaffs rapport had aangehoord. Het door overste Tall gemaakte plan voor een nachtelijke aanval, dat hun niet bekend was en waar ze nu met verbazing van hoorden, zou niet doorgaan, omdat de divisiecommandant hierover zijn veto had uitgesproken. Maar, zei overste Tall, hij had nu tenminste aangeboden dit te doen. Met kapitein Gaffs interpretatie van de hier vereiste strategie was hij het volkomen eens. Hij drukte de mannen de hand, eerst Doll, omdat die zou worden voorgedragen voor een DSC, daarna anderen, behalve luitenant Gray natuurlijk, die al op een brancard naar Heuvel 209 werd gebracht. Daarna stak hij zijn bamboestokje onder zijn arm, zond de minderen weg en overlegde met de officieren wat er de volgende dag moest gebeuren.

Het plan dat overste Tall had ontworpen, nadat hij bericht had ontvangen dat zijn voorstel voor een nachtaanval was afgewezen, hield met alle eventualiteiten rekening en maakte gebruik – zoals Bugger Stein bij zichzelf onmiddellijk constateerde – van Steins die dag gedane voorstel om de mogelijkheden van een omtrekkende beweging op de rechterflank te onderzoeken. Vóór de dageraad zou Stein vertrekken met zijn C-compagnie (zonder de mannen die onder Gaffs bevel waren geplaatst) en teruggaan naar de achterzijde van de derde terreinplooi om vandaar via het dal naar de jungle te gaan, waar het die dag zo stil was geweest. Tenzij hij op zeer heftige tegenstand stuitte, moest hij proberen van achteren om de Olifantskop te komen. 'De slurf van de Olifantskop is een prachtige ontsnappingsroute voor onze gele broeders,' had overste Tall glimlachend gezegd. Als Stein op het hogere terrein, waar de hellingen steiler waren, de flanken van die weg kon bezetten, zou het misschien mogelijk zijn de hele strijdmacht af te snijden. Inmiddels zou de Baker-compagnie door kapitein Task naar de richel worden gevoerd, waar hij zou wachten tot de patrouille van kapitein Gaff de Japanse centrale stelling had veroverd, om vervolgens heuvelopwaarts frontaal aan te vallen. 'Ik laat die omtrekkende beweging aan jou over, Stein, omdat dit oorspronkelijk jouw idee was,' zei overste Tall. Misschien, heel misschien en dan nog alleen voor Stein waarneembaar, zat er iets achter de koele toon waarop overste Tall deze opmerking maakte.

'Die Bell,' zei overste Tall, toen ze klaar waren met de bespreking. Hij staarde nadenkend in de richting van de mannen van de patrouille voor wie hij schuttersputten liet graven dicht bij die voor hem en Gaff. 'Een flinke kerel.' Zijn onuitgesproken bedoeling was alle aanwezige officieren duidelijk, want zij wisten dat Bell vroeger officier was geweest en ze wisten ook dat Tall dit wist.

'Dat is hij zeker!' riep de jeugdige kapitein Gaff spontaan en met jongensachtig enthousiasme.

'Ik heb in mijn compagnie altijd de beste ervaringen met hem opgedaan,' zei Stein, toen Tall hem vluchtig aankeek.

Tall zei niets meer en Stein evenmin. Hij wilde geen slapende honden wakker maken. Stein kreeg steeds meer het gevoel dat Tall hem behandelde als een schooljongen die voor zijn examen was gezakt, ook al had de overste hem geen openlijke verwijten gemaakt. Het gesprek van de officieren kwam terug op de plannen voor de volgende dag en ze bleven nog een poosje bijeen zitten, midden in de cirkelverdediging. Het was bijna stil; de explosies die de hele dag hoog in de lucht hadden geklonken, waren opgehouden en nu was alleen nog sporadisch wat geweervuur in de verte te horen. Aan beide fronten heerste een wachtende, ademende stilte.

En zo bleef het terwijl het laatste licht verdween: het kleine groepje officieren middenin besprak mogelijkheden en kansen, de mannen in de schuttersputten in een cirkel eromheen controleerden hun wapens en maakten ze schoon; het bataljon had zijn eerste echte dag in de vuurlinie achter de rug; geen successen, geen nederlagen, niets beslist, iedereen was uitgeput en afgestompt. Vlak voor het volkomen donker was, gingen de officieren uiteen om wat te rusten en met hun manschappen te wachten op de Japanse nachtaanval, die naar werd aangenomen wel zou komen. Het ergste was misschien nog dat ze nu niet meer mochten roken. En het watergebrek. Laat op de middag hadden nog enkele soldaten het bewustzijn verloren; ze waren evenals de gewonden afgevoerd. Velen van de achtergebleven mannen bevonden zich op de grens van een inzinking door de hitte. De angst was ook nog altijd een factor, sommigen leden er meer onder dan anderen; dat hing af van de mate waarin het verdovingsproces was voortgeschreden. John Bell was nu helemaal niet bang, ontdekte hij. Zijn angst zou pas terugkomen als er werd geschoten.

Er waren telkens twee eenmansgaten bij elkaar gegraven; als de een sliep, hield de ander de wacht, maar niemand kreeg veel slaap. Voortdurend was er onder de soldaten, die voor het eerst een nacht buiten de eigen linies doorbrachten, wel iemand die op schaduwen vuurde, op alles vuurde, op niets vuurde en zo hun positie verried, maar de verwachte Japanse nachtaanval bleef uit, al slaagde de vijand er wel in de lijnen van de twee veldtelefoons door te snijden. De Jappen waren waarschijnlijk te uitgeput en te ziek om aan te vallen. En zo lag het bataljon te wachten op de dageraad. Omstreeks twee uur 's nachts kreeg John Bell een malaria-aanval; koude rillingen en koorts, net als twee dagen geleden op de weg, maar nu veel heftiger. Toen de aanval op zijn hevigst was, schokte zijn lichaam zo dat hij volkomen machteloos zou zijn geweest als de Japanners wel waren gekomen. En hij was de enige niet. Sergeant-majoor Welsh, die zich vastklampte aan zijn kostbare zijtas met het appelcahier, waarin hij die avond in de schemering zorgvuldig alle personeelsveranderingen had genoteerd: GESN.; GEW.; ZIEK, kreeg ook zijn eerste malaria-aanval, die nog heftiger was dan Bells tweede. Ze wisten van elkaar niet dat ze malaria hadden, noch dat anderen er ook aan leden.

Een soldaat die moest poepen, deponeerde zijn uitwerpselen hysterisch vloekend in de hoek van zijn schuttersput en bracht de rest van de nacht door met pogingen zijn voeten uit de stront te houden. Met zo'n stel zenuwpezen was het levensgevaarlijk om uit je schuttersput te kruipen.

5

Biljoenen harde, fonkelende sterren verspreidden hun meedogenloze glans in de nachtelijke tropenhemel. Onder deze stralende koepel van het universum lagen de mannen klaarwakker te wachten. Af en toe dreven dezelfde enorme cumuluswolken van overdag statig langs de fonkelende uitgestrektheid en bedekten delen ervan, maar er viel geen regen op de dorstige soldaten. Voor de eerste keer sinds ze in het heuvelland waren, bleef het de hele nacht droog. De nacht moest worden doorstaan, de indrukwekkende schoonheid ervan was aan de naar water verlangende mannen verspild. Misschien was overste Tall wel de enige die er waardering voor had.

Eindelijk, hoewel het nog volkomen donker was, ging er een waarschuwend gefluister van de ene schutterspot naar de andere; het bevel om te vertrekken werd doorgegeven. In de onmenselijke irreële afwezigheid van licht dat het naderen van de dageraad aankondigt, verlieten de ongewassen, groezelige overlevenden van de C-compagnie hun dekkingsgaten om zich met stijve gewrichten groeps- en pelotonsgewijs op te stellen en de omtrekkende beweging te beginnen. Er was niemand die geen ontvellingen, schrammen en kneuzingen had van de agressieve manier waarop hij zich de vorige dag plat op de grond had geworpen. Dikke streepjes modder zaten onder hun nagels en hun handen voelden vettig aan omdat ze de wapens hadden schoongemaakt. Ze hadden de vorige dag aan doden, gewonden en zieken achtenveertig man verloren, iets meer dan een kwart van hun totale sterkte; niemand twijfelde eraan of ze zouden er die dag nog meer verliezen. De enige vraag die overbleef was: wie van ons zal het zijn? Wie?

Nog altijd elegant, hoewel hij bijna net zo vuil was als de mannen, kwam overste Tall aanstappen, het bamboestokje onder zijn oksel geklemd, zijn hand op de in wildwest-stijl laaghangende holster van zijn pistool. Hij wenste hun succes, drukte Bugger Stein en Brass Band de hand. Daarna sjokten ze weg in het spookachtige licht, ze daalden de heuvelrug in oostelijke richting af en gingen de nieuwe dag tegemoet, terwijl de dorst aan hen knaagde. Voor de dageraad het terrein verlichtte, waren ze al terug bij de derde terreinplooi – waar ze de vorige dag zoveel doodsangsten hadden uitgestaan en het bekende landschap hun nu vreemd toescheen. Ze staken de lage grond tussen de plooien over naar de junglerand, waar ze zich konden verbergen, waar overste Tall hen gisteren niet heen wilde zenden en waar ook vandaag geen enkele Japanner te zien was. Ze waren behoedzaam genaderd, voorafgegaan door verkenners, en ze hadden er niemand aangetroffen. Honderd meter de jungle in vonden ze een goed begaanbaar, veel gebruikt pad, met afdrukken van Japanse spijkerlaarzen in de weke modder; alle sporen liepen in de richting van Heuvel 210. Terwijl ze het pad voorzichtig en zonder problemen volgden, hoorden ze het begin van een schermutseling op de heuvelrug – waar ze eerst vier, maar nu vijf vrijwilligers met kapitein Gaff hadden achtergelaten.

Tall had niet lang gewacht. De Baker-compagnie bemande nu de rij schuttersputten achter de richel. Tall zond ze naar voren, naar de richel zelf en toen het licht genoeg was om een beetje te zien, zond hij het middelste peloton nog verder voorwaarts om een aanval uit te voeren, waarbij de mannen naar rechts moesten zwenken en een lijn vormen met de richel als spil, zodat ze recht tegenover de Japanse centrale stelling zouden liggen. Vandaar zouden ze Gaffs aanval ondersteunen.

Maar de manoeuvre van het middelste peloton mislukte. Mitrailleurvuur uit de bunker en uit onzichtbare stellingen er vlakbij veroorzaakte te veel verliezen. Er werden vier man gedood en een aantal gewond. Het peloton zag zich genoodzaakt terug te keren. Dit waren de gevechtsgeluiden die de C-compagnie hoorde; en toen deze poging geen succes was, hing alles af van Gaff, die nu over vijf vrijwilligers beschikte. Zij zouden de bunker moeten innemen. Tall liep naar de plek waar zijn mannen lagen.

De vijfde vrijwilliger die zich had aangemeld was soldaat eersteklas Cash, de taxichauffeur uit Toledo met de kille ogen en het ongure gezicht, die bij de mannen van Charlie bekendstond als 'Big Un'. Eerder op de ochtend, voor de C-compagnie vertrok, was Big Un in het donker naar Tall gegaan en had hem met zijn zware, langzame stem gevraagd of hij achter mocht blijven om zich bij Gaffs aanvalspatrouille te voegen. Tall, die niet gewend was dat onbekende gewone soldaten hem aanspraken, kon zijn oren nauwelijks geloven. Hij herinnerde zich niet de man ooit te hebben gezien. 'Waarom?' vroeg hij scherp.

'Om wat die Jappen drie dagen geleden op Heuvel 209 hebben uitgevreten met die twee jongens van het tweede peloton,' zei Big Un. 'Dat ben ik nog niet vergeten en ik ben van plan persoonlijk met een paar van die kerels af te rekenen voor ik zelf de pijp uitga en geen kans meer krijg er een stelletje van dood te schieten. Die patrouille van kap'tein Gaff lijkt me een goeie kans.'

Even dacht overste Tall onwillekeurig dat iemand probeerde hem er op een ingewikkelde en smakeloze manier in te laten lopen; misschien hadden een paar grapjassen van de C-compagnie deze plompe bruut met zijn dwaze verzoek om de zaak persoonlijk te gaan uitvechten op hem afgestuurd. Sergeant-majoor Welsh bijvoorbeeld was er wel het type naar om op deze subtiele wijze de spot met hem te drijven.

Maar toen hij opkeek (want hij moest naar de man opkijken hoewel Tall bepaald niet klein van stuk was) naar dat enorme, moordlustige gezicht met de niet bepaald intelligente maar kille ogen, zag hij ondanks zijn opkomende drift meteen dat deze man het echt meende. Cash stond voor hem, zijn geweer niet over zijn schouder maar op zijn rug en met in zijn handen zo'n buks met afgezaagde loop en een gordel hagelpatronen, die door een of andere idioot van de staf op de avond voor de aanval waren uitgereikt 'voor man-tot-mangevechten' – Cash had dus alle gevaren van gisteren doorstaan zonder dat gekke ding op te geven. Tall had gedacht dat iedereen ze had weggegooid. Onwillekeurig was Tall even geïmponeerd. Wat een kolossale vent! Maar zijn eigen reactie deed zijn ergernis slechts toenemen.

'Soldaat,' zei hij streng, 'maak je geen grapje? Er wordt hier een oorlog gevoerd en ik heb handen vol werk. Ik moet een gevecht leiden waar veel van afhangt.'

'Nee,' zei Big Un, en toen, zich de voorschriften herinnerend: 'Nee, overste. Ik maak geen grapje.'

Tall perste zijn lippen op elkaar. Die man moest toch weten dat hij met zo'n verzoek de hiërarchische weg moest bewandelen, die van zijn pelotonscommandant via zijn compagniescommandant naar Gaff zelf liep, en dat hij zijn bataljonscommandant niet lastig moest vallen, vooral niet als die een gevecht moest leiden.

'Maar weet je dan niet –' begon hij verontwaardigd, maar hij maakte zijn zin niet af. Tall was er trots op een beroepsmilitair te zijn; verzoeken om persoonlijke vetes uit te vechten stonden hem tegen. Een expert stond daar boven; bij het leiden van een gevecht of een oorlog ging hij van de concrete situatie te velde uit. Tall wist wel van de officieren van de mariniers die lachend vertelden over de potten met gouden tanden of vullingen van Japanners, die sommigen van hun jongens in de loop van de campagne hadden verzameld, maar hij liet zich liever niet met dat soort dingen in. Daar kwam bij dat zijn beschermeling Gaff de vorige dag wel twee man had verloren, maar dat ze onderling hadden besloten dat de ervaring en de terreinkennis van de overlevenden opwoog tegen het voordeel van twee nieuwelingen, van wie ze waarschijnlijk meer last zouden hebben dan gemak. Maar toch...

De domme krachtpatser stond nog zwijgend af te wachten, alsof wat hij wilde in ieder geval moest gebeuren en hij versperde met zijn enorme lichaam Tall de weg, zodat deze niet kon zien wat er verderop gebeurde.

Na op de binnenkant van zijn lip te hebben gebeten verklaarde Tall kortaf en koel: 'Als jij met kapitein Gaff mee wilt, dan moet je dat aan hem vragen. Ik heb daar geen tijd voor. Zeg hem maar dat ik er geen bezwaar tegen heb dat je meegaat. En donder nu alsjeblieft op!' brulde hij. Hij draaide zich om. Big Un bleef staan, de buks met afgezaagde loop nog in de hand.

'Ja, overste!' riep hij Tall na. 'Dank u, overste!' En terwijl Tall zijn pogingen om de C-compagnie in beweging te krijgen voortzette, ging Cash op zoek naar Gaff.

In Big Uns bedankje, dat hij de overste had nageschreeuwd, lag een duidelijk spoortje sarcasme. Hij was niet voor niets zijn hele leven taxichauffeur geweest en wist heel goed wanneer hij door iemand met een hogere maatschappelijke positie – intelligent of niet – op een neerbuigende manier werd behandeld. Big Un was ervan overtuigd dat hij het wat kennis en intelligentie betrof, tegen iedereen had kunnen opnemen als hij niet altijd van mening was geweest dat al dat schoolse gedoe, die geschiedenislesjes, dat gereken, geschrijf en gelees je reinste flauwekul was, en een man er alleen maar van weerhield om zijn tijd goed te gebruiken, door meisjes te naaien en op een gemakkelijke manier een flinke duit te verdienen. Hij was die mening nog steeds toegedaan, zowel voor zijn eigen kinderen als voor hemzelf. Hij had zijn eerste jaar van de middelbare school niet eens afgemaakt, maar hij kon de krant even goed lezen als wie dan ook. En wat intelligentie betrof, nou, hij was intelligent genoeg om te begrijpen dat de verklaring van de overste dat hij geen bezwaar had, betekende dat Gaff hem zonder meer zou meenemen. Terwijl hij met de overste stond te praten was Big Un trouwens al van plan geweest om dit tegen Gaff te zeggen, hoe het gesprek ook mocht uitpakken. En nu kon hij het Gaff naar waarheid vertellen.

In het duister dat aan de ochtendschemering voorafging, zagen Gaff en zijn vier vrijwilligers dus de enorme figuur van Big Un naar hen toe komen. Hij hield zijn buks met de afgezaagde loop nog altijd in de hand en droeg ook de gordel met patronen, waaraan hij zich zo hardnekkig had vastgeklampt tijdens alle verschrikkingen van de vorige dag in zijn door een Amerikaanse granaat gemaakte trechter temidden van de mannen van het eerste peloton. Rustig en zakelijk bracht hij zijn rapport uit. Zoals hij verwacht had, werd hij meteen geaccepteerd, hoewel ook Gaff een beetje vreemd naar zijn afgezaagde buks keek. Het enige dat hij nu nog te doen had, was Bugger Stein opzoeken om de verandering te rapporteren, daarna kon hij terugkomen en met de anderen gaan liggen wachten totdat het middelste peloton van Baker zijn aanval had uitgevoerd en zij aan de beurt waren. Big Un deed dit, vervuld van een grimmige voldoening.

Ze konden niet veel anders doen dan praten. Tijdens het halve uur dat het middelste peloton nodig had om te worden teruggeslagen en struikelend en huilend terug te vallen over de richel, lagen ze met z'n zessen een paar meter terug op de helling achter het rechtse peloton van de B-compagnie, dat niet alleen de rechterflank van de richelpositie bezet hield, maar ook fungeerde als reservepeloton. Het was vreemd, maar hoe langer je in deze rotzooi standhield, des te geringer je medeleven werd voor anderen die onder direct vuur lagen, zolang je zelf maar veilig zat. Soms was het verschil een kwestie van slechts enkele meters. Maar de intense angst beperkte zich meer en meer tot die ogenblikken waarin je zelf in direct gevaar verkeerde. Terwijl dus het middelste peloton van de Baker-compagnie schoot en werd beschoten, vocht en jammerde op dertig meter voorbij de richel, zat de groep van Gaff te praten.

Big Un zelf zei weinig, nadat hij had uitgelegd waarom hij met hen mee wilde gaan, maar iedereen was zich toch duidelijk bewust van zijn aanwezigheid. Hij had zijn geweer en de buks afgelegd, maar had er nauwkeurig op toegezien dat het mechanisme van de beide wapens niet vuil of zanderig kon worden. De buks was een nieuw, goedkoop uitziend, automatisch jachtgeweer, waarvan de loop halverwege was afgezaagd om meer spreiding te krijgen. Er gingen vijf patronen in; die in feite geen gewone hagelpatronen waren, maar grove BB-patronen, waarmee je op korte afstand een groot, gapend gat in een mens kon schieten. Het was een gemeen wapen en Cash zag eruit als iemand die er goed gebruik van zou kunnen maken. Niemand in de Charlie-compagnie wist veel van Big Un. Hij was een halfjaar geleden als dienstplichtige bij de compagnie gekomen en hoewel hij nogal wat kennissen had, bezat hij bij de hele troep niet één echte vriend. Iedereen was een beetje bang voor hem. Hij bemoeide zich niet met de anderen, dronk gewoonlijk in zijn eentje en ofschoon hij nooit iemand tot een gevecht uitdaagde, was er toch iets in de grijns op zijn gezicht dat heel duidelijk zei dat hij alle uitdagingen graag en met vreugde zou aannemen. Maar niemand deed dat. Hij was langer dan een meter negentig en ook verder bijzonder zwaar gebouwd, zodat hij in een groep waarin lichaamskracht als maat voor de waarde van een man gold, niemand vond die ervoor voelde om het tegen hem op te nemen. Met uitzondering van Big Queen (die hij in lengte zeker twaalf centimeter overtrof, al woog hij minder) was hij de zwaarste man van de compagnie. Er waren er die de twee reuzen graag tot een gevecht zouden hebben overgehaald, alleen maar om te zien wie er zou winnen, maar daar kwam niets van. Vreemd genoeg was de man die Big Un het meest mocht, Witt uit Kentucky, die nauwelijks tot zijn middel reikte. Ze waren gewoonlijk samen met verlof gegaan totdat Witt als strafmaatregel werd overgeplaatst. Big Un had in Toledo veel mannen uit Kentucky leren kennen die naar het noorden waren getrokken om in de fabrieken te werken, en hij had bewondering en sympathie gekregen voor hun koppige eergevoel dat zich manifesteerde in vechtpartijen van dronken kerels over vrouwen of in vuistgevechten om de meest begeerde barkrukken. Maar nu sprak hij Witt niet aan, hij groette hem slechts terloops. De anderen keken nieuwsgierig naar hem en zijn afgezaagde buks. Hoewel zij wat deze aanval betrof ervaren veteranen waren en dus vanuit grote hoogte op Big Un konden neerkijken, zagen ze daar toch allemaal van af.

John Bell was een van degenen die de twee mannen van de Georgecompagnie, die drie dagen geleden door de Japanners gemarteld en vermoord waren, al was vergeten. Het was te lang geleden en er was sinds die tijd te veel gebeurd. Toen Big Un erover sprak, keken ze allemaal verbaasd op. Bell vond dat het achteraf eigenlijk niet zoveel ter zake deed. Er werden nu eenmaal kerels gedood, de een zo, de volgende weer anders. Sommigen werden gemarteld. Anderen werden in de buik getroffen, zoals Tella, weer anderen stierven snel door een kogel in het hoofd. Wie kon zeggen hoeveel die beide kerels werkelijk hadden geleden? Alleen zijzelf, en zij konden het niet navertellen. Ze bestonden niet meer en dus was het geval niet belangrijk meer. Waarom zou je je er nu nog druk om maken? Er stond een hemelhoge muur tussen de levenden en de doden en er was maar één manier om over die muur heen te komen. En dat was wel belangrijk. Bell keek Big Un koeltjes aan en vroeg zich af wat er achter al die flauwekul verborgen lag. De andere mannen van de kleine groep dachten er blijkbaar net zo over, dat zag Bell aan de uitdrukkingen op hun gezichten. Vijfendertig meter verderop vuurde en vocht nog altijd het middelste peloton van Baker en nu en dan schreeuwden ze wat. Als Bell de geluiden goed interpreteerde, dan zou de achtergebleven rest spoedig ook terugkomen. Een scherpe steek van opwinding in zijn buik maakte hem duidelijk wat dit voor hemzelf betekende. En toen, met een schok alsof hij een emmer ijskoud water over zich heen kreeg, trof zijn eigen grove onverschilligheid hem en hij schrok vol afgrijzen terug omdat hij er zich ineens van bewust werd hoe keihard en wreed hij in korte tijd was geworden. Wat zou Marty ervan vinden om met zo'n man getrouwd te zijn, als hij eindelijk zou thuiskomen? O, Marty, zoveel dingen worden anders; overal. Toen de mannen van het middelste peloton struikelend terug kwamen rennen, met open mond, huilend en jammerend, de oogballen wit in de verschrikte gezichten, bekeek Bell hen dan ook met een angstig medeleven, dat misschien wel in geen verhouding stond tot de gevoelens van de mannen zelf.

Hoe de anderen de terugkeer van het peloton opnamen wist Bell niet. Aan hun gezichten zou je zeggen dat zij allemaal, ook Cash, dezelfde koele, keiharde houding aannamen die hij nog enkele ogenblikken geleden als de zijne had beschouwd en die hem nu zo'n diepe afkeer inboezemde. De mannen van de B-compagnie lagen tegen de richel aan, staarden in het niets, zagen niets en niemand; ze ademden pijnlijk met grote halen door hun uitgedroogde kelen. Er was geen water beschikbaar en water hadden ze heel hard nodig. Hoewel het nu nog niet werkelijk heet was, zweetten ze allemaal hevig, waardoor ze nog meer kostbaar vocht verloren. Terwijl ze een lawaai maakten als een grote troep kikvorsen in een moeras, draaiden bij twee mannen de ogen weg; ze vielen flauw. Niemand deed een poging hen te helpen. Hun kameraden konden het niet. En de aanvalsgroep beperkte zich ertoe naar hen te kijken.

Het gebrek aan water begon voor iedereen een ernstig probleem te worden en het zou nog erger worden als de fel stralende zon hoger aan de hemel kwam te staan. Maar wat ook de reden was – verder naar achteren was genoeg water – men slaagde er niet in de troepen bij de frontlinie van water te voorzien. Vreemd genoeg was het de kleine ongevoelige Charlie Dale, en niet Bell of Don Doll, die het voor iedereen in enkele woorden samenvatte. Al had hij dan niet veel voorstellingsvermogen, hij was dier genoeg om te begrijpen wat zijn buik hem zei en zich daardoor te laten leiden. 'Als ze ons hier niet gauw wat water bezorgen,' zei hij luid genoeg om door iedereen in de buurt te worden verstaan, 'dan halen we geen van allen de top van die heuvel.' Plotseling rolde hij zich om om in de richting van Heuvel 209 achter hen te kijken en schudde zijn vuist. 'Vuile rotzakken! Stomme varkens! Smerige klootzakken! Jullie hebben verdomme meer dan genoeg water en drinken het allemaal zelf op! Jullie laten niks door, hè, jullie zuipen het allemaal zelf op, nietwaar? Maar als jullie ons, die vechten – *vechten*, hoor je dat? – niet als de bliksem water bezorgen, dan kunnen jullie met je hele verdomde rotgevecht naar de hel lopen, want dan heb je het verloren. Begrepen, klootzakken?!' Het laatste had hij zo hard mogelijk geschreeuwd en zijn woorden daverden langs de richel, waar niemand, en zeker niet de mannen van het teruggekeerde peloton, er ook maar enige notitie van nam. Hij mompelde en mopperde nog wat, maar daarna volgde een stilte, geladen met respect en geconcentreerde aandacht, want overste Tall liep nu op zijn gemak naar hen toe met het bamboestokje in de hand.

De overste, die rustig en rechtop liep – zo recht als maar mogelijk was – verwaardigde zich om neer te hurken en sprak gedempt op ernstige toon met Gaff. Toen vertrokken ze en kropen over de langzamerhand zo vertrouwd geworden richel waar die in een boog om de heuvel heen uit het zicht verdween. Gaff ging voorop. Bell kroop langs Charlie Dale heen tot hij tweede man was en tikte de kapitein op zijn achterste. 'U kunt mij beter voorop laten gaan, kapitein,' zei hij met respect in zijn stem.

Gaff draaide zijn hoofd om en keek hem aan met zijn intense blik, de ogen omgeven door kleine rimpeltjes. Een paar lange seconden keken de twee, de officier en de ex-officier, elkaar eerlijk in de ogen. Toen erkende Gaff met een abrupt gebaar van hoofd en hand zijn kleine fout en gaf Bell te kennen dat hij hem kon passeren. Hij liet nog een man, Dale, voorbijgaan en nam daarna de derde positie in. Toen Bell het punt bereikte waar de inzinking begon en luitenant Gray was gesneuveld, stopte hij en ze kropen allemaal naar elkaar toe.

Gaff nam niet de moeite ze aanmoedigend toe te spreken. Achter de richel had hij de operatie al uitvoerig met hen doorgenomen. Het enige dat hij nu zei, was: 'Jullie weten allemaal wat ons te doen staat, mannen. Het heeft geen zin dat ik het nog eens herhaal. Ik ben ervan overtuigd dat het riskantste stuk de open ruimte tussen het einde van deze inzinking en het kopje daar zal zijn. Als we dat eenmaal achter ons hebben, zal het, denk ik, niet meer zo erg zijn. Denk eraan dat we onderweg op kleinere mitrailleursnesten kunnen stuiten. Die zou ik het liefst voorbijgaan, als dat mogelijk is, maar het kan zijn dat we er een paar moeten uitschakelen als ze ons de weg blokkeren. Oké, dat is alles.' Hij zweeg en glimlachte en keek elk van hen in de ogen. Het was een jongensachtige, opgewonden, vrolijke en avontuurlijke glimlach. Alleen de strakke, gespannen trek om zijn ogen was er enigszins mee in tegenspraak.

'Als we boven bij hen aankomen, kunnen we nog weleens veel plezier beleven,' zei Gaff.

Een paar mannen glimlachten net als hij, alleen niet met zoveel overtuiging. Alleen bij Witt en Cash scheen het helemaal van harte te gaan. Maar ze waren hem dankbaar. Sinds gisteren waren ze allemaal, behalve Big Un, erg op hem gesteld geraakt. Gisteren, de hele avond, de nacht en tijdens de verplaatsingen voor het aanbreken van de dag, was hij bij hen gebleven, behalve op de momenten dat hij met Tall had overlegd. Hij had ze voor de gek gehouden, hen uitgelachen en bemoedigd, had moppen getapt, schuine verhalen verteld over zijn tijd op West Point; kortom, hij had iedereen als zijn gelijke behandeld. Zelfs voor Bell, die zelf de officiersrang had gehad, was het een prettige en aangename ervaring geweest dat een officier zo met hem omging. Voor de anderen gold dat in nog hogere mate. Ze zouden voor Gaff door het vuur zijn gegaan. Hij had hun de grootste zuippartij van hun leven beloofd, op zijn kosten, als deze rotzooi eenmaal achter de rug was en ze uit de frontlinie werden teruggetrokken. En ook daarvoor waren ze hem dankbaar. Hij had bij die belofte niet gesproken over 'overlevenden' of over 'degenen van jullie die dan nog over zullen zijn', maar had stilzwijgend aangenomen dat hij ze allemaal zou kunnen trakteren en dat ze allemaal samen dronken zouden worden. En ook daarvoor waren ze hem dankbaar. Hij keek de kring nog eens rond met die jongensachtige avonturiersglimlach, de gespannen ogen omgeven door rimpeltjes.

'Vanaf hier zal ik vooropgaan,' zei hij. 'Want ik wil de route bepalen. Als mij iets overkomt zal sergeant Bell het bevel overnemen en hij moet dus de laatste in de groep zijn. Sergeant Dale is zijn plaatsvervanger. Beiden weten wat ze moeten doen. Oké, we gaan.' Het klonk meer als een zucht dan als een streng bevel.

En toen waren ze weer op weg en kropen langs de bekende, zeer gevaarlijke inzinking, Gaff voorop, terwijl ieder van hen nauwkeurig de plek in het oog hield waar de inzinking overging in de rotsrichel, waar luitenant Gray door zijn onoplettendheid de dood had gevonden. Big Un, voor wie dit allemaal nieuw was, was bijzonder voorzichtig. John Bell, die op de anderen wachtte, zag dat Dale hem met verbaasde, maar duidelijk vijandige ogen aankeek. Dale was tenminste een uur eerder dan Bell tot tijdelijk sergeant benoemd en had ook na Gaff het bevel moeten voeren. Bell gaf hem een knipoog en Dale wendde het hoofd af. Even later was het Dales beurt om te gaan en hij klom de inzinking in zonder om te kijken. Slechts één man, Witt, was er nog tussen hen. Daarna was Bell aan de beurt. Voor de – wat was het? derde? vierde? vijfde keer? Bell wist het niet meer – klom hij over de rotsrichel heen en kroop langs het dunne scherm van struiken. Het struikgewas zag er zo langzamerhand tamelijk verfomfaaid uit, door al de mitrailleurkogels die er doorheen waren gefloten.

In de inzinking aangekomen, met zijn hoofd zo laag mogelijk, zei Charlie Dale bij zichzelf dat dit nu precies was wat je altijd van die verdomde rotofficieren kon verwachten. Ze klitten aan elkaar als een troep paardendieven, gedegradeerd of niet. Hij had gisteren zijn benen uit z'n lijf gelopen voor hen, de hele dag. Hij was door een officier benoemd tot tijdelijk sergeant, dat was Bugger Stein zelf geweest en niet zo'n klotepelotonssergeant als Keck. En bovendien nog een uur eerder. En kijk nou eens wie het bevel had gekregen? Je kon ze geen moment vertrouwen, geen seconde. Woedend, diep beledigd, zijn hoofd zo laag mogelijk, staarde hij naar de voeten van Doll voor zich, alsof hij ze wel af wilde bijten.

Verder naar voren lag Gaff te wachten totdat ze allemaal veilig door de inzinking heen zouden zijn. Nu was het niet meer nodig om nog langer te wachten. Hij draaide zijn hoofd naar rechts maar stak het niet boven het gras uit, en keek naar de bunker. Lagen ze te wachten? Werden ze gadegeslagen? Keken ze naar deze speciale open plek? Hij wist het niet, kon het niet weten. Maar hij ging ze niet helpen door zijn hoofd te ver omhoog te steken. Hij keek nog één keer om naar Big Un Cash die terugstaarde met zijn harde, gemene kraalogen, sprong toen op, zijn geweer met beide handen boven zijn hoofd geheven, en rende weg, martelend langzaam en zijn knieën hoog optrekkend tot boven het ineengevlochten kunaigras, als een rugbyspeler die bij de training over stapels oude banden rent. Het was een belachelijk gezicht en beslist geen waardige manier om dood te gaan, maar hij stierf dan ook niet; er werd zelfs geen schot op hem gelost. Hij dook neer achter de schouder van het kopje en bleef liggen. Na een volle minuut te hebben gewacht gebaarde hij dat de volgende aan de beurt was. Big Un, die net als de anderen naar voren was gekomen, vertrok onmiddellijk, rennend op precies dezelfde wijze, het geweer bonkend tegen zijn rug, de buks met de afgezaagde loop in zijn handen, de riempjes van zijn helm achter hem aan fladderend; vlak voordat hij de schouder bereikte, opende één enkele mitrailleur het vuur, maar ook hij dook veilig weg achter het kopje. De mitrailleur hield op met vuren.

De derde man, Doll, ging neer. Hij had nog maar vijf meter gelopen toen diverse mitrailleurs het vuur op hem openden. Ze hadden dit keer zijn komst afgewacht. De hele open plek was maar twintig, vijfentwintig meter lopen, maar het leek veel meer. Hij haalde moeizaam en stotend adem. Toen raakte zijn voet bekneld in een gat in de oude graszoden en hij viel. O, nee! O, nee! schreeuwde het plotseling in hem in panische angst. Ik niet, ik niet! Niet na alles wat ik al doorstaan heb! Dan krijg ik niet eens mijn medaille! Verblind, stof en grassprieten uitspuwend strompelde hij overeind en draafde verder. Hij hoefde nog maar een meter of tien af te leggen en haalde het. Hij viel bijna boven op de andere twee en lag snikkend naar adem te happen. De heldere, gewassen zon kwam juist boven de heuvels in het oosten uit.

In het licht van de vroege ochtendzon, die scherpe schaduwen wierp, openden nu alle mitrailleurs in de centrale stelling het vuur. Ze schoten een regen van kogels af over de inzinking en de open ruimte. Kogels floten boven de hoofden van Dale, Witt en Bell door de al zo toegetakelde takken en bladeren van het struikgewas. Het was nu Dales beurt en hij was nog altijd woedend op Bell. 'Hé, wacht even,' riep Bell achter hem. 'Wacht nog even, ik heb een idee!' Dale wierp hem één enkele minachtende, van haat vervulde blik toe en kwam overeind. Hij startte zonder een woord te zeggen, stevig stampend als een locomotief, op precies dezelfde wijze waarop hij gisteren langs de helling van de derde terreinplooi omlaag en terug was gedraafd. Er was nu iets wat bijna een pad leek in het gras ontstaan en dat hielp hem een beetje. Hij kwam in de dekking aan en ging zitten, volkomen onbewogen, maar heimelijk nog steeds woest op Bell. Niets had hem geraakt.

'Je bent gek!' schreeuwde kapitein Gaff hem toe.

'Waarom?' vroeg Dale. Hij zocht een plaatsje voor zichzelf uit waar hij goed kon toekijken hoe die verrekte Bell het ervan afbracht. Niet dat hij graag wou dat ze Bell voor zijn raap schoten, of zoiets.

Bell gaf meteen een demonstratie van zijn idee. Toen hij en Witt naar de overzijde van de inzinking waren gekropen, terwijl de mitrailleurs nog steeds vlak over hun hoofd vuurden, trok Bell de pin uit een granaat en wierp die naar de centrale stelling. Maar hij gooide niet in een rechte lijn; hij wierp het stalen ei in de hoek gevormd door de richel en de inzinking, zodat het vóór de bunker, maar verder achterwaarts en dichter bij de richel terechtkwam. Toen de mitrailleurs allcmaal dic kant op zwenkten, wat onmiddellijk gebeurde, staken hij en Witt ongedeerd over, voor de schutters hun wapens konden terugdraaien en op hen richten. Het was duidelijk dat ze dit evengoed met z'n drieën hadden kunnen doen en toen hij zich grijnzend liet neervallen in de dekking, gaf Bell Charlie Dale weer een knipoog. Deze keek nijdig terug. 'Heel slim,' zei Gaff lachend. Bell knipoogde een derde keer naar Dale. De zak. Wat verbeeldde hij zich wel? Na dat derde knipoogje besefte Bell ineens, terwijl zijn gedachten een ogenblik stilstonden, dat hij ditmaal veel minder angst had gevoeld; de vrees was bijna onmerkbaar geweest, te verwaarlozen. Zelfs toen die kogels daarnet zo vlak boven zijn hoofd floten. Begon hij het te leren? Lag het daaraan? Of raakte hij afgestompt, bruter, meer zoals Dale? De gedachte bleef in zijn hoofd naklinken als een echo, en stierf toen langzaam weg. Maar wat dan nog? Als het antwoord bevestigend is, of niet van toepassing, ga dan door naar de volgende vraag. Ach, verdomme, dacht hij. Wat doet 't ertoe. Als hij maar een slok water had, dan zou hij alles kunnen. De mitrailleurs in de bunker maaiden nog steeds rond over de nu lege inzinking en de arme, verminkte struiken, toen de groep zich verwijderde.

Gaff had ze verteld dat de route naar zijn mening gemakkelijker zou zijn als ze eenmaal die open ruimte waren overgestoken, en hij had gelijk. Het terrein liep steil omhoog rondom het kopje dat zich boven de heuvelrug verhief, en daar was de graslaag niet zo dicht; ze werden gedwongen te kruipen. Het was vrijwel onmogelijk de gecamoufleerde nesten te zien als de mitrailleurs niet vuurden, en risico's konden ze zich niet permitteren. Terwijl ze zo eindeloos langzaam voorttijgerden, zwetend en uitgeput hijgend in de zon, begonnen de harten van Bell en de anderen sneller te kloppen door een mengeling van opwinding en vrees, die bepaald niet alleen onaangenaam was. Ze wisten allemaal nog van gisteren dat er zich achter het kopje een ondiep zadel bevond, tussen het kopje en de rotswand waar de richel op uitliep; ze zouden hierover moeten kruipen om de Jappen van bovenaf te kunnen benaderen. Ze hadden het zadel allemaal gezien, maar niet achter het kopje kunnen kijken. Nu kropen ze er op hun buik heen en bekeken het vanuit een positie in de Japanse linies. Er werd niet op hen geschoten en ze zagen nergens versterkingen. Naar links, dicht bij het grote rotsmassief waar de zeven Japanners gisteren al vroeg op de dag hun dwaze tegenaanval hadden gedaan, konden ze de lichte tenorstemmen horen van Jappenmitrailleurs die vuurden op de B-compagnie bij de richel; maar op hen vuurde niemand. Toen ze de aanzet van het zadel bereikten, zwetend en halfdood door de afmattende dorst, gebaarde Gaff dat ze moesten stilhouden.

Hij moest verscheidene keren zijn vlokkige speeksel wegslikken voor hij iets kon zeggen. Met overste Tall was afgesproken dat de commandant van het meest rechtse peloton van Baker zijn mannen over de richel langs de inzinking zou voeren, om klaar te staan voor het inzetten van de aanval vanuit die positie op het fluitsignaal van

Gaff. Het zadel had een breedte van twintig of vijfentwintig meter. Gaff liet zijn mannen zich over die afstand verspreid opstellen. Omdat het zadel zo sterk afliep, was de centrale stelling van hieraf nog steeds onzichtbaar. 'Denk erom, ik wil er zo dicht mogelijk bij komen voor we de granaten erin mikken.' De terminologie van de kapitein klonk Bell, opgewonden en ontdaan als hij was, wonderlijk seksueel in de oren; maar Bell wist dat dit niet zo kon zijn. Toen kroop Gaff naar het midden tot hij tegenover hen lag en keek zijn mannen aan.

'Zo jongens, nu zullen we eens even zien wie hier de kerels zijn en wie de moederskindjes,' zei hij. 'We gaan de bokken van de schapen scheiden. Vooruit, kruipen maar.' Hij klemde zijn tirailleursfluit tussen zijn tanden en begon, met het geweer in zijn armen en een granaat in een hand, naar voren te kruipen.

Terwijl ze hem volgden, waren Gaffs vrijwilligers, ondanks de belofte van een groot bierfestijn op zijn kosten, niet bepaald enthousiast over deze grote woorden. Verdomme, dat had ik zelf beter gekund, dacht Doll terwijl hij weer eens een grasspriet uitspuwde. Doll was al vergeten hoe hij er bijna aangegaan was tijdens het oversteken van de open ruimte, en plotseling voelde hij een onredelijke woede in zich opstijgen, als de verzengend hete rook van een bosbrand. Schiet niet voor je het rood van hun kont kunt zien, Gridley. Let maar niet op die torpedo's, kruip volle kracht vooruit. Jappen gezien, granaten gegooid, stelling veroverd. Er zijn geen atheïsten in schuttersputten, legerdominee. Verrekte rot-Jappen! Hij was – om geen enkele reden, behalve dan zijn angst – zo razend op Gaff dat hij hem op dat moment graag een granaat in zijn nek had willen gooien, of een kogel door zijn lijf schieten. Links van hem schoof zijn voornaamste concurrent, Charlie Dale, over de grond vooruit met half dichtgeknepen ogen; hij had toch al de pest aan alle officieren en wat hem betrof had Gaff de juistheid van dit idee weer eens bewezen met die woorden van daarnet. Naast Dale trok Big Un Cash met een minachtend gezicht zijn zware lichaam over de grond, zijn geweer nog steeds op de rug, de volledig geladen buks dwars in zijn armen; hij had niet deelgenomen aan dit geintje om stomme leuzen aan te horen uit de mond van eigenwijze officiertjes – bokken en schapen, me reet, dacht hij en keihard als hij in het taxibedrijf was geworden, twijfelde hij er geen seconde aan dat hij het zou volhouden als het gedonder begon. Witt, die naast Big Un lag en de laatste op links was, had alleen maar gespuwd en zijn hoofd op de dunne nek tussen de schouders ingetrokken, zodat zijn kin naar voren kwam. Hij was hier niet gekomen voor heldhaftige West Point flauwekul, hij was hier omdat hij lef had en een prima soldaat was en omdat zijn ouwe compagnie, Charlie, hem nodig had – of ze het zelf beseften of niet; en die onzin van Gaff had hij niet nodig. Terwijl de mannen verder kropen, kwam langzaam de uiterste linkerzijde van de bunker in zicht, op vijftig meter afstand en ongeveer twintig meter lager dan de plek waar zij zich bevonden. Uiterst rechts van de kleine linie dacht John Bell helemaal niet aan de jonge kapitein Gaff. Toen Gaff probeerde iets onvergetelijks te zeggen, had Bell dit als stompzinnig beschouwd en daarmee uit. Bell dacht aan iets anders, hij dacht aan de bedrogen echtgenoot. Waarom dit onderwerp op een ogenblik als dit bij hem opkwam, wist hij zelf niet, maar het was nu eenmaal zo en hij kon het niet uit zijn hoofd zetten. Door er serieus en systematisch over na te denken, kwam Bell tot de conclusie dat hij niet meer dan vier mogelijke situaties kon onderscheiden: zielig getrouwd mannetje valt grote sterke minnaar aan; grote sterke minnaar valt zielig getrouwd mannetje aan; zielig getrouwd mannetje valt grote sterke echtgenote aan; grote sterke echtgenote valt zielig getrouwd mannetje aan. Steeds weer een zielig getrouwd mannetje. Iets van de emotionele inhoud van de uitdrukking maakte automatisch alle bedrogen echtgenoten tot zielige mannetjes. Ongetwijfeld waren er in de loop van de tijd vele grote sterke getrouwde mannen door hun vrouw bedrogen. Ja, ongetwijfeld. Maar tussen hen en de emotionele inhoud van het begrip kon je nooit een direct verband leggen. Dat kwam omdat de emotionele inhoud van 'bedrogen echtgenoot' in de eerste plaats komisch was. Bell zag zichzelf in elk van de vier situaties. Het was heel pijnlijk, op een vlijmend onaangename, maar heel seksuele manier. En plotseling wist Bell – even zeker als hij wist dat hij nu op zijn buik over een met gras begroeid stukje Guadalcanal kroop – dat hij werd bedrogen; dat Marty slippertjes maakte, haar bed met anderen deelde, andere mannen neukte. Gegeven *haar* karakter en zijn afwezigheid, was er geen andere mogelijkheid. Het leek alsof dit een gedachte was die al lang geleden uit zijn onbewuste omhoog was gekomen, maar die hij nooit eerder onder ogen had willen zien. Met één man? Of met meer? Wat wil je eigenlijk liever: één man die een serieuze liefdesaffaire met haar heeft? Of meer mannen, wat betekende dat ze erop los neukte? Wat zou hij doen als hij thuiskwam? Haar een pak rammel geven? De kamer doorschoppen? Haar verlaten? Een granaat in haar verrekte kut schuiven, misschien. Voor hem was de centrale stelling nu geheel zichtbaar; de rechterkant, die het dichtstbij was, lag op misschien vijfentwintig meter en nog maar een paar meter lager dan zij. En precies op dat moment werden ze door de Japanners ontdekt.

Vijf broodmagere, vervuilde Japanners doken op uit de grond met donkere ronde voorwerpen in de hand, die ze heuvelopwaarts in hun richting wierpen. Gelukkig kwam slechts een van de vijf granaten tot ontploffing. Deze belandde bij Doll, die om weg te komen tweemaal omrolde en toen met afgewend gezicht bleef liggen, zich zo diep mogelijk in de grond drukkend. Geen van de scherven raakte hem, maar de explosie deed zijn oren suizen.

'Trekken en gooien! Trekken en gooien!' brulde Gaff over het lawaai van de ontploffing heen. Alsof ze tegelijk door één man waren geworpen, vlogen zes handgranaten in boogjes naar de bunker. De vijf Japanners die uit de grond waren opgerezen zagen ze niet meer. Maar toen de granaten neerkwamen, doken twee andere, onfortuinlijke Japanners op om te werpen. Een granaat kwam neer tussen de voeten van een van hen en ontplofte, zodat de Jap met een afgeslagen voet tegen de grond smakte. Metaalscherven troffen de ander, die ook neerging. Alle Amerikaanse granaten kwamen tot ontploffing.

De Japanner met de verloren voet lag een ogenblik stil en kwam toen met veel moeite tot een zittende houding overeind; hij hield een tweede granaat vast. Het bloed stroomde uit zijn doorboorde been. Doll schoot een kogel door hem heen. Hij viel achterover en de op scherp gestelde granaat viel naast hem neer. Hij ontplofte niet.

'Nog eens! Nog eens!' schreeuwde Gaff en weer beschreven zes granaten boogjes door de lucht. Opnieuw kwamen ze allemaal tot ontploffing. Doll was iets aan de late kant met de zijne, omdat hij een keer had geschoten, maar wist zijn ei nog net achter de anderen aan te gooien.

Ditmaal stonden er vier Japanners overeind toen de granaten insloegen, een van hen met een LM. Drie van hen smakten tegen de vlakte, onder wie de man met de Nambu; de vierde bedacht zich en verdween in een gat. Er waren in de holte vijf Japanners gevallen en buiten gevecht gesteld.

'Stormen! Stormen!' riep Gaff en in een ogenblik waren ze allemaal overeind en renden. Nu hoefden ze niet meer in de rats te zitten en zich zorgen te maken over dapper of laf zijn. Volgepompt met adrenaline die hun perifere bloedvaten vernauwde, hun bloeddruk verhoogde, hun hart sneller deed kloppen en het stollen van hun bloed bevorderde, waren ze, voor zover mensen van vlees en bloed hiertoe in staat zijn, machines geworden, waarvoor moed en lafheid niet bestonden. Gevoelloos deden ze wat er gebeuren moest.

De Japanners hadden handig gebruik gemaakt van het terrein om zichzelf graafwerk te besparen. Achter de toegangsgaten van de eigenlijke centrale stelling was een inzinking, waar ze in de openlucht konden zitten en gedekt waren tegen vlakbaanvuur, terwijl deze ruimte tevens als verbindingsloopgraaf dienst deed. De uitgeteerde, vervuilde Japanners doken hier, gewapend met geweren, zwaarden en pistolen op, toen Gaff en zijn mannen naderden. Tenminste, sommigen van hen. Anderen bleven in de stelling. Drie probeerden te vluchten. Dale schoot er een neer, Bell ook een. Een derde verdween met een enorme sprong over de rotswand die vrijwel loodrecht afdaalde naar de twintig of dertig meter lagere boomtoppen van de jungle. Hij werd nooit teruggezien, niemand zou ooit weten hoe het met hem was afgelopen. De anderen vielen aan. Gaff en zijn mannen holden hun tegemoet, waarbij de kapitein telkens als hij uitademde schel op zijn fluit blies; de mannen van de B-compagnie bij de richel konden hen zien rennen tot ze op het lage terrein verdwenen.

Big Un had een moment later al vijf man gedood. De eerste werd toen hij vuurde bijna in tweeën gesneden, de hagel rukte de tweede en derde enorme stukken vlees uit het lijf. Bij de vierde en vijfde schoot Big Un het grootste deel van hun hoofd weg, omdat hij door de terugslag van zijn wapen telkens wat hoger aanlegde. De lege buks als een honkbalknuppel rondzwaaiend sloeg Big Un het gezicht van een zesde Japanner, die juist uit een toegangsgat opdook, tot pulp, rukte vervolgens een granaat uit zijn koppel, trok de pin eruit en smeet die in het gat waar stemmenrumoer door het doffe dreunen van een explosie in een beperkte ruimte werd afgesneden. Terwijl hij aan de riem van het over zijn rug hangende geweer rukte, werd hij aangevallen door een gillende officier met een zwaard. Gaff joeg met een heupschot een kogel in zijn buik en schoot hem voor alle zekerheid ook in het gezicht toen hij op de grond lag. Bell had inmiddels twee man gedood. Charlie Dale ook. Doll, die zijn pistool had getrokken, werd eveneens aangevallen door een gillende officier, die aan één stuk door 'Banzai!' riep en op hem afrende terwijl hij een flikkerend zwaard boven zijn hoofd rondzwaaide. Doll schoot hem in de borst, zodat zijn benen op vreemde, lachwekkende wijze bleven doorlopen, terwijl de rest achter hem neerviel. Toen liet het lijf de benen opveren, waarop de man met een dreunende smak definitief tegen de grond sloeg. Doll gaf hem nog een kogel in het hoofd. Verderop had Witt drie Japanners neergeknald, een van hen was een enorme, dikke sergeant met een zware vooroorlogse caveleriesabel van het Amerikaanse leger. Witt ving de sabel op de kolf van zijn geweer op, waardoor het hout bijna in tweeën werd gekliefd en velde de man met een mokerslag op zijn kaak. Daarna schoot hij hem dood waar hij lag. Opeens werd het overweldigend stil, afgezien van de smartelijk kwetterende stemmetjes van de drie Japanners op een rijtje die hun wapens hadden neergelegd. Pas toen drong het tot de mannen door dat er een enorm getier en geschreeuw was geweest; nu hoorden ze slechts het gekreun van stervenden en gewonden. Langzaam keken ze naar elkaar en ontdekten dat ze als door een wonder geen van allen dood of ernstig gewond waren. Gaff had een buil op zijn kaak, omdat hij had gevuurd zonder zijn wang tegen de kolf te drukken. Bells helm was van zijn hoofd geschoten; de kogel was door het metaal gedrongen, verder tussen de buiten- en binnenhelm gedrongen en er aan de achterkant uitgekomen. Bell had er een enorme hoofdpijn aan overgehouden. Dale had een kleine wond aan zijn scheen, waar een op de grond liggende Japanner had geprobeerd hem met een bajonet aan te vallen; Dale had hem daarna doodgeschoten. Verdoofd staarden ze elkaar aan. Ieder voor zich was ervan overtuigd geweest dat hij na afloop de enige overlevende zou zijn.

Het was iedereen duidelijk dat Big Un met zijn buks de doorslag in de strijd had gegeven: hij had het verzet van de Japanners gebroken. Later, toen ze de aanval keer op keer bespraken, zou dit de mening van hen allemaal blijven. Maar nu, in die vreemde, irreële stilte – ze stonden allemaal nog na te hijgen – liep Big Un, die nog niet de tijd had gekregen zijn op de rug hangende geweer te grijpen, grommend op de drie naast elkaar staande Japanners af. Hij nam er twee bij de magere nekken, die hij met een van zijn enorme handen bijna geheel kon omvatten, en schudde ze heftig door elkaar tot hun helmen afvielen; daarna sloeg hij ze wreed grijnzend met de koppen tegen elkaar. Het krakende geluid waarmee hun schedels spleten, klonk luid in de nog onwennige, tastbare stilte. 'Smerige moordenaars,' zei hij met ijskoude stem. 'Smerige gele Japanse schoften. Weerloze gevangenen doden, hè? Smerige moordenaars. Smerige gevangenenmoordenaars.' Toen hij ze losliet terwijl de anderen hijgend stonden toe te kijken, was het duidelijk dat ze dood of stervende waren. Het bloed stroomde uit hun neus en van hun ogen was alleen het wit nog zichtbaar. 'Ik zal ze leren gevangenen te vermoorden,' zei Big Un met een dreigende blik op zijn landgenoten. Hij wendde zich tot de derde die hem slechts dof aankeek. Maar Gaff kwam haastig tussenbeide. 'Die hebben we nodig. Die hebben we nodig,' zei hij, nog snakkend naar adem. Big Un draaide zich om en liep zonder een woord te zeggen weg.

Op dat moment hoorden ze de eerste kreten van de andere kant en toen beseften ze pas dat zij niet de enigen waren die nog leefden.

Ze liepen naar de met gras begroeide aarden wal en keken uit over hetzelfde terrein waarop ze de vorige avond een vergeefse poging hadden gedaan om de bunker te besluipen. Het hiervoor aangewezen peloton van de B-compagnie holde nu in de richting van de centrale stelling. Meer op de achtergrond, maar duidelijk zichtbaar, hadden de twee andere pelotons de richel verlaten en zij bestormden, geheel volgens het plan van Tall, de heuvel. Gaff en zijn mannen keken weer naar het eerste peloton dat luid schreeuwend hun kant op liep.

Wat de reden ook mocht zijn, deze mannen waren wat aan de late kant. Het gevecht was al voorbij. Tenminste, dat dacht iedereen. Gaff had fluitsignalen gegeven vanaf het moment dat ze hadden aangevallen tot het einde van het gevecht en pas nu kwamen die helden eraan. Gaffs mannen, die zich al gereedmaakten om hun 'redders' spottend toe te wuiven en uit te lachen, zagen hiervan af omdat er plotseling een mitrailleur begon te ratelen. Vlak beneden hen vuurde een enkele MG uit een van de schietgaten op het peloton van Baker. Terwijl Gaffs mannen ongelovig toekeken, stortten twee soldaten neer. Charlie Dale, die het dichtst bij de opening van het toegangsgat stond, sprong er met een verbijsterd gezicht op af en wierp een granaat naar binnen. Die werd meteen teruggegooid. Kreten van woede slakend wierpen de mannen zich tegen de grond. Gelukkig was de granaat te ver gegooid, zodat hij explodeerde op de overhangende rotsen waar de vluchtende Japanner omlaag was gesprongen, zodat niemand erdoor werd gewond. De mitrailleur beneden hen bleef vuren.

'Kijk dan ook uit, lul!' riep Witt tegen Dale terwijl hij overeind krabbelde. Hij trok de pin uit een granaat, maar hield het hefboompje ingedrukt terwijl hij snel zijn geweer greep en naar het gat holde. Toen hij rechts ervan in enigszins gebogen houding stond, vuurde hij met zijn linkerhand zijn geweer af, met de kolf tegen zijn been gedrukt. De kogels van de semi-automatische Garand drongen naar binnen en er klonk een kreet. Al schietend slingerde Witt de granaat het gat in en week achteruit. Hij bleef vuren om de Japanners in verwarring te brengen. Toen gaf de granaat een doffe knal, waarna zowel de verwarde kreten als de ratelende mitrailleur verder zwegen.

Onmiddellijk begonnen andere leden van de patrouille, zonder dat Gaff het bevel hoefde te geven, granaten door de overige vier toegangsgaten te slingeren, waarbij ze Witts techniek gebruikten en zich verder niet afvroegen of er nog iemand in zo'n gat zat. Daarna riepen ze de mannen van de B-compagnie toe dat ze konden komen. Later werden er in het gat dat Witt had bestookt vier Japanse lijken ontdekt, angstig ineengedoken of uitgestrekt al naar gelang hun aard. De dood had ze verrast en zij hadden die, zo niet dapper, dan toch met het besef dat dit einde onvermijdelijk was, aanvaard.

De strijd om de centrale stelling was voorbij. En bij allen die eraan hadden deelgenomen was iets veranderd. Het was te zien aan de glimlachende gezichten van de mannen die tot het peloton van de B-compagnie behoorden, en die nu de stelling beklommen na vijf van hun kameraden in het kunaigras te hebben achtergelaten. Het was ook te zien aan het stralende gezicht van overste Tall, die met zijn bamboestokje in de hand met grote passen achter hen aan liep. Het was te zien aan het moordlustige plezier waarmee Gaffs groep volgens Witts veilige methode handgranaten in de lege bunkers wierp: een man vuurde en een ander gooide granaten. Niemand vroeg zich af of er nog mensen zouden zijn. Maar in hun hart hoopten ze dat er zich nog honderden schuilhielden. Ze genoten omdat ze zonder enig risico konden moorden. Ze hadden nu eindelijk, zoals overste Tall het later uitdrukte tegenover de journalisten die hem interviewden, bloed geproefd. Ze hadden, in de woorden van overste Tall, de vruchten van de overwinning gesmaakt. Ze waren veteranen geworden. Ze hadden ontdekt dat de vijand net zo sterfelijk was als zij, en dat ze hem konden verslaan.

Dit besef had op iedereen een enorme weerslag. Het was ook te zien aan de manier waarop de andere twee pelotons van Baker, die de heuvel nu bestormden, zich gedroegen. Overste Tall wees hierop, toen hij breed lachend en met uitgestrekte hand op kapitein Gaff afkwam om hem geluk te wensen.

'Kijk ze eens rennen!' riep hij, nadat ze elkaar boven op de aarden wal de hand hadden gedrukt. 'En we hebben het allemaal aan jou te danken, John. Toen ze zagen hoe jullie hier aanvielen en wonnen, werden het andere kerels. Kom, laten we hier eens rondkijken.'

Na zorgvuldige telling werd vastgesteld dat er zich op het lage terrein achter de stelling 23 Japanners bevonden. Ze lagen in de meest uiteenlopende houdingen. Vijf van hen waren door de eerste granaten om het leven gekomen, twee waren doodgeschoten terwijl ze probeerden te vluchten. Van de 23 waren de meesten al dood, sommigen stervende en enkelen weliswaar zwaargewond, maar misschien nog in staat om erbovenop te komen. Gaff en de mannen van zijn groep, die met de overste meeliepen, hadden de indruk dat het aantal veel hoger zou moeten zijn. Naar hun idee hadden ze hier honderden Japanners moeten aantreffen. Maar toen ze het gevecht bespraken, bleek dat er minstens vier 'twee keer' waren 'gedood' door verschillende patrouilleleden. Toch was het een respectabel aantal. Vooral als je bedacht dat de aanvalspatrouille slechts uit zes man had bestaan; en weer scheen het wonderbaarlijk dat geen van hen hierbij de dood had gevonden. Dit werd gedeeltelijk verklaard door het feit dat de Japanners in ongecoördineerde groepjes naar buiten waren gekomen. Maar weer werd erop gewezen dat het succes in de eerste plaats aan Big Un met zijn buks te danken was geweest: niet alleen omdat hij hiermee vijf man zo snel achter elkaar had gedood, maar ook omdat hij de overige Japanners hierdoor onmiddellijk had gedemoraliseerd. Big Un zelf had – voorlopig – nog geen plezier in zijn pas verworven roem, al werd hij door de mannen van het B-peloton vol eerbied bekeken. Hij liep rondjes om de enige krijgsgevangene die nog in leven was, als een wolf die zich van een gekooid prooidier meester probeert te maken. Zijn buks was kapot, maar hij hield zijn geweer nu gereed. Het was alsof hij hoopte dat de Japanner een verdachte beweging zou maken, waardoor hij een geldig excuus had om hem neer te schieten.

De krijgsgevangene zag er niet bepaald uit alsof hij een vluchtpoging zou wagen, ook al zou er niemand zijn om hem te bewaken. Het vervuilde, broodmagere mannetje leed aan ernstige dysenterie en beduidde met gebaren en pantomime de bewakers van de B-compagnie telkens dat hij zijn behoefte moest doen. Dan hurkte hij naast zijn twee gesneuvelde kameraden neer en poepte terwijl hij Big Un voortdurend in het oog hield. Hij had het tijdens het gevecht, toen hij niet naar buiten kon, kennelijk al een paar keer in zijn broek gedaan, want hij stonk zo afschuwelijk dat hij op meters afstand te ruiken was. Al met al was hij een deerniswekkende figuur.

Maar als Big Un al iets van deernis voelde met deze zielige stakker, dan was daarvan op zijn grove, dierlijke gezicht niets te zien. De anderen toonden evenmin medelijden, ook overste Tall niet, hoewel deze wel meteen opmerkte dat er met de twee gedode gevangenen iets merkwaardigs moest zijn gebeurd.

Dat was duidelijk te zien. Ze lagen op een rijtje, met de derde die nog leefde, die zich op enige afstand van de rest bevond. Hun twee helmen lagen vlak naast hen en ze vertoonden geen wonden of kwetsuren, afgezien van het bloed dat uit hun neus stroomde.

'Wat is hier gebeurd?' vroeg Tall met gedempte stem aan Gaff. Hij had zich al walgend afgekeerd van de nog levende, stinkende gevangene.

Gaff trok alleen zijn wenkbrauwen op, alsof hij het niet wist. Hij wilde zijn chef niet voorliegen, maar aan de andere kant voelde hij er niets voor zijn jongens te verraden. Hij voelde zo'n innige verbondenheid met hen dat de tranen hem bijna in de ogen sprongen als hij aan ze dacht.

Tall keek nog eens naar de lijken. Ze zagen er bijna even triest uit als de levende gevangene en ze stonken ook. Hij begreep heel goed wat er was gebeurd, maar niet hoe het was gedaan. Als hun schedels waren ingeslagen, als ze aan een bajonet waren geregen of doodgeschoten, zou alles in orde zijn geweest. Wat hier was gebeurd keurde hij af, maar wat er in de hitte van strijd werd gedaan moest met toegeeflijkheid worden bezien. Maar hoe waren die twee aan hun eind gekomen? 'Hersenschudding na een explosie?' vroeg hij Gaff. 'Maar ik zie nergens scherfwonden.' Hij verwachtte geen antwoord en kreeg dat ook niet; de kapitein haalde zijn schouders op. 'Nou ja,' zei Tall, glimlachend en zo luid dat de omstanders het konden horen, 'een dode gele broeder is in ieder geval een gele broeder minder, nietwaar?' Wat er in werkelijkheid was gebeurd zou hij later wel horen; daarvan was hij overtuigd.

'Pas goed op deze vent, mannen!' riep hij naar de soldaten van de B-compagnie die als bewakers optraden. 'G-2 moet hem hebben. Er zal straks wel iemand voor hem komen.'

'Zeker, overste, zeker,' zei een van de twee grijnzend, 'we zullen voor hem zorgen.' Hij gaf de gevangene die weer neerhurkte om te poepen een por met zijn geweerkolf, zodat hij achterover in zijn eigen stront viel. Alle soldaten lachten, de gevangene krabbelde overeind en begon zichzelf geduldig met handen vol gras schoon te maken. Hij scheen dit soort behandeling te verwachten en niet anders te denken dan dat ze hem straks wel zouden doodschieten. Tall wendde zich weer af. Het was niet zijn bedoeling geweest de man van Baker tot deze daad aan te zetten, maar de soldaat, die nog maar een jongen was, had zijn woorden over dode gele broeders verkeerd opgevat. Aan de overkant van de komvormige inzinking trapte iemand een gewonde Japanner in de ribben. Het klonk alsof iemand een voetbal met een enorme dreun het dal in schopte. De gewonde Japanner staarde berustend voor zich uit met de doffe ogen van een dier dat pijn lijdt.

'Hou daarmee op, jongen!' riep Tall streng.

'Oké, overste, oké,' antwoordde de man opgewekt. 'Maar hij zou mij direct kapotmaken als-ie de kans kreeg.'

Tall wist dat het waar was en antwoordde niet. Trouwens, hij wilde dat de mannen hun nieuwe agressieve stemming na de hier behaalde overwinning zouden houden. Dat was belangrijker dan de vraag of een paar Japanse krijgsgevangenen al dan niet werden mishandeld of gedood.

'Ik vind dat we hier nu wel genoeg tijd hebben verspild,' zei Tall luid, grijnzend naar de manschappen.

'Overste,' klonk de bescheiden stem van Gaff die achter hem stond en Tall draaide zich om. 'Overste, er zijn een paar mannen die ik zou willen voordragen voor een onderscheiding.'

'Ja, ja,' zei Tall stralend. 'Natuurlijk. We moeten er zoveel mogelijk zien uit te halen. Maar dat komt wel. Voorlopig wil ik alleen zeggen dat ik jou ook zal voordragen, John. Misschien wel,' zei hij en hij boog zich naar Gaff toe en fluisterde: 'Misschien wel... voor de allerhoogste.'

'Nou, graag, overste. Maar ik vraag me af of ik die wel verdien.'

'Natuurlijk. Maar het is de vraag of ik hem voor je kan krijgen. Het zou een hele eer zijn voor het bataljon en ook voor het regiment, als het lukte.' Hij richtte zich op. 'Maar we moeten nu opschieten. Het lijkt me het beste om terug te gaan naar het zadel waar jullie omhoog zijn gekomen en niet om dat kopje links heen te trekken. Vanaf het zadel kunnen we de onderlinge afstand vergroten tot onze linie verbonden is met de andere pelotons. Wil jij het bevel nemen?'

'Graag, overste.'

'Waarschuw luitenant Achs dan. Die loopt hier ergens rond.'

'Overste,' zei Gaff aarzelend. 'Ik wil niet negatief doen, geen zwartkijker zijn, absoluut niet, maar hoe zit het met het water? Als we geen...'

'Man, zeur niet over water,' zei Tall heftig, maar toen glimlachte hij. 'John, ik wil deze aanval, nu die eenmaal op gang is gekomen, om geen enkele reden afbreken. Wat het water betreft, heb ik al maatregelen getroffen. We krijgen in ieder geval *wat* water voor' – hij keek op zijn horloge en toen naar de lucht – 'het een paar uur later is. Dat is geregeld. Maar we kunnen nu niet wachten tot het er is.'

'Nee, overste.'

'Als er een paar lui flauwvallen, dan moeten ze maar flauwvallen,' zei Tall.

'Ja, overste.'

'Als ze je om water vragen vertel je maar wat ik heb gezegd. Maar begin er zelf niet over. Noem het woord niet voor iemand je wat vraagt.'

'Goed, overste. Maar het kan dodelijk zijn, dat weet u. Hittecollaps.'

'Vijandelijk vuur kan ook dodelijk zijn,' zei Tall. Hij keek om zich heen, naar de mannen. 'Het zijn allemaal sterke kerels.' Zijn blik ging terug naar Gaff. 'Oké? Nou, kom op dan.'

Samen met luitenant Achs van de B-compagnie begonnen ze de mannen te verzamelen, die nog nieuwsgierig naar de dode Japanners staarden. 'Hé, die krijgen jullie nog genoeg te zien,' zei overste Tall. 'Tenminste, dat hoop ik. Kom op nu.' Hij zag dat de meeste uitrustingsstukken van de doden al waren weggenomen om als souvenirs te dienen, evenals hun portefeuilles en de verdere inhoud van hun zakken. Twee van Gaffs vrijwilligers – Doll en Cash – liepen nu rond met de Samoeraizwaarden van Japanse officieren. Tall zou er graag zelf een hebben gehad, maar hij had nu geen tijd om daarover te denken. Op het moment had hij al genoeg aan zijn hoofd. Het waterprobleem baarde hem meer zorgen dan hij Gaff had laten merken. Je kon makkelijk zeggen dat enkelen dan maar flauw moesten vallen of sterven aan hittecollaps. Maar als er genoeg uitvielen, hield hij geen mensen over voor de aanval. Dan ging het mis, ongeacht de triomfantelijk agressieve stemming waarin ze nu verkeerden, en ondanks alles wat hij zelf zou kunnen doen. Ze moesten straks water hebben en hij had maar een ding kunnen bedenken dat hiervoor zou zorgen.

Een uur eerder – toen Gaff en zijn groep de bunker beslopen – had Tall nog een patrouille uitgezonden. Maar het ironische daarvan was dat die patrouille naar achteren zou gaan. Om water te zoeken. Omdat hij geen verbinding met het regimentscommando meer had, wilde hij eerst een ordonnans sturen. Maar gisteren had hij er twee op uit gezonden en steeds weer opgebeld met hetzelfde bericht, en zo was hij op het idee gekomen om een 'patrouille' te sturen. En toen hij dat eenmaal had bedacht, besloot hij meteen maar heel radicaal te werk te gaan. Hij stuurde de sergeant van zijn bataljonshoofdkwartier en de drie ordonnansen die hij nog over had, allemaal natuurlijk gewapend met pistolen. Ze kregen bevel zo ver als nodig was achter het front te gaan en met water terug te komen. Ze hoefden zich niet bij de regimentscommandant te melden. Integendeel, ze moesten op enige afstand van de regimentscommandopost over Heuvel 209 trekken en verder lopen door het dal tot ze een onderdeel ontdekten dat over water beschikte. En dat moesten ze, indien nodig onder bedreiging, meenemen. Tall besloot dat ieder van hen twee volle jerrycans met water kon dragen; het zou een hele sjouw zijn, maar gezien de omstandigheden ging het niet anders. Ze moesten zo snel mogelijk terugkomen en alleen uitrusten als het noodzakelijk was. Als iemand het water wilde afpakken, moesten ze zich te weer stellen. Het waren krasse maatregelen. Voor de zo correcte Tall lag er een wrede ironie in de gedachte dat hij een gewapende patrouille, bereid om te vechten, naar zijn eigen linies moest sturen. Maar het was niet anders. Trouwens, hij dacht niet dat het tot vechten zou komen; niemand achter het front zou zich tegen zijn jongens verzetten als die eenmaal hun pistolen trokken, maar zelfs al zou zich een schietincident voordoen, dan moest dat maar; aan het front mocht niets verspeeld worden. Hij was er vast van overtuigd dat het Japanse verzet nu gebroken was. Het enige dat ze nu nog moesten doen was de aanval voortzetten en dan zou Heuvel 210 voor twaalf uur in de middag in hun handen zijn. En het triomfgevoel dat zich van iedereen meester had gemaakt toen de bunker was veroverd, moest worden uitgebuit voor er iets gebeurde wat een neerslachtige stemming veroorzaakte. Het was voor Tall een onverdraaglijke gedachte dat zijn bataljon op dit moment uit de strijd zou worden genomen of zelfs maar dat het, als de aanval tot stilstand kwam voor de top was bereikt, versterkingen zou krijgen van troepen uit het reserveregiment. Dit was de kans waarop Tall hoopte sinds hij zijn carrière als beroepsmilitair was begonnen. Hij had gestudeerd, gewerkt, zich afgebeuld en voor deze kans talloze vernederingen geslikt. Daarom was hij nu tot alles bereid om ervan te kunnen profiteren. Hij hoopte alleen maar dat de C-compagnie ook volgens plan oprukte en dat Stein hem niet zou teleurstellen. Terwijl hij daarover nadacht en plotseling bezorgd werd, schoot hem iets te binnen. Een geniale inval misschien wel.

'Ik heb een ordonnans nodig!' riep hij tegen de zich opstellende mannen. Het zou beter zijn een van hun eigen mensen naar hen te sturen, bedacht hij meteen daarna en hij bleef abrupt staan en wendde zich tot de vrijwilligers van Charlie, die hun nieuwe vaderlijke held, kapitein John Gaff, omringden terwijl het B-peloton waarin zij geen plaats hadden zich verzamelde.

'Ik wil dat een van jullie contact gaat zoeken met de C-compagnie. Die...'

'Ik ga wel, overste!' zei Witt onmiddellijk. 'Ik doe het graag! Laat mij gaan, overste!'

'Het zal niet meevallen. Je moet teruggaan over de derde terreinplooi en dan afzwenken naar de jungle en hun spoor daar volgen,' zei Tall. 'Maar het is heel belangrijk. De mensen van Charlie moeten weten wat we hier hebben bereikt. Vertel ze alles wat we hebben gedaan. Dat de bunker in onze handen is. En dat we de heuvel opgaan en ons door niets laten tegenhouden. We zullen de top innemen. En zij moeten ons daar ontmoeten.'

'Ja, kap'tein,' zei Witt. 'Dat zal wel lukken. Maakt u zich over mij geen zorgen, overste.'

'Ik geloof ook dat je dat kan, kerel,' zei overste Tall en hij klopte hem op de rug. 'Ik weet dat ze geen water hebben. Maar zeg ze dat ze zoveel water krijgen als ze maar kunnen drinken, wanneer ze eenmaal contact met ons hebben gemaakt.'

'Ja, overste!' riep Witt.

Tall zag dat John Gaff hem met verbaasde, ongelovige ogen aankeek. Tall staarde koel terug tot Gaff zich zijn rang herinnerde en zijn gezicht afwendde. Tall durfde hem geen knipoogje te geven. 'Zoveel water als ze maar kunnen drinken,' herhaalde hij plechtig terwijl hij Witt aankeek. 'Oké. Dat is alles, jongen,' zei hij. 'Ga maar.'

Witt liep met lange passen weg.

'Zo, mannen,' zei Tall. 'Gaan we de heuvel op of niet?'

Ze kwamen met nog meer snelheid en energie in beweging dan Tall had durven denken. Binnen tien minuten en met slechts twee uitvallers hadden ze de twee andere pelotons van de B-compagnie bereikt en schoof de hele linie in pittig tempo omhoog, precies zoals Tall dat eerder op de dag had gehoopt. De Japanners die ze aantroffen in de diverse stellingen overal langs de helling, behoorden bijna zonder uitzondering tot hetzelfde uitgehongerde, verzwakte type als in de bunker; slechts af en toe werd er een gevonden die er gezond en fit uitzag, zoals de dikke sergeant die Witt had gedood. Geen van de verdedigers werd gespaard. Het bleek dat de Japanners ook heel weinig water hadden en dat weinige durfden de Amerikanen niet te drinken, omdat ze vreesden dat het besmet was.

Toen het water uiteindelijk kwam, was het er veel eerder dan Tall had verwacht. Toch had hij de indruk dat het geen minuut later had moeten arriveren; de aanval dreigde volkomen vast te lopen. De B-compagnie plus Gaff en zijn vrijwilligers lagen honderd meter voor het eind van de heuvelrug, waar drie ver uiteenliggende stellingen met slechts één mitrailleur (zoals ze er die dag zonder inspanning vele hadden ingenomen) de hele linie tegenhielden. De commandanten zagen geen kans de mannen weer in beweging te krijgen. In de droge, stoffige hitte, geblakerd door de ochtendzon, vielen steeds meer soldaten flauw. Tall had na de verovering van de centrale stelling zijn CP op de top erboven willen installeren en dat ook gedaan. Maar de snelheid waarmee de linie zich verplaatste had hem gedwongen verder te gaan als hij nog iets wilde zien en zelf leiding wilde geven. De gewonden werden achtergelaten waar ze waren gevallen. En de doden, die niemand toch meer kon helpen, eveneens. Met slechts twee gewonde soldaten als ordonnansen verplaatste Tall zijn post naar het rotsmassief, vanwaar de vorige dag de kleine Japanse tegenaanval was gelanceerd. En vanaf dit hoge punt zag hij de 'waterpatrouille' met de jerrycans aankomen. Gebarend dat ze zich moesten haasten, daalde hij zelf met twee soldaten de helling af om te helpen dragen. Zijn eigen sergeant en de drie ordonnansen waren zelf bijna bewusteloos van het gezeul met het water over het hellende terrein. Het was slechts een keer nodig geweest hun pistolen te trekken: toen ze zich van het water meester maakten. Niemand had hen daarna tegengehouden. Tall sprak hun moed in, vleide hen en hielp persoonlijk de jerrycans te dragen. Hoe dan ook, het lukte. Het water werd achter de rotswand gezet waar het betrekkelijk veilig was en de mannen kwamen in groepen terug om te drinken. Na een halve beker water achter de rotsen en tien minuten rusten op hun plaats in de linie, werden de drie mitrailleurs door drie afzonderlijke groepen ingenomen, met slechts vijf of zes man aan verliezen, en kon de aanval worden voortgezet. Het ging weer verder; zijn linie, zijn eigen levende, dierbare linie rukte weer op. Verdomme, als dit hem geen Adelaar en een eigen regiment opleverde, dan zou niemand er ooit een krijgen. Als Charlie en Bugger Stein, zoals de kapitein door zijn mannen werd genoemd, hun taak in het plan nu maar goed uitvoerden.

Eerst had Tall vier van de acht jerrycans met water in reserve gehouden. Toen had hij er twee apart gezet. Hij vergat zijn belofte aan de C-compagnie niet, maar ten slotte hield hij er maar één over. Van uitputting trillende mannen morsten als ze water voor hun kameraden inschonken. Door de enorme opwinding die er heerste kregen velen meer dan een halve beker, sommigen een volle of overvolle. Uiteindelijk ging ook de achtste jerrycan op. Het speet Tall dat hij geen water zou hebben voor de C-compagnie als ze boven op de heuvel contact maakten, het speet hem erg, maar op een dag als deze was er iets belangrijkers, iets dat veel meer waard was dan water: de overwinning.

Desondanks wilde overste Tall alles voor deze mannen doen wat hij kon, ook al verwachtte hij weinig resultaat. 'Sergeant James,' zei hij tegen de uitgeputte sergeant van zijn eigen staf, nadat de mitrailleurs waren veroverd en de linie voorbereidingen trof om de opmars voort te zetten, 'Sergeant James, ik moet je vragen nog een offer te brengen. Je moet de hele tocht nog eens maken.' James scheen te kreunen, ofschoon hij in werkelijkheid geen geluid maakte, maar overste Tall ging door: 'Je kent de regimentscommandant vrij goed. Daarom moet je teruggaan naar de CP op Heuvel 209 en daar met hem spreken. Je moet hem duidelijk maken hoe ernstig het watergebrek hier is. Laat hem geen moment met rust. Blijf voortdurend bij hem staan. Herinner hem er telkens aan. Mochten er generaals bij hem zijn of bij hem komen, des te beter. Dan zet je maar een flinke keel op. Hij moet weten hoe ernstig de situatie is. Het water moet op Heuvel 210 zijn als wij daar aankomen, en als dat niet gaat, dan zo snel mogelijk daarna. De regimentscommandant moet beseffen dat we de heuvel, als we hem veroverd hebben, zonder water niet kunnen behouden.'

Terwijl Tall sprak had de smartelijke uitdrukking op het gezicht van zijn sergeant plaatsgemaakt voor een verraste blik en ten slotte grijnsde James breed. Hij zou de komende, belangrijke uren moeten doorbrengen in de nabijheid van de regimentscommandant en dus fysiek heel wat minder risico lopen dan hier. Hij zou natuurlijk wel een beetje moeten uitkijken, want de ouwe kon driftig worden, maar James kende het karakter van de 'Grote Blanke Vader' en diens eigenaardigheden vrij goed en zou, zoals Tall wist, zich wel weten te redden.

'Tja, het is moeilijk, overste, maar ik zal mijn best doen,' zei de sergeant. Tall keek hem na. Daarna wendde hij zich weer tot zijn ordonnansen en de soldaten van zijn persoonlijke staf. Hij moest een nieuwe plaats kiezen voor zijn CP, hoger op de helling. Hij had zijn best gedaan voor de C-compagnie. Zijn enige hoop was dat de mannen van Charlie ook hun best zouden doen voor hem.

Voorlopig had de C-compagnie geen behoefte aan de vaderlijke zorgen van overste Tall, net zomin als aan de bemoedigende woorden van Witt, die hij naar hen had toegezonden om ze op te peppen. Ze hadden een klein vuurgevecht achter de rug, waarbij ze slechts één man hadden verloren en een door vier Japanners bemande stelling hadden veroverd. Ze vorderden snel. Of iets van het enthousiasme dat na het gevecht op de heuvel heerste, hen door de vluchtige lucht had bereikt, of dat ze het gevoel hadden veteranen te zijn omdat ze de vorige dag hadden overleefd, of dat het kwam doordat hun vrees was weggezakt in de afgestomptheid die zich van hen meester had gemaakt, of doordat het kleine vuurgevecht hun moreel goed had gedaan, ze bewogen zich zonder tegenzin en snel over het brede junglepad. Ze hadden de bij het gevecht gewonde verkenner langs het pad achtergelaten, wat deze vrij laconiek opnam. Hier werd hij later door Witt gevonden. Hoewel ze geen water hadden, betekende de schaduwrijke jungle een hele verbetering na de mokerende stoffige hitte op de heuvelrug en het was alsof de uitgedroogde lichamen van de mannen in de schemerige, vochtige atmosfeer door de poriën water opzogen uit de lucht, ook al transpireerden ze. Witt, die hun spoor behoedzaam volgde, voelde zich geheel onverwacht ook beter in de jungle.

Witt had de heftige emotie van het gesprek met overste Tall verwerkt. Tijdens de lange tocht van de vroegere positie achter de derde terreinplooi tot het begin van de jungle had hij voortdurend diep ontroerd lopen denken wat een prachtkerels het toch allemaal waren. De overste, kapitein Gaff die zich niet te goed voelde om met een mindere om te gaan als zijn gelijke. Bell, Doll, Dale, Big Un, Keck (die nu dood was), Skinny Culn. In feite had Witt vóór die dag nooit veel opgehad met overste Tall. Een verwaande intellectueel met een hart van steen, die altijd volgens het boekje werkte, dat was Witts oordeel over Tall geweest. Maar nu moest hij erkennen dat hij het bij het verkeerde eind had gehad. De belangrijkste eis waaraan een officier in de ogen van Witt moest voldoen, was hart hebben voor zijn mensen en Tall had die dag bewezen dat hij dat had. Op dit moment zag Witt ze allemaal als kameraden, die hij liefhad met een bijna seksueel gekleurde hartstocht. Zelfs Bugger Stein en Welsh werden door hem grootmoedig opgenomen in zijn warme genegenheid. Met alle andere jongens van de compagnie. Juist daarom had hij zich zojuist bereid verklaard naar hen terug te gaan: misschien zouden zijn ervaring en kennis van nut zijn en zou hij iemand het leven kunnen redden. Deze gedachten gingen door zijn hoofd terwijl hij van de derde terreinplooi naar de jungle liep, en pas toen hij deze had betreden en het pad had ontdekt, begon zijn stemming te veranderen en kwam de eerste twijfel bij hem opzetten.

Hij had de plek waar ze de jungle waren binnengedrongen gemakkelijk kunnen vinden omdat het struikgewas daar was weggehakt en vertrapt, maar eenmaal bij het pad hielden de sporen op. Hij had in verschillende richtingen gezocht om zich hiervan te overtuigen. Nu stond hij voor de vraag of hij het pad naar rechts of naar links zou volgen; het leek hem niet waarschijnlijk dat ze rechtsaf waren gegaan, omdat ze zich dan steeds verder van Heuvel 210 zouden verwijderen. Voorzichtig, maar vrij zeker van zijn zaak, was hij dus linksaf geslagen. De groene schemering onder de hoge woudreuzen had iets beklemmends. Zijn voeten gleden uit in de modder. Hij had zich niet afgevraagd wat hij hier zou vinden, maar hij nam aan dat ze zich ergens hadden ingegraven en nu in een vuurgevecht verwikkeld waren om de heuvel te kunnen bereiken. In plaats van salvo's hoorde hij echter alleen geritsel, gekraak en het gefluit van die gekke vogels. Er liep een rilling over zijn rug, maar hij zette zijn tanden op elkaar en liep met het geweer in de aanslag verder. Hij herinnerde zich dat Bugger Stein de vorige dag deze route had willen kiezen, omdat hij meende dat dit gebied onverdedigd was en dat overste Tall dit voorstel had afgewezen. Zijn twijfel groeide, toen hij de gewonde verkenner van het derde peloton ontdekte, een zekere

Ash, die terzijde van het pad zat en hem grijnzend aankeek.

'Als ik een Jap was, dan zou jij er allang geweest zijn, hufter!'

'Hebben ze jou hier achtergelaten?'

'Ik kan niet zo vlug meer lopen. Maar ik vind het niet erg. Voor ze weggingen heeft een hospik me verbonden. Ik heb munitie genoeg en Welsh heeft me zijn pistool gegeven. Er komt later op de dag wel iemand om me op te halen.' De man maakte de indruk dat hij door de schok, de morfine en de pijn van zijn verbonden wond die hij Witt liet zien, driekwart buiten westen was. 'Precies in de knie. Voor mij is de oorlog wel afgelopen, neem ik aan, Witt. Maar wat voer jij hier in godsnaam uit?' Witt vertelde waarom hij was uitgezonden en wat Tall over het water had gezegd.

'Dat is mooi,' zei Ash. 'Maar ze mogen wel opschieten als ze er eerder willen zijn dan de jongens van Charlie.'

'Hoe is het bij jullie compagnie gegaan?'

'Prima. Ik heb geen schot gehoord sinds ik hier lig. Ik geloof dat er hier verder geen stellingen zijn, behalve de ene die we onderweg hebben ingenomen en die je nog wel zal zien. En dat hebben we allemaal aan Bugger Stein te danken. Hij had ons gisteren al hierheen willen brengen. Als dat was gebeurd, hadden we heel wat minder verliezen gehad.'

'Ja.'

'Nou, wens de jongens maar het beste van me.'

'Je kunt gerust met me meegaan. Ik ondersteun je wel.'

'Ach, welnee, ik lig hier lekker rustig. Trouwens, dan zou je niet zo snel opschieten. Iemand komt me wel halen.'

'Ik zal ze eraan herinneren.'

'Doe dat,' zei Ash met dikke tong.

Witt liet hem achter zonder dat het hem veel deed. Zoiets kon nu eenmaal gebeuren. Hij liep langs de veroverde stelling met de vier dode Japanners, die meer op bundels oude lorren leken dan op gestorven mensen. Maar zo zagen ze er allemaal uit, ook de Amerikanen, tenzij je het gezicht zag van een jongen die je persoonlijk had gekend. Hij trapte tegen het gehelmde hoofd van een Japanner die half op het pad lag en het hoofd rolde heen en weer. Bij de eerste bocht van het pad draaide hij zich om en wuifde. Ash zag hem niet omdat hij dronken lag te grijnzen naar de bomen aan de andere kant van het pad. Een jaar later zou hij, zoals de C-compagnie een hele tijd daarna zou vernemen, na een serie amputaties die de infectie niet tot stilstand brachten, in een burgerziekenhuis aan gangreen sterven.

Na de tweede bocht begon het pad te stijgen, terwijl het in oostelijke richting draaide. Het liep langs de achterzijde van de Olifantskop, Heuvel 210, en het zou wel uitkomen op het hellende open terrein van de slurf, meende Witt. Dit was de ontsnappingsroute geweest. Hij sjokte verder, soms uitglijdend in de hellende modder, en keek uit naar scherpschutters in de bomen. Maar hij zag niets, helemaal niets. Er was hier niemand en zijn gedachten gingen weer naar overste Tall en wat er de vorige dag was gebeurd. Ash had het goed gezien: er zouden nog heel wat brave jongens in leven zijn, als Bugger hen gisteren hierheen had gebracht. Mannen als Keck, als Tella, als Grove en Wynn en zijn oude kameraad Catch, Bead en Earl. Witt had geen kans gekregen ook maar een van hen het leven te redden. En waarom niet? Waarom was hem dat niet gelukt na alles wat hij zich had voorgenomen? Verdomme, hij kon niet overal tegelijk zijn! Wat verwachtten Tall en die anderen van hem? Hij kon toch niet alles alleen doen? En die twee piepjonge luitenants waren ook al dood. Woede en verbittering stegen in Witt op bij de gedachte dat het zelfs voor iemand met zijn kennis en ervaring onmogelijk was zo'n klungelig opgezette operatie te redden. Hij was zo woedend en verbitterd dat hij niet eens in staat was in zijn eigen gedachten uitdrukking te geven aan zijn wrok. Maar zijn verontwaardiging was nu gericht tegen overste Tall. Hij schaamde zich omdat hij zich nog maar kortgeleden door die Tall had laten lijmen, hij geneerde zich voor de ontroering die hij had gevoeld terwijl hij langs de terreinplooi naar de jungle liep, en zijn woede steeg nog verder. Als Bugger Stein er niet was, die hij vroeger had veracht, maar nu met andere ogen bezag, dan zou hij na zijn bericht te hebben gebracht onmiddellijk rechtsomkeert maken en zich op Heuvel 209 weer bij zijn Geschutcompagnie melden. Tenslotte was hij een vrije meerderjarige blanke, uit Kentucky nog wel, en hij liet zich lijmen met mooie smoesjes. In een dergelijke stemming bereikte hij ten slotte de achterhoede van de C-compagnie en weer was het een wonderlijke ervaring voor hem om plotseling – precies zoals de eerste keer – tussen zo'n enthousiaste groep mannen te staan.

Iedereen met wie Witt praatte dacht hetzelfde als hij: het was een schandaal dat Bugger de vorige dag geen toestemming had gekregen hen langs deze route naar de heuvel te brengen. Maar geen van hen scheen het zich zo aan te trekken als Witt. En, wat er ook gebeurd was, niets kon hun enthousiasme over hun nieuwe positie aantasten.

Stein had ze drie linies laten vormen op het open terrein van de Olifantsslurf en in deze formatie begonnen de mannen er nu overheen te trekken. Het derde peloton dat de vorige dag het minst had geleden, vormde de eerste linie; het eerste de tweede, en het zwaargehavende tweede peloton bemande de derde linie. Daarachter kwamen de soldaten van de staf, met MacTae en Storm met zijn koks, terwijl als laatste nog de kleine achterhoede kwam, die Witt het eerst had gezien. Tot nu toe was er niet op hen gevuurd en iedereen zag er stralend uit. Ze hadden de vijand verrast met een flankbeweging waarbij nauwelijks enkele schoten waren gelost, en nu bestreken ze zijn ontsnappingsroute. Voor de eerste keer waren zij in het voordeel en ze waren vast van plan het zo te houden.

De lange, smalle heuvelrug die iedereen nu kortweg 'de Slurf' noemde, had daar waar hij uit het plateau oprees zacht glooiende hellingen, waar de jungle hier en daar naar voren drong op de rug zelf, maar hogerop werd hij steiler, zodat de jungle zich daar niet kon voortzetten en het onbegroeide terrein breder werd. De hele Slurf was ongeveer tweehonderdvijftig meter lang. Iets verder dan halverwege werden de hellingen zo steil dat ze voor troepen onbegaanbaar waren; dit punt had Stein gekozen als zijn eerste doel. Een linie hier, aan weerskanten hecht verankerd op bijna loodrechte wanden, kon door de Japanners nooit met een flankbeweging worden verrast. Als zijn mannen daar eenmaal waren, konden ze zich zelfs ingraven en deze stelling verdedigen. En Steins derde peloton bereikte deze lijn even nadat Witt met zijn bericht was aangekomen. De tweede linie, gevormd door de mannen van het eerste peloton, bevond zich vijftig meter erachter. Stein kon zijn ogen nauwelijks geloven; de Japanners hadden hier blijkbaar niet eens voorposten. Vanhier zag hij dat zijn mannen zich oprichtten; Stein stond zelf ook op en wenkte met heftige gebaren dat ze verder moesten gaan. Hij keek toe terwijl het derde peloton opnieuw vijfentwintig of dertig meter vooruit snelde en het eerste peloton die positie overnam. Alle mannen verdwenen in het gras. Niet ver van zich af zag Stein hoe het tweede peloton, dat het de vorige dag zo zwaar had gehad en hem nu het dierbaarst was, in twee rijen neerknielde, aangevoerd door sergeant Beck, de dienstklopper. Stein wenkte ook dit peloton naar voren. Nog één overplaatsing en het derde peloton zou over de top zijn en hij moest ervoor zorgen dat de anderen niet te ver achterbleven zodat ze eventueel konden helpen. Hij hield van zijn jongens, besefte hij plotseling, van allemaal, ook van de kerels die hij niet zo sympathiek vond. Niemand zou dergelijke ervaringen moeten doormaken – zelfs niet degenen die er plezier in hadden. Het was niet normaal. Of was het misschien juist *verrot* normaal? Hij keek toe hoe het tweede peloton verder rende, belachelijk diep voorovergebogen, de houding die zo'n veilig gevoel gaf, maar niet de minste zekerheid bood. Dertig meter achter het eerste peloton verdwenen de mannen in het gras en nu ging hij zelf ook liggen en ontdekte dat Witt naast hem neerknielde.

Toen Witt hem over de bunker en het water had verteld, knikte Stein, zich afvragend of hij een ordonnans met het nieuws naar boven zou sturen; het zou een extra prikkel zijn, vooral het vooruitzicht op water. Zijn eigen tong voelde aan als schuurpapier wanneer hij ermee over zijn verhemelte streek. Hij had geen water meer gedronken sinds... Hij wist het niet meer. Het leek hem een goed idee en hij wenkte de laatste van zijn secretarissen, een dienstplichtige van middelbare leeftijd, Weld, en zond hem naar voren met het bericht en met instructies voor het eerste en tweede peloton: ze moesten verder gaan tot op twintig meter van het derde. Als het derde zich verplaatste, moesten de andere twee weer naar voren gaan en de ontruimde stellingen innemen. Als het derde niet op tegenstand stuitte, moesten ze zich erbij aansluiten. Daarna wendde hij zich tot Witt en er verscheen een brede glimlach op zijn groezelige, stoppelige gezicht. 'Volgens mij hebben we vandaag mazzel, Witt.'

Witt had zijn commandant wel kunnen omhelzen en hem een zoen kunnen geven op zijn vuile baardige wang in een extase van kameraadschap. Maar dat kon de indruk wekken dat hij homo was of verkeerd worden opgevat. Witt werd die dag overweldigd door emoties waarvan hij zolang hij leefde het bestaan niet had vermoed. Hij ontdekte tot zijn verbazing dat hij zich eigenlijk dolgelukkig voelde.

'Hoe ging het bij de centrale stelling?' vroeg Stein hem. Hij moest toch nog een paar minuten wachten.

Witt vertelde hem enkele details over Big Un Cash en zijn jachtgeweer en – verlegen – over de dikke Jap die hij zelf had gedood. Hij toonde hem het geweer.

'Hoeveel Jappen zijn er in totaal gedood?'

'Ongeveer vijfendertig,' zei Witt, met zijn ogen knipperend, niet in staat zijn verlegenheid te overwinnen.

'Vijfendertig!'

'Maar daarvan zijn er meer dan tien bij de aanval op de bunkers in de lucht gevlogen. Zeven waren al eerder gevallen en Big Un heeft er zes geraakt met zijn jachtgeweer. Toen waren er dus nog een stuk of negen. Zelf heb ik er maar drie kapotgeschoten.'

'Verdomd goed werk. Oké. Waarom blijf je niet bij ons om wat uit te rusten?'

'Ik wil liever bij de compagnie zijn, kap'tein,' zei Witt en hij voegde er haastig aan toe: 'Bij de pelotons, begrijpt u? Weet u, ik heb altijd het gevoel dat ik misschien een keer iemand zou kunnen helpen. Misschien iemand het leven redden.' Het was de eerste maal dat hij met iemand over zijn geheim sprak.

Stein staarde hem verwonderd aan en Witt vervloekte zijn openhartigheid. Hij had al jaren geleden de ervaring opgedaan dat je niet met andere lui over je gevoelens moest praten. Waarom deed hij dat nu wel? Stein haalde zijn schouders op.

'Goed. Meld je dan bij Beck. Hij heeft te weinig onderofficieren. Zeg hem maar dat ik jou tot tijdelijk sergeant heb benoemd.'

'Maar officieel hoor ik niet bij de compagnie, kap'tein.'

'Dat zoeken we later wel uit.'

'Ja, kap'tein.' Witt kroop weg.

'Als je opschiet,' riep Stein hem met gedempte stem na, 'kun je er zijn voor we verder gaan. Ik wacht nog een paar minuten met het signaal.' Hij wenkte de soldaten van zijn staf en zijn achterhoede dat ze naar voren zouden gaan.

Maar het signaal werd nooit gegeven. Voor het zover was werden ze ontdekt. Maar ze werden ontdekt op de heerlijkste manier die een infanterist zich maar kan voorstellen. Een groep van veertien of vijftien totaal onvoorbereide Japanners daalde de heuveltop af, allen sjouwend met zware onderdelen van ontmantelde mortieren die ze naar een veiliger plaats wilden brengen. Onnodig te zeggen dat allen hierbij de dood vonden. Het derde peloton viel van rechts, van links en centraal aan. Stein schoot overeind zodra het eerste schot klonk en zag de meesten vallen.

Ze hadden hun hele OST-peloton bij overste Tall achtergelaten, met uitzondering van één mitrailleur. Stein had deze op de uiterste linkerflank van het derde peloton in de eerste linie laten plaatsen en de schutter instructie gegeven te vuren als hij vier korte stoten op zijn fluit gaf. Nu, juist toen hij zijn longen vol lucht had gezogen, zijn mond had geopend, het hoofd achterovergeworpen en de fluit naar zijn mond gebracht, hoorde hij de mitrailleur al ratelen. Hij ademde uit en zag dat de bemanning dekkingsvuur langs de top gaf, terwijl het derde peloton, aangevoerd door Al Gore, overeind sprong en naar boven rende. De aanval vertoonde zo'n sprekende gelijkenis met die van de G-compagnie op Heuvel 209, die Stein eerder had gezien, dat hij zich één krankzinnig moment verbeeldde daar nog te staan, vóór dit alles was gebeurd. Hij moest met zijn ogen knipperen om terug te komen in de werkelijkheid. Dit was niet de aanval van de G-compagnie op Heuvel 209, dit waren zijn mannen, zijn compagnie en deze aanval scheen succes te hebben. Het mitrailleurvuur werd slechts door zwakke geweersalvo's beantwoord. De mitrailleur bleef schieten totdat dit gevaar zou kunnen opleveren voor het derde peloton en nu zag Stein dat de mannen bij de mitrailleur geheel op eigen initiatief het wapen opnamen en ermee naar de top holden. Twee soldaten droegen het wapen op de drievoet terwijl twee anderen volgden, wankelend onder het gewicht van de munitiekisten. Ze verdwenen over de top. Het derde peloton eveneens. De mitrailleur begon weer te vuren. Het eerste peloton nam de plaats van het derde in, het tweede rukte op om de lijn van het eerste over te nemen. 'Doorgaan! Doorgaan!' hoorde Stein zichzelf bulderen. 'Blijf niet wachten!' Hij wist dat de mannen hem niet konden verstaan, maar hij kon het niet laten, net als het zinloze zwaaien met zijn armen. Maar alsof ze zijn stem op die afstand toch hadden gehoord, bleef het eerste peloton, aangevoerd door sergeant Skinny Culn, slechts één ogenblik op de plaats waar het derde had gelegen, en rende toen verder en verdween over de top, vanwaar een aanhoudend geknal van Amerikaanse handwapens klonk en heel weinig Japans vuur. 'Godallemachtig! Godallemachtig!' brulde Stein keer op keer. Het tweede peloton, dat zich veel lager op de helling bevond, klom nog in de richting van de linie die het derde oorspronkelijk had bezet, en Stein besefte opeens dat hij niet wilde dat deze mannen ook over de top heen gingen.

'Kom mee! Kom mee!' brulde hij naar de mannen die nog bij hem stonden. 'Wij moeten erheen!' En hij begon over het gras te rennen.

Juist op dat moment explodeerde tussen de mannen van de compagniesstaf iets dat klonk als een Japanse granaat, maar in werkelijkheid een projectiel uit een infanteriemortier was. Iedereen liet zich vallen, behalve Stein, die verder holde. Hij bleef even staan om zich om te draaien en hun zinloos, zwaaiend met zijn armen, wat toe te brullen en rende toen door. Er vielen niet meer projectielen en de anderen kwamen langzaam overeind. Slechts een van hen was geraakt: Storm, de mess-sergeant. Een scherfje niet veel groter dan een speldenknop was tussen de handwortelbeentjes in de rug van zijn hand gedrongen, maar er niet aan de andere kant uitgekomen. Storm staarde naar het blauw gerande gaatje dat niet bloedde; hij bewoog zijn hand, hoorde iets knarsen en holde toen verbijsterd achter de anderen aan. Stein was al dertig meter verder. Storm was niet in staat het gaatje in zijn hand in verband te brengen met de explosie. Voor hem stonden die twee geheel los van elkaar. Met een verbeten gezicht liep hij verder om de anderen in te halen. Overal om hem heen scheen chaos te heersen: salvo's, kreten en ademloos rennende mannen.

Stein had zijn commandopost en zijn achterhoede tot op veertig meter van het tweede peloton gebracht, toen de actie zo onverwacht begon. Hoe een zwak, kortademig mannetje als hij erin slaagde de mannen van het tweede in te halen, begreep hij zelf niet, maar het lukte. Een paar meter voor de oorspronkelijke linie van het eerste peloton holde hij tussen hen door en voor ze uit. Even verderop minderde hij vaart en draaide zich om met wijd uitgespreide armen, het geweer in zijn ene hand.

'Staan blijven! Staan blijven!' hijgde hij. Toen de mannen stilstonden, wendde hij zich tot de mannen van de staf en de achterhoede, aangevoerd door sergeant-majoor Welsh. 'Afstand! Afstand houden! Twintig meter! Vorm daar een linie!'

Toen de orde en de posities waren hersteld, nam hijzelf het bevel op zich en bracht de mannen tot op twintig meter onder de top. Hij wilde niet dat zijn reserve zich er in één woeste ren overheen zou storten, voordat hij had onderzocht wat daar gebeurde, voor hij had vastgesteld of hij deze mannen bijeen moest houden om een aftocht te dekken. Het vuren klonk nu meer gedempt, alsof degenen die schoten zich enigszins van de top hadden verwijderd, en het volume was ook afgenomen. Van de Japanse wapens, die een scherpere knal hadden, was weinig te horen. Stein liep alleen verder tot hij over de top kon kijken. Wat hij daar zag, was een toneel dat hem de rest van zijn leven zou bijblijven.

Zijn twee bloeddorstige pelotons waren kennelijk op een bivak gestuit. Om een of andere reden hadden de hoge bomen van het oerwoud zich op deze top weten te handhaven. Dit waren de stammen die ze gisteren de hele dag vanuit het dal hadden gezien. De Japanners hadden de lagere boompjes en het kreupelhout verwijderd, zodat het was alsof een park met koele schaduw en zonovergoten plekken de achtergrond vormde van wat hier gebeurde. Het enige dat die illusie verstoorde, was de weke modder waaruit de bodem bestond. Tegen dit vriendelijke, natuurlijke decor zag Stein zijn twee pelotons in kleine groepen naar het scheen wagonladingen Japanners afslachten. Stein zag een groepje van zijn mensen langs een uitgeteerde Japanner lopen, die ongewapend met zijn handen in de lucht stond; zodra ze gepasseerd waren, liet de Japanner zijn handen zakken en tastte naar iets in zijn tuniek. Een man die tot een ander groepje behoorde zag het en vuurde van tien meter afstand. Terwijl de Japanner in elkaar zakte, viel de ongeëxplodeerde granaat uit zijn hand. Stein zag een andere soldaat (misschien Queen, maar hij wist het niet zeker) op een Japanner afrennen die wanhopig stond te grijnzen met zijn handen hoog geheven. De soldaat bracht zijn geweer zonder bajonet tot op enkele centimeters van het grijnzende gezicht en schoot een kogel in zijn neus. Stein moest ondanks zichzelf lachen. Vooral bij de gedachte aan die wijd opengesperde ogen, die wanhopig scheel moesten hebben gekeken toen ze op de loop van dat geweer werden gericht. Harold Lloyd. Er waren geen tenten te zien, maar wel hutjes gemaakt van takken en bladeren en ondergrondse verblijven. De eerste werden aan flarden geschoten of met geweerkolven vernield. In de ondergrondse schuilplaatsen werden granaten gegooid. Stein zag in een oogopslag dat het lang zou duren voor hij deze mannen weer onder controle had. Aan de andere kant bevonden ze zich niet in een gevaarlijke situatie, die het inzetten van zijn reservetroepen vereiste. Ze konden hier doen wat ze wilden en dat deden ze dan ook. Een primitieve bloeddorst had zich van hen meester gemaakt; het was alsof ze voor een dag alle ethiek en moraal waren vergeten. Ze konden hier ongestraft doden en ze moordden naar hartelust. De angst en de ontberingen van de vorige dag, het triomfgevoel toen hun omtrekkende beweging niet was ontdekt, het afslachten van de vijftien op de top verraste Japanners, dit alles had tot de moorddadige stemming van nu bijgedragen en hij kon hen onmogelijk stoppen voor deze stemming was uitgeraasd – ook al zou dit raadzaam geweest zijn, wat het volgens Stein niet was omdat er een tegenaanval kon komen. Het was ook niet zo dat er onder zijn eigen mensen geen doden en gewonden vielen; het waren er best veel. Maar de anderen, degenen die niet gedood of gewond werden, kon dat geen barst schelen.

Alleen een eind links van de chaotische scène waren, voor zover Stein kon zien, verstandige maatregelen getroffen. Daar was de mitrailleur in stelling gebracht, waarvan Stein had gezien dat hij over de top werd gesleept, en wel zo, dat de hoefijzervormige helling werd gedekt waarover de linkerflank en de achterhoede van zijn twee pelotons het slingerende pad naar de top volgden. Enkele geweerschutters met verantwoordelijkheidsgevoel hadden zich de genoegens van de slachting ontzegd om de mitrailleur te beschermen. Ze vuurden op de Japanners, die in vooruitgeschoven posities op de lagere hellingen hadden gezeten en nu pogingen deden om terug te komen en hun vrienden te helpen. Het waren er niet veel, maar Stein zag meteen in dat een goed georganiseerd peloton hier zeer nuttig werk kon doen. Want overste Tall en zijn B-compagnie hadden de top nog niet bereikt; het terrein tussen de heuvelrug en de top was nog niet veroverd. Haastig draaide Stein zich om; hij wilde teruggaan om zijn mannen nieuwe instructies te geven. Terwijl hij dat deed werd hij bijna omvergelopen door een enorme als een stier brullende gedaante, die terugkwam van de slachting en zich bukte om het geweer en de patroongordels te grijpen van een gesneuvelde landgenoot – de dode was soldaat eersteklas Polack Front, van het derde peloton, besefte Stein vaag – voor hij zich opnieuw loeiend in de strijd stortte. Big Queen, natuurlijk. Het bloed droop uit de biceps van zijn machtige linkerarm, de mouw van zijn jasje was gescheurd. De wond was met een kaki zakdoek verbonden. Stein liep verder.

Het was inderdaad Big Queen geweest die, zoals Stein al vermoedde, de grijnzende Japanner in de neus had geschoten. Dat was zijn zevende. Daarna weigerde zijn geweer plotseling; hij kon het mechanisme niet meer vrij krijgen. Het was niet alleen zeer gevaarlijk om aan een dergelijk gevecht deel te nemen met een geweer dat niet meer wilde schieten, maar het maakte Queen ook razend dat hij de pret nu moest missen. En dus was hij weggehold om het eerste het beste geweer te grijpen dat hij maar kon ontdekken. Queen besefte, innig tevreden, dat hij er afschrikwekkend moest uitzien – een dolle stier die droop van het bloed – en dat idee deed hem goed. Queen had die dag een heerlijke ontdekking gedaan. Hij had ingezien dat hij toch geen lafaard was. Gisteren had hij in die ellendige granaattrechter gelegen, rillend van angst, volkomen machteloos tegen de om hem heen explodcrende mortiergranaten. Hij had er gelegen tot het bevel van kapitein Gaff kwam dat het eerste peloton zich naar de heuvelrug moest verplaatsen. Hij had zelfs, bedacht hij vol schaamte, Doll bevolen zijn mond te houden, stil te blijven liggen en Stein niets meer van zich te laten horen. Wat zou er gebeuren als Doll daar ooit met iemand over sprak? Maar het was de waarheid, tot zoiets had de grote, sterke, spijkerharde Queen zich verlaagd. Omdat iemand, hoe groot, sterk en dapper ook, tegen vijandelijk mortiervuur machteloos was. Om dat te kunnen doorstaan had je andere eigenschappen nodig. En Queen had gemerkt dat hij die niet bezat. Hij had zich weer het zwakke, minne jongetje gevoeld dat hij in zijn kinderjaren was geweest, toen alle jongens in de buurt hem konden aftuigen als ze hem in hun vingers kregen. Nadat hij was uitgegroeid tot een grote, forse vent had hij gemeend dat zoiets hem nooit meer zou overkomen en daarom was de dag van gisteren voor hem een lange, afschuwelijke nachtmerrie geweest. Hij had sindsdien nauwelijks een woord met de anderen gesproken, omdat hij zijn gevoelens wilde verbergen.

Maar vandaag was alles anders gegaan. De opeenvolgende sensaties – eerst de heimelijke mars om achter het front van de Japanners te komen, toen het veroveren van de stelling in de jungle, de sluiptocht naar de Olifantsslurf waarbij ze niet waren ontdekt, en als bekroning het massaal afslachten van de verraste Japanse mortierdragers – hadden hem in een extatische stemming gebracht, waarin alles mogelijk leek. Hij was helemaal niet bang geweest toen hij met de anderen de top bestormde. Hij was zijn peloton met enthousiasme voorgegaan. En toen hij het gedesorganiseerde bivak binnenstormde en ontdekte wat daar gebeurde, had hij met satanische vreugde beseft dat hij hier wraak kon nemen voor wat die rotzakken hem hadden aangedaan. Dat hij geen bajonet op zijn geweer had, kwam omdat hij die in de eerste opwinding was vergeten. En toen hij zag hoe twee man een kogel ontvingen terwijl ze probeerden hun bajonetten uit de smerige, stuiptrekkende kerels te rukken die ze eraan hadden geregen, had hij bedacht dat hij zonder even goed af was. Hij was geraakt toen hij nog maar vijftien seconden op de top was. De kogel was door het vlezige deel van zijn bovenarm gegaan en er aan de andere kant uitgekomen. Hij had een zakdoek om zijn arm gewikkeld en de knoop met zijn tanden aangetrokken, en was lachend en brullend verder gestormd. Voor zijn geweer weigerde had hij er zeven neergemaaid, van wie er vier met hun handen omhoog stonden. En, terwijl hij brullend voortstormde, zich als een levende tank een weg banend door de groepjes vechtende mannen, kreeg hij een kans een officier dood te schieten, die, zijn zwaard boven zijn hoofd ronddraaiend, gillend te voorschijn kwam uit een dekkingsgat om voor zijn keizer te sterven. Queen rukte de schede uit zijn handen, duwde het zwaard erin, stak het geheel in zijn koppel en holde alweer verder.

'Queen is terug!' hoorde hij iemand roepen. 'Big Queen is er weer! Daar heb je Queen!' Hij zou het nooit vertellen. Als Doll het vertelde, zou het een leugen zijn.

'Hier met die Jappen!' bulderde hij.

Stein trof het 'veteranenpeloton', het tweede, nog op dezelfde plaats aan waar hij het had bevolen te wachten, in geknielde houding leunend op de geweren. Hij liet de mannen nog even wachten om een korte bespreking te houden. Band en hij waren de enige officieren, maar Beck, die het bevel voerde over het peloton was erbij en ook Welsh en Storm. De laatste bewoog zijn hand voortdurend op en neer.

'Ik ben gewond,' zei hij met een dwaas grijnsje. 'Ik ben gewond.'

'Oké,' zei Welsh minachtend. 'Dan krijg je dus een Purple Heart.'

'Jij, stomme kl...,' zei Storm. 'En vergeet vooral niet mij voor te dragen.' Toen ze eindelijk zwegen, legde Stein uit wat er moest gebeuren. Ze zouden in een soort echelonformatie de heuveltop afdalen, naar links trekken en dan recht naar beneden. De mitrailleur zou nog verder naar links gaan om hen te dekken. Ze moesten eventuele nog niet verlaten stellingen opsporen en uitschakelen. Onder geen omstandigheden mochten ze zich mengen in wat er op het bivakterrein gebeurde. 'Deze stelling is definitief gekraakt,' zei hij. 'We hoeven de zaak hier alleen maar uit te kammen. Maar overste Tall en de B-compagnie schijnen daarbeneden niet verder te komen. We moeten de Japanners die daar nog vechten in de rug aanvallen.' Hij zweeg even. 'Nog vragen?'

Niemand had vragen. Ze knikten allemaal dat ze het begrepen. Toen zei Storm: 'Kapitein, wanneer kan ik weggaan van het front?'

De vier anderen keken hem allemaal aan.

'Ik ben toch gewond?' zei hij grijnzend. Storm hief zijn hand en bewoog die op en neer. Niemand zei iets.

'Bedoel je dat je nu weg wilt?' vroeg Stein.

'Natuurlijk!'

'Tja, welke route wil je nemen? Ga je liever alleen door de jungle? Of neem je de kortste weg en daal je hier gewoon de heuvel af?'

Storm wachtte even met zijn antwoord; hij scheen na te denken. 'Ik begrijp wat u bedoelt,' zei hij ten slotte. Weer hief hij zijn hand op, bewoog die op en neer en keek ernaar. 'Misschien kan ik toch beter wachten tot we eerst die stellingen tussen ons en Baker hebben veroverd, hè?'

Stein zei niets, maar lachte alleen. Storm lachte terug. 'Ik hoop maar dat ze me niet voor m'n raap schieten bij die actie,' zei hij. Hij keek nog eens naar zijn hand en bewoog die weer. De hand bloedde niet en deed ook geen pijn, maar ze hoorden allemaal het scherfje knarsen. 'Ik hoop dat het een moeilijke en langdurige operatie wordt om dat ding eruit te krijgen,' zei hij.

'Oké, iedereen weet dus wat hij moet doen?' vroeg Stein.

Ze gingen allemaal naar hun mannen terug. Beck wilde niet onderdoen voor zijn voorganger, Keck, en vroeg toestemming om zelf de eerste groep te mogen leiden. Hij ging voorop, terwijl de mitrailleur werd verplaatst en ze verspreidden zich langzaam over de met gras begroeide helling, die gisteren nog zo hoog, zo ver en zo onbereikbaar had geschenen. In de diepte zagen ze de heuvelrug waarop ze de afgelopen nacht hadden doorgebracht.

Alles bij elkaar bleek het karwei veel eenvoudiger dan ze zich hadden voorgesteld. Overal op de helling bevonden zich schutterskuitten en mitrailleurstellingen en het was duidelijk dat de Japanse commandant van plan was geweest hier fanatiek tegenstand te bieden. Maar toen de Japanners uit het enorme geknal hadden geconcludeerd dat de vijand zich al achter hen bevond, kropen ze uit hun dekkingsgaten te voorschijn: magere, ziekelijke, gedemoraliseerde mannetjes, kennelijk doodsbenauwd voor de wraakneming die zij verwachtten. Degenen die de fout maakten om zich gewapend te vertonen, werden onmiddellijk gedood door de mitrailleur of de geweren van het peloton. De anderen, die zich met de handen in de lucht overgaven, werden gestompt, geslagen, gepord en gebeukt met geweerkolven, maar zelden – hoogstens in zes of zeven gevallen – gedood. Maar niemand kon hen sympathiek vinden, dat was waar. Veel stellingen waren al leeg, verlaten door Japanners die terug waren gerend naar het bivak om dat te helpen verdedigen. Als de stilte in zo'n onderaards hol verdacht scheen, werden er meteen een paar handgranaten ingegooid. Pas veel lager op de heuvel kwam het tot iets als een werkelijk gevecht. Aangevoerd door Beck en Witt, vielen de mannen twee grote stellingen aan vanwaar nog werd gevuurd op de soldaten van overste Tall, die pogingen deden ze te besluipen. De mitrailleurs werden van achteren tot zwijgen gebracht. Een paar Japanners in de naburige schuttersputten bleven hun geweren afvuren tot ze stierven. De Baker-compagnie kwam aanrennen; het beslissende gevecht was geleverd en wat nu volgde was het uitkammen. Enkele Japanners pleegden zelfmoord door een granaat voor hun buik te houden. Van het tweede peloton waren vier man geraakt, een van hen was dood.

Het uitkammen bleek op zich ook een hele operatie te zijn. Overal langs de helling waren nog niet-veroverde stellingen en veel Japanners wilden liever sterven dan zich gevangen te laten nemen. Sommigen waren ook te ziek om zich over te geven en bleven hun wapens afvuren tot ze werden gedood. Maar voordat ze systematisch met het opruimingswerk konden beginnen, moest eerst de hereniging van de verschillende troepen plaatsvinden.

Stein stond met Band, Beck en Welsh te praten toen overste Tall, zijn bamboestokje in de hand, glimlachend als een politicus die zojuist is gekozen, achter de pelotons van de B-compagnie naderde. Tijdelijk sergeant Witt, die hem zag aankomen, week achteruit en verdween onopvallend.

Een soldaat van het tweede peloton, die niet ver van Stein had gestaan, maakte plotseling een gorgelend geluid dat aan een doods-rochel deed denken en viel voorover op zijn gezicht, volkomen bewusteloos. Hij was de eerste niet en zou ook niet de laatste zijn. Een kameraad draaide hem om en maakte zijn overhemd en zijn koppel los, terwijl hij het gezicht van de man met diens vuile, van zweet doordrenkte zakdoek bedekte. Hij lag er nog toen overste Tall verscheen, en Stein dacht onmiddellijk aan het water. Zijn eigen mond was zo uitgedroogd dat hij bijna niet kon slikken en hij had al opgemerkt dat Talls mannen geen water hadden meegebracht, want hij zag nergens mannen die blikken droegen. Hij wilde liefst meteen weten hoe het met het water zat, maar toen Tall hem de hand drukte en hem gelukwenste, wachtte hij beleefd af tot de plichtplegingen voorbij zouden zijn. Later zou hij zich vaak afvragen waarom hij had gewacht. Kwam het omdat hij eigenlijk geen krachtige persoonlijkheid was? Het viel hem wel op dat het glimlachende gezicht van de overste, toen deze zijn hand schudde, een subtiele verandering onderging, zodat zijn vriendelijkheid iets gekunstelds kreeg. John Gaff, die vlak achter Tall stond, nam hem ook op een zonderlinge manier op terwijl hij hem stralend een hand gaf.

'Nou, Stein, het is ons gelukt, jongen! Het is gelukt!' zei Tall en hij gaf hem een klap op zijn schouder. Hij zei het een beetje melancholiek, vond Stein. Ook herinnerde hij zich niet dat de overste hem ooit had aangesproken met 'jongen'.

Er werden ook handen geschud met Band en de sergeants. Toen er een eind was gekomen aan het gejuich informeerde Stein naar het water.

'Ja, dat spijt me, Stein!' zei de overste glimlachend. 'Het is verdomd jammer, maar ik kon er niets aan doen. Ik had vier blikken voor jullie – de helft van de jerrycans die mijn jongens hadden meegebracht. Maar de manschappen waren zo opgewonden, zo nerveus, zo dorstig, zo...' Hij spreidde zijn handen uit. 'Ik geloof dat ze de helft hebben gemorst om een half bekertje de man te kunnen krijgen.' Tall keek niet schuldig, alleen berustend.

Om hen heen werd nog altijd heftig gevuurd. Maar daaraan waren ze nu allemaal wel gewend.

'Maar u hebt toch gezegd dat we zoveel water zouden krijgen als we maar konden drinken,' zei Stein, veel te zachtzinnig, vond hij zelf, toen hij de woorden eenmaal had uitgesproken.

'Dat gebeurt ook,' zei Tall, glimlachend. 'Als je naar beneden kijkt, zie je de dragers al aankomen. Toen ik ontdekte wat er was gebeurd, heb ik sergeant James teruggestuurd om bij de regimentscommandant en bij de divisiecommandant en bij de bevelvoerende generaal – bij wie hij maar te pakken kon krijgen; hoe meer sterren hoe beter – te klagen over het watergebrek hier.'

Stein draaide zich automatisch om en keek. Ver beneden hen, in het dal waar hij en zijn mannen de vorige dag zoveel angsten hadden uitgestaan, onderscheidde hij een lange, zich als een slang voortkronkelende rij, die uiterst langzaam in hun richting kwam. Hij moest zijn ogen toeknijpen om ze te kunnen zien; zodra hij gewoon keek, verdwenen ze.

'Dat is het resultaat,' zei Tall, die opgewekt achter hem stond. 'En ze brengen niet alleen water mee, maar ook rantsoenen. Stein! Volgens mij moeten we nu maar eens zorgen dat we hier op de top een linie krijgen en dat het uitkammen wat systematischer aangepakt wordt. Wat denk je, Stein, is er kans op een tegenaanval?'

De laatste zin werd op veel scherper toon uitgesproken en Stein draaide zich haastig om, waarbij hij nog net die merkwaardige uitdrukking op het gezicht van Tall te zien kreeg: een glimlach die helemaal geen glimlach was. Gaff keek alleen een beetje ongelukkig.

'Wij hebben praktisch niets gemerkt van vijandelijk verzet, overste,' zei hij. Toen dwong hij zich er voor de volledigheid aan toe te voegen: 'Afgezien van één door vier soldaten bemande mitrailleurstelling, die we hebben uitgeschakeld.' Hij deed zijn uiterste best zijn stem volkomen neutraal te laten klinken. Niets triomfantelijks. Maar zijn ijdelheid won het. 'Wat moet er met de gewonden gebeuren, overste? Hebt u geen hospikken meegebracht?'

'Er zullen wel brancarddragers meekomen met de rantsoenen,' zei Tall. Zijn stem klonk nu weer hard. 'Hoe is het met je eigen ziekenverzorgers?'

'Ik heb er nog maar een, overste. De ander is dood.'

'Wij hadden er drie,' zei Tall. 'Maar ze hebben handenvol werk met onze eigen gewonden. Ik neem aan dat wij vandaag meer verliezen hebben geleden dan jullie.' Hij nam Stein van opzij op.

'Zullen we die linie over de top organiseren, overste?' vroeg Stein.

'Doe jij dat maar,' zei Tall. 'Ik zal het uitkammen leiden.'

'Ja, overste,' zei Stein en hij salueerde. 'Beck! Welsh!' Hij liet George Band bij de andere officieren achter.

De klap kwam laat in de middag. Stein kon niet naar waarheid zeggen dat hij het niet had voorzien. Nadat het eerste en het derde peloton van de C-compagnie met succes het bivakterrein hadden gezuiverd en daarbij een aantal zware mortieren en twee stuks 70 mm veldgeschut hadden buitgemaakt, groeven ze zich in langs de top en langs de gevaarlijke Olifantsslurf, terwijl de B-compagnie versterkt met het tweede peloton van Charlie verder was gegaan met het opruimingswerk, dat nu door overste Tall werd geleid. Toen dit was voltooid, en het vergde nog vele uren, werd het tweede peloton achter het eerste en het derde als reserve gelegd. De B-compagnie kwam rechts van Charlie te liggen, met een van haar eigen pelotons als reserve. Het grote moment temidden van al deze bedrijvigheid was de aankomst van het water en de rantsoenen; alle werkzaamheden werden hiervoor een halfuur gestaakt. Toen de hele zaak achter de rug was en de ergste zonnehitte begon te minderen, liet overste Tall hem bij zich komen in het voormalige bivak van de Japanners achter de heuveltop.

'Ik onthef je van het commando, Stein,' zei hij zonder inleiding.

Zijn gezicht, dat jonge en toch oude Angelsaksische gezicht, dat zoveel jeugdiger en knapper was dan dat van Stein, had een strenge uitdrukking.

Stein voelde het bloed plotseling in zijn oren suizen, maar hij zei niets. Hij dacht aan de wijze waarop hij zijn compagnie die dag op de Olifantsslurf had gebracht. Maar daarbij had hij ontegenzeggelijk geluk gehad.

'George Band neemt het bevel van je over,' zei Tall, toen Stein niet antwoordde. 'Ik heb het hem al gezegd. Dat hoef jij dus niet te doen.' Hij wachtte.

'Ja, overste,' zei Stein.

'Het was een moeilijke beslissing voor me,' zei Tall, 'maar ik moet hard zijn. Ik heb nou eenmaal de indruk dat je niet geschikt bent om leiding te geven bij infanteriegevechten. Ik heb er ernstig over nagedacht.'

'Is het om wat gistermorgen is gebeurd?' vroeg Stein.

'Gedeeltelijk,' zei Tall. 'Gedeeltelijk. Maar eigenlijk zit er iets anders achter. Ik geloof dat je niet hard genoeg bent. Je bent te gevoelig. Te weekhartig. Geen man met stalen zenuwen. Je laat je te veel leiden door je emoties. Ik geloof dat je veel te emotioneel reageert. Zoals gezegd, ik heb er ernstig over nagedacht.'

Plotseling moest Stein denken aan Fife, zijn secretaris die gisteren gewond geraakt was, aan de keren dat hij met hem overhoop had gelegen en aan het oordeel dat hij zich over Fife had gevormd. Hij had tegen de G-1 gezegd dat hij Fife te neurotisch, te emotioneel vond om ooit een goed infanterie-officier te worden. Misschien was dat de manier waarop Tall hem zag? Vreemd. Maar wat zou zijn vader, die in de Eerste Wereldoorlog majoor was geweest, hiervan zeggen? Hij zweeg nog steeds en plotseling kreeg hij weer het gevoel dat hij een schooljongen was die een standje kreeg omdat hij iets verkeerds had gedaan. Hij kon er zich niet van bevrijden. Het was bijna belachelijk.

'In een oorlog moeten sommigen nu eenmaal sneuvelen,' zei Tall. 'Daar ontkom je niet aan, Stein. En een goed officier legt zich daarbij neer en probeert dan het verlies aan mensenlevens af te wegen tegen de potentiële winst. Ik heb de indruk dat jij daartoe niet in staat bent.'

'Ik hou er niet van mijn mensen te zien sneuvelen!' hoorde Stein zichzelf heftig zeggen.

'Natuurlijk niet. Dat vindt geen enkele goede officier prettig. Maar hij moet wel met de mogelijkheid rekening houden,' zei Tall. 'En soms moet hij een bevel geven dat mensen het leven kost.'

Stein antwoordde niet.

'Hoe het ook zij,' verklaarde Tall met een streng gezicht, 'ik stond voor een beslissing en die heb ik genomen.'

Stein bestudeerde zijn eigen reacties. Hij voelde dat hij sterk de neiging had de overste te herinneren aan alles wat hij die dag had bereikt: de lange mars, de verovering van de Slurf, de wijze waarop hij Tall die dag te hulp was gekomen en de weg naar de top voor hem had vrij gemaakt – en hem er bovendien op te wijzen, alsof Tall dat niet wist, dat hij de vorige dag voor het eerst aan een gevecht had deelgenomen en dat hij het zich vandaag al veel minder had aangetrokken als er mensen van hem stierven. Misschien wilde Tall dat horen om hem te kunnen houden. Misschien wilde Tall hem wel helemaal niet houden. Maar Stein zei dit niet. Hij glimlachte opeens breed en zei iets anders. Hij voelde aan zijn kaakspieren dat de glimlach geforceerd was. 'Op een bepaalde manier is het dus bijna een soort compliment, niet, overste?'

Tall staarde hem aan alsof hij niets had gehoord van wat hij zei, of, wanneer hij het wel had gehoord, hij het een volkomen niet terzake doende opmerking vond. Hij ging gewoon verder met zijn toespraakje dat hij kennelijk had voorbereid. Stein wilde zijn opmerking niet herhalen. Trouwens, hij twijfelde, of liever, hij geloofde evenmin als Tall in de juistheid ervan. Dit was geen compliment.

'Hiervan een schandaal maken zou zinloos zijn,' vervolgde Tall. 'Het zou niet prettig zijn als er een blaam werd geworpen op het bataljon waarover ik het bevel voer en het zou voor jou niet prettig zijn als hierover iets op je staat van dienst terechtkomt. Het is ook geen kwestie van lafheid of onbekwaamheid, absoluut niet. Je dient eenvoudig een verzoek tot overplaatsing naar de militair-juridische dienst in omdat je gezondheid hier heeft geleden. Je bent jurist. Heb je al malaria gehad?'

'Nee, overste.'

'Hindert ook niet. Dat maak ik wel in orde. Trouwens, je zult nog wel malaria krijgen. Bovendien zal ik je voordragen voor de Zilveren Ster. Ik zal de aanbeveling zo formuleren dat ze je hem niet kunnen weigeren.'

Steins instinctieve reactie was de medaille woedend af te wijzen en hij hief even zijn hand op. Maar toen liet hij die weer zakken. Wat zou het ook? Maakte het eigenlijk verschil? En dan in Washington. Stein hield van Washington.

Tall, die hem met een strak, stug en uitdrukkingsloos gezicht bekeek, had de protesterend half opgestoken hand wel gezien. 'Ik zal je ook een Purple Heart bezorgen,' zei hij.

'Waarvoor?'

'Ach, kijk eens,' zei Tall met kleurloze stem, 'ik zie dat je een vrij diepe schram op je linkerwang hebt waar je gisteren tegen die rotsstenen bent gesmakt bij het dekking zoeken.' Hij hief zijn hand op. 'En alsof dat nog niet genoeg is, zie ik onder al die modder op je handen sporen van bloedende krabben.' Hij staarde Stein uitdrukkingloos aan.

Stein had opeens wel kunnen huilen. Hij wist niet precies waarom. Misschien omdat hij nu niet eens meer in staat was een hekel te hebben aan Tall. Zelfs niet aan Tall. En als je niet eens meer in staat bent om Tall onsympathiek te vinden... 'Zeker, overste,' zei hij rustig, en hij dwong zich tot een enigszins verveelde toon.

'Het lijkt me het beste als je onmiddellijk teruggaat, met de volgende groep gewonden en krijgsgevangenen,' zei Tall droog. 'Je hebt er niets aan hier nog wat rond te hangen. Hoe minder ruchtbaarheid er aan de zaak wordt gegeven, hoe beter voor alle betrokkenen.'

'Ja, overste,' zei Stein, salueerde en wendde zich af. In zijn verbeelding zag hij zichzelf plotseling met tranen in de ogen als een gebroken man wegstrompelen. Maar dat was banale sentimentaliteit. Zijn ogen bleven droog. Naar Washington gaan? Hij kon niet zeggen dat hij dat erg vond. Een fantastische stad. Dankzij de oorlog was Washington de belangrijkste, rumoerigste, rijkste, opwindendste stad van de VS geworden. En het enige dat er gebeurde was schrijfwerk.

Een ploeg brancarddragers trof voorbereidingen om de helling af te dalen en zich naar Heuvel 209 te begeven, waar de jeeps nu eindelijk waren doorgedrongen. Stein liep naar de mannen toe. Een hele tijd stond hij te staren naar de korte voorzijde van Heuvel 209. Gisteren was dat nog vijandelijk gebied geweest; nu dreigden er geen gevaren meer. Het wemelde er van de soldaten. Zo ging dat dus. Dit was de langverwachte gevechtservaring die zo schokkend moest zijn. Stein zag niet veel verschil met het werken op een groot advocatenkantoor of voor een grote NV. Of voor de regering. Zoiets als werken in Sovjet-Rusland. Wat meer fysiek gevaar, maar dezelfde op promotie loerende, ontslag vrezende geest onder de werknemers. Toen de brancardploeg gereed was, ging hij mee, hielp een handje bij moeilijke stukken waar de mannen het niet alleen afkonden. Wat dacht Tall nu eigenlijk van hem? Of had hij helemaal geen mening?

Het nieuws verspreidde zich snel. Hoewel Tall de zaak stil had willen houden, wist de hele C-compagnie – zelfs het hele bataljon – binnen tien minuten na Steins vertrek al dat hij van zijn commando over Charlie was ontheven. Het bericht wekte bij de soldaten en onderofficieren grote verontwaardiging, maar tijdelijk sergeant Witt was de eerste die op het idee kwam een afvaardiging te zenden om een protest in te dienen. Velen vonden dit een goed idee, maar bij wie moesten ze protesteren? Bij Brass Band, de nieuwe commandant, of bij Shorty Tall zelf? Bij Band protesteren was zoiets als hem een klap in het gezicht geven. Het protest bij Shorty indienen was onzinnig, want die zou ze allemaal in de nor zetten alleen al omdat ze op het idee waren gekomen. Ten slotte bleef het dus bij een verbitterd gekanker. Maar al waren de anderen bereid hun geweten hiermee te sussen, Witt, die razend was, vond dat hij het er niet bij kon laten.

Witt had die dag al moeilijkheden gehad. Toen hij zo verstandig en tactvol was geweest de ontmoeting tussen Stein en Tall niet bij te wonen (hij had ook gezien dat er geen water was), was hij een eindje gaan wandelen en op een helling gaan zitten om wat uit te rusten. Terwijl hij daar gedachteloos voor zich uit zat te staren was Charlie Dale, de voormalige tweede kok, die met Gaff en de andere vrijwilligers met de B-compagnie de heuveltop had bereikt, op hem afgekomen om zijn beklag te doen. De korte, brede Dale, met zijn lichtgebogen schouders en zijn lange, gespierde armen, was resoluut genaderd en had zich plomp voor hem geposteerd om zijn hart te luchten. Hij droeg zijn geweer in de hand.

'Ik heb jou iets te zeggen, Witt,' gromde hij.

Witts gedachten, voor zover hij die had, waren op dat moment ver weg.

'Zo?' zei hij slaperig. 'Wat dan?'

'Je moet zulke dingen niet tegen me zeggen,' snauwde Dale autoritair. 'Dat moet afgelopen zijn. Dat is een bevel.'

'Hè, wat?' zei Witt, die door Dales toon een beetje wakker begon te worden. 'Wat? Wanneer?'

'Vanmorgen bij de bunker. Je weet het best, Witt.'

'Wat heb ik dan gezegd?'

'Jij hebt mij uitgescholden voor lul toen ik die granaat in het gat had gegooid en de Jap 'm terugsmeet. Zoiets laat ik me niet zeggen. Ik ben nu immers sergeant. Hoe het verder ook zij,' vervolgde hij, een uitdrukking gebruikend die hij had gehoord toen Gaff en Stein met elkaar praatten en die hij enthousiast had overgenomen, 'hoe het verder ook zij, ik beveel je dat niet meer te doen.'

Witt keek alsof hij door een woedende bij was gestoken. Niet boos. Razend. 'Zeg, stel je niet aan, Charlie,' zei hij minachtend. 'Ik heb jou gekend toen je gewoon tweede kok was, en nog een slechte ook. Ik laat me door jou niet commanderen. Je kunt je tijdelijke rang in je reet steken.'

'Je hebt me uitgescholden voor lul.'

'Nou, je bent ook een lul!' schreeuwde Witt terwijl hij overeind sprong. 'Een lul! Een lul! Een lul! En bovendien een stommeling! Jij had toch moeten weten dat – en trouwens, ik ben zelf ook tijdelijk sergeant! Stein heeft me vanmorgen benoemd. En donder nou maar op!' Hij was nog altijd woedend, omdat Tall hem die morgen zo'n figuur had laten slaan en nu wilde die vent hier hem commanderen. 'Lul!' schold hij nogmaals, buiten zichzelf van ergernis.

Dale was even stomverbaasd toen hij hoorde dat zijn vijand nu ook tijdelijk sergeant was. 'Ik ben geen lul,' zei hij toen rustig. 'En jij was nog geen tijdelijk sergeant toen je me uitschold. En bovendien ben ik eerder benoemd dan jij, dus ik ben je meerdere. En ik ben niet bang voor je.' Een nieuwe gedachte schoot hem te binnen en zijn stem kreeg een wat vriendelijker klank. 'En zo geef je ook de minderen geen goed voorbeeld, Witt,' zei hij, alsof ze twee majoors waren die buik aan buik aan de bar van het casino stonden.

'De minderen, jezus christus! De minderen!' raasde Witt. Hij bukte zich en pakte zijn geweer dat hij met beide handen voor zijn lichaam hield alsof het een aan twee kanten te gebruiken wapen was. De bajonet zat er niet op. 'Charlie Dale, ik geef nooit iemand op zijn donder zonder hem eerst te waarschuwen. Dat is mijn principe. Nou, ik waarschuw je. Wegwezen en blijf bij me uit de buurt. Als je nog één woord tegen me zegt, sla ik je stomme hersens tot moes. Dan beuk ik je helemaal in elkaar!'

'Ik denk dat ik jou eerst in elkaar beuk,' zei Dale onverstoorbaar.

'Ga je gang maar! Kom dan!'

'Nee, er is hier momenteel nog veel te doen. We gaan zo de mitrailleursnesten uitkammen. Daar wil ik bij zijn.'

'Met wat je maar wilt!' tierde Witt. 'Messen, bajonetten, vuisten, geweerkolven, kogels!'

'Vuisten is genoeg,' zei Dale koel. 'Ik wil je niet vermoorden en...'

'Dat kan je niet eens!'

'... En ik weet dat je hebt gebokst,' vervolgde Dale kalm. 'Maar dat maakt niet uit. Ik kan jou wel aan.'

'O ja?' Witt kwam op hem af, de geweerkolf opheffend alsof hij hem ermee tegen de zijkant van zijn hoofd wilde slaan, maar Dale week achteruit. Hij nam zijn eigen geweer, waarop de bajonet wel gestoken was, en posteerde zich voor Witt.

'Misschien zou ik het ook niet van je winnen,' besloot Dale. 'Maar je zou toch weten dat je had gevochten, kameraad.'

'Kom dan!' riep Witt. 'Kom op! Alleen maar praatjes, hè?'

'We hebben nu nog te veel serieus werk te doen,' zei Dale. 'Ik kom wel een keer terug, makker.' Hij draaide zich om en liep weg.

'Altijd welkom, hoor!' brulde Witt hem na en toen ging hij weer zitten, zijn geweer over zijn knieën. Hij beefde van ijskoude woede. Het van hem winnen! Er was geen soldaat uit zijn gewichtsklasse in het hele regiment die het van hem kon winnen. En hij betwijfelde of er iemand was bij het hele regiment, die het met de bajonet van hem kon winnen. En wat schieten betreft was hij zes jaar achtereen de beste schutter geweest van ieder regiment waarbij hij had gediend. Geen goed voorbeeld voor de minderen, had die vent gezegd. Jezus! Nu, besloot hij, waren er twee mensen bij het bataljon die hij haatte: de commandant en Charlie Dale.

Door de gevechten tijdens de zuiveringsactie van die middag was Witts ergste woede wel enigszins gezakt, maar zodra het bericht dat Stein uit z'n functie was gezet hem bereikte, keerde zijn hevige verontwaardiging terug en hij deed pogingen de anderen te bewegen tot het indienen van een protest. Die kerels waren allemaal zakken, dat was duidelijk. En het bataljon ging zo met een sneltreinvaart naar de bliksem. Band! Moest hij compagniescommandant worden? Witt meende precies te weten hoe een compagniescommandant eruitzag en Brass Band voldeed volgens hem niet aan de eisen. Evenmin als Stein trouwens. Maar in de afgelopen twee dagen was hij plotseling een echte compagniescommandant geworden en wat gebeurde er? Hij werd er uitgetrapt. Terwijl de mogelijkheid van een georganiseerd protest langzaam verdween en zich oploste in een algemeen gekanker, drong het even langzaam tot Witt door wat hem te doen stond. Hij verdomde het om nog langer bij dit klotebataljon te dienen. Vooral nu Stein weg was. Met de meedogenloze kille woede van mannen uit Kentucky drukte hij zijn puntige kin tegen zijn schrale hals en zette zijn smalle schouders schrap. Even voor de schemering viel meldde hij zich op de CP bij de nieuwe compagniescommandant.

Die vervloekte Welsh was er natuurlijk ook. Brass Band zat twee meter van hem af een blik vlees met bonen uit een C-rantsoen te eten.

'Soldaat Witt vraagt toestemming de compagniescommandant te spreken, majoor,' zei Witt tegen Welsh. Band keek op van zijn vlees met bonen met die rare, al te vriendelijke blik. Maar hij zei niets. En Witts ogen bleven strak gericht op de majoor. Welsh staarde hem grimmig aan. Daarna draaide hij zich om. 'Luitenant, soldaat Witt vraagt toestemming de compagniescommandant te spreken,' gromde hij.

'Oké,' zei Band en hij glimlachte al te graag. Hij nam nog een laatste hap van zijn eten, gooide het blik weg, likte zijn lepel af en stak die in zijn zak. Hij droeg geen helm. Zoals iedereen in de twee compagnieën wist Witt dat Bands helm tijdens de operatie door een Japanner die plotseling uit een schuttersput opdook van het hoofd was geschoten. De kogel was er aan de linkerkant ter hoogte van de slaap ingedrongen, waarbij een klein rond gaatje was ontstaan, en had de helm aan de achterzijde door een groot, rafelig gat verlaten. Band, die op zijn benen was blijven staan, had zich snel omgedraaid en de Jap neergeschoten. De gehavende helm lag nu naast hem op de grond. Witt marcheerde naar hem toe en salueerde.

'Ga zitten, Witt, ga zitten. Neem er je gemak van, kerel,' zei hij op joviale toon. 'En je bent "soldaat" Witt niet meer, maar "tijdelijke sergeant" Witt. Ik was erbij toen kapitein Stein je vanmorgen benoemde.' Hij bukte zich en pakte de helm. 'Heb je mijn helm al gezien, Witt?'

'Nee, luitenant,' zei Witt naar waarheid.

Band haalde de gedeukte binnenhelm eruit en liet de beschadiging zien. Hij stak zijn vinger door het grootste gat en bewoog die op en neer. 'Niet slecht, hè?'

'Inderdaad, luitenant,' zei Witt.

Band gooide de helm weer op de grond na de binnenhelm er weer in te hebben gedaan. 'Ik heb nooit geweten dat die dingen ook maar enige bescherming boden,' zei hij. 'Maar deze bewaar ik, de buitenhelm tenminste, ook als ik een andere krijg. Ik neem hem mee naar huis als souvenir.'

Witt dacht plotseling aan John Bell, die hetzelfde was overkomen toen ze de bunker bestormden, en het speet hem opeens zeer dat hij hem en de anderen niet meer zou zien. Het was een prima stel geweest, die mannen van de aanvalsgroep. Behalve Charlie Dale dan.

'Maar ga zitten, Witt, dat heb ik je al gezegd,' zei Band glimlachend.

'Ik blijf liever staan, luitenant,' zei Witt.

'O?' Bands vriendelijke glimlach verdween. 'Oké, Witt. Wat heb je me te zeggen?'

'Luitenant, ik wou de compagniescommandant zeggen dat ik terugkeer naar mijn oude onderdeel, de geschutcompagnie van het regiment,' zei Witt. 'De reden waarom ik dat kom zeggen is dat ik vind dat de compagniescommandant het weten moet als hij me mocht missen.'

'Maar dat is helemaal niet nodig, Witt. We laten je gewoon overplaatsen,' zei Band genoeglijk. Hij lachte. 'Je wordt heus niet vervolgd wegens desertie. Je hebt ons de laatste dagen waardevolle diensten bewezen, weet je.'

'Ja, luitenant,' zei Witt.

'We hebben een tekort aan sergeants. Daarom wil ik morgen alle tijdelijke benoemingen veranderen in definitieve.'

Omkoperij. Witt voelde dat Welsh vol walging toekeek. 'Ja, luitenant,' zei hij.

Bands mond glimlachte nog maar zijn ogen namen Witt nu scherp op. 'Je wilt toch weg?' Hij zuchtte. 'Goed, Witt. Ik kan je officieel niet tegenhouden, geloof ik. Trouwens, ik wil geen mensen bij mijn troep hebben die liever niet onder mij dienen.'

'Dat is het niet, luitenant,' loog Witt. Maar dat was het wel. Gedeeltelijk althans.

'Ik wil alleen niet dienen in een bataljon' – hij noemde overste Tall met opzet niet – 'dat mensen dingen aandoet zoals kapitein Stein zijn aangedaan.'

'Oké, Witt.' De glimlach kwam weer te voorschijn. 'Naar mijn mening mogen wij hierover geen oordeel vellen. Het leger als geheel is belangrijker dan ieder individu erin.'

Gepreek. 'Ja, luitenant,' zei Witt.

'Ga dan maar, Witt,' zei Band. Witt salueerde, Band beantwoordde de groet en Witt wendde zich af.

'O, Witt,' zei Band zacht. Witt draaide zich weer om. 'Misschien wil je een brief meenemen voor je compagniescommandant bij de geschutcompagnie, waarin staat waar je de laatste twee dagen bent geweest. Die wil ik met plezier voor je schrijven.'

'Heel vriendelijk van u, luitenant,' zei Witt neutraal.

'Majoor,' zei Band, 'schrijf een brief waarin wordt verklaard dat Witt de afgelopen twee dagen bij dit onderdeel in het heetst van de strijd heeft gevochten en voor een onderscheiding is voorgedragen.'

'Ik heb geen schrijfmachine,' zei Welsh minachtend.

'Geen smoesjes, majoor!' schreeuwde Band. 'Schrijf die brief! Neem dit vel papier en schrijf die brief!'

'Tot uw orders, luitenant,' zei Welsh. Hij nam het vel aan dat Band uit de van Stein geërfde zijtas had gehaald. 'Weld!' De dienstplichtige van middelbare leeftijd kwam al aanrennen. 'Neem dit vel papier, ga ermee naar die boomstronk en schrijf de brief. Met blokletters. Heb je een pen?' blafte hij.

'Ja, majoor.'

'Weet je wat erin moet staan?'

'Ja, majoor,' zei Weld.

'Vooruit dan, lul. Opschieten.'

Welsh ging weer zitten, kruiste zijn armen en keek Witt en Band allebei aan. Plotseling trok die dwaze, krankzinnige, primitieve grijns over zijn gezicht, gericht tot hun beiden. Kennelijk wilde hij daarmee zeggen dat hij in het duistere labyrint van zijn geest tot de overtuiging was gekomen dat hij hen allebei evenzeer verachtte. Het liet Witt onverschillig; hij was evenmin op Band gesteld als Welsh. En van die Welsh moest hij ook niets hebben. Maar de luitenant had naar zijn gevoel iets slaps en weeks in zijn optreden dat hij weerzinwekkend vond.

Toen de brief geschreven en ondertekend was – een kwestie van enkele ogenblikken – reikte Welsh hem die aan. Maar juist toen Witt het vel papier wilde pakken, drukte Welsh zijn duim en wijsvinger op elkaar alsof hij het niet los wilde laten. Toen Witt trok, klemde Welsh het papier nog steviger vast en lachte hem met die dwaze grijns in zijn gezicht uit. Toen Witt de brief daarop losliet en zijn arm al omlaag zakte, liet Welsh de brief ook los. Het papier viel bijna op de grond; Witt kon het nog net opvangen. Welsh zei geen woord. Witt draaide zich om.

'Zeg Witt, je hoeft nu niet meteen weg te gaan,' riep Band hem achterna. 'Het is al bijna donker. Je kunt tot morgen wachten.'

'Ik ben niet bang in het donker, luitenant,' zei Witt tegen hem, ondertussen scherp naar Welsh kijkend. Daarna ging hij weg. Hij was woedend op zichzelf omdat hij de brief had aangenomen. Hij had het niet moeten doen, of liever, hij had moeten zeggen dat hij geen brief nodig had. Hij redde zich zonder ook wel. Nou ja, al die schoften konden verrekken. Niet een van hen had een vinger uitgestoken om Stein te helpen. En als Band dacht dat hij Bob Witt kon omkopen door hem een sergeantsrang aan te bieden of door hem toe te staan nog een nacht hier te blijven en zich misschien te bedenken, dan kende hij Bob Witt nog niet. En wat die nachtelijke tocht naar Heuvel 209 betrof, dat was voor hem een koud kunstje. En hij deed het dan ook.

Enkele minuten nadat Witt de CP van de Charlie-compagnie had verlaten, zond overste Tall vanuit zijn eigen CP de brief waaraan hij twee uur had gewerkt. Hij was er nog niet helemaal tevreden over; de stijl was zowel te gezwollen als te stijf, maar hij wilde dat zijn mannen er kennis van konden nemen voor het te donker werd. Hij had het bataljon liever persoonlijk toegesproken, maar zolang de mannen nog in de voorste linie lagen was dat onmogelijk. Daarom liet hij zijn klerken twee met de hand geschreven kopieën maken, een voor iedere compagnie. Natuurlijk sprak hij in enthousiaste bewoordingen over de behaalde overwinning. Maar wat hij zijn mannen in de eerste plaats wilde berichten was dat het bataljon een week achter het front zou mogen doorbrengen. Hij had, zodra de telefoonverbinding was hersteld, bijna een halfuur moeten praten, zowel met de regimentscommandant als met de divisiestaf, voor hij dat erdoor had gekregen. Zijn bataljon had de zwaarste verliezen geleden en het moeilijkste terrein veroverd. Het zou nu laat op de middag van de volgende dag worden afgelost door een bataljon van de divisiereserve. Tall hoopte enkele juichkreten te zullen horen als dat nieuws werd voorgelezen en terwijl hij in de vallende schemering op enige afstand van de CP stond om te luisteren, werd hij niet teleurgesteld. Het tweede dat zijn mannen moesten weten, was dat de divisiecommandant hen de volgende dag persoonlijk zou komen inspecteren. Juist vanwege die inspectie kon de aflossing niet eerder plaatsvinden. Terwijl hij stond te luisteren bedacht Tall dat dit wel wat boegeroep zou uitlokken en hij constateerde glimlachend dat hij ook op dit punt gelijk had. Hij meende te weten hoe de manschappen reageerden – dat mocht ook wel na vijftien jaar – en was ervan overtuigd dat het vooruitzicht van een week achter het front een meer dan voldoende compensatie zou zijn voor de begrijpelijke ergernis die werd gewekt door een inspectie.

De inspectie zou om halfelf beginnen. Niet eerder, want de divisiecommandant zou met zijn staf eerst een kijkje gaan nemen op de heuvelhelling waar het gevecht had plaatsgevonden. Lang voor halfelf was de voorlichtingsofficier echter al in de voorste linie aangekomen om het terrein te bestuderen, de opstelling van de camera's na te gaan, te veranderen, weer te controleren – en te zoeken. Hij was een forse, joviale, openhartige kerel, een majoor die verdediger was geweest van het West Point elftal. Hij vond wat hij zocht bij soldaat Train, de stotteraar, in wiens schoot de jonge korporaal Fife was gevallen toen deze door een mortiergranaat was geraakt.

Er was een aantal samoeraizwaarden buitgemaakt in de loop van de twee dagen. Queen (nu geëvacueerd), Doll en Cash hadden er alle drie een. In beide compagnieën waren nog enkele soldaten die er ook een hadden. Maar het toeval wilde dat soldaat Train – zonder dat hij er veel moeite voor had gedaan – het enige echte, met juwelen bezette zwaard had ontdekt van het soort waarover in de kranten zoveel was geschreven. Train, die doodmoe was en een ogenblikje wilde uitrusten, was een van de uit takken en bladeren gemaakte hutjes langs de helling binnengegaan en had het daar op de grond zien liggen.

Dit speciale zwaard had een dubbel gevest; het buitenste van donker hout, rijk versierd met goud en ivoor, beschermd door een prachtig bewerkte leren houder. Het mechanisme was eenvoudig geweest en toen Train het houten gevest verwijderde, zag hij juwelen – een paar zo groot als zijn duimnagel – gevat in het staal. Robijnen, smaragden en een paar kleine diamanten. Het houten gevest was aan de binnenzijde door een meesterhand uitgehold zodat het precies over de uitstekende edelstenen paste. Het complete zwaard was prachtig. Het was vast van een generaal geweest, zeiden Trains verbaasde kameraden toen hij het hun liet zien – maar het kwam ook voor dat een doodgewone tweede luitenant zo'n zwaard droeg als het een erfstuk van zijn familie was.

Het zwaard had in het bataljon heel wat opwinding veroorzaakt; de geschatte waarde varieerde van vijfhonderd tot tweeduizend dollar. En dit was nu het zwaard dat de voorlichtingsofficier van de divisie zocht. Hij wist niet dat de eigenaar Train heette, maar wel dat iemand van Charlie het in bezit had. De geruchten waren tot ver achter het front doorgedrongen en toen de voorlichtingsofficier ervan hoorde had hij een geniale inval gekregen. Bij zijn aankomst ging hij onmiddellijk naar luitenant Band. Na even te hebben nagedacht stuurde Band hem naar Train. Hij meende dat die het zwaard had. Hij had het zelf niet gezien en er ook geen aandacht aan geschonken. Maar hij moest het zijn. Hij was het.

'Dit is het!' riep de voorlichtingsofficier enthousiast toen Train hem het zwaard toonde. 'Dit is het! Jongen, jij boft! Weet je wat jij gaat doen? Jij mag de generaal dat zwaard aanbieden als hij hier inspectie komt houden!'

'O-o-o ja?' zei Train.

'Ja zeker! Jouw gezicht zal in ieder bioscoopjournaal in de Verenigde Staten te zien zijn! Wat vind je daarvan? Jóuw gezicht!'

Onder zijn hoekige, ver afhangende neus slikte Train. 'M-m-maar, ik h-h-had 't eigenlijk w-wille houwe, m-m-majoor,' zei hij schuchter.

'Houden!' brulde de majoor. 'Waarom in godsnaam? Waarom? Wat zou je ermee doen?'

'N-n-nou ja, n-n-niks eige'lijk. Z-z-zo m-maar,' probeerde Train uit te leggen. 'Als s-s-souvenir.'

'Doe niet zo dwaas!' bulderde de majoor. 'In de eerste plaats zal je het voor de oorlog afgelopen is toch kwijtraken. Of het verkopen. De generaal heeft een fantastische collectie antieke en zeldzame wapens. Een stuk als dit hoort in die collectie thuis.'

'M-m-maar...'

'Stel je de journaalbeelden eens voor!' riep de majoor. 'De generaal verschijnt. Jij geeft hem het zwaard. Je haalt het uit de schede en je wijst hem hoe je het houten gevest eraf haalt. Daarna geef je het hem terug. Hij doet het gevest er weer op. Hij drukt jou de hand. Generaal Bank drukt jou de hand. En we nemen je stem op. Jij zegt: "Generaal, ik zou u dit Japanse zwaard dat ik heb veroverd, willen aanbieden." Of zoiets. Stel je voor! Stel je dat eens even voor! Jouw gezicht, jouw stem in iedere bioscoop van de Verenigde Staten! Misschien ziet je familie je wel!'

'T-t-tja,' zei Train, schuchter maar spijtig, 'a-a-as u v-vindt dat 't zo 't b-b-beste is...'

'Als ik dat vind!' trompetterde de majoor. 'Man, ik kan je persoonlijk garanderen dat dit verreweg het beste is! Je zult er nooit spijt van krijgen! Wacht maar eens tot je familie je schrijft dat ze jou hebben gezien.' Hij schudde Train de hand. 'Geef me nu het zwaard. Ik wil het nog eens goed bekijken! Ik moet nagaan onder welke hoek ik het moet fotograferen, snap je? Vlak voor de generaal komt geef ik het je terug! Dank je, eh... eh... Train?'

'J-j-ja, m-m-majoor,' zei Train. 'Frank P.'

'Ga jij nu maar verder met je werk, dan zie ik je straks wel,' riep de majoor.

Met het zwaard kwam de voorlichtingsofficier terug op de kleine CP waar Welsh en Band nog bezig waren met de verlieslijsten. Ze bekeken het allemaal. Maar de voorlichter krabde zich achter het oor en keek een beetje ongelukkig.

'Wat een gezicht,' zei hij. 'Ik geloof dat ik mijn hele leven nooit iemand heb gezien, die er zo verdomd onmilitair uitziet. Met die neus. En geen kin. En hij stottert ook nog.' Hij keek op. 'Het is zeker niet mogelijk het zwaard te laten aanbieden door iemand die er een tikje representatiever uitziet?' Hij keek hen allebei aan.

'Ach, nee, dat kun je niet maken,' zei de voorlichter, zelf het antwoord gevend. 'Maar goeie god.' Zijn gezicht verhelderde. 'Maar in een bepaald opzicht lijkt het dan allemaal nog democratischer, niet?' zei hij. 'Zo'n doodgewone jongen. Ja, dat heeft toch ook wel iets.'

Het werd dan ook het hoogtepunt van de door camera's geregistreerde inspectie: de filmcamera's snorden, de generaal glimlachte, drukte Trains hand, Train glimlachte. De fotografen hadden aan één opname voldoende, maar voor de filmcrew moest de hele scène worden herhaald, doordat Train zo zenuwachtig was omdat hij de generaal moest toespreken dat hij nog meer stotterde dan gewoonlijk. De tweede keer ging het aanmerkelijk beter.

Bij de pelotons van de C-compagnie werd gemopperd en kritiek geleverd op het feit dat Train zich had laten overhalen zijn trofee zomaar weg te geven. Enkelen van zijn vrienden zeiden dat hij een stommeling was. Train probeerde uit te leggen dat hij eigenlijk geen keuze had gehad. En bovendien, als de generaal het zwaard nou zo graag wou hebben... Zijn vrienden schudden geërgerd het hoofd.

Maar niemand trok het zich erg aan. Ze waren allemaal te blij en te opgelucht dat ze werden afgelost. Zodra de divisiecommandant zich naar het deel van de linie begaf dat door de B-compagnie werd bezet, pakten de mannen hun spullen om gereed te zijn voor het vertrek.

De terugtocht over het terrein waar ze de laatste twee dagen urenlang doodsangsten hadden uitgestaan en waar alles nu zo vredig scheen, deed iedereen wonderlijk aan. En ze voelden zich allemaal een beetje verdoofd.

6

Zodra ze in het bivak waren, begonnen de eindeloze verhalen. Iedereen had er minstens drie te vertellen waarin hij persoonlijk op het nippertje aan de dood ontsnapte, en minstens twee waarin hij op dramatische wijze een Jap om zeep hielp. Pas tijdens de laatste twee vrije dagen, toen ze gingen piekeren over de terugkeer naar het front, werden de gesprekken over de eerste ervaringen minder talrijk.

Het was interessant om te zien hoe bij iedereen de staat van verdoving afnam. Bij de meesten duurde het ongeveer twee dagen voor het verdovingseffect was verdwenen. Na de derde dag waren ze bijna allemaal weer dezelfde persoon geworden als ze tevoren waren geweest. Maar John Bell bijvoorbeeld – die het normalisatieproces met meer belangstelling gadesloeg dan de meesten – vroeg zich af of ze ooit weer echt dezelfde mensen konden worden die ze eens waren geweest. Het leek hem van niet. Tenminste, niet zonder liegen. Vele jaren na de oorlog, als ze allemaal hun eigen passende leugenbarrière hadden opgebouwd en lang genoeg hadden geluisterd naar de leugens die de nationale propaganda zou hebben verspreid, zouden ze misschien ook naar het Veteranenlegioen kunnen gaan zoals hun vaders vroeger, om daar over hun ervaringen te praten binnen de grenzen van een voorgeschreven rationalisatie, die hun nog wat zelfrespect gunde. Dan zouden ze tegenover elkaar kunnen pretenderen dat ze mens waren en hoefden ze niet toe te geven dat ze eens iets dierlijks in zichzelf hadden gemerkt, dat hen bang maakte. Maar ach, de meesten deden het nu al. Zo kort erna. En hij ook. Bell moest erom lachen en werd toen bang omdat hij moest lachen. In elk geval, die eerste twee dagen waarin de verdoving nog niet was uitgewerkt, zetten de toon voor de rest van die hele week 'rust'. Rust!?

Ze kwamen omlaag van de heuvels en het oerwoud uit met hun ingevallen gezichten en diepliggende, uitgebluste ogen, verbeten sjouwend met elk stukje oorlogsbuit dat ze maar konden dragen, en nog steeds op zoek naar meer. Ze leken eerder op voddenrapers dan op soldaten. Er waren Japanse pistolen, geweren, helmen, koppels, tassen, zwaarden en sabels, en zelfs een mitrailleur. De soldaten Mazzi en Tills vervoerden naast de mortiergrondplaat en de schietbuis op hun rug ook nog een Japanse mitrailleur van zwaar kaliber, compleet met driepoot, die aan de aandacht van de artilleriespecialisten was ontsnapt omdat Mazzi en Tills het wapen hadden verborgen.

Tills had de mitrailleur gevonden en Mazzi had aangeboden voor de helft van de opbrengst te helpen dragen, zodat hun vriendschap nu weer hersteld was. Ze hoopten dat ze voor zo'n zeldzaam voorwerp een hele kist Australische whisky zouden krijgen, en halfdood van uitputting kwamen ze er struikelend mee aan op het bivakterrein.

Het terrein dat aan de Charlie-compagnie was toegewezen, lag boven op een kleine, kale heuvel met enkele bomen in de omgeving, aan de noordelijke rand van het vliegveld dat zich beneden hen uitstrekte. Zo konden ze bijna elke middag met ontbloot bovenlijf op hun rug in de zon liggen en toekijken hoe de Japanse lichte bommenwerpers uit het noorden kwamen aanvliegen om het vliegveld te bombarderen. Door de ligging van hun eigen heuvel, stonden de bomluiken altijd al open wanneer de bommenwerpers over hen heen kwamen en een keer konden ze zelfs een Japans gezicht zien dat op hen neerkeek. Twee keer werden de bommen precies boven hun hoofd gelost, wat bijzonder griezelig en tegelijk heel leuk was omdat het geen gevaar opleverde. En elke keer nadat de bommenwerpers waren overgekomen, konden ze opspringen en de resultaten bekijken. Ze hadden op het vliegveld een uitzicht als vanaf een stadiontribune. De eerste dag deed iedereen het in zijn broek toen de luchtaanval kwam: moest je nu door een bom de pijp uit gaan na alles wat je had doorgemaakt? Maar toen ze de gang van zaken kenden, werd de aanval een dagelijks – althans bijna dagelijks – komisch toneelstuk in twee delen: eerst de toestellen zelf, daarna de resultaten op het vliegveld. Verscheidene keren zagen ze hoe Amerikaanse toestellen explodeerden en in brand vlogen; mannen van de luchtmacht die benzinebranden bestreden, zo nu en dan zelfs echte doden of gewonden, en altijd minstens de grote explosietrechters in de stalen matten van de landingsbaan, die de grondploeg moest herstellen voor er weer vliegtuigen konden opstijgen. Alles bij elkaar was het een zeer onderhoudend schouwspel dat hun zowat iedere dag werd voorgeschoteld. Maar hoe geweldig de recreatiemogelijkheden in dit bivak overdag ook waren, de nabijheid van het vliegveld bracht een nog veel belangrijker voordeel met zich mee: de souvenirhandel. En voor hun vertrek uit de heuvels hadden ze zich hierop voorbereid.

Elke middag na de eventuele luchtaanval daalde de Charlie-compagnie massaal af naar het vliegveld, verspreidde zich daar over de onbeschadigde of minst beschadigde gedeelten ervan, en begon te handelen. Hoewel de prijzen tot op zekere hoogte vast lagen, zat er toch wel enige beweging in als je een artikel bezat dat iemand van de luchtmacht bijzonder graag wilde hebben; dan kon je er meer voor vragen dan het standaardtarief. De luchtmachtlui waren in staat en bereid meer te betalen, omdat zij de drank importeerden. Elke dag kwam er een vliegtuig binnen uit Australië met voorraden voor luchtmachtgeneraals, zoals melk, vlees en kaas. En de bemanningsleden van deze vluchten, die algemeen bekend waren als de 'Melkboeren', duwden elk beschikbaar open plekje vol met flessen of kisten whisky. Het was dan ook zinloos om te onderhandelen over whisky met de grondtroepen of de leden van de diverse dienstvakken, die allemaal hun voorraad bij de luchtmacht haalden en er, ook als ze zelf niet dronken, heel voorzichtig mee moesten omspringen – zinloos in elk geval, als je gemakkelijk bij het vliegveld kon komen, zoals de mannen van Charlie.

Een zijden strijdvaandel, bij voorkeur met bloedvlekken, was altijd minstens drie literflessen waard. Een geweer daarentegen bracht nauwelijks een kwart liter op. Een helm met een gouden of zilveren officiers-ster die bovendien in goede staat was, was meestal wel goed voor een liter. Pistolen waren bijzonder in trek. Er waren twee typen Japanse pistolen. Het ene, goedkoper en lichter, was gefabriceerd naar het ontwerp van een of ander Europees pistool, zoals de Beretta, en bracht drie liter op; het andere, zwaarder en van beter fabrikaat, was een nabootsing van de Duitse Luger en had evenals deze een sledemechanisme van het elleboogtype. Dit wapen scheen alleen aan officieren te worden verstrekt en was zeldzamer; het leverde vier, vijf, soms zelfs zes liter op. Een typisch samoeraizwaard van het normale type was altijd minstens vijf liter waard en die van het betere soort, ingelegd met goud en ivoor, leverde er wel negen op. Als het zwaard met juwelen bezet was, kon je zelf de prijs bepalen, maar deze waren op de gewone markt niet te vinden. Naast deze solide standaardartikelen, waren er nog andere zaken. De zware leren koppels met ouderwetse leren munitietassen, bijvoorbeeld, die bij de luchtmacht gewild waren als pistoolkoppel. Ook namen veel luchtmachtlui Japanse foto's en portefeuilles af. De foto's met Japanse lettertekens erop waren meer waard dan zonder, en foto's van de soldaten zelf, of van groepjes soldaten, waren meer waard dan die van echtgenotes of vriendinnen – tenzij ze natuurlijk pornografisch waren. Er kwamen weleens wat pornofoto's op de markt en die brachten heel wat op. Geld was natuurlijk onbruikbaar voor iedereen, behalve voor de Melkboeren die het in Australië konden uitgeven. En mannen die wel geld maar geen souvenirs hadden, betaalden soms wel vijftig dollar voor één literfles whisky.

De mannen van de Charlie-compagnie wierpen zich vol enthousiasme met al hun zuurverdiende leren artikelen en metaalwaren op deze al bestaande markt. De andere drie compagnieën van het bataljon waren – als gevolg van een militaire logica die niemand probeerde te doorgronden – op andere plaatsen in bivak gegaan, alle ver weg voorbij Red Beach in de kokospalmen. Als zij heen en terug naar het vliegveld wilden, kostte hun dat een hele dag, mits ze bij zonsopgang hun tent uitkwamen om met liften te beginnen. Ze hadden weinig keus en moesten noodgedwongen het grootste deel van hun buit aan de man brengen op de minder florisante markt van grondtroepen en militairen van dienstvakken in hun eigen omgeving.

Maar de Charlie-compagnie ging het voor de wind. Boven op het kleine heuveltje aan het vliegveld begonnen ze al voor het ontbijt met drinken. Ze kropen onder hun klamboe vandaan, namen een goed gevuld glas van de Australische whisky, gingen zich wassen bij de wasbakken, namen nog een borrel en meldden zich dan met bestek en etensblikken voor de keukentent waar nu werd gewerkt onder leiding van Land, de eerste kok, omdat Storm in het hospitaal was. Naast elk bed stond een grote whiskyfles. Volgens orders werd er alleen bij het ontbijt appel gehouden en daarna kon iedereen doen waar die zin in had. Sommigen daalden al in de ochtend met hun buit naar het vliegveld af, maar de meesten gaven er de voorkeur aan in de tenten te blijven of met ontbloot bovenlijf in de zon te zitten. Ze dronken dan uit de grote whiskyflessen en deden de hele veldslag nog eens dunnetjes over. Soms was er ter afwisseling bier, afkomstig van een onderdeel van de genietroepen van de mariniers dat op het vliegveld gelegerd was en er blijkbaar onuitputtelijke voorraden van had om te ruilen tegen souvenirs. Bijna iedereen goot per dag ongeveer een liter alcohol naar binnen, velen nog meer. Ze waren jong en afgezien van de malaria waar ze nu allemaal wel mee te kampen hadden, waarschijnlijk in de beste fysieke conditie van hun hele leven. Ze konden het wel hebben. Bovendien, ze waren nu veteranen. Ze hadden gevochten. Dat vergaten ze nooit – en iedereen herinnerde elkaar daar regelmatig aan. Als ze een keer zoveel hadden gedronken dat ze ziek werden of bewusteloos raakten, gingen ze gewoon daar liggen waar ze op dat moment waren en sliepen hun roes uit tot ze weer zin hadden om wakker te worden en nog wat te drinken. Een aantal vuistgevechten werd in beschonken toestand beslist. Na het middageten, waarbij ze whisky dronken zoals een Fransman wijn, zopen ze nog eens wat en wachtten op de grimmige bezienswaardigheid van de middagaanval. Als de lichte bommenwerpers verdwenen waren en het vliegveld, afgezien van hier en daar een brandje, weer veilig was, daalden ze stoer met hun souvenirs naar het vliegveld af om de handel van die middag te beginnen.

Als er al over de gewonden werd gesproken, dan alleen in termen van afstand: hoe ver kwamen ze op grond van hun verwondingen over die lange route met de vele haltes van hier tot aan Amerika: het vooruitgeschoven divisiehospitaal op het eiland, het basishospitaal op Esperito Santo, het hospitaal nummer drie van Marinebasis Ephate, Noumea in Nieuw-Caledonië, Nieuw-Zeeland, Australië en de VS. Vrijwel niemand sprak over zijn eigen mogelijke dood de volgende week. Ze waren geharde veteranen; dat was hun verteld en die rol probeerden ze te spelen en met wanhopige inspanning waar te maken – niet alleen omdat ze er egoïstisch trots op waren, maar ook omdat het de enige manier was. Zo stonden de zaken toen ze op de avond van de vierde dag halfdronken opkeken en daar Storm, de mess-sergeant, en korporaal Fife zagen staan, die blijkbaar waren teruggekeerd van de... van de doden, hadden ze eigenlijk gedacht. Of op zijn minst, van degenen die afgevoerd waren, weggebracht naar waar het veilig was.

Storm en Fife waren de eerste gewonden die naar de C-compagnie waren teruggezonden en ze stonden dan ook meteen in het middelpunt van de belangstelling. Alle mannen dromden om hen heen. Ieder lid van de compagnie die nooit meer had opgelopen dan de gewone blauwe plekken en snijwondjes, droeg het kleine zeurende schuldgevoel mee van een gezonde man die, niet door eigen verdiensten, nooit heeft geleden. Ze drongen de twee teruggekeerden borrels op en stelden vragen. Het was gebleken dat Fifes hoofdwond slechts een oppervlakkige beschadiging van de huid was, zonder schedelfractuur, en na zes dagen observatie was hij ontslagen en had opdracht gekregen weer in dienst te gaan, ondanks het feit dat hij zijn bril kwijt was. Hij droeg een pleister op het geschoren deel van zijn hoofd en die hoefde er nog maar drie dagen op te blijven zitten. Storms hand was onderzocht door verscheidene artsen. Ze vroegen hem of hij de hand kon gebruiken. Toen hij bevestigend antwoordde, had hij een bed in een tent gekregen, waar hij vijf dagen lang door iedereen was genegeerd tot er een verpleger was gekomen om hem te zeggen dat hij weer kon terugkeren naar zijn onderdeel. Er was helemaal niets aan zijn hand gedaan. Ze hadden er niet eens een verband om gelegd en nu was er een klein roofje over de blauwachtige randen van het wondje gegroeid. Het kraakte nog steeds als hij zijn hand boog en het deed nog altijd pijn. Dat was dus dat, en nu waren ze weer hier. Die dokters van het divisiehospitaal waren keihard, was de mening van de twee ex-gewonden. Ze gaven niemand de kans om de zaak ook maar voor een week de rug toe te keren. Het systeem scheen te zijn dat ze iedereen terugstuurden die nog op zijn knieën bij zijn onderdeel kon komen, zodat de divisiecommandant zijn veldtocht kon winnen, het eiland veroveren en zijn reputatie vestigen. Zelfs de allerergste malariagevallen werden niet opgenomen. Die gaven ze gewoon een flinke handvol atebrine, waarmee ze dan naar hun compagnie werden teruggestuurd. Het was een rotzooi, zei het tweetal, en het werd met de dag erger.

En zo, ingeleid door de hospitaalverhalen van de ex-gewonden Storm en Fife, kregen de pas aan de vuurdoop ontkomen veteranen van de Charlie-compagnie voor het eerst een juist begrip van de feitelijke gevangenschap van de gevechtssoldaat. Storm en Fife hadden enkele dagen niets anders te doen gehad dan zich te mengen in de felle discussies onder de gewonden over wie ze zouden evacueren en wie niet; en iets van die felheid hadden ze meegebracht naar Charlie. Als je het op een bepaalde manier bekeek, was het duidelijk dat niet alle gevangenen misdadigers achter tralies waren. De regering van je land kon je even gemakkelijk tot gevangene maken op, bijvoorbeeld, een oerwoudeiland in de Stille Zuidzee, net zo lang tot je naar tevredenheid had gedaan wat de regering je daar opdroeg. En als je erover nadacht – zoals alle gewonden hadden gedaan – kon die evacuatiekwestie heel goed een zaak zijn van leven of dood. Zo overschaduwde een nieuw element de toch al duistere stemming: een sombere, diepgewortelde bitterheid die zou groeien en groeien en ten slotte van hen – voor zover ze het overleefden – de harde, verbitterde, cynische infanteriesoldaten zou maken die ze, volgens de sentimentele overtuiging van hun leiders, nu al waren; net als de Japanners, al werden zij juist hierom door alles en iedereen gehaat. En neerslachtig als ze waren, schonken ze Storm en Fife, de eerste teruggekeerde gewonden, nog een borrel in en stelden eindeloze vragen over de gewonden; terwijl Storm en Fife langzaam dronken werden, legden ze uit dat die-en-die ongetwijfeld geëvacueerd zou worden, maar even zeker zou sterven, dat die-en-die en die-en-die minstens naar Australië zouden worden gevoerd en misschien zelfs naar Amerika, dat deze drie nooit verder zouden komen dan Noumea en dat die-en-die en die-en-die evenmin als zij de binnenzijde van een gewondenvliegtuig zouden zien. Het werd een hele opsomming, maar geen van de twee had er enig bezwaar tegen, gezien al die whisky.

Storm en Fife hadden in het hospitaal veel met elkaar gepraat. Ze konden niet veel andere dingen doen nadat de artsen hun ochtendronde hadden gemaakt. Fife had zich bij Storm aangesloten om bij de oudere man wat troost te vinden toen hij zo wanhopig was geworden door de wetenschap dat zijn hoofdwond niet ernstig was. De wond was zelfs volkomen onschuldig en hij zou nooit voor herstel van het eiland worden afgevoerd. Toen Fife dit vernam, was hij buiten zichzelf geraakt van ontzetting, vrees en teleurstelling. Hij had zich wel voor de onderzoeks-tent van de artsen op de grond willen werpen en met zijn vuisten in de modder willen beuken.

Toen Fife uit het gevecht was weggelopen terwijl het bloed uit zijn hoofd gutste, was zijn enige gedachte of emotie een wilde vreugde geweest over het feit dat hij gewond was en kon vertrekken; verder verlangde hij er alleen nog naar achter Heuvel 209 te komen, waar hij niet meer getroffen of misschien gedood kon worden. Hij kon aan niets anders denken tot hij aan de voet van Heuvel 209 kwam, aan de gevaarlijke zijde waar hij iets zag dat hem deed inhouden. Op de steile flank van de heuvel, waar hier en daar uitrustingsstukken lagen en ook twee geweren, lag een in de steek gelaten brancard met een jongensachtig uitziende soldaat die dood was. De ogen en mond van de jonge soldaat waren gesloten en één hand en arm hingen naast de brancard. Zijn andere hand, die zich op de brancard bevond, was tot aan de pols verdwenen in een verbazingwekkend grote hoeveelheid opdrogend en al bijna gestold bloed, dat bijna de gehele holte opvulde die zijn achterste in het canvas drukte. Fife stond er als een boerenpummel met open mond naar te kijken en begreep dat deze gewonde tijdens de evacuatie nog een tweede keer was getroffen. Maar de aanblik van die hand, tot aan de pols weggezonken in het bloed, kon Fife niet verdragen en hij voelde de neiging om naar het lijk toe te lopen, de hand eruit te trekken en die schoon te maken. Maar hij aarzelde. Het kon best zijn dat je die hand er al niet meer uit kon krijgen. Dat zou nog veel erger zijn. Fife was het liefst gaan huilen. Plotseling wilde hij de hele wereld toeschreeuwen: 'Kijk nu eens wat jullie *mensen* gedaan hebben met deze jongen, die ik best had kunnen zijn! Ja, *ik*, hoor je dat, *mensen*?' Hij werd tot de werkelijkheid teruggeroepen doordat een geweerkogel op enkele meters van hem af insloeg en hij keerde zich snel om. Hij probeerde te rennen, maar de helling was te steil. Hij kon er slechts moeizaam tegenop komen. Het leek hem dat nog meer geweerkogels in zijn naaste omgeving stof deden opvliegen. Hoe dan ook, de dode jongen op de brancard had al genoeg indruk gemaakt; toen hij de medische hulppost bereikte huilde hij.

Hij werd op de hulppost van het bataljon heel goed behandeld. Maar het leek wel of hier duizenden mensen ronddraafden en tegen elkaar schreeuwden in de grootst mogelijke verwarring. Hij zat in een rij smerige, bloedende, kreunende mannen en veegde het bloed van zijn voorhoofd, telkens als het weer begon te druppelen. Fife hoopte vurig dat hij niet terug naar beneden zou worden gestuurd. Hij had niets heldhaftigs gedaan, zelfs niet iets gewoon dappers, maar de mannen hier dachten dat hij een held was. Hij had volgens hemzelf niet eens zijn normale plicht gedaan. Maar hij was niet van plan dat aan wie dan ook te vertellen.

Toen een dokter hem eindelijk onderzocht, veegde hij met gaasjes over zijn hoofd, onderzocht zijn schedel met voorzichtige vingers en schudde toen zijn hoofd. 'Ik weet het niet. In dit soort gevallen weet je het nooit.' Hij begon een soort tulband van verband om Fifes hoofd te draaien en zei: 'Je mag niet lopen. Denk eraan, je moet beslist niet lopen. Wacht tot de dragers komen,' en een hospik bevestigde een gekleurd kaartje op zijn jas.

'Heb je me begrepen?' vroeg de dokter. 'Je mag niet lopen. Geef eens antwoord.' Hij boog zich voorover, keek strak in Fifes ogen en knipte met zijn vingers vlak voor Fifes gezicht. 'Niet lopen, zei ik.'

'Ja, dokter,' zei Fife. Hij was ver weg geweest in een poging om door intense concentratie vast te stellen of hij stervende was. Bovendien meende hij dat een dergelijke eenvoudige instructie een antwoord overbodig maakte.

'Mooi,' zei de dokter. 'Niet vergeten, hoor!' Hij liep verder.

Fife werd afgevoerd door vier dragers die er doodmoe uitzagen. Ondanks het hete weer was het prettig om een deken over je heen te hebben, want hij had het koud gekregen. Verdomme, als hij niet mocht lopen dan kon hij er toch zeker op rekenen dat hij zou worden teruggezonden naar Australië. Toen de dragers even uitrustten voordat ze aan het laatste en steilste stuk van de klimpartij begonnen, naar de plaats waar de jeeps de gewonden ophaalden, ging hij overeind zitten en zei: 'Mannen, ik kan het verder zelf wel. Jullie kunnen beter mensen vervoeren die er erger aan toe zijn dan ik.' Hij werd door een vriendelijke hand vrij ruw weer achterovergedrukt. 'Doe maar rustig, kerel, en maak je geen zorgen over het dragen, dat doen wij wel.' Beste jongens, beste jongens. Hij ontspande zich en voelde zich geheel op zijn gemak. Dit was wat het lot voor hem in petto had gehouden en hij had het altijd wel geweten. Hij zou nooit meer daar naar beneden hoeven te gaan en het was allemaal eigenlijk niet eens zo heel erg geweest; lang niet zo erg als voor lui als Keck, McCron, Jacques en de kleine Bead.

Maar op de medische verzorgingspost van het regiment bleek al snel dat het allemaal niet zo eenvoudig was. Na de tocht in de jeep met de andere gewonden die ook op een brancard in de wagen werden geschoven, droeg men hem een tent binnen waar vier artsen bezig waren aan vier verschillende tafels. Naast elke dokter bevond zich nog een tweede tafel waarop een man lag te wachten, zodat er in totaal acht tafels in de tent stonden. Fife werd neergelegd op de enige lege tafel en zag dat hij zou worden behandeld door de oude dokter Haines, de regimentsarts. Doc Haines had een bijna kaal hoofd, waar nog een paar rossig grijze haren op waren achtergebleven, een stevige buik en een uitgedoofd stompje sigaar tussen zijn tanden. Hij bromde in zichzelf terwijl hij werkte. Fife kende Haines van het ziekenrapport voor de oorlog. Hij had toen, als zoveel anderen, in Haines een vaderfiguur gezien en terwijl hij nu naar hem keek trok er weer een mist voor Fifes ogen. De man met wie de oude dokter bezig was, was een jongen met een slanke, mooie, goed gespierde rug waarin zich onder het rechter schouderblad een gat bevond, zo groot als de opening van een waterglas. Hij zat op de rand van de tafel terwijl Doc Haines reepjes vel en vlees lossneed rondom de wond, waarbij hij een schaar en een pincet gebruikte; het stompje sigaar wandelde voortdurend van de ene hoek van zijn mond naar de andere. Fife kon zijn ogen niet van de wond afhouden. Telkens welde het bloed er langzaam in op tot het overstroomde en in een langzame, dikke straal over de mooie rug naar beneden vloeide. Als het bijna het middel van de gewonde had bereikt, veegde Doc Haines het met een vlot gewoontegebaar met een prop gaas omhoog tot boven aan de wond en vervolgde dan zijn snij- en knipwerk. Het bloed gaf het echter niet op en begon rustig van voren af aan. Toen de dokter met de wond klaar was, verbond hij die en tikte de jongen licht op zijn goede schouder. Hij lachte, waardoor de talloze rimpels om zijn ogen nog opvallender werden.

'Oké, kerel. Ga daar maar liggen tot ze je komen halen. Als er nog meer troep in zit, zullen ze die er daarginds wel uithalen. Hospik!' brulde hij met ruwe stem, 'dragers!'

De jongen ging liggen met een dronken morfinegrijns op zijn gezicht, maar zei niets. Fife had plotseling het gevoel dat hij was teruggekeerd in de mannenwereld, maar wel als een vreemde. Doc Haines kwam naar hem toe. 'Wacht eens even. Niks zeggen. Jij bent...' Hij lachte. 'Jij bent Fife, niet? Van de C-compagnie?'

'Ja, doc,' zei Fife, ook glimlachend.

'Ik herinner me je nog van die keer dat je in het hospitaal kwam voor een blindedarmoperatie. Hoe is dat eigenlijk afgelopen? Geen last meer gehad?' Hij gaf Fife geen kans om te antwoorden. 'En wat heb je nu? Hoofdwond, hè? Kun je rechtop zitten?'

Fife had hem willen toeschreeuwen dat hij beslist niet diezelfde Fife was, dat dit heel iets anders was en niets te maken had met die blindedarm, maar het enige dat hij zei was: 'Ik ben die Fife van toen niet.' Het kwam er zwakjes uit.

'Ja, ja,' zei de dokter, 'we zijn allemaal veranderd. Kun je zitten?'

'Natuurlijk,' zei Fife vol ijver en hij duwde zich krachtig overeind, waarna hij meteen duizelig werd.

'Rustig, rustig aan. Je hebt nogal wat bloed verloren. Laten we eens kijken,' zei Doc Haines en hij duwde met zijn tong de sigaar naar de andere hoek van zijn mond.

Hij ging efficiënt te werk, verwijderde de tulband en onderzocht de wond met tastende vingers. 'Dit zal wel even pijn doen,' zei hij en er dansten gekleurde lichtjes voor Fifes ogen toen de oude dokter een metalen apparaatje in de wond stak.

Doc Haines zei zachtjes: 'Nog één keer,' en opnieuw werd Fifes hoofd omgeven door spiralen van gekleurd licht.

'Je hebt geboft, het is geen schedelfractuur. Het is mogelijk dat er sprake is van een heel lichte schedelbarst, maar er is beslist niets gebroken. En bovendien zit er absoluut geen troep in. Over een week of zo zul je weer klaar zijn voor de dienst.' Na op deze wijze zijn diagnose te hebben gesteld, liep hij om tot hij voor Fife stond.

'U denkt dus dat ik niet... niet zal worden geëvacueerd,' zei Fife. 'Of zoiets.'

'Dat lijkt me hoogst onwaarschijnlijk,' zei de oude dokter. En opeens verdween de glimlach die om het sigarenstompje had gelegen. Zijn ogen werden dof, alsof er een sluier overheen viel.

'Dan kan ik nu dus gewoon lopen,' zei Fife wanhopig.

'Je kunt doen wat je wilt,' zei Doc Haines. 'Maar ik zou het de eerste twee dagen rustig aan doen.'

'Bedankt, dokter,' zei Fife op bittere toon.

'Deze veldslag zal over een dag of twee wel voorbij zijn,' zei de oude dokter. Zonder zijn blik van Fife los te laten, streek hij plotseling met zijn stompe vingers door de grijzende rand haar om zijn kale schedel.

Fife stapte van de tafel af en bleef staan. Eigenlijk had hij vanaf het eerste ogenblik geweten dat dit het resultaat zou zijn. Het idee van het lot dat voor hem een evacuatie in petto had, was flauwekul geweest. Hij had zichzelf voor de gek gehouden. 'Ja, en als deze veldslag voorbij is komt er weer een andere. Vlak daarna.' Hij glimlachte met zijn met gestold bloed bedekte gezicht en voelde dat zijn wangen strak stonden. Hij wist in ieder geval dat hij er echt als een gewonde had uitgezien.

De oude dokter keek hem koppig aan. 'Ik heb de spelregels niet gemaakt,' zei hij, 'ik probeer ze alleen na te leven.'

'Heeft u die regels ooit toegepast om te sterven?' vroeg Fife grinnikend, maar voelde zich plotseling beschaamd. Toen dokter Haines niet antwoordde, voegde hij er snel aan toe: 'Het is uw schuld niet. Als iemand er niet zo erg aan toe is dat hij geëvacueerd moet worden, kunt u hem niet terugsturen, wel?' Maar het klonk bitter. Hij zweeg, opnieuw beschaamd. 'Ik zal nu maar gaan, u hebt het druk.'

Op de andere tafel, waar de jongen met het gat in zijn rug had gelegen, en die nu de wachttafel was, lag een man met gesloten ogen te kreunen. Eén arm en één schouder waren gewikkeld in bloederig verband en zagen eruit alsof ze heel lelijk waren toegetakeld. Fifes hele geval had slechts een paar seconden geduurd en hij had hem dus niet lang laten wachten. Fife liep zwaaiend op zijn benen langs hem heen. Misschien wankelde hij iets meer dan strikt noodzakelijk zou zijn geweest. 'Het beste, kerel,' riep de oude dokter hem na en Fife wuifde zonder om te kijken. Hij voelde zich echt een gewonde en hij was tevreden dat hij zich zo flink had gedragen.

Tijdens de terugtocht in de jeep naar het regimentshospitaal zag Fife voor het eerst sinds lange tijd de jonge kapitein die S-1 bij het regiment was, en die eens zijn verzoek om overplaatsing naar de school voor reserveofficieren infanterie had afgewezen of in ieder geval teruggezonden naar Bugger Stein. Hij stond met een groepje andere stafofficieren naast de weg en herkende Fife, want anders zou Fife hem nooit hebben opgemerkt. Hij wist Fifes naam natuurlijk niet. Maar hij kon het gezicht onder al dat verband en bloed thuisbrengen. De kapitein riep Fife iets toe en dat viel Fife mee van een officier van de regimentsstaf. Je kon tenslotte niet verwachten dat de hele wereld je bij naam kende.

Fife zat naast de chauffeur, omdat hij nu was gerubriceerd als 'ambulante gewonde' en achter hem hingen vier brancards. De jonge kapitein, wiens naam Fife nog wist – die zou hij zijn hele leven niet vergeten – verliet de groep toen hij Fife zag en kwam naar hem toe. 'Hé! Ben jij niet van de Charlie-compagnie?'

'Ja, kap'tein.' Een plotselinge storm van gevoelens stak in Fife op en barstte uit in een miniatuurexplosie, die misschien op kleine schaal wel iets had van de explosie waardoor hij zijn verwonding had opgelopen. Hij was zich er goed van bewust hoe gehavend hij eruitzag. En de kapitein kon niet weten dat hij niet zou worden geëvacueerd.

Ze waren nu op lager terrein achter de heuvels, in de modder van de jungle, al waren ze de rivier nog niet overgestoken. De jeep reed langzamer dan stapvoets, zodat de kapitein gemakkelijk mee kon lopen.

'Hoe gaat het daarboven?'

'Verschrikkelijk!' riep Fife uit. 'Afgrijselijk!'

'O.' Het was blijkbaar niet het antwoord dat de S-1 verwacht had.

'We krijgen enorm op ons lazer!' schreeuwde Fife kwaadaardig.

'Hoe gaat het met luitenant Whyte?'

'Dood!'

De jonge kapitein schrok terug alsof hij een klap had gekregen. Zijn ogen stonden nu zorgelijk. 'En luitenant Blane?'

'Dood!'

De kapitein had gevraagd naar de enige twee officieren die gesneuveld waren, zoals Fife wel had vermoed, omdat de kapitein met hen bevriend was. Die liep nu niet meer met de jeep mee en stond onbeweeglijk langs de weg. Alle andere officieren die druk met elkaar in gesprek waren geweest, keken zijn kant uit en luisterden.

'Keck is dood,' riep Fife. 'Grove is dood! Spain' – de andere sergeant van het tirailleurpeloton – 'is gewond!'

'En kapitein Stein?' riep de S-1. 'Dat was een goede vriend van me.'

Fife draaide zich om en schreeuwde naar achteren: 'Die leefde nog toen ik wegging, maar zal nou ook wel dood zijn!'

De kapitein antwoordde niet. Fife draaide zich weer terug en voelde zich vreemd voldaan. De klootzakken, geen mens schoot iets op met die kerels en als hij ergens een hekel aan had dan was het aan die privé-clubsfeer, die ze zo nauwgezet van die kut-Engelsen hadden overgenomen. Vroegen ze ooit naar iemand die geen officier was?

Tijdens de terugtocht volgde nog een aantal kleine triomfen, bijvoorbeeld toen groepjes van in het achterland gelegen soldaten ophielden met hun werk om met wijd open ogen naar de jeep en zijn lading te staren. Fife lachte hen toe met een wolfachtige grijns op zijn met bloed bedekte gezicht. Maar dwars door alles heen en ondanks het feit dat hij van zijn rol genoot, had hij toch het ellendige gevoel dat hij slechts een rol speelde en dat hij niet de toekomstige geëvacueerde was die door deze soldaten met grote ogen van jaloezie werd aangestaard. En plotseling begon hij, zonder aanwijsbare reden, opnieuw te snotteren. De chauffeur hield zijn ogen strak op de weg gericht en zei gelukkig niets en uiteindelijk kreeg hij zichzelf weer een beetje onder controle.

Bij het divisiehospitaal aangekomen, stopte men hem in een piramidevormige achtmanstent met drie anderen die hij niet kende en ze zaten allemaal zwijgend op hun britsen, kreunend en zuchtend. Langzaam liep de tent vol en ten slotte werden er in het midden nog twee britsen bijgeplaatst, zodat er in totaal tien gewonden in de tent lagen. Geen van hen kreeg die avond een dokter te zien, hoewel er genoeg hospikken rondliepen om hen te helpen. Toen het tijd werd voor het avondeten, namen de gewonden die konden lopen hun plaats in de overbekende etensrij onder de vertrouwde kokospalmen in. Ze wachtten tot men een portie gebakken vlees uit blik en gedroogde aardappelen had geschept op de blikken hospitaalborden met vakjes. Na het eten werd er heel wat gezocht in de krioelende massa lopende gewonden, waarbij iedereen probeerde mannen van zijn eigen onderdeel te vinden. Fife slaagde erin vier leden van Charlie te ontdekken, maar geen van hen had recenter nieuws over de compagnie dan hijzelf. Daarna zaten ze allemaal bij elkaar, voorzichtig rokend en wachtend op de nachtelijke luchtaanvallen. Toen de muskieten hen ten slotte hun tenten in dwongen – lang nadat de aanvallen voorbij waren – probeerde hij niet eens te slapen. Hij bleef piekeren over de gebeurtenissen van die dag en over de pech die hij met zijn hoofdwond had gehad. Het zou trouwens heel moeilijk zijn geweest om te slapen, omdat in zijn eigen tent of in een van de tenten vlakbij om de paar minuten iemand schreeuwend of luid gillend wakker werd. De enige keer dat hij toch indutte werd ook hij wakker met een luide gil.

Fifes gesprek met de dokter, de volgende dag, was kort maar krachtig. Nadat de dokter zijn wond had betast, waarbij de gekleurde lichtjes weer voor Fifes ogen dansten, kwam de overste voor hem staan en vertelde breed lachend dat zijn schedel niet was gebroken, zelfs niet een tikje gebarsten, en dat er alleen een flinke groef was geschuurd in de huid over Fifes dikke, taaie Amerikaanse schedel. Hij scheen te verwachten dat Fife zijn vreugde hierover zou delen en de fysieke taaiheid van Amerikaanse schedels scheen heel belangrijk voor hem te zijn. Overste Roth (zo had Fife hem door een hospik horen aanspreken) was een zware, vlezige man met prachtig, zuiver zilverig, golvend haar (dat goed paste bij zijn zilveren distinctieven) en had het zware, wat dikke gezicht van een zeer succesvolle dokter uit de grote stad. Hij had een diepe, zware stem vol autoriteit en koude blauwe ogen – ogen van staal, vond Fife. Met de minachtende grijns van de infanterist bedacht hij dat het verdomd leuk zou zijn als die ogen eens een bajonet van dichtbij zagen, die van plan was zich in dat zware lijf te boren. Hoe zouden ze er dan uitzien? Hij had nog even gehoopt dat men hier zou ontdekken dat zijn toestand veel erger was dan Doc Haines had gezegd en hij vreesde dat deze verwachting op zijn gezicht te lezen stond, hoewel hij zijn best deed het voor de man te verbergen.

'Dat is mooi, overste,' zei Fife. 'Maar ziet u, ik ben mijn bril kwijtgeraakt.'

'Je bent wat?' vroeg overste Roth, terwijl zijn koele ogen groter werden en nog meer aan staal deden denken. 'Wat heb je verloren?'

'Mijn bril. Toen ik getroffen werd.' Fife wist dat er een schuldbewuste, bange trek op zijn gezicht lag, maar hij droeg al sinds zijn vijfde een bril en hij kon op drie meter afstand nog nauwelijks gelaatstrekken onderscheiden. Hij besloot rustig door te zetten. 'Ik kan niets doen zonder mijn bril.' Hij liet het 'overste' opzettelijk weg. Roth deed geen poging zijn minachting en afkeer te verbergen. Hij maakte hem niet hardop uit voor lafaard, maar keek alsof hij dat graag had gedaan. 'Kerel, we hebben hier overal ernstig gewonde soldaten liggen; en van hen liggen er heel wat op sterven. Wat dacht je dat ik onder deze omstandigheden aan je bril kan doen?'

'Nou, niemand heeft wat aan me zonder bril,' zei Fife. De daar logisch uit voortvloeiende vraag stelde hij echter niet. En dat was ook niet nodig. Overste Roth was achter hem gaan staan en drukte nogal ruw een klein kompres op zijn hoofd, dat hij vastzette met behulp van repen hechtpleister.

'Hoe heet je ook alweer, soldaat?' vroeg hij dreigend.

'Fife, overste. Korporaal Geoffrey P. Fife.' Hij voelde dat de papierbureaucratie nu definitief op hem neer zou duiken om hem voor altijd een slechte aantekening te bezorgen – en dat was natuurlijk precies wat Staaloog wilde dat hij dacht.

'Korporaal,' zei overste Roth minachtend, terwijl hij weer voor hem kwam staan, 'je hebt diverse dagen om te herstellen en op te knappen, voordat je teruggaat naar je compagnie. Je weet natuurlijk net zo goed als ik dat wij hier geen brillen kunnen fabriceren. Ik hou niet van mensen die net doen alsof ze ziek zijn. We hebben soldaten nodig, desnoods slechte soldaten. Als er tijd is zullen we je ogen onderzoeken en in Australië een bril voor je bestellen. Maar het zou weleens lang kunnen duren voor die in je bezit komt,' zei hij met een glimlachje vol afschuw. 'Dat is het. Je kunt gaan.'

Fife zag dat er misschien nog een kans was. Hij zou kunnen blijven klagen over zijn bril en de gevolgen daarvan aanvaarden, of hij kon zijn mond houden en de belediging incasseren. Iets in de gewichtige zelfingenomen houding van de overste waarschuwde hem verder over het onderwerp te zwijgen. 'Ja, overste, bedankt, overste,' zei hij. Hij stond op en probeerde zoveel mogelijk haat te leggen in de blik waarmee hij de overste aankeek. Hij ging weg zonder te groeten. Pas toen hij buiten was, begon hij te piekeren over de mogelijkheid dat de overste hem misschien toch zou hebben geëvacueerd als hij had volgehouden. Maar hij had zich onder tafel laten kletsen. Later diezelfde dag, rondlopend door het bivak op zoek naar een nieuw gezicht uit zijn compagnie, trof hij Storm aan die op een brits somber zat te staren naar het blauw gerande gat in de rug van zijn hand.

Het vooruitgeschoven divisiehospitaal was geïnstalleerd bij de kruising van twee modderige hoofdwegen door de palmbomen, zodat de ambulances en de jeeps van het front het hospitaal gemakkelijk konden bereiken. Helaas had niemand erover nagedacht dat dit kruispunt zich slechts op niet meer dan zes- of zevenhonderd meter van het vliegveld bevond, dat het voornaamste doel van alle luchtaanvallen was; en al werd het hospitaal nooit door bommen bestookt, wat de oprichters er ongetwijfeld van overtuigden dat ze een goede plek hadden gekozen, er werden evenmin statistische gegevens verzameld over de geleden schade aan de zenuwen van de patiënten, die allen minstens eenmaal gewond waren. Hoewel de ligging een voortdurende bron van klachten vormde, was het hospitaal goed uitgerust, terwijl het gezien de omstandigheden uitstekend functioneerde. Het complex bestond uit twee enorme circusachtige tenten met drie masten, die elk meer dan honderd man konden bevatten, plus kleinere operatie- en behandeltenten, en nu, als noodmaatregel, nog een groot aantal achtmanstenten, opgezet omdat het aantal gewonden plotseling was toegenomen. In een van de grote, schemerige circustenten ontdekte Fife, die het in zijn eigen haastig en slordig opgezette, scheefstaande achtmanstent niet langer kon uithouden, mess-sergeant Storm.

Fife was dolblij hem te zien, ondanks de zeer ernstige problemen waarmee hij op dat moment zelf worstelde. Omdat Fife op het compagniesbureau had gewerkt, had hij eigenlijk meer contact gehad met Storm en het keukenpersoneel dan met de meeste andere soldaten. En Fife had altijd de indruk gehad dat Storm hem wel mocht – hij had het tenminste meer dan eens voor hem opgenomen tegenover Welsh.

Storm vond het ook prettig Fife weer te ontmoeten. In de eerste plaats had hij, toen hij aan het front Fife zag weglopen terwijl het bloed uit zijn hoofd stroomde, gedacht dat dit hoogstens een reflexbeweging was, zoals je onthoofde kippen wel zag lopen, en dat Fife straks dood zou zijn. Bovendien was Fife de eerste man van de C-compagnie die Storm zag, nadat hij het lugubere, van jammerkreten vervulde inferno had betreden dat het leger een hospitaal noemde. Ieder vertrouwd gezicht was welkom in zo'n overvolle tent vol murmelende schimmen. Hij had zich nooit bijzonder voor Fife geïnteresseerd, nooit veel aandacht aan hem geschonken, maar nu kon hij hem al het nieuws over Charlie vertellen dat Fife graag wilde horen; wat er die eerste dag na Fifes vertrek was gebeurd en hoe het de dag daarop was gegaan. Maar toen Storm hem vertelde dat ze de tweede dag – vandaag – de Olifantskop hadden veroverd, had hij de indruk dat Fife het moeilijk vond, zo niet onmogelijk, dat te geloven. En dat was ook zo. Fife zag in zijn herinnering slechts het beeld van een totale slachting, een Armageddon, en hij had verwacht dat ze allemaal zouden sneuvelen – of tenminste voor negentig procent – vóór die heuveltop werd bereikt. En dat zei hij ook. Het was toch waar, antwoordde Storm, somber naar zijn hand starend; de verliezen van de compagnie, inclusief de vijfentwintig procent van de eerste dag, bedroegen in totaal slechts een derde van de sterkte. Dat ze niet hoger waren, meende Storm, en zo dachten de meesten erover, was te danken aan Bugger Stein, die een omtrekkende beweging met hen had uitgevoerd en de stelling van achteren had aangevallen.

'Maar dat had hij de eerste dag al willen doen!' zei Fife, die zich plotseling huiverend de derde terreinplooi herinnerde en de radio die hij voor Stein had moeten vasthouden.

'Dat weet ik.' Storm vertelde hem ook dat Bugger door Shorty Tall van zijn commando was ontheven.

Fife was diep verontwaardigd; hij deed althans zijn best die indruk te wekken. Hij keek Storm met grote ogen aan, luisterde aandachtig, knikte wanneer dat van hem werd verwacht, maar Storm merkte dat Fife wat Storm deed of zei nauwelijks zag of hoorde. Waarschijnlijk was hij na zijn verwonding nog niet tot normaal reageren in staat. Storm nam hem dat niet kwalijk, maar het gaf hem wel het gevoel dat hij praatte met iemand die dood was.

Storm had zelf ook ontnuchterende en traumatische ervaringen opgedaan, maar niet door zijn verwonding. En ook niet doordat kapitein Stein door overste Tall was afgezet. Dit was nu precies wat hij bij zichzelf al had gedacht dat er zou gebeuren. En zijn wond was zo onbeduidend geweest, dat hij er praktisch niets van had gemerkt. Het projectiel uit de infanteriemortier – iedereen had hem gezegd dat het zoiets moest zijn geweest – was niet zo dicht bij hem ontploft dat het hem een schok had gegeven en het binnendringen van de scherfjes had nauwelijks pijn gedaan. Storm had andere zorgen. De voornaamste was dat hij de compagnie in de steek liet door hierheen te gaan en naar zijn hand te laten kijken. En dan had hij ook gewetenswroeging overgehouden over de manier waarop hij en de anderen uit zijn groep de Japanse krijgsgevangenen hadden behandeld. En het was een ontnuchterende ervaring geweest te beseffen dat hij er niets meer voor voelde hier of elders nog aan gevechten deel te nemen.

Storm had die dag vier Jappen gedood, de eersten terwijl ze doorbraken naar Tall, de anderen bij het uitkammen van de laatste stellingen, en hij had er keer op keer van genoten. Slechts een van de vier had een geringe kans gehad hem te doden en dat maakte voor Storm geen enkel verschil. Dat had hij prachtig gevonden. Maar het ombrengen van de vier Jappen was het enige waaraan hij met genoegen terugdacht. Verder was hij gedurende de vier dagen die hij met de C-compagnie aan het front had doorgebracht, voortdurend doodsbang geweest. En dat de oorlog een boeiend en indrukwekkend schouwspel zou zijn, een uitdaging en een avontuur, dat was wat hem betrof flauwekul. Misschien gold dat voor troepenofficieren en hoger geplaatsten, die leiding mochten geven en zelf uitmaakten wat er moest gebeuren en wat niet. Maar ieder ander was een stuk gereedschap – een stuk gereedschap met het serienummer van de fabriek erin gegraveerd. En Storm voelde er niets voor om een stuk gereedschap te zijn. Zeker niet als het meebracht dat je erbij kon sterven, want wat had je dan nog? Vechten was goed voor mannen die van sjouwen en schieten hielden, maar hij was mess-sergeant. Hij vond het jammer en voelde zich misschien ook een beetje schuldig omdat hij hierheen was gegaan met zijn 'gewonde' hand. Maar voor een verstandige kerel was dit de enige oplossing. Als het niet lukte vanwege die hand van dit roteiland te worden geëvacueerd, dan zou hij weer als mess-sergeant gaan werken. Hij zou warme maaltijden koken en zorgen dat de jongens te eten kregen – als het mogelijk was. Maar hij zou ze het eten niet zelf brengen. Dat moesten de dragers maar doen. Een massa kerels zou deze oorlog overleven, meer dan er zouden sneuvelen en Storm had zich vast voorgenomen dat hij, indien enigszins mogelijk, tot de eerste categorie zou behoren. Ach, zelfs de tocht hierheen, vanaf het front, die zo genoeglijk had kunnen zijn, waarvan hij enorm had kunnen genieten, was totaal bedorven doordat ze die Japanse krijgsgevangenen moesten escorteren.

Hij was vertrokken met de groep na die waarbij Bugger Stein zich had aangesloten. Met Steins groep waren de laatste brancarddragers meegegaan; de meeste gewonden die nog konden lopen waren al veel eerder op de dag vertrokken. Slechts een paar, zoals hij en Big Queen, hadden er de voorkeur aan gegeven te wachten tot de laatste stellingen waren uitgekamd. Ze waren met zeven man geweest, vier man van de Baker-compagnie en drie van Charlie. Plus vier niet-gewonden, die tot taak hadden acht krijgsgevangenen – de helft van het totaal – te begeleiden. Tall had dit zo geregeld omdat hij met het oog op de verwachte nachtelijke tegenaanval zo weinig mogelijk mensen wilde missen.

Het was een heerlijk gevoel te kunnen vertrekken terwijl er een nachtelijke tegenaanval werd verwacht (hoewel Storm wel even een heftig schuldgevoel kreeg) en ze waren in de beste stemming op weg gegaan. Queens linkerbovenarm met de vleeswond begon stijf te worden en hij was niet meer zo vitaal en energiek als tijdens het gevecht op het bivakterrein. Maar vlak voor hij wegging was het oude vuur even in hem opgelaaid. 'Ik kom terug!' had hij met zijn machtige stem gebruld. 'Ik kom terug. Er is meer nodig dan zo'n vleeswondje om mij bij Charlie weg te houden! Het kan me geen barst schelen waar ze me naartoe sturen! Ik kom terug, desnoods als verstekeling op een troepenschip!' Enkele mannen van de C-compagnie die bij het vertrek aanwezig waren, wuifden en lachten en Brass Band kwam aanlopen om Big Queen de hand te drukken – ietwat overdreven, vond Storm. Storm begreep niet waarom Big Queen had deelgenomen aan de zuiveringsactie terwijl hij al veel eerder weg had kunnen gaan. Zelf was hij gebleven omdat hij van plan was de wond aan zijn hand te gebruiken om zich te laten evacueren, liefst zo ver mogelijk van dit eiland af, en hij toch een goede indruk bij zijn oude onderdeel wilde achterlaten nu hij misschien voorgoed zou weggaan.

De acht Japanse krijgsgevangenen zagen er erbarmelijk en ziekelijk uit. Ze waren aan het eind van hun krachten en schenen geheel verdoofd te zijn door hun ervaringen; wie hen zag zou denken dat ze niet de energie zouden hebben om te vluchten, ook al werden ze maar door één Amerikaan bewaakt. Allen leden aan dysenterie, geelzucht en malaria. Twee (waarom precies kon niemand ontdekken) waren spiernaakt en een van hen zakte ten slotte in elkaar, wat de oorzaak was geweest van alle narigheid. Toen Big Queen eraan kwam om hem overeind te schoppen, lag hij te braken en te schijten tegelijk, zodat er twee gele, vochtige strepen achterbleven bij iedere schop die hem een eindje deed voortglijden over het pad. Hij was kennelijk half verhongerd; met de ribben en sleutelbeenderen die door zijn gele, zieke huid staken, deed hij eerder denken aan een of ander schurftig dier dan aan een mens; hem in leven te houden scheen bepaald niet de moeite waard. Zo was het ook met de andere zeven, die nu zwijgend, onder de ogen van hun bewakers, berustend op de grond neerhurkten. Een of andere luitenant die wat Japans sprak had van hen gehoord dat ze zich de laatste paar weken hadden gevoed met hagedissen en boomschors. Overste Tall had de bewakers echter strenge instructies gegeven alle Japanners levend af te leveren bij de inlichtingendienst van het regiment, waar men ze zou ondervragen.

Queen had wel last van zijn stijf geworden en nog altijd bloedende arm, maar hij bezat voldoende animo om de gevangenen als ze achterop raakten met hysterisch plezier voort te schoppen en te stompen, en de anderen deden graag mee. Queen gaf zijn mening zonder omwegen: 'We kunnen die schooier beter doodschieten,' gromde hij grijnzend. 'Kijk 'm nou.'

'Je weet wat Tall gezegd heeft,' antwoordde een van de anderen, 'we moesten ze allemaal levend afleveren.'

'Nou, dan zeggen we dat hij ervandoor wou,' meende Queen.

'Die?' zei er een, 'in zijn staat?'

'Niemand ziet hem toch,' zei Queen.

'Ik ben het met Queen eens,' zei een ander, 'denk even aan de Dodenmars op Bataan!'

'Maar Tall heeft ons uitdrukkelijk bevolen ze in leven te laten,' zei de eerste man weer. Hij was de korporaal die het bevel voerde over de vier niet-gewonde bewakers. 'Je weet net zo goed als ik dat hij een onderzoek zal instellen als er één ontbreekt. En dan vraagt hij de Inlichtingendienst de andere schooiers te laten vertellen wat er met hun kameraad is gebeurd! Ik heb geen zin om in de problemen te raken.'

'Ja, maar dan zullen we hem moeten dragen,' zei Queen. 'En ik ben niet van plan zo'n vuile rot-Jap helemaal terug te dragen naar Heuvel 209. Jij wel? Ik ben hier de hoogste in rang en ik zeg: we maken hem van kant. Kijk nou even naar hem. We zouden hem verdomme een plezier doen.' Hij keek de kring rond.

'De korporaal heeft gelijk,' zei Storm, die zich voor het eerst in de discussie mengde. Hij had over de voor- en nadelen nagedacht. 'De overste zal vast een onderzoek instellen als er één ontbreekt. Als we hem neerknallen of kwijtraken, dan krijgen we het grootste gedonder; hij is gek genoeg om ons voor de krijgsraad te slepen.' Hij voegde er niet aan toe dat hij sergeant eersteklas was en dus hoger in rang dan Queen.

Queen keek neer op de Jap, haalde zijn schouders op en lachte teleurgesteld. 'Oké, je zult wel gelijk hebben,' zei hij opgewekt. 'Dan moeten we hem maar dragen.' Hij sloeg zijn grote handen tegen elkaar. 'Vooruit dan maar! Ik zal een poot nemen, wie wil de rest?'

Storm, die zo verstandig was geweest om ook dit probleem te overdenken voor hij zich in de discussie mengde, pakte een arm beet omdat hij braaksel prefereerde boven uitwerpselen. Twee andere gewonden namen de resterende ledematen en de troep ging weer op pad, terwijl Queen in de beste stemming het bevel op zich nam door komisch alsof hij de stuurman van een giek was, te brullen: 'Slag!'

Omdat Queen zich zonder mopperen bij het wijze oordeel van Storm had neergelegd en zo grappig deed over het dragen van de zieke Jap, vertrokken ze allemaal in een uitstekende stemming. Schreeuwend en gillend daalden ze de steile helling af, genietend van een dwaze, hysterische, waanzinnige, wrede grappenmakerij waarbij er zo nu en dan eens een kwam te vallen en waarbij ze allemaal, met uitzondering van de vier dragers die hun handen vol hadden, de zeven gevangenen met schoppen en slagen voor zich uit dreven. 'Hé, Jap,' riep iemand, 'vooruit, Jap, zeg nou 'ns eerlijk! Ben je niet blij dat je niet meer hoeft te vechten? Nou?' De Japanner die hij had aangesproken had blijkbaar geen woord begrepen van wat hij zei, en boog en knikte en glimlachte zwijgend. 'Zie je wel,' riep de bewaker, 'die kerels willen evenmin vechten; zij vinden er ook niks aan! Wie lult er nou nog over de Keizer en al die bullshit!'

'Geef hem je geladen geweer maar,' riep een van de anderen lachend, 'en kijk dan eens of hij wil vechten!'

Queen had al snel door dat het dom was geweest een van de benen te nemen. De beide mannen die de benen vasthielden, hadden de grootste moeite om de gele vloeistof die zo nu en dan uit de naakte Jap spoot te ontwijken terwijl ze de steile helling af hobbelden. En Queen bestookte Storm met scherpe opmerkingen omdat die zo slim was geweest om een arm te nemen, maar hem niet had verteld waarom. Toen kwam hij op een nieuw idee. 'Laten we hem een beetje op de grond laten botsen, of op zo'n rots,' stelde hij voor. 'Misschien kunnen we de stront eruit kloppen. Dan hebben we er onderweg geen last meer van.' Ze zwaaiden zijn kont op de maat tegen de rots aan, waarbij zijn lichaam zich in de vreemdste bochten wrong. Ze lachten zich slap. De andere Japanners bogen en lachten ook, omdat zij het idee nu doorhadden. Maar al dat gebots hielp niet veel. Hij bleef gele diarree spuiten terwijl ze hem omlaag droegen. Hij was nog voldoende bij bewustzijn om af en toe zijn ogen open te doen, maar te ver heen om zijn ingewanden onder controle te kunnen houden, en als zijn hoofd een enkele maal tegen de grond sloeg, kromp hij niet eens ineen. Ze sloegen zijn kont tegen elke rots die ze onderweg tegenkwamen. Toen ze hem bij de regimentsstaf afleverden, werd er een dokter geroepen die meteen aan het werk ging. Big Queen zelf verloor twee minuten later op de achterwaartse helling het bewustzijn en rolde de rest van de weg naar de medische hulppost van het bataljon, waardoor hij grote consternatie veroorzaakte.

Storm zat op zijn hospitaalbed met het hoofd in de handen. Hij had zijn pogingen om te praten tegen het uitgebluste gezicht van Fife vlak voor hem, gestaakt. Hij herinnerde zich alles, hoewel hij in een staat van opgewonden verdoving verkeerde waaruit hij zichzelf niet kon bevrijden. Zijn hele wezen leek verdoofd door een enorme injectie met een of andere sterke drug. Het joeg hem angst aan, maar hij kon het niet van zich afschudden. Hoe lang was het nu geleden? Nog maar een paar uur. En lachen! Wat hadden ze gelachen! Het lot van de Jappen deed Storm niets. Die verdienden dubbel en dwars alles wat er met ze werd gedaan, en nog meer. Nee, dat was het niet. Maar het was allemaal gebeurd in een toestand van verdoving, dat zag hij nu heel duidelijk. En dat gold niet alleen voor hem, maar ook voor de andere jongens. Misschien ook wel voor de Jappen. Storm had zichzelf altijd als een fatsoenlijke kerel beschouwd. Zeker, hij had zijn keukenpersoneel altijd stevig aangepakt, maar dat was om voldoende werk uit ze te krijgen. Hij had er zelfs weleens een paar afgeranseld als dat nodig was. Maar om iemand die zich niet meer kon verdedigen te trappen, dat ging hem te ver, dat was misbruik maken van de zwakte van een ander, zoiets als stelen van een zieke. Dat was zijn opvatting en daaraan had hij zich altijd gehouden. Maar nu moest hij de mogelijkheid overwegen dat er aan zijn karakter toch meer mankeerde dan hij had gedacht. En dat niet alleen; hij, die altijd zijn vrienden had bijgestaan, stond nu op het punt deze kleine verwonding te gebruiken om aan de compagnie, aan het bataljon, ja, aan de hele, smerige gevechtszone te ontsnappen. Hij wist dat dit de enige verstandige weg was.

'Hé, hoe is het met je hand?' vroeg Fife somber. De stilte had lang geduurd en Fife had voortdurend aan zichzelf gedacht. Dat hij dit had moeten doormaken, de explosie, de plotselinge duisternis, de pijn, het bloed, al die angst, om dan te ontdekken dat het allemaal niets te betekenen had. Hij had dezelfde angst, ellende, vrees en paniek doorstaan van iemand die aan het front wordt gedood en hij was er niets beter van geworden. Fife voelde dat hij met iemand moest praten, maar hij wist niet hoe hij op de man af tegen een ander moest zeggen dat hij een lafaard was.

Storm hief zijn hoofd op en keek Fife nu aan met sombere ogen, waarin de pijn diep verborgen lag. 'Omdat jij geen dokter bent, kan ik je de waarheid wel vertellen,' zei hij en hij richtte een duistere blik op zijn handen die in zijn schoot lagen. Hij stak de gewonde hand omhoog en boog de vingers, waarbij ze beiden iets hoorden knarsen. 'Als ik me niet heel erg vergis, zal dit geen evacuatie opleveren,' zei Storm.

'Nou, dan ben je net zo ver als ik,' zei Fife, 'mijn hoofdwond is ook niet ernstig genoeg.'

Om hen heen liepen hospikken rond door de schemerige tent in de hete middag, en hier en daar kreunden mannen achter hun verbanden.

'Ik kan hem bewegen en het doet eigenlijk ook niet zo vreselijk pijn,' zei Storm. 'Maar er zit absoluut geen kracht meer in.'

Twee verplegers en een dokter liepen snel door het gangetje tussen de bedden en een van de hospikken zei zakelijk: 'Ik geloof dat hij er geweest is, dokter.' Ze bleven staan, acht bedden verderop.

'Maar jij hebt geen moment gedacht dat je er dood aan zou gaan, wel?' vroeg Fife.

Storm keek naar hem op. 'Nee. Nee, geen seconde.'

'Ik wel.'

De dokter had zich over het bed heen gebogen, maar even later stond hij weer recht. 'Oké,' zei hij tegen de verplegers en het leek alsof hij kwaad was. 'Haal de vleesplank en dekens en breng hem weg. We hebben dat rotbed weer nodig. Hoe is het met nr. 33?' Een hospik antwoordde: 'Nog een halfuurtje, denk ik, dokter.' De dokter beet hem toe: 'Roep me erbij,' en ze verlieten door het gangetje de hoge schemerige, hete tent.

'Ik dacht het werkelijk,' zei Fife.

'Ja, dat begrijp ik. Ik lag niet ver van je af. Je zag er beroerd uit.'

'En het is niks,' zei Fife verbitterd. 'Niks, helemaal noppes. Niet eens een fractuur.'

'Domme pech,' zei Storm medelijdend.

'En dan die ellende met mijn bril,' zei Fife. 'Ik kan zonder dat ding echt niet goed zien.'

'Heb je ze dat verteld?'

'Ja, maar ze moesten er alleen maar om lachen.'

Even later zei Storm: 'Eén ding kan ik je zeggen, Fife, of ik hier nu wegkom met dit geval of niet' – hij stak zijn hand omhoog – 'ik ga niet weer met de compagnie naar de frontlijn. Ik ben mess-sergeant, ik hoor er niet eens. Mijn koks en ik zullen de keuken zo ver mogelijk naar voren brengen en ik zal zorgen dat de mannen hun warme maaltijden krijgen zo vaak als dat mogelijk is. Maar ik bied me niet nog eens vrijwillig aan voor het front; ze kunnen barsten. Ze hebben recht op warm eten – als ze het kunnen halen. En dat is alles. Ik ga me niet meer vrijwillig melden, da's voorbij! Ik hoef het niet te doen, het is niet verplicht, het hoort niet eens en ik doe het beslist niet meer.'

'En ik dan? Ik hoor bij de commandopost, ik moet wel.'

'Dat spijt me,' zei Storm.

'Hmmm.' Fife wist niet wat hij verder moest zeggen, hoewel hij dat wat hij wilde zeggen onuitgesproken liet. Hij kwam zelfs niet in de buurt. Hoe moest je iemand vertellen dat je een lafaard was? Dat je het nooit van jezelf had gedacht, maar dat het toch echt zo was?

'Ik ben een lafaard,' zei hij tegen Storm.

'Ik ook,' zei Storm meteen. 'Net als iedereen die geen godvergeten idioot is.'

'Maar sommigen zijn anders. Witt en Doll en Bell. En zelfs Charlie Dale.'

'Dan zijn ze gek,' verklaarde Storm zonder aarzeling.

'Je begrijpt het niet,' zei Fife, maar een man vlak bij hen, die geslapen had, werd wakker en begon te schreeuwen. 'Jerry, Jerry!' riep hij en zei toen 'O,' want hij zag Fife. Even later zuchtte hij en zei: 'Het is oké,' en hij zweeg.

Fife vervolgde: 'Ik bedoel dat ik werkelijk een lafaard ben.'

'Wat denk je dan dat ik bedoel?' vroeg Storm.

'O, maar voor jou is het iets heel anders.'

'Nee hoor.'

'Ik bedoel, ik wou helemaal geen lafaard zijn.'

'Nou, ik geloof ook niet dat ik daar nou zo naar verlangde,' zei Storm. Hij boog zijn hand en die knarste weer. 'Goddank dat ik niet naar voren hoef.'

'Ik zal wel moeten,' zei Fife.

'Da's vervelend,' zei Storm. En het was duidelijk dat het hem speet. Maar uit zijn toon bleek ook dat, hoe het hem ook speet, dit toch eigenlijk niets met hem, Storm, te maken had. Toch had het Fife goed gedaan. Storm trok er zich zoveel minder van aan dat hij een lafaard was en daardoor voelde Fife zich niet meer zo'n enorme slappeling. En Fife had nog iets ontdekt. Toen Storm gezegd had dat het hem speet en dat ook echt had gemeend, had het niets met Fife te maken gehad en er was niets door veranderd. Zijn ellendige toestand die een misselijk gevoel in zijn buik veroorzaakte, was er niet door veranderd. En hij begreep nu dat dat zo zou blijven, met wie hij er verder ook over zou praten.

'Misschien kan ik bij jou in de keuken werken,' zei Fife opeens. 'Ik bedoel, Dale zal wel tirailleursergeant worden en dan heb je een kok te weinig, nietwaar?'

'Ja, dat zal wel. Kun jij koken?'

'Nee, maar dat kan ik wel leren.'

'Ja, maar er zijn in de compagnie al een heel stel kerels die kunnen koken. Als de compagniescommandant goedkeurt dat je overgaat naar de keuken, zal ik je aannemen.'

'Brass Band? Die laat me nooit gaan. En ik kan het hem niet vragen ook.'

'Ja, dan kan ik verder ook niets doen.'

'Dat snap ik,' zei Fife, die zijn hoofd in alle richtingen draaide en rondkeek in de tent. 'Ja, dat snap ik.'

Het was een idioot idee geweest en hij sprak er verder niet over. Hij zou nooit kok worden. Dat was de dagdroom van een lafbek en hij kon Storm zijn houding niet kwalijk nemen. De afschuwelijke jaloezie die hem had bevangen omdat Storm zo oneindig gelukkig was dat hij niet meer naar het front hoefde, was bitter, enorm, maar ook iets wat gekoesterd en bewaard moest blijven. Ondanks dit alles bleef hij elke dag naar Storm toe komen en ze brachten heel wat tijd samen door. Het was beter dan in je eentje in die afschuwelijke, veel te hete tent liggen en naar het doek boven je hoofd staren en jezelf opvreten van ellende. Samen vonden ze zes andere mannen van de Charlie-compagnie, die verspreid waren over het hospitaalterrein en van wie er vijf konden lopen. Elke dag verzamelde het groepje zich bij Storms brits om te praten, een bezoek te brengen aan de man die niet uit bed kon en om een plekje uit te zoeken tussen de kokospalmen, waar ze in de zon zaten zonder hemd en de rest van de dag eindeloos spraken over de mogelijkheid om te worden geëvacueerd. Het was absoluut onmogelijk om iets te drinken te vinden, maar elke avond was er een openluchtfilm, waar ze allemaal naartoe gingen. Vol heimwee staarden ze naar het stralende, vrije, zorgeloze leven in Manhattan, Washington of Californië, land waarvoor ze vochten maar dat ze slechts kenden van de film. De luchtaanvallen onderbraken die voorstellingen altijd en in vijf dagen tijd zagen Storm en Fife gedeelten van vijf films zonder van één het einde te zien, maar dat hinderde niet, want iedereen kende de films allang, van jaren geleden. Na de luchtaanvallen zaten ze bij elkaar te roken en spraken over wie misschien zou worden geëvacueerd. Niemand had zin om terug te gaan naar Charlie.

Het was Storm die een tochtje organiseerde met het doel Bugger Stein te bezoeken. Het hoofdkwartier van de regimentsachterhoede lag niet ver van hen vandaan en Storm had van een koerier of van een oude kennis gehoord dat Stein daar verbleef, wachtend op de dag dat hij zou worden teruggezonden. En zo vertrok op een middag het zevental met Storm aan het hoofd om een bezoek te brengen aan en afscheid te nemen van de compagniescommandant die ze eens hadden gehaat, maar die ze nu allemaal bewonderden. Er waren geen schildwachten en geen hekken om hen tegen te houden, zoals dat in een fatsoenlijk hospitaalkamp het geval zou zijn geweest, en dus konden ze rustig weglopen in de hete zonneschijn. Trouwens, waar moest je op dit godvergeten eiland naartoe vluchten?

Stein was in een kleine tent bezig met het sorteren van wat papieren toen de gasten tot zijn grote verrassing arriveerden. Hij had kort daarvoor vernomen dat hij de volgende dag per vliegtuig naar Nieuw-Zeeland zou gaan. Hij had een met bloed bevlekt oorlogsvaandel, een Japans officierspistool, twee kraagdistinctieven van een officier en een heel stel foto's en leren dingen, souvenirs die moesten bewijzen dat hij hier was geweest; zijn persoonlijke bagage stond al klaar. Stein had de laatste drie dagen gebruikt om zijn spullen op te sporen. De regimentscommandant was zo vriendelijk geweest hem een jeep te geven, maar gezien de omstandigheden zonder chauffeur. Stein had het heel prettig gevonden om in zijn eentje over het eiland te rijden. In het oude bivak van de compagnie bij het vliegveld, waar ze in gesloten tenten hun ransels en plunjezakken hadden achtergelaten, trof hij nu een andere eenheid aan, die haar eigen tenten in een andere, voor hem volkomen onbekende formatie had opgezet. Er was geen spoor van de Charlie-compagnie te zien. Daarna was hij twee keer van de Matanikau naar Lunga Point gereden en naar het uiterste puntje van Red Beach waar het volstond met voorraadtenten, en overal had hij gevraagd naar de bagage van de C-compagnie. Hij vond die ten slotte niet ver van het oude eerste bivak, half in en half buiten een stukje oerwoud. Stein had geen idee wie het enorme karwei had verricht dat het afbreken, sjouwen en weer opzetten van de tenten en de bagage geweest moest zijn, maar ze hadden er zeker alle vijf de dagen dat de slag had geduurd aan gewerkt. Het kostte hem een hele middag in de brandend hete zon om tussen al die bagage zijn eigen twee zakken te vinden, maar hij had het met genoegen gedaan – vooral omdat hij alleen was; en nu was hij klaar om te vertrekken zodra ze het kwamen aankondigen.

De behoefte om alleen te zijn was de afgelopen vier dagen sterk gegroeid. De tweede avond – na zijn eerste hele dag hier – had hij besloten te doen of er niets aan de hand was en was naar de officiersclub van het regiment gegaan om na het eten nog een borrel te drinken. Tenslotte wierp wat hem overkomen was officieel, en ook officieus, geen smet op zijn reputatie, zoals Tall had gezegd.

De club, een idee van de regimentscommandant, was in feite niet veel meer dan een gewone keukentent, geheel gehuld in muskietengaas, met een bar vervaardigd uit krattenhout, waarachter de persoonlijke sergeant van de commandant de bezoekers bediende. Er stonden kampstoelen en zelfs één tafel waaraan gepokerd kon worden. Voor de nachtelijke uren stond er naast deze tent nog een verduisterde tent, waarin men zich kon terugtrekken zodra de avond was gevallen. Gewoonlijk werd de club alleen gebruikt door de staf en de officieren van de achterwaarts gelegen eenheden, maar die avond waren er – omdat Tall voor het eerste bataljon een weekje vrij had geregeld – ook de meeste officieren van dat bataljon. Ze praatten vriendelijk over tactische problemen, waardoor ze erin slaagden elkaar en zichzelf te doen geloven dat alles heel gewoon en zinnig was. Hij had verstandiger moeten zijn en wegblijven en na die ene keer was hij er dan ook niet meer heen gegaan. Het was echt de moeite niet waard; wat hij won aan trots kostte te veel aan energie. En toen hij eenmaal alleen bleef, beviel hem dat, wonderlijk genoeg, veel beter.

Niet dat ze onaangenaam tegen hem waren. Niemand las hem de les en niemand liet hem links liggen. Niemand weigerde met hem te praten. Maar als hij zelf niet eerst sprak, wist niemand blijkbaar iets tegen hem te zeggen. En dat kostte energie – van beide partijen. Er zaten verschillende groepjes in de club toen hij die ene keer het muskietengaas opzij schoof. Hij had de stellige indruk dat ten minste een van de groepen over hem had zitten praten. Overste Tall vormde het middelpunt van een andere groep en Stein voelde heel duidelijk dat die niet over hem sprak. Tall knikte en glimlachte vriendelijk, maar tegelijkertijd maakte hij heel handig duidelijk dat Stein hier naar zijn mening niet had moeten verschijnen. Stein was groetend en knikkend naar de bar gelopen en leunend op het krattenhout had hij een borrel besteld. Hij dronk die in zijn eentje. Maar toen hij aan zijn tweede toe was, stond Fred Carr op, de S-1 van het regiment en Steins oude drinkgezel uit de offficiersclub thuis, verliet zijn groepje en kwam naar hem toe met een vreemde, ongelukkige uitdrukking op zijn gezicht. Omdat ze elkaar sinds het begin van de gevechten niet meer hadden gezien, drukten ze elkaar de hand. Fred bleef even met hem staan praten, voornamelijk over het wonderlijke onderhoud met een jonge korporaal – Stein begreep meteen dat hij Fife bedoelde, hoewel Carr de naam niet kende – die hij tegen was gekomen terwijl hij in de jeep met gewonden zat. Carr sprak snel en zenuwachtig, maar Stein wist, objectief gezien, zijn gebaar toch wel te waarderen. Enige tijd later kwam kapitein John Gaff binnen, al aardig dronken, maar niemand scheen dat erg te vinden, en ook hij kwam naar Stein toe en bleef aan de bar met hem staan praten, voornamelijk over de zuiveringsactie van de vorige dag en hoe goed die was verlopen. Hij zag er, evenals Fred Carr, wat onbeholpen uit en verontschuldigde zich ten slotte. Gaff voegde zich daarna bij overste Tall. Stein had inmiddels vier borrels gedronken, vond dat genoeg en verdween. Het verdiende geld van de bar ging allemaal in het officiersfonds van het regiment, op bevel van de regimentscommandant zelf.

Hierna kocht Stein zelf een fles en dronk een borrel aan de kleine kamptafel in zijn eigen tent, die aan beide kanten geopend was en met gaas werd beschermd tegen de muskieten. Hij vond het prettig daar te zitten. Hij keek hoe het langzaam donker werd tussen de kokospalmen. Hij nam nooit de moeite om de tent helemaal te sluiten en te verduisteren, en als de vliegtuigen kwamen bleef hij rustig in het donker zitten, zonder angst, en luisterde naar de bombardementen terwijl hij van tijd tot tijd een slokje nam. Hij was helemaal niet bang. Natuurlijk was de whisky daarbij een steun, hoewel hij nooit echt dronken werd. Hij had altijd een fles op de kleine tafel staan. En zo stond er dus ook één toen de zeven gewonden van Charlie binnenkwamen om afscheid van hem te nemen. Stein greep de fles en bood ze allemaal een borrel aan, terwijl hij bedacht dat hij nog maar heel kort geleden zoiets nooit had durven doen uit angst dat het slecht zou zijn voor de discipline.

Er was maar één glas in de tent en dus dronken ze allemaal uit de fles. Ze dronken gretig en Stein begreep dat whisky geen deel uitmaakte van de medicijnen die ze in het hospitaal kregen. Hij boog zich over zijn bagage en haalde drie flessen te voorschijn die hij had willen meenemen in het vliegtuig en bood hun die aan. Hij zou gemakkelijk nog een paar flessen kunnen krijgen voor hij vertrok. Toen ze hem wilden bedanken, glimlachte hij een beetje droevig.

Ze spraken allemaal tegelijk, ze kletsten door elkaar heen en Stein voelde zich vreemd genoeg al heel ver van hen af. Het kwam hier op neer: dat ze hem allemaal wilden bedanken omdat hij door zijn omtrekkende beweging de compagnie had gered, dat het ze allemaal speet dat hij wegging en dat ze vonden dat hij rottig was behandeld. Stein was daar zelf niet zo zeker van en het deed nu ook niet meer ter zake. Het kon hem niet meer schelen. Hij glimlachte bescheiden. Hij was blij dat hij wegging.

'We zouden er allemaal heen moeten gaan om te protesteren!' riep Fife uit met tranen in zijn ogen. 'Als we er allemaal heen gaan...'

'Om wat te doen?' vroeg Stein glimlachend en hij schudde zijn hoofd. 'Wat zou je daarmee bereiken? Bovendien, ik wil weg en jullie willen mijn kans om geëvacueerd te worden toch niet bederven, wel?'

Nee, riepen ze in koor, godverdomme, nee dat niet, nee dat nooit.

'Praat er dan verder niet over, laat de zaak rusten.'

Toen ze vertrokken, stond hij in de tentopening bedroefd te kijken hoe ze wegslenterden met hun whisky; ongeschoren, smerig, nog altijd in hun vuile, bemodderde gevechtstenue, ieder met een schoon verband ergens op het lijf – behalve Storm en McCron. Storms hand hadden ze zelfs nooit verbonden en McCron had een inwendige wond. Daarna ging hij de tent weer in en schonk zichzelf een borrel in.

Hij zou het nooit weten. Dat was de waarheid. En dat was wat er zo rot aan was. Misschien hadden de Japanners dat stuk jungle op de rechterflank de eerste dag wel bezet gehouden en hun mannen pas later, 's nachts, weggehaald. En zelfs als dat gedeelte van het oerwoud onverdedigd was geweest, dan had een grote patrouille, ter sterkte van een peloton, toch niets kunnen uitrichten. Eén peloton had het hele Japanse bivak nooit kunnen veroveren. En het was inderdaad te laat op de dag geweest om er een hele compagnie heen te sturen. Natuurlijk had die strook al grondig verkend moeten zijn, voordat men een aanvalsplan opstelde dat een frontale aanval omvatte. Maar dat had hij die dag zelf niet voorgesteld en Tall evenmin, noch iemand anders. En waar blijf je dan?

Maar dat alles was uiteindelijk niet waar het om ging. Hij was zonder twijfel te gehaast geweest, toen hij weigerde Talls bevel voor de aanval op te volgen; hij had hem een poosje aan het lijntje moeten houden en wachten tot hij wist wat Beck op de heuvelrug had bereikt. Maar het eigenlijke probleem lag elders. En daarop wist Stein het antwoord ook niet. De vraag waar het werkelijk om draaide was: had Stein geweigerd Talls bevel op te volgen omdat hij bang was voor het leven van zijn mannen? Of had hij geweigerd omdat hij bang was zelf gedood te worden? Niemand had ooit over dit punt gesproken of ook maar de geringste suggestie in die richting gedaan. Maar Stein wist het niet. Hij had erover zitten peinzen en peinzen tijdens de nachten die hij eenzaam in zijn tentje had doorgebracht, maar hij wist het niet. Misschien hadden beide dingen een rol gespeeld. En welk element was dan het sterkste geweest? Waarop had hij zijn beslissing uiteindelijk gebaseerd? Hij wist het niet. En als hij het nu niet wist, zou hij het nooit te weten komen. Het zou voor hemzelf voor altijd een onopgelost probleem blijven. Dat was iets waaraan hij moest wennen, maar aan de andere kant had Stein gemerkt dat het hem geen pest meer kon schelen wat zijn vader, de majoor uit de Eerste Wereldoorlog, ervan zou hebben gevonden. In de jaren die volgen op de vrede veranderen mannen hun oorlog altijd. Zoiets als: ik-zal-jouw-leugens-over-jou-geloven, als-jij-mijn-leugens-over-mij-gelooft. Geschiedenis. En Stein wist nu dat zijn vader had gelogen – en als hij niet had gelogen, dat hij het had aangevuld. En Stein hoopte dat hijzelf dat nooit zou doen. Misschien zou hij het wel doen, maar hij hoopte van niet.

De rest kon hem dus niet langer schelen. Heel wat mensen zouden deze oorlog overleven, veel meer dan erin gedood zouden worden en Stein wilde als het even mogelijk was bij de eerste categorie horen. Washington. Vrouwen. De vette stad van de plotselinge welvaart. Met zijn gevechtsmedaille en onderscheidingen zou hij er niet gek uitzien. Het had veel erger kunnen zijn. En zelfs als er geruchten over hem de ronde deden, dan zou niemand daarover iets tegen hem zeggen, omdat het allemaal een onderdeel was van de grote samenzwering. En zolang je je maar hield aan de regels van die samenzwering... de grote samenzwering van de geschiedenis... Stein wist nog iets, wat hij de zeven gewonden van de Charlie-compagnie niet had verteld, en dat was dat kapitein Johnny Gaff niet meer naar het front zou gaan als het bataljon weer zou worden ingezet. Gaff was voorgedragen voor de Congressional Medal of Honor en daardoor te kostbaar geworden voor de frontlinie. Op aandrang van overste Tall was de aanbeveling inmiddels getekend door de divisiecommandant en per telegram doorgegeven aan de CINCSWPA. Over een maand of zo zou het bericht wel uit Washington arriveren en ondertussen zou Johnny Gaff naar Esperito Santo worden gevlogen om dienst te doen als adjudant van de bevelvoerende generaal. Stein was ervan overtuigd dat hij hem in Washington wel zou ontmoeten, tijdens een bijeenkomst ter bevordering van de verkoop van oorlogsobligaties. Misschien zouden ze dan samen dronken worden. In ieder geval was Gaffs zinnetje – 'nu zullen we zien wie kerels zijn en wie moederskindjes' – in het telegram letterlijk geciteerd.

Terwijl de delegatie van gewonden van Charlie kinderlijk, dwaas en belachelijk had gekletst over recht doen aan Stein, had Stein een blik gewisseld met Storm, die bijna niets zei; een blik van wonderlijk begrip, een blik van heimelijk weten. Hij had zich met een schok gerealiseerd dat Storm wist wat hij wist. Het was niet iets wat je hardop kon zeggen of zelfs onder vier ogen uitspreken, maar de blik zei genoeg. Storm wist ook dat er veel meer mensen deze oorlog zouden overleven dan erin zouden sneuvelen; dat zodra het allemaal voorbij was, de volken elkaar weer zouden gaan helpen en weer op vriendschappelijke voet zouden komen, met uitzondering van de doden natuurlijk. En ook Storm was van plan bij de overlevenden te behoren als dat enigszins uitvoerbaar was. En Storm voelde zich net als hij niet schuldig. Stein dronk zijn glas leeg en ging weer zitten wachten – op morgen en op het toestel. En terwijl hij daar zat, voelde hij de eerste rillingen en de beginnende koorts van zijn eerste malaria-aanval, die hem begonnen te bespelen alsof hij een muziekinstrument was. Hij onderging de fysieke sensaties met een glimlach op de lippen.

Op de terugweg naar het hospitaal met de zes andere gewonden en drie flessen whisky, kreeg McCron weer een van zijn aanvallen. Hij was erg stil geweest sinds ze Bugger Steins tent hadden verlaten, iets wat gewoonlijk aan zijn aanvallen voorafging, maar niemand had er enige aandacht aan geschonken door de vreugde over de whisky en door hun vriendschappelijke, warme gesprek met Stein. Daardoor was niemand erop voorbereid, toen McCron zich plotseling in de modder aan de kant van de weg wierp en begon te huilen, te jammeren en te gillen, terwijl hij op de strak getrokken huid van zijn knokkels beet en over hen heen keek met de woeste ogen van een dolle hond. Hij had zich zo dicht mogelijk in een bal opgekruld. Ze renden naar hem toe en probeerden zijn lichaam recht te trekken en hem te kalmeren, maar hij schreeuwde onverstaanbare kreten die soms opeens half herkenbare woorden bevatten. (Toen ze overeind waren gekomen had Wynn geschreeuwd: 'O, mijn god,' terwijl het bloed uit zijn keel een halve meter wegspoot. Hij was weer gevallen. Negentien. Pas negentien. De volgende die viel was Earl. Die had niets gezegd, want zijn hele gezicht was opengescheurd tot één rauwe, rode massa. Earl was twintig. Verder naar links waren Darl en Gwenne gevallen, gillend: 'Ik ga dood! Ik ga dood!' Allemaal dood binnen enkele seconden. En toen de anderen. Alle anderen. Hij had geprobeerd ze te beschermen. Ik heb het geprobeerd, ik heb het geprobeerd!)

Eindelijk slaagden ze erin zijn gegil te stoppen en zijn lichaam recht te trekken. Ze hadden uit ervaring geleerd dat dit laatste de beste manier was om hem te kalmeren. Maar hij huilde nog steeds en jammerde en bleef op zijn stukgebeten knokkels knagen. Ze wisten dat dit stadium gewoonlijk nog een hele tijd duurde. Ze moesten hem dragen of bij hem blijven wachten, maar dan zouden ze de avondmaaltijd missen. En dus droegen ze hem. Langzamerhand hield het gejank en geknaag op z'n knokkels op, totdat hij nog slechts lange, huilerige ademstoten produceerde door zijn tegen z'n mond geperste vuisten heen. Toen ze bij het bivak aankwamen, was hij genoeg gekalmeerd om met dikke stem te zeggen: 'Geef me een slok whisky.' Ze stonden stil, gaven hem die en namen zelf ook een slok en daarna gingen ze eten. Ze waren er allemaal van overtuigd dat McCron binnenkort zou worden geëvacueerd. Ze waren er eveneens zeker van dat McCron met zijn ingevallen gezicht en door paniek getekende ogen zich de rest van zijn leven schuldig zou voelen omdat hij was weggegaan, terwijl geen van de anderen dat deed. Twee dagen later keerden Fife en Storm samen terug naar de compagnie.

Het eerste dat hun opviel op die eerste avond waarop uitvoerig werd gesproken over wie geëvacueerd werden, wanneer en waarom, was dat iedereen van hun oude onderdeel een baard droeg. In het hospitaal was iedereen glad geschoren. Als de verplegers daar de mannen over de bedden hadden verdeeld, gingen ze vervolgens rond met een Gillette-apparaatje en een los mesje en dwongen de mannen zich te scheren. De gewonden die het niet zelf konden, werden door de verplegers geschoren. Daardoor vielen Storm en Fife, met hun keurige gladde gezichten, die baarden het eerst op. Iedereen in de compagnie had er een, behalve de officieren. Het waren geen grote baarden – ze waren tenslotte pas elf dagen geleden naar het front gegaan en vijftig procent was nog te jong om veel baardgroei te hebben – maar iedereen leek die baarden ontzettend belangrijk te vinden. Toen Storm en Fife ernaar informeerden, kon niemand echter zeggen waarom dat zo was. Het was gewoon iets wat plotseling gemeengoed was geworden en ze hoorden later dat dit voor het hele bataljon gold. Het was geen protest tegen het een of ander. Het was ook geen gelofte en het had niets te maken met het element tijd. Het was niet eens een poging om te bewijzen dat ze mannen waren. Het was alleen maar dat ze allemaal, terecht of onterecht, vonden dat ze nu geheel andere mensen waren dan de mannen die tien dagen geleden bij het front waren aangekomen; en die baarden schenen de verandering te symboliseren, schenen er het materiële bewijs van te zijn. Ook Storm en Fife hielden natuurlijk meteen op zich te scheren.

Er was, behalve die baarden, nog meer veranderd bij de compagnie, zoals Fife snel genoeg ontdekte. Ze dronken en praatten die nacht heel lang en eindelijk sliepen ze in onder geleende dekens in andermans tenten, maar toen Fife zich de volgende morgen meldde in de compagniestent, vond hij uit dat hij zijn baantje kwijt was. Een groot aantal mannen in de compagnie was gepromoveerd: Skinny Culn volgde Grove op als pelotonssergeant bij het eerste peloton; Beck verving natuurlijk Keck als pelotonssergeant van het tweede peloton; sergeant Field was sergeant eersteklas Spain opgevolgd bij het derde peloton. En zo ging het maar door. Charlie Dale had het tot groepscommandant gebracht, evenals Doll; Bell was nu sergeant met een eigen groep en nog een aantal anderen ook. In de compagniestent was de dienstplichtige Weld, een man van middelbare leeftijd, bevorderd tot korporaal, en hij deed nu dienst als Welsh' secretaris op de commandopost. Hij had twee soldaten als assistenten, net als Fife vroeger, en een van hen bleek soldaat Train te zijn, de stotteraar op wiens schoot Fife terecht was gekomen nadat hij gewond was geraakt, de man die het met juwelen bezette zwaard had gevonden dat hij later had weggegeven.

Wonderlijk hoe een klein beetje gezag en een paar strepen een man kunnen veranderen. Toen Fife binnenkwam zat Weld achter Fifes oude veldbureau, tikte op Fifes oude typemachine met een potlood achter zijn oor en commandeerde zijn beide assistenten alsof hij een heel leger tot zijn beschikking had. Fife had de oude Joe Weld altijd een timide mannetje gevonden, maar diezelfde Weld keek hem nu aan met een heel koel lachje op zijn gezicht, terwijl hij zei: 'O, hallo, Fife,' en het was onmiddellijk duidelijk dat hij niet van plan was zijn nieuwe functie weer af te staan.

De twee nieuwe assistenten, Train en een jonge dienstplichtige die Crown heette, keken Fife met schuldige gezichten aan, maar zeiden niets. Welsh, de gek, zat natuurlijk achter zijn eigen veldbureau te werken. En terwijl Fife daar stond bleef hij rustig doorwerken. Uiteindelijk keek hij op. Hij wist natuurlijk al dat Fife samen met Storm uit het hospitaal was teruggekeerd, maar hij toonde geen verwondering, geen vreugde; er lag niet eens een vriendelijk glimlachje op het gezicht van die gek.

'Nou, wat wil je, jongen?' vroeg hij plotseling, alsof Fife nooit weg was geweest. En toen lachte hij op zijn krankzinnige, sluwe, sadistische wijze.

'Ik ben terug uit het hospitaal en ik kom me melden,' zei Fife woedend. Maar zijn woede was niets vergeleken bij het gevoel iets te hebben verloren, schrik voor de verdere oorlog, afschuwelijke verlatenheid. Deze compagniestent was zijn toevluchtsoord geweest.

'Oké,' zei Welsh, 'dat heb je dan gedaan.'

'Wat moet Weld daar achter mijn bureau met mijn typemachine?' vroeg Fife.

'Korporáál Weld is nu mijn secretaris op de commandopost. Die twee andere klootzakken zijn z'n hulpjes. Hier, hufter!' blafte Welsh en hij stak Weld een papier toe. 'Breng dat naar MacTae. Naar de foerier!'

'Oké, majoor!' brulde Weld terug. Hij stond op, nam het papier en bolde zijn magere borst. 'Train, hier komen!'

'Ik heb gezegd *wegbrengen*!' schreeuwde Welsh.

'Oké, majoor!' brulde Weld en hij vertrok.

'Wat een klootzak, hè?' zei Welsh lachend tegen Fife.

'Maar je wist toch dat ik uit het hospitaal zou terugkomen!' zei Fife. 'Je wist dat...'

'Hoe kon ik nou verdomme weten dat jij terug zou komen? Ik moet de boel hier laten draaien. Dacht je soms dat we op jou konden wachten? Als jij een beetje lef of wat meer hersens had, dan was je geëvacueerd naar Amerika, met zo'n verwonding. Als ik het was geweest...'

'Welsh, dit kun je me niet aandoen!' schreeuwde Fife. 'Verdomme, dat gaat zomaar niet, je kunt niet zo...'

'O, nee? O, nee?!' brulde Welsh terug. Hij stond op en steunde met zijn knokkels op zijn bureau. 'Nou, kijk maar eens om je heen! Dan zie je dat het al gebeurd is! Terwijl jij in het hospitaal zat te wachten om naar huis te worden gestuurd.' Hij had weer dat verdomde grijnsje op zijn smoel. 'Je kan het mij toch moeilijk kwalijk nemen dat jij niet het lef of niet voldoende hersens hebt om...'

'Ach, barst maar! Maar vertel 's, waarom heb je dan niemand in de keuken in de plaats van Storm benoemd?!'

'Storm had me gevraagd te wachten omdat hij waarschijnlijk zou terugkomen,' zei Welsh uitdagend lachend. Hij ging zitten. Korporaal Weld was weer naar binnen geslopen en zat achter Fifes oude bureau te luisteren.

Het was precies als de honderd andere gevechten met woeste en tierende argumenten die ze in het verleden hadden geleverd, en in de hitte van de strijd vergat Fife even waarom het eigenlijk ging. Maar toen zonk hem het hart in de schoenen omdat hij niet meer Welsh' secretaris was. Ondanks al hun ruzies – die altijd een soort familieruzies waren – had Fife nooit verwacht dat Welsh hem zo smerig zou behandelen en dat hij hem zo in de steek zou laten als het ging om het behoud van zijn functie. Welsh wist heel goed dat Fife zijn baantje ontzettend zou missen. Maar het was nu wel duidelijk wat Welsh had gedaan en even duidelijk dat hij niet van plan was erop terug te komen. 'Welsh, je bent een schoft! Een vuile vieze klootzak,' schold hij.

Gelukkig kwam Brass Band juist op dat ogenblik de tent binnen. Welsh sprong op en schreeuwde zo hard als hij kon: 'Attentie!', terwijl hijzelf, de twee geschrokken secretarissen, Weld en Fife in de houding sprongen.

'Je hoeft niet iedere keer als ik binnenkom attentie te roepen, majoor,' zei Band vriendelijk. 'Dat heb ik je al eerder gezegd. Ah, daar is Fife! Zo zo, dus jij bent weer bij je oude troep. Het doet me genoegen je weer aan boord te hebben. Op de plaats rust! O, wat ik zeggen wou, Fife, heb je mijn helm al gezien?'

Fife kon zijn oren nauwelijks geloven. Hij was inwendig nog bezig Welsh hartgrondig te vervloeken. Band liep naar zijn eigen bureau en haalde de beschadigde helm te voorschijn, waar een Japanner een kogel doorheen had geschoten en hield die Fife voor. Fife luisterde naar hem met toenemende verbazing en verontwaardiging. Hij vond dat hij als gewonde toch recht had op een zekere eerbied, wat respect. Geen van de mannen hier was immers gewond geraakt. En nu stond die imbeciel hem een heel verhaal te vertellen over iets wat hem nog geen seconde pijn had gedaan. Toen Band uitverteld was, was Fife zo woedend dat hij niets durfde te zeggen.

Achter zijn eigen bureau had Welsh diep adem gehaald en toen heel langzaam weer uitgeblazen, om daarna te gaan zitten en zijn werk te hervatten. Hij was blij dat Band binnen was gekomen, want hij had op het punt gestaan zijn zelfbeheersing totaal te verliezen. Hij had er langzamerhand meer dan genoeg van om elke stomme klootzak duidelijk te maken dat hij voor de wereld, de oorlog, de natie, de compagnie niks te betekenen had. Dat de mannen evenveel individualiteit hadden als een biljet van een dollar en ongeveer even onmisbaar waren. Dat ze allemaal dag na dag konden sterven zonder dat het ook maar een grijntje verschil maakte, zolang er nog aanvullingstroepen waren. Wie dacht die verdomde snotaap wel dat hij was? Dacht hij werkelijk dat hij voor de compagnie van belang was? Welsh haalde opnieuw diep adem en had medelijden met zichzelf. Nu was hij kwaad. Die blik van pijnlijke verrassing op het gezicht van die hufter, toen hij de tent binnenkwam en zag dat Weld zijn plaats had ingenomen, had Welsh razend gemaakt. Wat had Fife gedacht dat hij voor hem zou doen? De hufters kregen nu allemaal een lesje en o, wat deed ze dat pijn! Deze week, waarin ze niet aan het front lagen, was daar prima voor. Shorty Tall en zijn briljante ideeën! Net genoeg tijd om flink dronken te worden; tijd genoeg om te kletsen en om na te denken over jezelf en je eigen belachelijke, onmogelijke positie. Tijd zat om te beseffen dat deze oorlog nog maar net was begonnen en te bedenken dat achter elke compagnie ten minste nog tien andere stonden tussen hier en Washington, die allemaal met veel minder gevaar hier naartoe konden worden gebracht om hun riskante werk te doen. Ja, ja, in deze dagen leerden ze iets. Ze kwamen nu dingen te weten die Welsh al die tijd al had geweten. Zelfs Storm had het niet geweten, maar Welsh wel.

Majoor Welsh was uit de heuvels teruggekeerd aan het hoofd van zijn mannen. Die hadden dezelfde gespannen, vermoeide trekken en de al te stralende ogen als iedereen, maar in tegenstelling tot al die anderen was hij triomfantelijk teruggekomen en zonder enig souvenir, behalve dan een stalen minachting voor de souvenirs die anderen meedroegen. Hij voelde zich triomfantelijk omdat alles precies zo was gegaan als hij had voorspeld, zodat het gebeuren hem geen shock en geen trauma had bezorgd. Mannen waren hoofdzakelijk op statistische gronden gedood, zoals hij verwacht had; de soldaten vochten goed of slecht, ongeveer net zoals ze om vrouwen of om bezit zouden hebben gevochten. En ook dat had hij voorzien. Het enige dat hem nog dwarszat, was die stomme idioot van een Tella. Maar over dat incident had hij veel en diep nagedacht en hij was tot het inzicht gekomen dat er ergens in hem een bezwerende, boetedoende, naar zelfvernietiging strevende neiging was verborgen. Die neiging had hem ertoe gebracht naar Tella toe te gaan en zou hem in de toekomst nog wel meer van die stomme dingen laten doen en dat had hij dus maar geaccepteerd. En wat zijn minachting voor souvenirs betrof, hij had nog nooit dergelijke studententrucs nodig gehad om aan een borrel te komen en hij was niet van plan er nu nog mee te beginnen. In de eerste plaats hield hij van gin. Hij kon wel whisky drinken als het moest, maar als er gin was, bleef hij daarbij. Als de bron van zijn gin verplaatst zou worden, nou, dan moest hij een andere vinden – en dat kon ook zonder souvenirs. Hij had snel door de modder van de jungle gemarcheerd onder het felle licht van de zon en had daarbij voortdurend zijn heimelijk lied gezongen: bezit, bezit, bezit. Alles voor het bezit. Achter hem strompelde de compagnie zwaar beladen met uitrustingsstukken; hij was zo ongeveer de enige in de troep die zijn gezond verstand nog had, leek het hem. En op dat moment zat hij er niet eens zo ver naast. Toen ze hier waren gekomen, had hij zich elke dag geschoren; hij zag niets in zo'n stomme baard. Niemand had er iets over durven zeggen omdat hij al jaren een snor droeg. En van nu af aan konden die hufters voor zichzelf zorgen.

Achter zich hoorde hij Fife, met een stem vol woedende ironie, tegen Band zeggen: 'Dat is nou merkwaardig, luitenant! Het spijt me nu dat ik mijn eigen helm niet heb gezien. Ik wil wedden dat die nog lelijker gescheurd was dan de uwe. Ik ben in mijn hoofd geraakt, weet u. Maar ik heb hem helaas niet meer gezien.'

Fifes stem trilde van ingehouden woede en Welsh moest erom lachen. Iedereen in de compagnie had schoon genoeg van Bands verhaal over die rothelm. Maar toen Fife zich omkeerde en steun zocht bij Welsh, waren de ogen van de majoor twee stalen dolken die dwars door hem heen boorden. Welsh had het in de afgelopen dagen al een paar keer aan de stok gehad met die imbeciel van een CC, maar hij wist voor zichzelf te zorgen en dat moest die snotaap ook maar doen. Band had zich voorovergebogen en borg zijn helm weer zorgvuldig op. Hij bewaarde alleen de buitenhelm, want in het kamp droeg hij de ingedeukte binnenhelm waar je de krassen op kon zien. 'Ja, het is jammer dat je die niet hebt bewaard, want dan had je hem net als ik als souvenir mee naar huis kunnen nemen.'

'Ik hield me op dat moment met andere dingen bezig, luitenant,' zei Fife.

Band had zich weer opgericht en glimlachte nog steeds, maar in die glimlach en in zijn ogen lag niet langer dezelfde vriendschappelijkheid. 'Ja, dat zal wel.' Hij wendde zich tot Welsh. 'En, majoor?'

'Niets nieuws te melden, luitenant.' Welsh' eigen ruzies met Band hadden twee dagen geleden tot een uitbarsting geleid, toen Band hem een reprimande had gegeven omdat hij niet het vereiste respect had betoond voor de officieren van de compagnie. Welsh had heel rustig gezegd: 'Luitenant, u kunt mijn strepen en mijn functie krijgen wanneer u maar wilt.' En dat had hij niet zomaar gezegd. Band had gehoord dat hij het meende en had hem met half dichtgeknepen ogen toegevoegd: 'Denk niet, majoor, dat we niet zonder jou kunnen.' En Welsh had geantwoord: 'Luitenant, niemand weet beter dan ik hoe gemakkelijk iedereen in deze compagnie vervangen kan worden.' En dat was het einde geweest. Band had de zaak opgelost door te zeggen dat hij er in het vervolg aan moest denken en had zijn aanbod niet aangenomen.

En nu zei Band: 'Nou, dat is mooi.' Plotseling lag dat vriendschappelijke, enthousiaste lachje weer op zijn gezicht. Hij sloeg zijn handen tegen elkaar en wreef de ene palm over de andere terwijl hij op zijn beste schoolmeestertoontje zei: 'Zo, korporaal Fife, nu moeten we eens zien waar we jou plaatsen, hè?' Hij wachtte niet tot iemand antwoord gaf, maar vervolgde: 'Omdat Weld nu korporaal en secretaris is, kunnen we hem moeilijk degraderen tot soldaat. En we hebben ook geen twee secretarissen nodig. Bovendien is Weld een stuk ouder en in minder goede conditie dan Fife en zeker niet half zo goed geoefend; we kunnen hem niet tot plaatsvervangend commandant van een tirailleurgroep benoemen...'

Alle woede zakte uit Fife weg toen duidelijk werd in welke richting Band dacht en hij bedacht, nu het te laat was, dat hij best iets aardigs had kunnen zeggen over Bands helm. Paniek schoot in hem op toen hij zich de afschuwelijk openliggende helling herinnerde, de mortiergranaten die overal om hem heen ontploften en de dode jongen op de brancard.

'Nou, Fife, wat zou je ervan zeggen als we jou plaatsvervangend commandant maakten van een van onze beste tirailleurgroepen?' vroeg Band vrolijk. 'De groep van sergeant Jenks van het derde peloton heeft geen korporaal.'

Ondanks zijn plotselinge heftige schrik zag Fife, nu Band het zo stelde, geen mogelijkheid om iets anders te zeggen dan dat hem dat best zou aanstaan. Maar voor hij zijn mond kon opendoen, greep Welsh in.

'Luitenant, sergeant Dranno van de administratie heeft me herhaaldelijk gevraagd of we hem geen assistent konden sturen. Hij heeft met al die verliezen heel wat werk en dat zal alleen maar toenemen.' Welsh keek Band aan. 'Fife hier weet meer af van administratief werk dan wie ook in de compagnie, behalve Dranno.'

'Zeker, natuurlijk.' Band keek Fife weer aan met dat nietszeggende lachje. 'Nu kun je zelfs kiezen, Fife. Waar geef je de voorkeur aan?'

'Ik wil graag voor Dranno werken,' zei Fife slapjes.

'Uitstekend,' zei luitenant Band opgewekt. Hij draaide zijn stoel in de richting van Welsh. 'Wanneer vertrekt hij, majoor?'

'Ja, zeg,' zei Welsh, 'vandaag natuurlijk.'

'Je hoort het, korporaal. Oké, je kunt gaan.'

Fife ging weg om zijn spullen te pakken. Spullen? Zijn vreetijzer in de ene zak, zijn extra paar sokken in de andere, zijn nieuwe koppel om en zijn nieuwe geweer oppakken, en klaar is Kees. De fles Australische whisky die hij van de net gepromoveerde sergeant Doll had weten los te peuteren, zou hij in de hand houden. Maar toen werd hij plotseling opstandig. Al zijn woede keerde terug; hij was weer woest op Band, woest op Welsh en woest op de hele wereld. En met die woede voelde hij ook weer die tragische eenzaamheid, het gevoel helemaal alleen en verlaten te zijn dat hij zo sterk had gehad die avond in de wildernis, naast het pad, de avond voordat ze naar het front trokken. Hij was alleen, niemand in de hele wereld kon het een barst schelen of hij leefde of sneuvelde. Dan moest het maar zo zijn, dan zou hij alleen en eenzaam sterven. Hij wist dat dit een onrealistisch gevoel was; hij wist dat hij hier onmiddellijk spijt van zou krijgen; hij was ervan overtuigd dat hij nu zijn eigen doodvonnis ging tekenen. Maar ondanks de vrees die even sterk was als zijn woede en zijn zelfbeklag, dacht hij er niet meer over om terug naar achteren te gaan om voor Dranno te werken. Hij zou die schoften weleens wat laten zien. Hij zou ze allemaal versteld doen staan. Met een vreemde haat jegens alles en iedereen maar bovenal zichzelf, verwierp hij Welsh' verdomde liefdadigheid. Hij pakte zijn spullen weer uit. Had Welsh geprobeerd hem op het compagniesbureau te houden? Had Welsh geprobeerd hem terug te krijgen? Fife ging terug naar de compagniestent en zei dat hij van gedachten was veranderd en van plan was te blijven. Toen Welsh hoorde wat hij zei, werd zijn gezicht zo rood dat het leek alsof het als een granaat uit elkaar zou barsten; hij was één bonk woede, maar hij zei niets waar Band bij was. Band zelf keek Fife even scherp en onderzoekend aan, maar scheen niet bijzonder enthousiast. Toen Fife de tent verliet wist hij dat het te laat was. Hij begaf zich naar Jenks' groep. Zoals hij zelf al had verwacht, kreeg hij meteen spijt van zijn daad. Het enige plezier dat zijn optreden hem had bezorgd was de aanblik van het gezicht van Welsh.

Sergeant Jenks – die eerder als korporaal Jenks op de vuist was gegaan met soldaat eersteklas Doll – was pas sergeant sinds het gevecht in het Japanse bivak waarbij zijn eigen groepscommandant was gedood. Jenks was een donkere, slanke man uit Georgia met een lang bovenlijf en korte benen. Hij zei nooit veel, maar nam zijn rang en zijn beroep heel serieus. Hij verwelkomde Fife met slechts enkele woorden en ging verder met waar hij mee bezig was: een poging om snel dronken te worden. Die nacht bezoop Fife zich temidden van Jenks' groep in plaats van met Storm en de mannen van de staf. Maar hij voelde geen enkele band met zijn nieuwe onderdeel.

Diezelfde nacht kwam soldaat Witt bij hen op bezoek; hij was woedend en volkomen lazarus. Witt, wiens geschutcompagnie in bivak was bij de achterwaartse regimentsstaf, vertelde dat kapitein Johnny Gaff was aanbevolen voor de Medal of Honor en dat men hem naar Esperito Santo had geëvacueerd zodat hij verder geen gevaar zou lopen. Witt zocht natuurlijk zijn oude kameraden uit de 'aanvalsgroep van Gaff' op om samen een borrel te drinken. Het nieuws verspreidde zich als een lopend vuurtje door de C-compagnie en er werd hard om gelachen. Iedereen wist dat Gaff de belofte aan zijn kleine aanvalsgroep – op zijn kosten zoveel drinken als ze wilden – had verbroken. Het gelach had een bitter randje. Witt sprak met dubbele tong over het verraad van Gaff, die lekker gebruik van hen had gemaakt en ze toen als een oud gevechtsjasje in de hoek had gesmeten. Gaff had ze allemaal in hun blote reet laten staan en Witt wilde per se dat iedereen verklaarde dat hij het met hem eens was. Maar de anderen probeerden het weg te lachen, net als de hele compagnie. Gaff was het laatste bittere kruid in de gore soep die de mannen van Charlie nu al de hele week aten. Voor zover Witt en de anderen te weten konden komen, had Gaff Doll ook niet voorgedragen voor het Distinguished Service Cross dat hij hem persoonlijk had beloofd. Sergeant Doll, die zich nu duidelijk herinnerde hoe hij de hele groep het leven had gered door opzettelijk het Japanse vuur op zich te concentreren, wetend dat de richel tien meter verder naar rechts lag, probeerde hierom ook te lachen, maar dat ging hem toch iets moeilijker af dan de anderen. Wat onderscheidingen en medailles betrof, ontdekte men dat tot nu toe niemand van de Charlie-compagnie voor iets was voorgedragen, behalve Gaff.

'Als je hem tenminste kunt meetellen,' zei John Bell, die dronken was, lachend. 'Hij was immers plaatsvervangend bataljonscommandant en heeft nooit deel uitgemaakt van Charlie.' Bell vond de hele zaak zuur, onverteerbaar, en amusant; het koude blikvlees van het weten, je kauwde erop en het werd intens bitter, met die saus van Gaff en zijn medaille eroverheen.

Maar dit was dan ook het enige dat Bell amusant vond. Er was die week één keer post gekomen en Bell had zes brieven tegelijk van zijn vrouw gekregen. Dit was de eerste post die ze ontvingen sinds ze aan boord van het troepenschip waren gegaan en Bell vond zes brieven niet veel. Het was natuurlijk mogelijk dat er een heel stel verdwaald waren of op andere schepen terecht waren gekomen. Bell probeerde tussen de regels door te lezen met in zijn achterhoofd de openbaring die hij had gehad boven de Japanse bunker. Waren deze brieven koeler van toon? Of was dat verbeelding? Zoals altijd wanneer dit soort gevoelens zich van hem meester maakten, trok hij zich terug. Hij pakte zijn whiskyfles bij de hals beet en liep weg van de anderen. Hij ging dronken op de heuvelrug zitten en keek uit over het donker wordende eiland naar zee, waarboven de halve maan was verrezen. De luchtaanvallen waren al achter de rug, maar er brandden geen vuren. Natuurlijk, thuis had je zoveel mogelijkheden... thuis... daar had je liefdespartners – noemden ze dat niet zo op de psychologiecursus die hij aan de universiteit had gevolgd? – ja, zo heette het. Thuis had je veel meer liefdespartners dan hier op dit prachtige godvergeten eiland. Maar hij moest haar vertrouwen. Als hij niet in Marty kon geloven, dan zou hij in niets meer vertrouwen kunnen stellen. Het denken aan haar had een halve erectie opgeroepen, dat voelde hij terwijl hij opstond en naar de anderen terugliep; Witt was nog steeds aan het woord en er werd veel – en verbitterd – gelachen om Gaff.

'Waarom laat jij je niet weer overplaatsen naar de C-compagnie?' vroeg hij Witt plotseling. 'Je weet dat het je hier beter zou bevallen. Maar je moet opschieten, want dat kan alleen morgen en morgennacht nog.'

'Ikke? Ikke niet!' schreeuwde Witt. 'Ik kom vast niet meer in dit bataljon terug zolang Shorty Tall commandant is. Nee, hoor, hoe graag ik het ook zou willen. Als Tall bevorderd wordt of geëvacueerd... maar nu niet. Ik had trouwens allang terug moeten gaan, want hier word ik besmet,' schreeuwde hij en hij kwam zwaaiend overeind. Ze zagen dat hij stomdronken was toen hij met reuzenpassen, een whiskyfles in elke hand, de steile helling afrende. Zijn stem drong steeds zachter, als de fluit van een verdwijnende trein, tot hen door: 'Luchtaanvallen foetsie, kijken naar schade, dan maar eens naar die goeie ouwe geschutcompagnie en...' Hij was al uit het zicht verdwenen, maar zijn stem was nog hoorbaar toen er een klap volgde en een luid: 'Ouooaau!'

Een paar sprongen meteen op en renden hem achterna. Toen ze hem vonden lag hij op zijn zij te lachen als een dwaas.

'Uitgegleden,' zei Witt terwijl hij naar hen omhoogtuurde. Een rots had een flinke snee in zijn wang veroorzaakt en hoewel hij de twee flessen whisky nog steeds stevig vasthield, was nog maar één van de flessen heel. De andere was gebroken en daarvan hield hij alleen nog de hals in zijn vingers.

'Je kunt daar vanavond niet meer naartoe!' schreeuwde Bell. 'Idioot, moet een van die kaffers op wacht je in je kont schieten?'

'Daar zeg je zoiets,' zei Witt. Hij liet zich rustig terugbrengen naar de plek waar de anderen nog zaten. 'Maar die verdomde Shorty Tall kan beter bij me uit de buurt blijven of ik sla hem z'n stomme hersens in!' schreeuwde hij nog en hij trachtte zich los te rukken. Maar daarna werd hij kalm.

De volgende morgen vertrok hij, volkomen rustig, met een pleister op zijn wang, en het was duidelijk dat hij veel liever was gebleven. Maar wat ze ook zeiden, ze slaagden er niet in hem over te halen te blijven en met hen mee te gaan, absoluut niet zolang Tall commandant was. En die nacht – de laatste nacht – werden ze dus dronken zonder Witt.

Er was nog volop whisky en de meeste mannen droegen nu drie veldflessen in plaats van twee: twee met water en één met whisky. De drank die ze niet konden meenemen, lieten ze evenals de onverkochte souvenirs achter bij foerier MacTae en zijn assistent en bij Storm en zijn koks, die zich geen van allen ditmaal als vrijwilliger hadden aangeboden; zij beloofden alles keurig te bewaren tot ze terugkwamen. Het laatste dat Storm van hen zag was de laatste man van het laatste peloton, die net voordat hij over de top van de heuvelrug verdween, zich omkeerde en jammerend schreeuwde: 'Verdomme, pas goed op mijn whisky!'

Tijdens de lange mars naar voren spraken de soldaten Mazzi en

Tills weer geen woord met elkaar. Ze hadden hun Japanse mitrailleur voor een goede prijs verkocht en de opbrengst eerlijk gedeeld, maar toen Tills op een nacht stomdronken was, had hij het verhaal verteld van Mazzi's doodsangst voor de mortiergranaten, die eerste dag, juist nadat Mazzi een heroïsch avontuur had beschreven. Mazzi was woedend weggelopen naar zijn hippe vriendjes uit New York van het eerste peloton, en zei dat hij van Tills alles had gehad wat hij wilde, namelijk de halve opbrengst van de mitrailleur, en dat Tills verder naar de bliksem kon lopen. Later zei hij tegen anderen dat hij erover had gedacht overplaatsing aan te vragen, maar die tirailleursgroepen waren hem te gevaarlijk. Nu marcheerden ze zij aan zij terug naar het front; de een droeg de kolfplaat, de ander de loop. Ze keken strak voor zich uit en zwegen. Beide mannen hadden, net als vele anderen in die week rust, hun eerste ernstige malaria-aanval gehad.

7

Alles zag er anders uit. Achter Heuvel 209 was de rommel opgeruimd en de orde hersteld. Er waren kampen opgericht en het pad voor de jeeps was geëgaliseerd en voor andere voertuigen bruikbaar gemaakt. Tijdens de mars bekeek de Charlie-compagnie alles met belangstelling. Achter Heuvel 209, waar de mannen een week geleden hadden gevochten en doodsangsten uitgestaan tussen de tweede en de derde terreinplooi, stonden nu veldtenten. Op de lage heuvelrug die dwars over het terrein lag, waar Keck zijn drie pelotons was voorgegaan door het gras en zijn fout niet had overleefd, bivakkeerden lachende militairen. Het met struiken begroeide kleine dal, waar het tweede bataljon de eerste dag was verrast en bestookt met zwaar mortiervuur, was nu een druk centrum van de verbindingsdienst. En het nieuwe jeeppad, waar de genie nog aan werkte, liep tussen de links en rechts met gras begroeide heuvelrug door, over de Kegelbaan naar Heuvel 210, de Olifantskop. Terwijl ze het pad volgden in een wolk van stof en snakkend naar adem, maar toch stug doormarcherend omdat er naar hen werd gekeken door troepen die nooit aan het front hadden gestaan, voelden de mannen van Charlie, die vooropgingen, zich trots, omdat zij alle veranderingen die ze opmerkten teweeg hadden gebracht, ook al was het werk door anderen gedaan. Want zij hadden dit gebied veroverd.

Hun triomftocht duurde niet lang. In de schaduw van de hoge junglebomen op de top van Heuvel 210 vond de aflossing plaats. De compagnie die ze aflosten, had hier in de loop van de week zeven man verloren, twee dood, vijf gewond. Maar ze had geen belangrijke gevechten geleverd, zoals dat van De Dansende Olifant, en dat was te zien aan de bewonderende gezichten waarmee deze mannen die van Charlie aanstaarden. De aflossers keken nors terug. Ze hadden van de mannen die ze moesten vervangen al gehoord dat er die middag een patrouille zou worden uitgezonden. De aanval zelf zou de volgende ochtend bij het aanbreken van de dag worden ingezet.

De mars naar het front was heel gezellig geweest, maar ze beseften plotseling dat ze nu weer hier waren, op de plek waar het om te doen was.

Overste Tall was die dag niet aanwezig. Volgens de geruchten zou hij promotie maken, en werd daaraan al gewerkt. Niemand van het bataljon had hem die ochtend, toen de mars begon, gezien en hij had zich ook niet vertoond op de plaats bij de rivier waar de vier compagnieën zich verzamelden. Dankzij een mysterieus procédé, waarvan niemand precies wist hoe het werkte, maar waardoor alle gebeurtenissen in het regiment (en zelfs in de divisie) altijd al uitlekten nog voor ze hadden plaatsgevonden, meende men te weten dat Tall het bevel op zich zou nemen van het gedetacheerde zusterregiment dat in de bergen vocht. De commandant daarvan leed zo ernstig aan malaria dat hij zijn taak niet meer kon vervullen. Toen ze dit bericht hoorden, glimlachten de malarialijders in het bataljon wrang; bij iedere aanval hadden ze zelf veertig graden koorts. Er werd ook gelachen om het idee dat 'Shorty' promotie zou maken dankzij hún prestaties en het bloed dat zíj hadden vergoten; hij was nu een man met een reputatie en daarom mocht hij met de tijdelijke rang van kolonel het bevel voeren over het gedetacheerde regiment en werd de plaatsvervangend commandant daarvan gepasseerd. Geen van de mannen trok het zich erg aan dat hij wegging. Ze wilden liever weten hoe zijn opvolger zou zijn en wie er voor de patrouille van die middag zou worden aangewezen.

Wat die patrouille betrof: er was nog één heuvel, laag en onbegroeid, die zich ongeveer vijfhonderd meter voor het front uit de omliggende jungle verhief. Deze heuvel werd de 'Zeekomkommer' genoemd. Nadat de jeugdige grapjas van de staf erin was geslaagd zijn 'Dansende Olifant'-vondst voor het eerste complex algemeen aanvaard te krijgen, was er onder de jonge officieren die de luchtfoto's bestudeerden een ware epidemie uitgebroken in het verzinnen van namen voor alle nog te veroveren heuvels. Het was een spelletje geworden dat hen geweldig amuseerde. De Zeekomkommer, een brede, lichtgebogen heuvelrug, dankte zijn naam aan de landzijde ervan, die eindigde in een serie ravijnen die enige overeenkomst vertoonden met de voelsprieten op de kop van een zeekomkommer. De heuvel was aan de zeezijde al twee keer verkend door patrouilles van het derde bataljon, waar de toegang minder moeilijkheden bood, maar de verkenners waren in beide gevallen door zwaar mitrailleur- en mortiervuur verdreven. Blijkbaar werd de heuvel krachtig verdedigd. De patrouille van Charlie moest een verkenning aan de landzijde uitvoeren, bij de ravijnen, in de hoop dat men daar door het moeilijker terrein op minder tegenstand zou stuiten. Indien er tijd overbleef, moest de patrouille ook het pad door de jungle wat verbreden met het oog op de massale aanval die de volgende dag zou worden ingezet. Luitenant George C. Band kondigde met zijn vage, altijd enigszins weerzinwekkende glimlach aan dat het eerste peloton van Skinny Culn de patrouille zou uitvoeren.

Strategisch gezien, zei men, was de Zeekomkommer waardeloos, behalve als vooruitgeschoven post, als springplank voor de aanval op het volgende grote massief van Heuvels 250, 251, 252 en 253, dat nu op het planbureau van de divisie bekendstond als de 'Reuzengarnaal'. De divisiecommandant en de bevelvoerende generaal wilden de heuvelrug in handen hebben om zo een volmaakte aanvoerroute naar de Reuzengarnaal te krijgen. Culns patrouille kreeg evenals de vorige een man met een radio mee, die de mortier- en artillerie-afdelingen vuurgegevens zou verstrekken. Ze aten eerst: uit de geopende kisten pakten ze een blik vlees met bonen of hachee of stamppot en gingen daarmee op de helling of op een waterblik zitten. Daarna vulden ze hun veldflessen en vertrokken. Langzaam, met tegenzin, volgden ze de helling van de Olifantsslurf en gingen toen op weg naar hetzelfde junglepad dat ze de vorige week bij de omtrekkende beweging hadden gebruikt. In de diepte verdwenen ze tussen de bladeren.

De rest van de compagnie keek vanaf de top toe.

Al had de C-compagnie gevechtservaring, dit was hun eerste junglepatrouille op vijandelijk gebied. Wat de mannen hadden geleerd over de strijd op onbegroeide heuvels was hier waardeloos. Allen hadden echter genoeg voettochten door het oerwoud gemaakt om te weten wat ze konden verwachten. De jungle had altijd iets beklemmends. Druipende bomen, gekrijs van opgeschrikte vogels, het geluid van hun eigen ademhaling in de groene lucht, het zuigen van de modder onder hun voetstappen, het schemerige licht. Voor hen splitste het pad zich. In hun richting werd het meteen smaller zodat ze achter elkaar moesten lopen. Dat dit pad liep naar de heuvel die de Zeekomkommer werd genoemd was bekend. Ingesloten door wilde bananen en papaja's, door enorme lussen van lianen en planten waarvan de vruchten aan rode, vlezige penissen deden denken, die hun in het gezicht hingen, schoven ze voort over het smalle pad, verraden door vogels, hoewel ze hun best deden zo weinig mogelijk geluid te maken, vechtend tegen een gevoel van claustrofobie. Ze hielden telkens even stil, omdat Culn en de onervaren jonge luitenant hun kompas wilden raadplegen. Een heel eind achter hen, zodat de geluiden niet tot hen doordrongen, deden de twee laatste groepen van het peloton met kapmessen pogingen om het pad te verbreden, wat praktisch geen resultaat opleverde. Vier uur later kwam de patrouille terug met één dode, twee gewonden en gezichten die twintig jaar ouder waren geworden.

De dode was een weinig bekende dienstplichtige die praktisch geen vrienden had gehad, een zekere Griggs. Hij ging voorop (achter de luitenant en Culn), gedragen door vier man, de buik omhoog, armen, benen en hoofd slap afhangend. Hij was door mortierscherven in de borst geraakt. Hij werd op enige afstand van de compagnie op de helling gelegd en iedereen ergerde zich aan zijn aanwezigheid, omdat hij de mannen herinnerde aan wat er met hen had kunnen gebeuren. Van de twee gewonden die hem volgden, had de ene een grote mortierscherf in zijn been, dat gebroken en opengereten was; hij hinkte met de anderen mee, ondersteund door twee mannen, kreunend, zuchtend en soms huilend. Bij de tweede was een stukje van een mortiergranaat in de hals gedrongen en hij droeg een hoge kraag van verband terwijl hij voortstrompelde, leunend op een kameraad. Een paar uitgeruste soldaten namen de gewonden over en brachten hen naar de medische post, terwijl de leden van de patrouille zich trillend van uitputting op de helling lieten vallen. Ze wekten de indruk van mannen die hun dagtaak hebben volbracht en nu voelden dat ze recht hadden op rust, maar zich ergerden omdat ze onvoldoende werden betaald voor het soort werk dat ze deden en niet de hoop hadden dat hierin ooit verbetering zou komen. Culn en de luitenant waren de enigen die niet gingen zitten; na te hebben gecontroleerd of alle mannen er waren, haalden ze Band op en gingen met hem naar de bataljonsstaf om rapport uit te brengen.

De luitenant was liever eerst wat gaan rusten. Maar hij vond dat hij dit niet kon doen als Culn het ook niet deed. Telkens wierp hij een zijdelingse blik op Culn. Van alle patrouilleleden was Culn de enige die zichzelf was gebleven die middag en dat betekende in Culns geval dat hij zijn zonnige, tevreden, glimlachende humeur had bewaard. De luitenant, die Payne heette en wiens gezicht nog bleek en strak was, zou dit met Culns gevechtservaring hebben verklaard, als hij niet had opgemerkt dat alle anderen meer reageerden zoals hij dan als Culn. Nu, terwijl ze voortstapten over de helling, floot Culn een opgewekt melodietje waarvan Payne meende dat hij het eerder had gehoord en dat het 'San Antonio Rose' heette. Eenmaal hield Culn lang genoeg op met fluiten om Payne aan te kijken en hem met een stralende glimlach een knipoog te geven. Ten slotte hield Payne het niet meer uit.

'Sergeant, zou je alsjeblieft willen ophouden met dat vervloekte gefluit?' snauwde hij, veel norser dan hij van plan was geweest.

'Zeker, luitenant,' zei Culn vriendelijk. 'Zoals u wilt.'

En hij hield op. Maar hij bleef de melodie in zichzelf neuriën. Het lag helemaal niet in zijn bedoeling luitenant Payne te plagen; hij had alleen gefloten omdat hij tevreden was. Skinny Culn was een gezellige, vlotte, optimistische jongen, iemand van leven en laten leven, maar hij was tegelijkertijd een voorzichtige, bekwame beroepsmilitair met al negen dienstjaren. Zo had hij zich ook gedragen terwijl hij als patrouilleleider optrad, en hij was vriendelijk geweest voor de nieuwe luitenant die eerlijk gezegd evenveel verstand had van dit soort patrouilles als hijzelf: geen. Culn had vier jaar gewacht, toen bijgetekend en zich laten overplaatsen om de leiding over dit peloton te krijgen – zoals zijn voorganger, de nu gesneuvelde Grove, met wie hij vaak een borrel had gedronken, ook had bijgetekend om het peloton te behouden en Culn toen zijn kans had gemist. Maar zoiets moest je sportief opvatten. Dankzij de oorlog en Groves dood had Culn het peloton toch gekregen. Omdat hij een brave katholieke Ier was, al deed hij niet veel aan de godsdienst, had Skinny zonder wroeging of schuldgevoel de benoeming aanvaard; hij zag het als een soort persoonlijke verantwoording die Grove hem vanuit het graf had overhandigd. Hij zou wel zorgen dat hij het peloton niet verspeelde, noch door zijn mannen kapot te laten schieten, noch door zelf roekeloos op te treden en op grond daarvan te worden ontheven van zijn functie, noch door met de officier die er het bevel over voerde ruzie te krijgen. De reden van zijn opgewektheid was dat hij nog leefde en niet gewond was, met het vooruitzicht van een weinig inspannende, ongevaarlijke middag en een avond van nietsdoen en grappen maken over morgen, wellicht onder het genot van een paar borrels. Het was heel goed mogelijk dat Brass Band beiden een stevige slok zou aanbieden als ze rapport bij hem kwamen uitbrengen. Culn had opgemerkt dat Band een ruime voorraad drank had verzameld, wat ook gemakkelijk was geweest, want hij had door een van zijn mensen zijn dekenrol naar het front laten brengen. Onder het lopen begon Culn bijna weer te fluiten maar hij wist zich nog net te bedwingen. Ze liepen verder.

'Voelde jij nu helemaal niets toen we daarginds waren?' vroeg Payne ten slotte met luide stem en hij wierp een snelle, zijdelingse blik op Culn voor hij weer recht voor zich uit staarde.

'Voelen?' zei Skinny. 'Och jawel, ik was wel bang. Eén keer, tenminste. Toen we dat gedonder hadden met die mortieren.' Hij glimlachte Payne opgewekt toe, alsof hij wel wist wat Payne scheelde, en Payne ergerde zich.

'Nou, je zag er niet naar uit, sergeant,' zei Payne.

'Ach, u kent me nog niet, luitenant.' Culn lachte breed. Maar hij werd plotseling nijdig. Hij vond dat Payne niet het recht had hem zoiets te vragen. Zijn gevoelens waren zijn eigen zaak en daarover wenste hij zich niet uit te laten. Hij was geen radertje in een machinerie, al verbeeldde Payne zich dat misschien.

'Maar toen die jongens werden getroffen!' zei Payne. 'En nog wel dodelijk. En ze waren van jouw peloton!' Hij was minder bleek nu hij de dode en de gewonden niet meer zag, maar zijn gezicht stond nog strak.

Culn glimlachte voorzichtig. Payne praatte erover alsof hij de mannen van dit peloton al jarenlang kende. 'Luitenant, we hebben het er volgens mij aardig afgebracht. En eigenlijk hebben we nog geluk gehad met die tussen de bomen exploderende granaten,' zei hij vrolijk. 'Het had veel erger kunnen zijn, snapt u? En wat voelen betreft,' vervolgde hij vriendelijk, 'kijk eens, het leger betaalt mij niet om te voelen. Als ik een extra toelage kreeg voor voelen, zoals vliegers voor hun vlieguren, dan was het wat anders. Maar nu ben ik niet verplicht wat te voelen. Daarom voel ik maar zo min mogelijk. Morgen krijgen we pas een echt zware dag, luitenant. Wist u dat al?'

Payne antwoordde niet. Zijn gezicht stond strakker dan ooit en Skinny vroeg zich bezorgd af of hij te ver was gegaan. Nerveus – waarom zou hij de man tot zijn vijand maken? – grinnikte hij om zijn woorden te verzachten en knipoogde nog eens glimlachend tegen Payne. Hij voelde zich dankbaar toen hij zag dat Brass Band zijn CP had verlaten en een eindje de heuvel op was gelopen om hun tegemoet te komen. Payne zag het ook en deed z'n best zijn gezicht een andere uitdrukking te geven. De CP was opgericht in een van de Japanse takkenhutten in de schaduw van de hoge bomen even beneden de top. Band stond nu voor de post en glimlachte trots.

Hij bood inderdaad een borrel aan en verzekerde hen ervan dat ze gerust een stevige mochten nemen. Ze dronken zomaar uit de mooie verleidelijke fles met het White Horse etiket. En daarna nam Band er zelf een. George Band vond dat er geen enkele reden was om zich kleine luxes te ontzeggen, als hij ze zonder al te veel inspanning kon bemachtigen, vooral nu hij compagniescommandant was. Jim Stein, die met de dag een vagere figuur werd, zou dit heel immoreel hebben gevonden. Maar Band dacht er anders over. Hij had zijn nieuwe secretaris, korporaal Weld, en diens assistent Train opdracht gegeven samen zijn dekenrol te dragen, waarin hij zes flessen prima whisky had verpakt. Bovendien waren zijn waterflessen ook gevuld met sterkedrank. Het was nu toevallig zo gelopen dat ze morgen verder zouden trekken, zodat hij zijn dekenrol en zijn whisky moest achterlaten voor zijn opvolger, maar ze hadden hier ook nog een week kunnen liggen voor de nieuwe aanval begon. In ieder geval had hij er een nacht lekker op geslapen en zoveel inspanning had het zijn twee administratieve krachten niet gekost. Als majoor Welsh ze voortdurend als zijn privé-slaven gebruikte, dan kon de compagniescommandant dat ook wel een keer doen. Evenals zijn manschappen had Band sinds het begin van de rustweek meer gedronken dan vroeger. Hij nam nog een slok voor hij de fles wegzette en zijn aandacht richtte op zijn nieuwe luitenant, Payne.

Hij staarde naar Paynes bleke, strakke gezicht terwijl de twee mannen rapport uitbrachten, en concludeerde eruit dat ze het morgen misschien wel zouden redden. Toen ze klaar waren, zei hij: 'Kom, dan gaan we maar eens naar de CP van het bataljon om daar verslag te doen. De nieuwe commandant zal er al wel zijn, vermoed ik.' Band dacht bij zichzelf dat die nieuwe commandant hun misschien wel alle drie een borrel zou aanbieden en Culn dacht hetzelfde. 'Weten jullie zeker dat al het mogelijke is gedaan voor de gewonden?' besloot Band braaf. Beide mannen knikten.

In werkelijkheid kon er niet veel voor hen worden gedaan en dat wist iedereen. Zij hadden de grens naar dat Andere Rijk overschreden. Ze hadden hun sulfapillen ingenomen. De hospik die met de patrouille was meegegaan, had ze allebei een morfine-injectie gegeven. De soldaten die hen naar de medische post brachten, hadden niets voor hen kunnen doen behalve water en een slok whisky geven. De man met het gewonde been kreunde en huilde en klaagde telkens met een hoge kinderstem: 'Verdomme, het doet zo'n pijn! Het doet zo'n pijn!' Er liep een hele groep mannen met hen mee, veel meer dan er nodig waren, alsof ze meenden dat hun aantal de gewonden kracht kon geven, terwijl ze tegelijkertijd hun eigen nieuwsgierigheid wilden bevredigen. Bovendien betekende het voor hen een verzetje na het eentonige wacht houden in de schuttersputten langs de linie. De groep bleef bij de medische hulppost staan wachten, terwijl de artsen de gewonden onderzochten en hen snel doorzonden met een voor brancards ingerichte jeep. Geen van beiden zou ooit terugkomen en de soldaten waren algemeen van mening dat ze allebei verdomde mazzel hadden. De man met de beenwond gilde van de pijn toen de arts het verband eraf haalde. Hij heette Wills. De andere man had een beschadigd strottenhoofd en kon geen woord uitbrengen. Het minuscule scherfje van de mortiergranaat was helemaal door zijn hals gedrongen en er aan de voorkant uitgekomen, zonder belangrijke zenuwen of bloedvaten te raken. Toen ze eenmaal weg waren, na vanaf de jeep zwakjes te hebben gewuifd, had het geen zin nog langer te blijven en liepen de mannen terug naar de linie. Korporaal Fife, die pas bij het derde peloton was gekomen, was erbij en ook sergeant Doll.

Fife had geen hand uitgestoken om de gewonden te helpen; hij was op afstand gebleven omdat hij ze zelfs niet wilde aanraken. Maar hij was niet bestand geweest tegen de verleiding om mee te lopen en tussen de hoofden van de mannen die hen omringden door naar ze te kijken, omdat er voor hem een obscene bekoring van hen uitging. Hij herinnerde zich nog in detail hoe hij zelf was teruggegaan naar de medische hulppost, de gedachte eraan obsedeerde hem, evenals het idee dat hij ieder ogenblik weer kon worden geraakt en ditmaal dodelijk. De jeeprit naar het strand kon hij evenmin vergeten: hij met het bebloede verband om zijn hoofd, zich voortdurend bewust van het feit dat zijn wond, hoe indrukwekkend die er ook uitzag, niet zo ernstig was als hij had gehoopt. Fife kreeg nog geregeld een nachtmerrie over die tocht, waaruit hij soms gillend wakker werd en soms niet, maar waarin het kille zweet zijn lichaam altijd bedekte en hij leed onder een panische angst omdat hij nergens een uitweg vond. Hij wilde vluchten, maar werd overal tegengehouden: door vaderlandslievende artsen; door infanterie-oversten met lange gezichten en kortgeknipt haar, die van hem eisten dat hij bereid zou zijn voor z'n vaderland te sterven; door zelfverzekerde personeelsofficieren die alleen belangstelling hadden voor andere officieren; door de regering van zijn land, vertegenwoordigd door gezichtloze, naamloze mannen; door Stein met zijn steeds melancholieker gezicht; door de gestoorde majoor Welsh, die maar één verlangen had, namelijk hem uitlachen. In zijn droom zaten ze allemaal krijsend en beschuldigend om hem heen, vast overtuigd dat hij zich een lafaard zou tonen. Zelfs toen hij weg was uit het hospitaal en zichzelf tijdens de rustweek in slaap had gedronken, bleef die nachtmerrie of een variatie erop hem achtervolgen. Soms zag hij bommenwerpers en exotische gezichten, die door geopende bomluiken grijnzend op hem neerkeken terwijl ze hun lading op hem uitwierpen. Ze hadden hem gedwongen dapper te zijn en hem gedood. Wat hij ook deed, het zou altijd misgaan. Natuurlijk was hij geschokt toen hij zag hoe de gewonden werden verzorgd en weggebracht. Maar níet toekijken was onmogelijk voor hem geweest. Het ergste was nog dat het toeval zo'n belangrijke rol speelde. De bekwaamste, voorzichtigste soldaat kon niets doen om zichzelf te beschermen tegen het lot. Terwijl hij terugliep over de helling voelde Fife zich zo bedreigd dat hij er met geen woord over durfde te praten. Met niemand. En natuurlijk moest de pas gepromoveerde sergeant Doll juist dat moment kiezen om naar hem toe te komen en hem aan te spreken.

Doll meende dat hij de gekwelde uitdrukking op Fifes gezicht juist had geïnterpreteerd en dat was de reden dat hij naar hem toeging.

Sinds hij het tot sergeant had gebracht, was er een nieuw vaderlijk gevoel in Doll opgebloeid; hij voelde zich verantwoordelijk voor de anderen. Dit gold in de eerste plaats voor de soldaten van zijn eigen groep, maar het strekte zich onder bepaalde omstandigheden uit tot iedere man in de compagnie met een rang beneden de zijne. Voordat hij promotie had gemaakt, was Doll er zich nooit van bewust geweest hoe heerlijk het was om andere mensen te helpen, wat een prettig gevoel je dat gaf. Als sergeants hem indertijd met iets wilden helpen, had hij de pest aan ze gehad en zich afgevraagd wat ze zich wel verbeeldden. Maar nu begreep hij het. Fife was de enige die gewond was geraakt en toch bij de compagnie was teruggekeerd, behalve Storm, maar die werkte in de keuken en vocht niet meer mee. Doll meende dat hij begreep wat een schok het moest zijn als je werd geraakt en ontdekte dat je niet onkwetsbaar was. Die jongen moest zijn zelfvertrouwen terugkrijgen en Doll dacht dat hij hem daarmee wel kon helpen. Hij had verdomme zelfvertrouwen genoeg tegenwoordig. Dat kwam omdat hij nooit dacht aan de mogelijkheid van gewond raken of sneuvelen. Neem nou de dag van morgen: dan zouden ze om deze tijd tot aan hun nek in de ellende zitten, maar tobde hij daarover? Wat had dat voor zin?

Toen Doll sergeant werd, had hij verzocht om overplaatsing naar het tweede peloton omdat hij liever het bevel wilde voeren over een groep daarvan. De commandant van zijn eigen groep, sergeant Field, was pelotonssergeant van het derde geworden, zodat hij hem had kunnen opvolgen, maar Doll had uitdrukkelijk om een andere groep gevraagd. Hij had Band uitgelegd dat het geen goede indruk zou maken als hij van soldaat eersteklas groepscommandant werd, terwijl de korporaal van de groep die recht had op de vrijgekomen functie, werd gepasseerd. Hij had eraan toegevoegd dat hij het liefst naar het tweede peloton wilde, omdat alle leden van de aanvalspatrouille op Heuvel 210, met uitzondering van Witt, nu sergeant waren. Het klonk allemaal heel overtuigend en Band had hem zijn zin gegeven. Maar de werkelijke reden dat Doll niet het bevel had willen voeren over zijn oude groep was dat hij vreesde daar niet serieus te worden genomen en misschien zelfs te worden uitgelachen. Dat leek hem nu dwaas. Maar hij had nu dan ook heel wat meer zelfvertrouwen dan een week geleden.

Hij had moeilijke ogenblikken gekend toen hij nog onwennig tegenover zijn nieuwe functie stond. Zo was er bijvoorbeeld de ochtend tijdens de rustweek geweest, toen hij het peloton het appel had moeten afnemen en het hem maar niet gelukt was de mannen behoorlijk op een rij te krijgen. Doll had hen vermaand, had staan vloeken en tieren, maar hoewel de soldaten schuifelden en elkaar aankeken, was het resultaat bedroevend gebleven. Hij had steeds harder geschreeuwd zonder dat het iets hielp, tot uiteindelijk een man die al jaren groepscommandant was – en het nooit verder zou brengen – een stap naar voren had gedaan en 'geef acht!' had geroepen. Daarna had hij het bevel 'naar rechts richten!' gegeven en seconden later stonden de mannen goed, terwijl het hele peloton grijnsde en Doll met opengezakte mond toekeek. Meelachen en doen alsof je het allemaal heel vermakelijk vond was de enige oplossing geweest en dat had Doll dan ook gedaan. Maar uren later gloeiden zijn oren nog als hij aan dat moment terugdacht. Maar er waren niet veel van dat soort incidenten geweest en de heldenmoed waarvan hij als lid van de aanvalspatrouille blijk had gegeven had zijn prestige vergroot. Daarmee dwong hij bewondering af. En hij had meer gedaan: hij schoof onaangename karweitjes niet af op anderen maar pakte ze zelf aan. Het was verrassend hoe het gevoel dat hij zijn mannen moest beschermen was gegroeid naarmate ze hem meer als hun leider gingen zien. En nu, terwijl ze samen terugliepen naar hun stelling op de heuveltop, kreeg hij diezelfde overweldigende neiging tegenover de arme Fife. Ze hadden vroeger, voor ze hier kwamen, veel samen gepraat, als ze voor de mess of voor het compagniesbureau stonden. Met een brede, vriendelijke glimlach op zijn gezicht opende hij het gesprek.

'Vervelend voor die jongens, hè, Fife? Ze gaan een verdomd beroerde tijd tegemoet.'

'Ja,' zei Fife timide. Hij zag geen enkel verband tussen deze heldhaftige figuur en de Doll die hij in vredestijd had gekend. De man kon dan een sufferd zijn, maar hij had al die dingen toch maar gedaan. En daarom kwam hij Fife zo vreemd voor, alsof hij Doll nooit eerder had gekend, alsof hij van een andere planeet kwam.

'Ik weet eigenlijk niet wie er het ergst aan toe was,' zei Doll. 'Die beenwond was op het moment waarschijnlijk pijnlijker. Maar met zoiets aan je keel kun je allerlei complicaties krijgen. Nou ja, ze gaan hier tenminste weg.'

'Tja,' zei Fife somber. 'Maar misschien sterven ze aan bloedvergiftiging. Of komen ze om bij een luchtaanval voor ze worden doorgezonden.'

'Zeg! Jij ziet het allemaal wel heel somber. Maar ja, de mogelijkheid bestaat natuurlijk.' Doll zweeg even. 'Hoe vergaat het je in de groep van Jenks, Fife?' Beiden herinnerden zich de monumentale vechtpartij die Doll eens met Jenks had gehad.

'Best,' zei Fife voorzichtig.

Doll trok zijn ene wenkbrauw op. 'Je maakt niet de indruk dat je het naar je zin hebt.'

'Gezien de omstandigheden gaat het prima.'

'Die Jenks is wel een ongevoelige hond. Tenminste, dat is altijd mijn indruk geweest,' zei Doll grijnzend. 'Geen begripvol iemand.'

'Hij is niet slecht als groepscommandant,' zei Fife voorzichtig. Hij hoopte maar dat Doll weg zou gaan en hem met rust zou laten.

'Je hebt het dus wel naar je zin in zijn groep?'

'Het zou weinig verschil maken als ik het niet naar mijn zin had.'

'Nou ja, weet je,' vervolgde Doll, 'ik heb nog geen korporaal in mijn groep. Een soldaat eersteklas is tijdelijk korporaal. Band heeft hem om een of andere reden geen promotie laten maken. Misschien mag hij hem niet. Hoe dan ook, als jij het niet naar je zin hebt bij Jenks, zou ik Band kunnen vragen je bij mij in te delen. We zijn zo langzamerhand wel veteranen geworden – geen groentjes meer – en ik kan je in het begin wel een beetje helpen en wegwijs maken. Die Welsh heeft een vuile streek met je uitgehaald.' Hij kreeg plotseling de neiging zijn arm om Fifes schouders te slaan maar deed het niet. 'Al kon hij het waarschijnlijk niet helpen, omdat hij niet wist dat je terug zou komen.'

Voor het eerst kregen Fifes ogen een wat levendiger uitdrukking. 'Zou je dat kunnen doen?' vroeg hij. 'Wil je dat doen?'

'Natuurlijk,' zei Doll. Hij was enigszins verrast door de onverwachte wending die het gesprek had genomen. Maar hij kon het doen. En hij was nu ook vast van plan het te doen. 'Wil je dat graag?'

'Ja,' zei Fife schor en zijn ingevallen ogen straalden opeens in zijn verdrietige gezicht. 'Ja, heel graag.'

'Oké. Ik ga wel even naar hem toe en...' Doll aarzelde. Hij wilde zeggen: 'en dan kom ik je straks wel vertellen wat hij zegt,' maar dat klonk te onzeker, alsof hij er Band om zou moeten vrágen. Daarom zei hij: '... en dan kom ik je straks wel halen.' Hij sloeg Fife op de schouder.

Ze stonden nu boven op de helling, waar de rest van de compagnie – in de schuttersputten en daarbuiten – wilde weten hoe het op de bataljonshulppost was gegaan. Fife keek Doll na die in de richting van de CP liep en ging toen naar het derde peloton en zijn eigen groep waarvan hij, zoals hij zichzelf voorhield, nog altijd plaatsvervangend groepscommandant was. Een nieuw maar al diepgeworteld cynisme maakte zich van hem meester en zei hem dat hij er maar niet te vast op moest rekenen. Maar hij verdrong het gevoel, althans gedeeltelijk. Het zou geweldig zijn om iemand te hebben die aan hem dacht en voor hem zorgde, iemand in wie hij een vriend kon zien. Door zo iemand zou hij zich met genoegen laten commanderen. En Doll had tenslotte al die heldhaftige dingen gedaan. Hij had ervaring met gevechten van man tegen man en hij zou Fife heel wat kunnen leren. Maar wat nog belangrijker was, hij zou iemand hebben op wie hij kon rekenen, iemand die zijn mentor en zijn beschermer zou zijn en tegelijk zijn vriend. Fife vroeg zich plotseling af wat Doll ervan zou denken als die wist wat hij en de kleine Bead samen hadden gedaan. Hij huiverde bij de gedachte. Daarover zou hij nooit met iemand spreken. Met niemand op de hele wereld. Zelfs niet met zijn vrouw, als hij ooit trouwde.

Het begon donker te worden. Fife zat nog altijd op de rand van zijn schuttersput te wachten tot Doll hem zou komen halen. Natuurlijk sprak hij er met niemand over. Hij had een bijgelovig gevoel dat hij daarmee zijn kans zou verspelen en bovendien zou het gênant zijn als het toch niet doorging. Een eindje verderop zat de zwijgzame in zichzelf gekeerde Jenks ijverig en met een uitdrukkingsloos gezicht zijn geweer te poetsen. Fife bleef zitten. Toen de schemering plaats had gemaakt voor volledige duisternis, waarin slechts de tropische sterren wat licht verspreidden, wist hij dat Doll niet meer zou komen. Niemand mocht na het donker zijn schuttersput verlaten. Het nieuwe, diepgewortelde cynisme deed hem wrang glimlachen. Waarom ging het niet door? Misschien had Band nee gezegd. Misschien was Doll niet eens naar Band toegegaan.

Fife strekte zich uit op de modderige bodem van zijn schuttersput. In zekere zin kon hij blij zijn. Het tweede peloton kreeg de zwaarste opdrachten, omdat het zo goed was. Het zou morgen bij de aanval voorop gaan. Wilde hij daarbij zijn? Hij had alleen geen waardering voor Jenks. Die nacht sliep hij weinig. Toen hij eenmaal was ingedommeld schrok hij wakker met een angstgil die hij nog voor hij helemaal ontwaakt was, al automatisch bedwong.

Fife was niet de enige die slecht sliep. Overal langs de linie lagen mannen met hetzelfde weeë gevoel in hun maag, hetzelfde nerveuze tintelen van hun testikels. De tijd verstreek met gedempte gesprekken tussen de mannen in de schuttersputten. Achter hun gebogen hand rookten ze sigaretten. Ze wisten dat het altijd zo ging in de nacht voor een aanval. Skinny Culn had de verleiding niet kunnen weerstaan om de anderen te vertellen van zijn ruzietje met de nieuwe luitenant Payne en dit was een van de populairste gespreksonderwerpen. Skinny's door hemzelf geciteerde opmerking dat hij niet extra werd betaald om te voelen, zoals vliegers voor het aantal vlieguren dat ze maakten, ging van de ene schuttersput naar de andere en werd overal met een waarderend gesnuif ontvangen tot de hele

C-compagnie ervan op de hoogte was. Iedereen zag er een goede filosofie in voor het leven dat ze hier leidden en alle mannen besloten onmiddellijk zich ernaar te richten. Skinny's andere uitspraak – 'ik ben geen radertje in een machinerie, wat ze ook mogen beweren' – werd ook gewaardeerd. Dit was een gedachte geweest, geen opmerking tegen Payne, maar er werd in geformuleerd wat ze allemaal sterk voelden, een geloof waaraan ze zich vastklampten. Ze namen de woorden in zich op, ze pasten ze toe op hun eigen persoonlijke situatie en ze geloofden erin. Zij waren geen radertjes in een machinerie, wat wie dan ook beweerde. Slechts één man dacht er dieper over na, zij het niet zo erg diep, want hij had zijn eigen problemen.

Sergeant John Bell had weer een ernstige malaria-aanval en zou ook een nachtmerrie krijgen; niet een die telkens terugkeerde, zoals die van Fife. Bell had dit nooit eerder gedroomd. En toen hij wakker was hoopte hij dat de droom zich ook nooit zou herhalen. Kort voor de duisternis inviel, had hij weer last gekregen van zijn malaria. Ongeveer een uur was het wel uit te houden geweest. Maar toen koude rillingen en benauwdheid elkaar met de regelmaat van de klok afwisselden en steeds toenamen in hevigheid, was hij gaan piekeren over zijn vrouw en haar minnaar. En hij begon zich af te vragen wat voor man het zou zijn. Hij was er zeker van dat ze een minnaar had, sinds de dag dat ze boven de richel in de laagte hadden gelegen om de Japanse bunker te besluipen. Niets in het bundeltje hartelijke, liefdevolle brieven dat hem tijdens de rustweek had bereikt, kon hem op andere gedachten brengen. Zeker, het waren lieve brieven. Maar zijn honger naar seksuele bevrediging, die hem tussen de regels door deed speuren naar een soortgelijke honger bij haar, was niet gevoed.

Wat voor man? Een burger? Zou ze naar bed gaan met een stadgenoot die ook hij z'n hele leven had gekend? Of met een militair? Vlak buiten Dayton waren twee vliegbases, Wright en Patterson. Een officier? Iemand met een lagere rang? Het moest in Dayton wemelen van naar een vrouw snakkende mannen. Het zou wel een gevoelig type zijn, iemand die met haar meevoelde als ze wroeging had om wat ze John aandeed. Even later weergalmde het woord J-o-h-n door lange, hoge gangen zonder plafond en toen bevond hij zich in de verloskamer van een ziekenhuis. Hoe hij wist dat het een verloskamer was, had hij niet kunnen zeggen. Van de film misschien. Hij herkende allerlei voorwerpen en droeg een witte jas, een wit mutsje en een masker van gaas. Daarna werd Marty binnengereden. 'Je moet persen,' zei de dokter met vriendelijke, toegeeflijke stem, alsof hij tegen een kind sprak. 'Ik pers al!' riep Marty als een dapper kind.

'Ik pers! Ik doe mijn best!' En dat deed ze ook. Bell hield van haar. 'Maar alleen als je een wee hebt,' zei de dokter glimlachend. Hij leek zich te vervelen. Nu wendde hij zich tot Bell, zijn handen in rubber handschoenen opgeheven ter hoogte van zijn gezicht, de vingers gespreid. Hij sprak door het masker. 'We zullen haar onder narcose brengen. Het gaat niet zo vlot en ik moet het kind halen.' Bell zag hem glimlachen achter het gaas. 'U hoeft zich nergens zorgen over te maken.' Hij keek weer naar de tafel waarop ze lag, met haar benen in de beugels, haar armen afhangend. De narcotiseur boog zich over haar heen. Bell zat op een kruk, zowat een meter achter de dokter die zelf ook op een kruk zat. Vreemd genoeg werd minstens de helft van zijn aandacht vastgehouden door zijn voornemen de dokter te laten zien wat hij waard was, dat hij geen vent was die flauwviel. Verder wist hij dat hij droomde.

Het hoofdje kwam eerst, met het gezichtje naar beneden. Handig keerde de dokter het om en veegde de neusgaten schoon. Toen de baby er tot z'n middel uit was, begon hij met een zwak stemmetje te schreeuwen. De dokter veegde hem nog wat schoon en op dat moment besefte Bell dat het kind zwart was. Gitzwart. De dokter ging tevreden verder met zijn werk, hij verloste de heupen met een soepele beweging. De jonge verpleegster met de paardenstaart glimlachte over het jonge leven en Bell zat roerloos van ontzetting, verlegen, ongelovig en vreemd berustend toe te kijken hoe de gitzwarte baby kronkelend helemaal te voorschijn kwam uit het prachtige, prachtig blank geschoren onderlijf van zijn vrouw.

Het contrast in huidskleur had iets weelderigs, vreemd bevredigends; er ging een onverklaarbare sensuele bekoring van uit. En tegelijkertijd deed het Bell meer pijn dan hij ooit van zijn leven had gevoeld.

Nu is de droom voorbij, dacht hij, nu is hij over en dan zullen ik en mijn andere ik allebei wakker worden. Maar de droom hield niet op. Hij moest blijven kijken, terwijl hij voortdurend vergeefs probeerde om te ontwaken. Hoe moest hij reageren? Bell keek neer op de baby, die nog zwakke pogingen deed zich te verzetten tegen een eigen leven op een kille wereld. Toen hij weer opkeek, zag hij dat de verpleegster en de dokter hem allebei vol verwachting toelachten. Marty was nog niet bij; ze lag bewusteloos op de tafel. Ze kon het dus nog niet weten. Had ze het vermoed? De dokter boog zich weer over haar heen en maakte zijn werk af. De verpleegster lachte Bell nog toe. De narcotiseur glimlachte ook, van achter zijn flessen en apparatuur. Een nieuw leven was ontstaan. Wat moest hij doen, wat moest hij zeggen? Hadden ze dan geen van allen opgemerkt dat de baby zwart was? Of kon het ze niet schelen? Moest hij doen alsof er niets aan de hand was? Het ergste was nog dat hij seksueel opgewonden was, hij voelde zich geil. En dodelijk verlegen. Maar toen hij weer naar de tafel keek, zag hij dat het kind niet zwart was; het was duidelijk een kleine Japanner, want het droeg een kwartiermutsje van het keizerlijke leger met een minuscule ijzeren ster erop.

Bell schrok wakker met een luide kreet, die hij nog niet had leren smoren, zoals Fife, omdat hij niet gewend was aan nachtmerries.

'Ik zie niks! Ik zie niks!' riep de man die in de schuttersput naast Bell de wacht hield in paniek uit. 'Ik zie niks!'

'Niet schieten!' riep Beck, van wat verder weg. 'In godsnaam niet schieten! Wacht! Laat niemand vuren!'

'Ik was het,' stamelde Bell en zijn oren gloeiden van schaamte. Hij baadde in ijskoud zweet en had nu hoge koorts. Even later wreef hij met zijn hand over zijn gezicht. 'Ik had een nachtmerrie.'

'Jezus christus, man, probeer dan je mond erbij dicht te houden,' riep de wacht. 'Ik ben me rot geschrokken.'

Bell mompelde iets onverstaanbaars, hij kroop nog wat meer weg in het glibberige gat en probeerde te kalmeren. Al zijn botten deden afzonderlijk afschuwelijk pijn. Zijn hoofd gloeide alsof het bloed dat erdoor stroomde ieder moment kon gaan koken. Zijn handen waren zo slap dat hij ze niet tot vuisten had kunnen ballen, ook als zijn leven ervan af had gehangen, en lichtende, gloeiend hete geometrische figuren dansten voor z'n ogen. Dat kwam natuurlijk van de koorts. Maar hij voelde ook nog het afgrijzen dat zijn droom had gewekt. Zwakjes, want zijn verhitte brein was nauwelijks tot denken in staat, probeerde Bell de droom te analyseren. Waarom hij van een Japanse baby had gedroomd was duidelijk. Maar waarom van een zwart kind? Marty en hij waren beiden niet bevooroordeeld jegens rassen, ze moesten niets hebben van discriminatie.

Bell doorzocht zijn koortsige hersens en herinnerde zich opeens iets wat Marty eens tegen hem had gezegd, nog voor ze getrouwd waren. Ze liepen over de campus van de Columbia Universiteit na een afspraakje in de flat van getrouwde kennissen, die hen er 's middags weleens gebruik van lieten maken zodat ze samen naar bed konden gaan. Het was begin herfst. De bladeren kleurden al en begonnen te vallen. Ze liepen hand in hand. Marty had hem juist aangekeken, een kokette blik in haar ogen, een blosje op haar wangen, en had geheel onverwacht gezegd: 'Ik zou dolgraag een zwarte baby willen hebben. Eén. Later.' Haar opmerking had Bell zeer aangegrepen. Intuïtief had hij precies geweten wat ze ermee bedoelde en waarom ze dit had gezegd, hoewel hij het evenmin onder woorden had kunnen brengen als zij. Het zou in de eerste plaats een prachtige manier zijn om de maatschappelijke conventies die ze allebei haatten te trotseren. Hij wist ook dat hij zich vereerd moest voelen, omdat ze hem deze intieme wensdroom had toevertrouwd. Maar er zat meer achter. En de enige term waarmee hij het kon omschrijven, was: 'seksueel esthetisch'. Hij was blij geweest dat ze het hem had verteld, maar tegelijkertijd boos. Hij had in haar hand geknepen en gezegd: 'Maar dan wil ik de bevruchting meemaken.' En zij had meteen begrepen wat hij daarmee bedoelde. Ze had hevig gebloosd en gezegd: 'Nou ja, ik hou nu eenmaal van jou.' En ze hadden zich spontaan omgedraaid en waren teruggegaan naar het haardkleedje in de huiskamer van de flat, want verder waren ze niet gekomen, en ze hadden allebei een college gemist. Ze waren datzelfde jaar getrouwd, herinnerde hij zich. Of was het in de loop van het jaar daarop geweest? Ja, het jaar daarop.

Bell woelde in de vochtige modder van de schuttersput, hij gloeide van de koorts. Was dat gesprek van lang geleden, verdwenen in de poel van de herinnering, nu opnieuw bovengekomen om hem te kwellen? Maar waarom nu en niet eerder? Zijn doffe, halfgesloten ogen staarden naar de rand van de loopgraaf, die slechts iets donkerder was dan de omringende duisternis. Hij was tot alles bereid om niet weer in slaap te vallen en te riskeren dat hij de droom weer zou krijgen. Het hele geval was hem duidelijk, stond hem zo levendig voor de geest, alsof het tien minuten geleden werkelijk gebeurd was. Maar waarom had hij seksuele begeerte gevoeld? Waarom? Een vluchtige gedachte steeg in hem op, die hij nog net wist te grijpen. De sensuele bekoring van de zekerheid, het bewijs in handen hebben. Misschien was dat wel de reden waarom zoveel mannen, als ze aan hun echtgenote dachten, andere rassen haatten. Niemand wilde zichzelf zien als een bedrogen echtgenoot. Iedereen werd liever gemarteld door twijfel dan dat hij zich baadde in het wellustig zeker weten. Maar als de baby een andere huidskleur had, dan bestond er geen twijfel... Bell voelde zich wegglijden in een nachtmerrieachtige dagdroom: hij keek toe terwijl het zwarte kind werd verwekt. Hij kon zich nog net op tijd inhouden.

En dat gaf hem weer een nieuw inzicht – tenminste, dat dacht hij. Vanwege iets dat hij in een masochistische wensdroom kon begeren om de wellustige pijn van het weten, zou hij haar in werkelijkheid kunnen vermoorden, eenvoudig omdat hij niet in staat was dit verlangen ooit te erkennen. Opeens begon hij door de koorts hysterisch te lachen, maar hij zorgde wel dat de anderen het niet konden horen. Wat maakte het eigenlijk uit wie met wie neukte? Toen hij uiteindelijk kon ophouden met lachen, ontdekte hij tot zijn verbazing dat hij huilde, dat hij jankte. Hij voelde dat de koorts afnam.

Natuurlijk was hij blij toen de man in de schuttersput naast de zijne hem over het gesprek tussen Skinny Culn en Payne vertelde. Praten hield hem niet alleen wakker, het beschermde hem ook tegen de nachtmerrie en het belette hem na te denken. En het idee dat erachter zat? O, dat was volkomen juist. Skinny's filosofie was dus dat je niet hoefde te voelen als je er niet voor werd betaald. Bell snoof even waarderend als de anderen en nam het idee over. Maar toen de man in het volgende gat met de andere uitspraak kwam, protesteerde zijn brein door niet te functioneren. 'Zeker, zeker,' zei hij automatisch, 'natuurlijk.' Geen radertjes in een machinerie? Maar wat dachten ze dan dat ze waren? Dat ze het nodig hadden hierin te geloven was pathetisch, en dit besef kwam voor hem zo onverwacht dat hij nu ook over de andere uitspraak ging nadenken, de filosofische. Je hoefde niet te voelen? Niet te voelen? Hoefde je niet te voelen als je er niet voor werd betaald? Hoefde je niet van iemand te houden zonder dat je ervoor werd betaald? Maar wat gebeurde er hier met deze mannen? Wat gebeurde er met hem? Op de verlichte wijzerplaat van zijn horloge zag Bell dat het vijf over drie was. Nog twee uur dus.

Het artilleriebombardement begon bijna gelijk met de dageraad. Dit keer duurde het langer dan twee uur. De 105-ers bestookten de hele Zeekomkommer en de jungle in de onmiddellijke nabijheid ervan. De 155-ers richtten zich op het veel omvangrijker heuvelmassief verderop, dat de Reuzengarnaal was gedoopt, en vanhier onzichtbaar was. De projectielen van de 155-ers suisden in een boog hoog over hen heen, gierend uit onzichtbaar geschut naar een onzichtbaar doel. Op de Zeekomkommer stegen zielige, dodelijk verschrikte vogels op in witte wolken, krijsend bij iedere explosie uit een 105. De mannen van het eerste bataljon stonden op het open terrein van de heuvel toe te kijken, met tegenzin wachtend op het bevel voor vertrek. Toen het kwam, volgden ze dezelfde route als de patrouille; op Bands verzoek ging de C-compagnie voorop, het tweede peloton als voorhoede.

In het oerwoud heerste een nog bijna nachtelijke duisternis. Pas toen de mannen het gebombardeerde gebied dicht bij de Zeekomkommer bereikten, drong er voldoende licht door om iets te zien. Dat het eerste peloton de vorige dag had geprobeerd het pad te verbreden was nauwelijks te zien. Achter elkaar lopen zou nu te tijdrovend en te riskant zijn. Daarom baanden de mannen zich een weg door het kreupelhout aan weerskanten van het pad, ze struikelden over lianen en wortels, reten hun handen en hun gezicht open, en gebruikten hakmessen als het niet anders ging. Na honderd meter was iedereen zo uitgeput dat ze even moesten pauzeren.

Toen ze in het gebombardeerde gebied kwamen, werd er voor het eerst op ze geschoten. De afstand die hen van de heuvel scheidde, bedroeg nog geen honderd meter. Het was merkwaardig dat het artilleriebombardement zo weinig invloed op de jungle had gehad. Het was iets lichter geworden, je kon wat verder voor je uit kijken en hier en daar lagen wat omgevallen stammen. Maar dat was alles. Sergeant Beck had besloten dat Dolls groep voorop zou gaan en Doll had zich toen meteen voorgenomen dat hij van zijn groep de eerste man zou zijn. Zo kwam het dat Doll het teken om te stoppen gaf, toen hij de eerste sporen van het bombardement zag.

Doll was de vorige avond inderdaad niet naar luitenant Band gegaan om met hem te spreken over Fife. Terwijl hij op weg was naar de CP had hij plotseling ontdekt dat hij woedend was op Fife, omdat die hem in de verleiding had gebracht hem een plaats aan te bieden in zijn groep. Dat was helemaal niet zijn bedoeling geweest toen hij naar Fife toeging, maar op een of andere manier had Fife hem zover gekregen. En als er iets was waaraan Doll een hekel had, dan was het aan kerels die hun doel met smoesjes of langs een omweg probeerden te bereiken. Dan had hij liever dat iemand hem op de man af iets vroeg. In zijn woede was Doll bij Skinny Culns schuttersput blijven staan om even met hem te praten. Hij had natuurlijk niets gezegd over Fife. Toen hij afscheid had genomen van Culn stond Dolls besluit vast.

Terwijl hij met twee granaten in zijn koppel aan het hoofd van zijn groep marcheerde, was hij er nog steeds van overtuigd dat hij juist had gehandeld. Het zou niet eerlijk zijn tegenover de soldaat eersteklas die als zijn tijdelijke korporaal optrad. Of wel soms? Wat er ook gebeurde, hij moest in de eerste plaats aan zijn groep denken. Juist daarom knapte hij altijd een aantal vervelende karweien zelf op, daarom was hij nu de voorste man in zijn als voorhoede gebruikte groep: zijn mensen moesten weten wat ze aan hem hadden. En terwijl hij zich omdraaide en tegen de soldaat die achter hem liep zei dat ze het doel naderden en dat dit bericht moest worden doorgegeven aan Beck, glimlachte hij de man geruststellend toe. En juist op dat moment begon ergens voor hen een mitrailleur te ratelen.

Onmiddellijk dook het hele peloton de struiken in, sommigen aan de ene kant van het pad, anderen aan de overzijde. Doll zelf, die tegen een boomstam botste toen hij blindelings opzij sprong, ontdekte even later dat hij boven op iemand anders terecht was gekomen, een jonge soldaat eersteklas uit zijn eigen groep, die Carol Arbre heette. Arbre, die al op zijn buik in de moerassige grond had gelegen terwijl Doll half verdoofd terugsmakte van de stam, had geen moment verwacht dat er iemand op zijn rug zou neerdalen en nu lag Doll boven op hem in de klassieke houding: zijn kruis op Arbres stijf samengeknepen billen. Omdat hij er enigszins meisjesachtig uitzag, zowel wat zijn bouw als zijn gezicht betrof, had Arbre zolang hij soldaat was geleden onder kerels die voor de grap, of niet voor de grap, zijn billen probeerden te betasten, waarbij hij steeds heftig protesteerde. Zij wilden gewoon niet geloven dat iemand met zijn meisjesachtig figuur geen homoseksuele neigingen had. Nu draaide hij zijn hoofd om tot hij over zijn schouder naar Doll kon kijken en beet hem, rood van verlegenheid en met een woedend gezicht, met gesmoorde stem toe: 'Ga van me af!'

Doll, nog enigszins versuft door de botsing, had enkele seconden nodig voor hij weer bij zijn positieven was. Maar ondanks zijn verdoving voelde hij iets van de nu nog stijver tegen elkaar geknepen billen van Arbre. Na enkele keren het hoofd te hebben geschud liet hij zich naar rechts van de jongen afrollen, waarbij hij steunde op de kolf van zijn geweer om de loop schoon te houden. En juist op dat ogenblik hoorden ze de te snelle, moorddadige fluisterende geluiden die ze nu goed kenden, en explodeerden overal om hen heen mortiergranaten. Maar ondanks de granaten bleef in Doll de herinnering hangen aan de momenten dat hij daar had gelegen op de, eerlijk gezegd, lekkere meisjesachtige billen van Carrie – zo werd hij natuurlijk genoemd – Arbre.

De mortiergranaten bleven komen. Ergens achter hem hoorde Doll enkele mannen gillen. Nog buiten adem en een beetje suf vroeg hij zich af wat hij moest doen. Met voldoening besefte hij opeens dat de toestand van verdoving waarin hij tijdens de belangrijke gevechten van de vorige week had verkeerd, terug was gekomen – en eigenlijk onopgemerkt door hemzelf al was opgeroepen toen ze van Heuvel 210 vertrokken. Zijn hoofd bleef koel en helder, hij kwam er alleen door in een lichte roes van grijnzende bloeddorstigheid. De verdoving ging door zijn hele lichaam en vormde een beschermende laag tussen hem en de wurgende angst die het hem onmogelijk maakte te slikken, terwijl hij daar dicht tegen de grond lag. Hij kon niet precies uitmaken hoe ver het mitrailleurvuur (er schoot er nu meer dan een) van hen verwijderd was. Hij vroeg zich af of het de moeite waard zou zijn om met enkele mannen de heuvel te besluipen om te zien of ze een paar handgranaten op die dingen konden gooien. Hij werd uit de droom geholpen doordat iemand achter hem krachtig aan zijn linkervoet trok. Hij keek om. Sergeant Beck, die in de achterhoede van het peloton had gemarcheerd, was naar hem toe gekropen.

Beck had toen Doll de groep halt liet houden onmiddellijk zijn kompas geraadpleegd en toegestaan dat zijn nieuwe luitenant, Tomms, daarbij deed alsof hij hem hielp, want dat kostte tenslotte niets. De kaart die ze hadden, was vrij onbetrouwbaar. Culn en Payne, die het terrein de vorige dag hadden gezien, hadden er natuurlijk een beschrijving van gegeven, maar Beck vertrouwde liever op zijn eigen ogen en had nog voor Dolls bericht hem kon bereiken (dat door het mitrailleurvuur niet was doorgegeven) zelf al gedacht dat ze nu wel dicht bij de Zeekomkommer moesten zijn. Toen de mortiergranaten begonnen te vallen besloot hij te gaan vragen waarom Doll al voor de mitrailleur ging schieten halt had laten houden.

Beck was even verrast geweest als Doll toen dat bekende, merkwaardige gevoel van verdoving zich weer manifesteerde; het was alsof het zich al gereed had gehouden en het snel zijn andere reacties had uitgeschakeld, zodat de rest van zijn persoonlijkheid, het beste van hem, vrij bleef om te handelen. Het was een troostende gedachte. Blijkbaar kwam het gevoel sneller naarmate je hier wende. Hij kwam alweer in de oude moordlustige stemming. We zullen het ze betaald zetten, zei een inwendige stem. Als het kan. Iedereen wist nu dat die mortiergranaten van een of andere stelling op de Reuzengarnaal moesten komen, en terwijl hij naar voren kroop bleef Beck even liggen naast de man met de radio die Band had meegegeven, en zei dat hij om vuur op de Garnaal moest verzoeken.

'Laat ze de hele zaak daar platschieten,' gromde hij. 'Het kan me niet verdommen hoeveel munitie het kost. Een bommentapijt over die hele shitzooi daar! Die mortieren moeten zwijgen!'

Achter hem hoorde Beck een soldaat gillen door de ontluikende geluidsbloem van een exploderende granaat. Eigenlijk was het geen gil maar een schorre, verbaasde woedekreet, iets als 'Ach-ah-*ahah*!' Beck kroop verder, stuitend op zowel lianen als leden van zijn peloton. Tja, dit was het dan. Nu kwam het weer. Tot zijn genoegen constateerde hij dat hij niet zenuwachtig was, alleen maar bang. Wat een smerige rotoorlog. Natuurlijk had hij het bevel over het peloton pas gekregen toen de oorlog eenmaal aan de gang was. Een peloton was altijd kinderspel geweest.

Zodra Doll omkeek naar zijn voet, glimlachte Beck even. 'Hoe is de situatie?'

Iedereen had strakke gezichten en rimpels om de ingespannen ogen. Doll scheen verbaasd hem te zien. 'Ik weet het niet.'

'Waarom heb je ons laten stoppen?'

Doll wees naar de grond. 'We liggen hier vlak bij het terrein waarop de mortiergranaten vallen en het wordt hier op vele plaatsen een stuk steiler.'

'Ik geloof dat je er goed aan hebt gedaan. Anders hadden een stuk of wat lui dat mitrailleurvuur niet overleefd.' Hij zweeg. 'Nou, wat doen we nu verder? Waarom komt Band hier godverdomme niet naartoe?'

Beck dacht hardop, begreep Doll en hij aarzelde even voor hij zei: 'Laat Band naar de bliksem lopen! Luister es, Milly,' zei hij, gebruik makend van het voorrecht van de onderofficier om een andere onderofficier bij de voornaam aan te spreken. Beck heette Millard. 'Ik geloof dat we die mitrailleur wel buiten gevecht kunnen stellen. Zie je hoe ver ze over ons heen schieten?'

Beck had geen bezwaar tegen het gebruik van zijn voornaam. Hij tuurde door de toenemende rook tegen de heuvel op. 'Denk je dat het zou gaan?'

'Ik geloof dat we hier buiten schot liggen. Als ik twee kerels met ieder drie of vier handgranaten meeneem, zal het wel lukken. Ik geloof dat we tot vlakbij kunnen kruipen, die Jappen uitroeien en dan verder trekken.' Hij maakte een wijd gebaar. 'Weg uit deze rotzooi.' Toen de mortiergranaten even niet kwamen, klonk zijn stem onnodig luid.

Milly Beck overlegde bij zichzelf. Band had al hier moeten zijn. 'Oké. Maar wacht tot ik het peloton in positie heb. Zoek twee goede kerels uit. Die groepen hadden al hier moeten zijn zonder een bevel.' Beck keerde zijn hoofd in achterwaartse richting en begon te brullen terwijl hij met zijn rechterarm zwaaide. Hij wist dat niemand hem kon zien, maar voor zijn gevoel was het zo beter. 'Bells groep hier naar rechts! Dales groep hier naar links! Opschieten, klootzakken! Laden en klaarmaken voor dekkingsvuur!'

Achter hen gilde plotseling iemand fel van de pijn toen hij werd getroffen. Terwijl Beck bleef brullen, keek Doll het kringetje van zijn groep rond, zijn hele gezicht lachend. De bloeddorst was nu verminderd tot een dof dreunen van het bloed in zijn oren, waardoor het lawaai van de mortieren bijna werd overstemd. 'Jij,' zei hij wijzend, 'en jij.' Toen werd hij er zich van bewust dat de tweede man die hij had aangewezen Arbre was, de man met de hertenogen. 'Nee, jij niet,' zei hij, 'jij,' en hij wees een ander aan. Hij deed het instinctief, zonder erbij te denken, maar toch verwonderde hij zich over zichzelf. Arbre was een even goed soldaat als wie dan ook. Hij stond zijn mannetje. 'Iedereen neemt vijf handgranaten mee.' Arbre keek hem vreemd aan. Doll lachte tegen hem. Rechts en links van hen trokken nu de beide groepen op naar hun lijn. De groep van Thorne kwam daarachter, als reserve.

'Oké?' vroeg Doll.

'Oké,' zei Beck hees. 'Zorg dat we als de donder hier vandaan kunnen.'

Doll wist helemaal niet zeker of ze inderdaad buiten schot lagen. De MG-schutter zou nog wel wat lager kunnen richten als hij dat wilde. Maar hij waagde het erop en nam ze mee naar voren, lopend en niet kruipend. Ze waren echter nog geen tien meter gevorderd toen er boven hen kreten weerklonken en de explosies van diverse handgranaten. De mitrailleur zweeg. Toen schreeuwden stemmen in het Engels, met duidelijk Amerikaans accent, naar hen omlaag: 'Niet vuren! Niet vuren! Dit is het derde bataljon! Niet vuren, tweede bataljon!' Doll werd opeens zo woedend dat hij op zijn lippen beet tot de tranen hem in de ogen sprongen. Hij was volkomen voorbereid geweest en nu kwam er niets meer. Adrenaline en emoties schoten onvoldaan door hem heen en hij voelde zich wat licht in het hoofd.

Seconden later hield ook het mortiervuur plotseling op. Er viel een onwerkelijke stilte, dodelijk, zonderling en geestelijk even moeilijk te verwerken als het helse lawaai. Mannen deden hun best snel te wennen aan die stilte en aan het idee dat ze nog een poosje in leven zouden blijven. Er stegen wonderlijk weinig gillende kreten van gewonden op, je hoorde alleen hier en daar iemand kreunen. De twee nieuwe hospikken van de compagnie, die niemand zo graag mocht als hun vroegere, nu dode collega's, maar wel hun best deden, verschenen in hun midden. Ze waren zo langzamerhand allemaal echte veteranen, dacht Beck trots.

'Nou, zullen we dan maar eens naar boven trekken?' vroeg hij hardop. Hij stond op en de mannen om hem heen kwamen ook overeind. Op dat ogenblik verscheen luitenant George Band en hij zocht zich een weg tussen de mannen door die nog op de grond lagen.

'Hoe is de situatie, Beck?' vroeg hij.

'Het derde bataljon schijnt de Zeekomkommer ingenomen te hebben, luitenant.'

'Waarom zwijgen de mortieren?'

'Ik weet het niet zeker, luitenant. Maar misschien heeft de artillerie ze tot zwijgen gebracht, ik heb over de radio om steun gevraagd.'

'Prima, vooruit, laten we dan maar naar boven gaan om te kijken hoe het daar is.' Hij schoof zijn stalen bril recht en vertrok, zonder zelfs maar om te kijken. Hij zette koers richting Doll en zijn twee mannen, die nu rechtop stonden met al die ongebruikte handgranaten. Beck stond hem na te kijken en had graag hardop gevloekt en getierd, maar dat wist Band niet. 'Mannen, jullie zien eruit als kerstbomen!' riep hij Doll vrolijk toe terwijl hij hun voorbijstapte. 'Waar gaan jullie in die vermomming heen?'

Dat was fout, het was van het begin tot het einde fout. Misschien zelfs wel een ernstige fout, maar Band was zich er niet van bewust. Hij sjouwde voorbij Doll en ging de heuvel op, dwars door het kreupelhout dat door het artillerievuur zwaar was beschadigd. Langzaam, een voor een en soms met zijn tweeën begonnen de mannen hem te volgen. Behalve Beck, die nog een minuutje naar zijn vier gewonden bleef kijken, iets wat hij zeer waarschijnlijk niet zou hebben gedaan als Band hem niet voorbij was gelopen.

Waarom had Band dat gedaan? Niemand wist het en niemand wist ook precies waarom dat fout was. Een ander had dezelfde dingen kunnen doen en zeggen zonder dat het een vergissing zou zijn geweest. Maar in Bands geval was het allemaal fout. Iedereen die het zag en hoorde, sloeg het nauwkeurig in zijn hersens op en zou het niet gemakkelijk vergeten. Bovendien waren ze kapitein Bugger Stein zeker nog niet vergeten, de man die ze achteraf buiten alle verhoudingen vele heldhaftige daden toeschreven. Ze geloofden dat Bugger Stein er voor hén was geweest. En Band wist daar helemaal niets van. Hij had niet eens een vermoeden.

George Band amuseerde zich enorm tijdens het mortiervuur – ongeveer zoals dat met Doll het geval was geweest. Hij had met het grootste deel van de compagnie buiten schot gelegen en had wel kunnen huilen toen de gewonden begonnen te gillen. Hij was niet opgetrokken in de vuurlinie omdat zijn plaats verder naar achteren was, vanwaar hij de andere pelotons kon dirigeren als die moesten worden ingezet. Hij had werkelijk gewild daar vooraan bij de anderen te zijn, maar hij wist dat dat niet zijn taak was. Wat nog niet betekende dat hij niet dezelfde emoties voelde als Beck en Doll en de anderen.

En Band had de avond daarvoor ook erg genoten, in gezelschap van de nieuwe bataljonscommandant van het andere regiment. Ja, zijn vermogen om zich te vermaken was toegenomen door het eenvoudige feit dat hij nu compagniescommandant was. Hij had altijd wel geweten dat hij het zou halen en de vorige avond, nadat Payne en Culn rapport hadden uitgebracht, een borrel hadden gekregen en waren weggezonden, had de nieuwe overste hem gevraagd nog even te blijven. De overste had een correspondent bij zich en had hem twee door *Time* en *Life* betaalde flessen whisky afhandig gemaakt, waarvan hij er nu één aanbrak voor hun tweetjes. Grand MacNeish!

Hij en Band hadden samen diverse borrels gedronken. De nieuwe BC was heel tevreden met het resultaat van de patrouilles en vooral Culn die vrijwillig nog even was achtergebleven om met geweer en BAR te vuren op de mitrailleurpost van de vijand op de Zeekomkommer. 'Dat zet ze aan het denken,' zei hij. 'Als ze slim zijn,' hij glimlachte, 'ik bedoel als ze iets van tactiek weten, dan trekken ze zich terug.' Hij glimlachte weer. 'Ik bedoel maar dat het tenslotte voor hen niet meer dan een vooruitgeschoven post kan zijn. Hun voornaamste verdedigingslinie moet toch het heuvelmassief van de Reuzengarnaal zijn.' Hij en Band hadden vlug nog een borreltje gepikt. En toen had Band aangeboden om met zijn compagnie de volgende dag de stoottroep van het bataljon te vormen. De overste had het met een glimlach geaccepteerd, waarderend knikkend met zijn knappe grijzende hoofd. Hij had al het een en ander gehoord over de Charlie-compagnie. Het was de beste whisky die Band in wie weet hoe lang had geproefd. Hij keerde bij de compagnie terug, juist toen het helemaal donker was geworden. Geheel tevreden. Toen hij ging slapen in het kleine Japanse hutje bedacht Band opnieuw dat hij altijd wel had geweten dat hij nog eens compagniescommandant zou worden. Hij zou voor zijn mannen doen wat Stein nooit had kunnen doen. Want hij hield van ze. Echt waar. Niet met de sentimentaliteit van Stein, maar zich ten volle bewust van de vrijwillige offers die er gevraagd moesten worden van die mannen en van hemzelf. Je kon ze natuurlijk niet als gelijken behandelen, zoals Stein had geprobeerd. Het moest een strenge vaderlijke liefde zijn, want het waren kinderen die niet wisten wat ze wilden en wat goed voor hen was. Ze moesten onder stevige discipline staan en bevelen opvolgen. Band had zelf twee kinderen. En op de middelbare school had hij zijn leerlingen ook zo aangepakt. Maar de gevoelens die hij koesterde voor deze kinderen hier, waren veel sterker dan die voor zijn eigen bloedjes en voor zijn leerlingen. Hoe kon het ook anders? Met de kinderen hier had hij afgrijselijke, afschuwelijke en dappere ervaringen gedeeld. Een grote, warme vaderlijke liefde vervulde hem. Zich bewust van de grote dingen die ze samen nog tot stand zouden brengen, sliep Band tevreden in, zonder zich te storen – ja, misschien er wel extra van genietend – aan de stenen en zandhobbels die op verschillende plaatsen door zijn slaapzak heen in zijn rug priemden.

Dat was gisteravond. En nu, terwijl hij de helling van de Zeekomkommer beklom om het derde bataljon te ontmoeten om 7.40 uur de volgende morgen, nadat een mortier vier mannen van zijn beste peloton had geraakt, koesterde hij voor hen nog dezelfde gevoelens. Hij was bereid al het mogelijke voor hen te doen. Achter hem volgden zijn mannen, die veel meer belangstelling hadden voor het terrein dat ze nu voor het eerst te zien kregen, dan voor de vraag wat hun huidige commandant voor hen zou kunnen doen.

'Jezus!' zei sergeant Doll tegen sergeant Beck. 'Ik ben blij dat het derde bataljon daar als eerste is aangekomen!'

'Ja,' zei Beck, buiten adem, 'ik ook.'

Wat ze zagen was een serie vingervormige richels, tien tot vijftien meter hoog, rotsachtig, steil en kaal, met smalle, nog geen zes meter brede dalen ertussen. Deze bevonden zich links van hen. Het beklimmen van die richels onder Japans vuur was iets dat ook de meest geharde kerels van Charlie niet graag hadden gedaan. Maar rechts lag een lange, steile, met gras begroeide helling die in de laatste vijftig meter helemaal geen dekking bood. Die helling beklimmen terwijl je bestookt werd met Japans mitrailleurvuur was een uitnodiging om als rijp graan neergemaaid te worden. De Japanners hadden in het bijna één meter hoge gras zelfs diverse vuurbanen uitgesneden. Tjonge, wat hadden ze weer een mazzel.

Band schudde de hand van de commandant van de L-compagnie van het derde bataljon, een oude kroegmaat van hem en van Stein, die de positie veroverd had en wiens mannen om hem heen stonden en nog nahijgden. Het tweede peloton en daarna de anderen kwamen tussen hen in staan, rokend en pratend. Maar dit keer was er geen sprake van concurrentie en werden er geen scherpe opmerkingen gemaakt over te laat komen of zo.

De L-compagnie had niet veel verliezen geleden. Vijf mannen waren getroffen, van wie er één dood was. Twee waren het slachtoffer geworden van mitrailleurvuur verder terug achter de richel en drie waren door mortiervuur geraakt op hetzelfde ogenblik dat de granaten op de Charlie-compagnie waren neergekomen. Ze hadden op de hele helling van de Zeekomkommer slechts twee mitrailleursnesten aangetroffen, beide achtergelaten met zelfmoordcommando's om hun opmars te vertragen. Allemaal hadden ze er de voorkeur aan gegeven om te sterven. Maar er waren aanwijzingen dat hier heel wat meer mitrailleursnesten waren geweest. De Japanners hadden zich blijkbaar gisteravond laat of vannacht teruggetrokken.

Wat betekende dat allemaal? De commandant van de Love-compagnie, Band en de Charlie-compagnie hadden er geen idee van. Ze hadden een veel zwaardere strijd verwacht. De beide commandanten zouden hun bevindingen per radio aan hun bataljons doorgeven en verder ieder hun eigen opdrachten uitvoeren. Daar wilden ze het maar bij laten. Toen ze radiocontact kregen, werd beide bataljons bevolen verder te trekken volgens de gegeven instructies.

De L-compagnie had opdracht de open plek voor de Reuzengarnaal over te trekken en aan te vallen in de richting van het massief, zodra de Zeekomkommer in Amerikaanse handen was. Charlie moest zich ingraven en de Zeekomkommer bezet houden als naderingsroute tegen tegenaanvallen. Het was bijna acht uur in de ochtend. 'Ik ben er nog niet zo zeker van dat jullie de gemakkelijkste opdracht hebben gekregen,' zei de commandant van het derde bataljon glimlachend terwijl hij met een handdruk afscheid nam van Band. 'En zeker niet als ze ontdekken dat wij deze heuvel gebruiken als naderingsroute en ze besluiten om er hun mortiervuur maar weer op te richten.' De mannen van Charlie die deze woorden hoorden, huiverden en meenden dat hij weleens gelijk zou kunnen krijgen.

Band zette hen meteen aan het werk. Hij koos de meest vooruitgeschoven en kwetsbaarste kant van de Zeekomkommer. Achter hen naderden de B- en A-compagnieën om zich wat verder naar achteren op de flanken in te graven. Terwijl ze aan het graven waren, kwamen de I-compagnie en de K-compagnie de heuvel op en trokken door hun rijen heen. De I-compagnie nam de linkerflank naar het open terrein voor de Reuzengarnaal, een stuk dat tweemaal zo groot was als het stuk dat door De Dansende Olifant werd ingenomen. De K-compagnie volgde hen als reserve, zeiden ze, en als het derde bataljon in staat bleek het wijdere open gebied te bereiken, zou het tweede bataljon hen snel moeten volgen om ook deel te nemen aan de aanval.

Maar zo zou het niet gaan.

Grimmig gravend en zwetend in de steeds toenemende hitte was majoor Welsh de eerste man van zijn compagnie die klaar was, en hij had van zijn drie secretarissen slechts weinig hulp geëist. Zij moesten tenslotte ook de dekkingsgaten voor Band en de nieuwe plaatsvervangend commandant graven, voordat ze aan hun eigen gaten konden beginnen. Terwijl hij in zijn dekkingsgat zat en uitkeek over het hoge terrein in de richting van de Olifantskop, waar ze vandaan waren gekomen, moest Welsh denken aan die zestiende-eeuwse badkuipen, waarvan hij afbeeldingen had gezien. Omdat de helling zo steil was, reikte de achterkant van zijn gat tot boven zijn oren, terwijl het van voren slechts zestig centimeter diep was en niet eens tot zijn knieën kwam. (Dit was minder dan de voorgeschreven negentig centimeter, maar Welsh beduvelde de zaak, en ze konden wat hem betrof de pot op.)

Welsh zag zichzelf daar plotseling zitten met een dikke sigaar in zijn mond, een spons in de ene hand en een borstel in de andere, genietend van dit werkelijk prachtige uitzicht. Een uitzicht waar niemand ter wereld het recht had om naar te kijken of pangpang! ze waren dood. Welsh had een hekel aan sigaren en aan de mensen die ze rookten. Maar dit beeld kon niet zonder. Hij zou zich inzepen en inzepen, en boenen en boenen. Niet zozeer om schoon te worden, het hinderde hem absoluut niet als hij vuil was, maar omdat het uitzicht en de badkuip dat nu eenmaal met zich meebrachten. Achter hem kakelden zijn drie secretarissen terwijl ze als gekken groeven, en Welsh had even de neiging om overeind te komen en ze allemaal een trap tegen hun kont te geven.

Welsh had gisteren iets heel gevaarlijks gedaan toen ze na de rustweek het bivak hadden verlaten. Hij had twee van zijn drie veldflessen gevuld met gin en slechts één met water. Het was een verdomd gewaagd hè-hè, maar nu bleek dat hij goed had gegokt. Wat had je verdomme aan water! Hij kon best zonder. En na twee slokken gin kon hij de wereld weer in het gezicht zien. Het was echt een heel mooie wereld, dacht hij terwijl hij naar het prachtige vergezicht op de Olifantskop keek. Waar zoveel mannen gestorven waren en zoveel anderen gewond en ziek waren geworden. Ach, wat kon hém dat schelen? Prachtig! Vooral vanuit een volle zestiende-eeuwse badkuip. Hij bewoog zijn tenen in zijn plakkerig natte sokken. Eigenlijk had hij andere moeten aantrekken, maar het tweede paar was zo stijf als een plank. Hij nam rustig trekjes van zijn denkbeeldige sigaar.

Jongens, hou toch je kop, had Welsh zijn drie secretarissen willen toeschreeuwen. Achter hem kakelden ze maar door als een stel Jappen. Jullie weten ook niks te waarderen. Hij was de enige die het werkelijk begreep, daar was hij vast van overtuigd. Je thuis, je gezin, je land, de vlag, vrijheid, democratie, de eer van de president! Al dat gelul. Geen van die dingen bezat hij, waren zijn eigendom en toch zat hij hier, of niet soms? En uit eigen vrije wil, niet uit noodzaak, want hij had er gemakkelijk onderuit kunnen komen. Hij begreep in ieder geval zichzelf. Eerlijk gezegd beviel deze klotezooi hem best. Hij vond het lekker als er op hem werd geschoten, hij vond het lekker om bang te zijn en in een dekkingsgat te liggen, stinkend, benauwd, en met zijn nagels klauwend in de grond. Hij vond het lekker om op onbekenden te schieten en hen te zien neergaan als ze gewond waren, en hij vond het lekker als zijn plakkerig natte voeten in plakkerig natte sokken staken. Tenminste, een deel van zijn wezen vond dat allemaal heerlijk. Maar hij had wel een beetje medelijden met de jonge Fife. Fife in een tirailleurpeloton!

Van de hele compagnie, inclusief de officieren, was Welsh voor zover hij wist de enige die nog nooit de verdoving had ervaren die de anderen tijdens het gevecht altijd voelden. Hij had er in de rustweek over horen praten en goed geluisterd. Hij begreep dat het voor de meesten de reddende factor was en had doorgekregen dat die verdoving een dierlijke wreedheid opriep. Maar hijzelf had die ervaring nog niet gehad. Hij wist niet of dat kwam doordat het leven die verdoving al jaren geleden bij hem tot stand had gebracht zonder dat hij er zich van bewust was geweest. Of dat het verschijnsel bij hem niet was opgetreden omdat hij wist wat hem te wachten stond en hij bovendien beschikte over een uitzonderlijke natuurlijke intelligentie, hèhè, die hem er immuun voor had gemaakt. Of dat het gevecht tot nu toe niet gevaarlijk genoeg was geweest om zijn keiharde persoonlijkheid te laten ontdooien. Er waren periodes, momenten, waarin Welsh zich realiseerde dat hij volkomen gestoord was. Bijvoorbeeld: drie kersen aan één takje = George Washington. Twee niet, o, nee! Maar drie altijd. Wie zou dat begrijpen als hij het vertelde? Als hij het zou dúrven vertellen? Hij haatte kersen nog altijd en kon ze niet eten, hoewel hij dol was op de smaak. En het was typerend voor hem dat hij in die rustweek niemand had verteld dat zijn malaria veel erger was geworden. Hij had het met een zekere heimelijke vreugde voor iedereen verborgen gehouden. En hij zou het ook nooit aan iemand vertellen. Waarom wist hij zelf niet. Het had allemaal iets te maken met het dwaze spelletje van volwassen zijn, dat was alles. Hij zou verder gaan tot hij erbij neerviel of totdat een of andere stomme Jap hem afschoot; dan konden ze hem begraven met een lach op zijn gezicht. Maar hij had toch een beetje medelijden met Fife. Niet zo heel veel, natuurlijk. Als die klootzak ernstig genoeg gewond was om naar het hospitaal te gaan en voorgoed te worden geëvacueerd, en als hij dan nog niet de handigheid, het lef en de moed had om door te zetten, wat kon je dan in godsnaam voor hem doen?

Welsh maakte het zich gemakkelijk in zijn dekkingsgat. Hij had het voorgevoel dat dit een gemakkelijk dagje zou worden. Om te bewijzen dat hij ongelijk had, begon op dat ogenblik de radioman achter hem te roepen dat er een bericht van de nieuwe overste was voor Band. Het eerste bataljon kreeg bevel onmiddellijk te vertrekken om het derde op de Reuzengarnaal te ondersteunen. Band moest een bevestiging terugzenden. Hij kwam van ergens aanhollen en Welsh stond moeizaam op uit zijn gat. Hij was zich ervan bewust dat hij zich weer eens voor lul het apenzuur had gewerkt. Als hij een halfuur had gewacht in plaats van als een gek te gaan graven, zou het helemaal niet nodig zijn geweest. Hij grijnsde somber.

Er waren meer mannen die hun schuttersputten nog niet gereed hadden, dan kerels die al klaar waren, zoals Welsh. Een van de mannen die nog aan het graven waren was de jonge korporaal Fife. Hij was bezig aan de andere, voorwaarts gerichte helling van de smalle kleine richel. Hier daalde de helling minder steil omlaag dan daar waar Welsh zat, maar er was toch heel wat werk nodig om een fatsoenlijk gat te graven. Fife was er zonder veel fut aan begonnen met zijn kleine pioniersschop die hiervoor volkomen ongeschikt was. Het leek een onmogelijke taak, maar Fife wist dat het noodzakelijk was om een behoorlijk dekkingsgat te hebben. Omdat het derde peloton op de voorwaarts gerichte helling was gestationeerd, naast het tweede peloton dat de top van de driehoekige richel bezet hield, zou elke tegenaanval recht op hem afkomen. Onder het graven dacht Fife over Fife ongeveer wat Welsh over hem had gedacht – maar toch heel anders. Fife wist zeker, honderd procent zeker, dat hij het begeerde doel, evacuatie, nooit zou hebben bereikt, wat hij ook had gedaan. Zelfs niet als hij ze was blijven lastig vallen over zijn bril. Hij stopte even met graven en tuurde naar de voor hem vage vorm van Heuvel 210 om te zien hoe slecht zijn ogen nu eigenlijk waren. Hij wist niet of zijn ogen zouden zien wat ze moesten zien om hem het leven te redden. Maar hij vermoedde van niet. Terwijl hij zonder veel enthousiasme verder groef, keek hij herhaaldelijk onderzoekend in de richting van de Olifantskop om zijn slechte ogen te testen. Toen het bericht dat ze moesten ophouden met graven door de compagnie vloog, wierp hij zijn schop met een diepe zucht neer. Pas toen besefte hij wat dit betekende en een onredelijke paniek maakte zich van hem meester.

Fife had met het derde peloton meer naar achteren op het pad gelegen, juist buiten vuurbereik, toen het tweede peloton deze ochtend zo op z'n donder had gekregen. Een of twee granaten vielen dicht bij hem neer. De schrik voor mortieren die zich nu in hem had genesteld, was zo groot dat hij die zelfs in zichzelf niet met woorden kon omschrijven. Elke granaat die hij hoorde, moest hem precies raken op de plek waar zijn nek in zijn schouders overging. Na de barrage had hij een felle pijn in z'n nek die meer dan een uur aanhield. Nu, in paniek omdat hij de Reuzenkomkommer moest verlaten om naar voren te gaan, wist hij werkelijk niet of hij in staat zou zijn een mens dood te schieten of niet, zelfs als het moest. Om zijn eigen leven te redden. En bovendien, hij was er niet eens zeker van of, als alles goed ging, het enig verschil zou maken en hij niet tóch nog zou sterven. Dood! Niet meer leven! Hij kon de gedachte niet aan. God, hij was al een keer eerder gewond, nietwaar? Wat wilden ze toch van hem? Hij wilde gaan zitten huilen, maar dat kon hij niet. Niet waar de hele compagnie bij was.

Overigens zou de compagnie het waarschijnlijk niet hebben opgemerkt als Fife wel was gaan zitten huilen. Ze waren allemaal te verdiept in het gepieker over hun eigen problemen terwijl ze zich groeps- en pelotonsgewijs opstelden. En ze konden er niemand de schuld van geven, dat was nog het ergste. Zoals Band merkte toen hij zijn bevestiging verzond en zoals de rest enkele minuten later ter ore kwam, was de reden eenvoudig dat zij toevallig het dichtst bij waren toen er onmiddellijk een onderdeel nodig was. Het smerigste werk werd weer op het oude eerste bataljon afgeschoven. Vermoeid, zij het meer geestelijk dan lichamelijk, verzamelden ze hun uitrustingsstukken en maakten zich op om hun taak te gaan uitvoeren.

Juist op dit ogenblik werd een ander lid van de compagnie getroffen, een lange, kalme sergeant-groepscommandant van het derde peloton uit Pennsylvania, die Potts heette. Potts' mannen hadden als uiterste groep van het derde peloton tegen John Bells groep van het tweede aangeleund. Potts, Bell en twee anderen stonden naast hun dekkingsgaten op de Zeekomkommer over de jungle uit te kijken naar de Reuzengarnaal. Ze spraken over de opmars en over wat ze daar zouden aantreffen. Vanaf die plek zagen ze van de Garnaal niet veel meer dan een vage, onduidelijke bruine massa. Bell die, toevallig met zijn rug naar de Reuzengarnaal, de pratende Potts stond aan te kijken zag het allemaal gebeuren. Het ene moment voerde Potts nog het hoogste woord, het volgende klonk er een luid 'klets!' en meteen daarop het janken van een ricochetterende kogel. Potts, die Bell recht in het gezicht keek en geen helm droeg, hield midden in een woord op en staarde Bell scheel aan, alsof hij aandachtig probeerde te kijken naar iets op het puntje van zijn neus. Toen viel hij neer. Een rode vlek verscheen midden op zijn voorhoofd. Potts kwam onmiddellijk weer overeind, nog altijd scheel de wereld in kijkend, en viel daarna weer terug. Bell knielde bij hem neer. Potts was bewusteloos, de griezelig loensende ogen waren dichtgegaan. Bell kon zien dat er in zijn voorhoofd een groef van drie centimeter was gekerfd – of liever, gebrand, want het bloedde nauwelijks. Daaronder kon hij het witte, onbeschadigde bot van Potts' schedel zien. Een verdwaalde ricochet ergens van de Reuzengarnaal, die zijwaarts door de lucht suisde in plaats van met de punt naar voren, was langs Bells hoofd gegaan, had Potts precies tussen z'n ogen geraakt en was gillend weggestormd. Hoewel Bell zich ertegen verzette, ontstond er in zijn middenrif een lachbui die opborrelde naar zijn keel. Hij bracht Potts bij z'n positieven met wat zachte tikken op zijn wangen en door zijn handen te wrijven. Potts mankeerde niets. Zo hard lachend dat ze door al hun tranen heen nauwelijks konden zien waar ze liepen, hielp het drietal hem naar de bataljonshulppost die juist op de Zeekomkommer werd ingericht. De dokter, ook lachend, plakte een pleister op het groefje en gaf hem een handjevol aspirine. Tot ze vertrokken, bleef Potts op zijn rug liggen rusten met zijn helm over zijn hoofd vanwege de hoofdpijn, verzekerd van zijn Purple Heart. Hij vond het helemaal niet grappig en klaagde de rest van de dag over koppijn. Alle anderen brulden het uit zodra het onderwerp werd aangeroerd. De gebeurtenis bracht de compagnie in een goed humeur voor de ongelooflijke mars die ze zouden maken, al wisten ze dat nog niet toen ze begonnen.

In de toekomstige annalen van het regiment (en van de divisie) zou deze mars voorgoed bekend komen te staan als de 'Race' of de 'Grand Prix'. Soms werd erover gesproken als het 'Lange Eind'. De C-compagnie zou daarbij een belangrijke rol spelen. Op de kaarten waarmee de geschiedenis van de divisie werd vastgelegd (en die allemaal lang na de gebeurtenissen werden vervaardigd) zou de Grand Prix worden weergegeven met rode en blauwe pijlen die de logische ontwikkeling aanduidden en de even logische afwikkeling. In werkelijkheid wist niemand destijds hoe de situatie in feite was. Toen het eerste bataljon met de Charlie-compagnie voorop uit de jungle naar links marcheerde, was het enige dat ze van de Japanners ontdekten een dicht netwerk van verlaten, goed gecamoufleerde mitrailleurstellingen, waar diverse mannen over struikelden en in vielen. Iedereen begreep dat hier een uitgebreide slag had moeten worden uitgevochten. Maar waar zaten de Japanners? Waarom waren ze weggetrokken? Langzaam, voorzichtig en goed verspreid trokken ze op de linkervleugel van het derde bataljon over het vlakke open terrein op zoek naar de vijand. Na twee uren en twee kilometer arriveerden ze doodmoe en zonder water aan de voet van de helling van Heuvel 253, de kop van de Reuzengarnaal, zonder ook maar één man te hebben verloren.

Maar gemakkelijk was het niet geweest. Op hun rechtervleugel had de L-compagnie een vuurgevecht geleverd met twintig of dertig Japanners op de top van Heuvel 251, een lange, smalle richel die in het oerwoud vooruitstak en een van de poten van de Reuzengarnaal vormde. Ze hadden de Japanners vernietigd met hun mortieren vanaf het andere einde van de richel. Terwijl ze op lager terrein langs de richel optrokken, konden de mannen van Charlie de hele actie bekijken. Ze zagen ver achter zich de mannen van de D-compagnie op Heuvel 250 de zware mortieren in stelling brengen. Het was heel stil in het heldere zonlicht en het was moeilijk lopen in het taaie gras dat tot aan hun kruis reikte. Maar ze konden tenminste rechtop lopen. Hier en daar schudde een soldaat zijn lichaam en verschoof zijn verpakking als om aan te geven dat het allemaal toch niet zo erg was; maar niemand durfde dat hardop te zeggen uit bijgelovige angst dat dan onmiddellijk de hel zou losbreken.

Het tweede peloton was door Brass Band opnieuw aangewezen om voorop te gaan en trok dus weer aan de spits op als stoottroep. Beck had gevloekt en zich beklaagd bij zijn groepscommandanten, die het met hem eens waren maar nog niets tegen Band hadden gezegd. Beck had wel zijn voorste linie gewijzigd en daarvoor ditmaal de groep van Bell aangewezen; en toen ze zich verspreidden had hij Dolls groep op Bells rechtervleugel laten optrekken, wat de veiligste plaats was. De andere twee groepen, die van Thorne en van Dale, gingen naar de open linkervleugel. In deze stelling liepen ze langzaam verder door het taaie gras met de geweren laag in hun vermoeide armen, toen soldaat eersteklas Carrie Arbre zijn plaats verliet en naast zijn groepscommandant ging lopen. Doll had de indruk gehad dat Arbre hem ontweek sinds de gebeurtenissen van die ochtend. Doll wachtte af.

'Kan ik je even onder vier ogen spreken, Doll?'

'Natuurlijk, Carrie.'

Terwijl ze praatten, bleven beiden naar links en naar rechts kijken, op zoek naar Japanse stellingen en Japanners.

Arbre fronste zijn wenkbrauwen, maar hij had al lang geleden elke poging opgegeven om de jongens af te leren hem Carrie te noemen. 'Ik wou alleen maar vragen waarom je vanmorgen ineens van gedachten veranderde en mij niet met je meenam.'

Je verwachtte altijd dat Arbre, met zijn meisjesachtige verlegenheid en zijn gevoelige ogen, meer ontwikkeld zou zijn dan de anderen, maar dat was niet zo. Hij had het op de middelbare school niet zo ver gebracht als Doll. Doll had bijna zijn einddiploma gehaald.

'Ik weet het niet, Carrie,' zei hij. 'Dat was een plotselinge inval, een soort intuïtie of zoiets.'

'Ik wou maar zeggen dat ik mijn mannetje even goed sta als de anderen; ik ben als soldaat vast niet minder dan de meesten.'

'Dat weet ik, natuurlijk, dat weet ik heel goed.' Even had Doll de neiging om zijn arm om Arbres smalle schouders te slaan, die er onder de douche altijd opvallend smaller uitzagen dan zijn brede vrouwelijke heupen, maar hij deed het niet omdat hij beide handen aan zijn geweer wilde houden. Ze liepen verder door het taaie gras. 'Als ik het zou moeten nagaan, zoals ik nu probeer te doen, dan zou ik zeggen dat het alleen was omdat ik je wilde beschermen.' Doll voelde zijn hart plotseling sneller kloppen terwijl er een briljant idee in hem opkwam.

'Ik wil door niemand beschermd worden,' zei Arbre naast hem pruilend. 'Ik heb geen bescherming nodig.'

'Iedereen heeft hulp nodig, Carrie,' zei Doll. Hij wendde zijn hoofd even opzij en glimlachte, en toen hij dat deed keek Arbre hem aan met een vreemde, raadselachtige uitdrukking op zijn gezicht, alsof hij iets wist wat hij niet uitsprak, alsof hij iets wist wat Doll niet gezegd had en misschien zelf niet eens wist. Beiden keken snel weer voor zich uit en speurden opnieuw het terrein af naar vijandelijke stellingen.

'Ik wil deze rotoorlog even graag overleven als wie dan ook,' zei Arbre. 'Ik had helemaal geen zin om daar met jou naar boven te gaan.' Hij liep nu weer voor Doll uit met gekromde schouders, zijn smalle borst en die vreemde, halfzachte, half harde, bijna verontschuldigende blik. 'Ja, ik geloof ook wel dat ik hulp nodig heb, ik bedoel dat we allemaal hulp nodig hebben.' Met die woorden draaide hij zich om en verwijderde zich, nog altijd kijkend alsof hij iets meer wist.

Doll zond hem een snelle blik na en vroeg zich af waarover ze het in godsnaam hadden gehad, terwijl hij staarde naar die mooi uitziende vrouwelijke heupen. Daarna richtte hij zijn aandacht weer op zijn werk, verschoof zijn geweer een beetje en peinsde over de vraag hoe lang deze mars nu eigenlijk nog op deze wijze zou doorgaan. Even vroeg hij zich nerveus af of iemand hen samen had gezien. Nou, wat dan nog? Iedereen wist dat Doll gek was op grieten. Verdomme, wanneer zou er hier eens wat gebeuren?

En toen snelden drie Japanners uit het struikgewas op de linkervleugel te voorschijn; ze zagen er verwaarloosd uit en leken sprekend op vogelverschrikkers. Ze renden de Amerikanen luid kwetterend en jammerend en met hun handen hoog in de lucht zwaaiend tegemoet, gleden uit en struikelden in het lange gras met de stenige ondergrond. Doll rukte zijn geweer omhoog en vuurde, zijn gezicht een masker van grimmige voldoening. Anderen deden hetzelfde en het drietal werd neergeknald voor het twintig meter had afgelegd. Daarna keerde de stilte van de zonnige morgen terug. Het peloton dat voorop liep, keek scherp rond en luisterde. Daarna trokken de mannen verder. Voor hen uit en nu niet meer zo ver weg bevond zich de heuvel die de kop vormde van de Reuzengarnaal. Terwijl de colonne verder optrok en de drie doden passeerde, namen de meesten niet eens de moeite naar hen te kijken. Hun portefeuilles waren al in beslag genomen.

Evenals Doll was sergeant Charlie Dale, de groepscommandant, een van de mannen van het tweede peloton geweest die gevuurd had en ongetwijfeld een van de drie Japanners had geraakt. Dale was altijd van mening geweest dat je die Jappen nooit ook maar de geringste kans mocht geven en na tien dagen tegen hen te hebben gevochten, was zijn mening geenszins veranderd. Daar was bijvoorbeeld die Jap die had geprobeerd een handgranaat te werpen naar Big Queen, nadat hij zich op de kop van De Olifant in het Japanse bivak eerst had overgegeven. Die kerels hadden geen eergevoel en wisten niet wat eerlijkheid was. Grijnzend van voldoening rende Dale vooruit door het gras. De portefeuille van de man die hij had omgelegd bevatte niets van enige waarde, behalve een foto van een Japanse griet, die ook niets te betekenen had. Ze was niet eens naakt. Maar hij stak de foto toch bij zich, omdat hij al een hele collectie van die dingen had. De portefeuille zelf wierp hij weg. Die viel al bijna uit elkaar, half verrot door het vocht in de jungle. Doll vond zo'n klein oorlogsvlaggetje, die Japanse soldaten blijkbaar kregen uitgereikt, maar Dales mannetje had niets bij zich. Wat een pech. En toen Dale zijn mond opendeed, bleek dat hij niet eens gouden tanden had.

Tijdens de rustweek had Charlie Dale een gedeelte van zijn oorlogsbuit geruild voor een buigtang. Die droeg hij nu bij zich in zijn heupzak met een aantal lege zakjes waarin Bull Durham-tabak had gezeten. Als die verdomde mariniers collecties gouden tanden konden aanleggen die wel duizend dollar waard waren, dan kon Charlie Dale dat verdomme ook. Deze vent was de eerste op wie hij de tang had kunnen gebruiken en nou had die klootzak helemaal geen goud in z'n bek. Voordat hij de twee andere lijken kon onderzoeken, kregen ze bevel op te trekken, een bevel dat Dale snel opvolgde omdat die lul van een Brass Band zo dichtbij was dat hij hem kon zien. En Dale had voor zichzelf een grandioos plan opgesteld. Verwoed vloekend van spijt marcheerde hij verder aan het hoofd van zijn groep.

Dales plan was eenvoudig. Hij had de lijst met promoties scherp en zorgvuldig geanalyseerd en meende dat er nog wel iets meer voor hem inzat dan gewoon sergeant. Hij wist dat die maffe schoolmeester Band hem wel mocht en hij was ervan overtuigd dat sergeant Field, Dolls vroegere groepscommandant, alleen was bevorderd tot pelotonsgids van het eerste peloton om hem uit de weg te krijgen. Als Skinny Culn iets overkwam, leek het Dale niet al te moeilijk om schoolmeester Band zover te krijgen dat hij zelf pelotonssergeant werd van het eerste peloton. Verder was de pelotonsgids van het derde peloton een waardeloze vent en ook Fox, de nieuwe pelotonssergeant van het derde peloton, was niet veel zaaks. Het zou best kunnen dat die vervangen zou worden, ook als hij in leven bleef of niet ernstig gewond werd.

Er waren dus een paar goede kansen. En Charlie Dale wilde een heel peloton. Hij was al groepscommandant en dus sergeant geworden, precies volgens het oude plan. Waarom zou dit nieuwe ook niet verwezenlijkt kunnen worden? Hij wilde het moment afwachten waarop hij twee of drie groepen zou kunnen aanvoeren in een of andere kleine actie, en dan zou hij er wel voor zorgen dat Band te zien kreeg wat hij deed. Hij wist zeker dat die idioot hem bij de eerste de beste gelegenheid zou bevorderen en alle anderen zou passeren.

En hij had gelijk, dat zou Band inderdaad hebben gedaan. Band had hem gadegeslagen tijdens het neerschieten van de drie Japanners. Hij was zich ervan bewust dat Dale niet de intelligentste man in de compagnie was en dat zijn moed soms grensdc aan waanzin. Persoonlijk had hij niet veel op met de sadistische wreedheid waarvan Dale zo nu en dan blijk gaf, bedacht hij glimlachend. Maar je moest in een oorlog alles wat nuttig was gebruiken. Hij had bij de vele promoties Dale al bijna tot pelotonssergeant van het derde peloton benoemd. En nu vroeg hij zich af of hij zich niet had vergist, of hij niet te voorzichtig was geweest.

Tijdens de lange mars vanaf Heuvel 250 over het vlakke gebied, had Band zijn compagniesstaf in de colonne naar voren laten komen. Hij was er vrij zeker van dat er op het lage terrein niets zou gebeuren en hij wilde graag een oogje houden op zijn voorste mensen om zo snel mogelijk te kunnen reageren als er iets bijzonders voorviel. Nu ze Heuvel 253 naderden – de kop van de Reuzengarnaal – beval hij het tweede peloton de groepen in rijen van twee te laten optrekken om gemakkelijker te kunnen manoeuvreren op de steeds steilere hellingen, terwijl hij het derde en eerste peloton naar voren liet komen om de voorste troepen van dichtbij bescherming te geven. Er werd nog steeds niet op hen gevuurd. De L-compagnie had op rechts contact met hen gemaakt na haar eigen kleine schermutseling; de CC ervan had een seintje gegeven dat hij rechts over de flank van de grote heuvel zou trekken, terwijl Charlie linksom ging. Dat leek Band uitstekend. Hij liet zijn staf en het OST-peloton aan de voet inhouden, terwijl de tirailleurpelotons naar de vijand zochten. Hij besefte niet dat zijn twee beste pelotonssergeants, Culn en Beck, hem zwijgend vervloekten omdat hij niet bij hen in de voorste linie was en altijd wanneer het riskant begon te worden achterin bleef hangen. Na een halfuur werk ontmoetten de compagnieën elkaar op de voorhelling zonder een schot te hebben gelost en bracht Band zijn staf en OST-peloton bij de rest, terwijl de commandant van de L-compagnie hetzelfde deed.

Band had een perfecte manoeuvre uitgevoerd door zijn staf te laten inhouden. Zijn collega van de andere compagnie had het net zo gedaan. Maar Beck en Culn vroegen zich toch af waarom hij zijn staf dan wel in de colonne naar voren had laten komen, op het vlakke terrein waar duidelijk geen gevaar dreigde, en de staf evenmin iets in de voorste linie te doen had. Wat was dat voor goedkope bluf? Misschien waren ze allebei een beetje overgevoelig. Maar Beck was nog steeds nijdig op hem omdat hij het tweede peloton in de voorste lijn had gelaten na de verliezen die het op de Zeekomkommer had geleden; en beide mannen herinnerden zich hoe hij op de Zeekomkommer ook al had gewacht met naar voren gaan tot de mortieren het vuur hadden beëindigd. Het was het zoveelste minpuntje dat ze allebei op zijn conto schreven, terwijl Band weer eens handjes ging schudden met zijn collega van L.

Iedereen wist dat het punt was bereikt waarop ze zoveel terrein hadden veroverd, dat er serieus gevaar bestond voor het al te kwetsbaar worden van hun positie. Dat was het voornaamste probleem. De mannen stonden in groepjes af te wachten wat hun commandanten zouden besluiten. Het water was bijna op. De I-compagnie en de B-compagnie, ook al drooggelegd, hadden zich in de breedte genesteld op de achterwaartse helling van de grote heuvel. Van allebei kwamen de commandanten naar voren om deel te nemen aan de bespreking. Nog verder naar achteren hadden de K- en de A-compagnie zich verspreid over beide grenzen van het open terrein tegenover de jungle, om de flanken te beschermen; maar hun linies dekten minder dan een kwart van de afstand in achterwaartse richting naar de staart van de Reuzengarnaal. Een sterke tegenaanval die van achteren kwam, zou beide bataljons kunnen afsnijden, en het was pas halftwaalf. Niemand wilde de verantwoordelijkheid nemen voor het besluit verder te trekken of op de plaats te blijven. Men besloot dat de L- en C-compagnie, als voorste onderdelen van de twee bataljons, per radio instructies zouden vragen aan hun staf.

Wat Band betrof, toen hij eindelijk verbinding had merkte hij dat er evenveel, zo niet meer, verwarring heerste op de staart van de Reuzengarnaal als hier op de kop van het monster. De nieuwe BC, die kapitein John Gaff verving, was de hoogste officier die Band kon bereiken. Overste Spine, de nieuwe commandant, was vertrokken voor een spoedbespreking met de regimentscommandant en de andere bataljonscommandanten. De divisiecommandant zelf was van Heuvel 214 onderweg om persoonlijk met hen te spreken en de leiding op zich te nemen. In de stem van Gaffs opvolger kon Band, ondanks de fluittonen en het gekraak, dezelfde uitgelatenheid en opwinding beluisteren die hij zelf had ondervonden toen ze zonder enige tegenstand over de volle lengte van de Reuzengarnaal waren opgerukt. Water? Er was juist op dat ogenblik een groep inlandse waterdragers onderweg; het water zou hen na een halfuur tot drie kwartier moeten bereiken. Bovendien was het tweede bataljon al bezig van Heuvel 250 af te dalen met orders om de linies van K en A naar achteren te verleggen. Terwijl hij naast Band stond, controleerde en bevestigde de gestoorde Welsh alles met behulp van de fraaie veldkijker die aan wijlen luitenant Whyte had toebehoord en die Band hem voor dit doel had overhandigd. En, zo vertelde de plaatsvervangend bataljonscommandant, men was al bezig het andere regiment bataljonsgewijs weg te halen van het front op De Dansende Olifant en de troepen naar voren te zenden in deze richting; de linie op De Olifant zou onverdedigd worden gelaten op bevel van de divisiecommandant en de bevelvoerende generaal. Het werd nu alles of niets. Misschien was het hun grote kans: een sterke doorbraak op de hielen van een algemene terugtocht. Maar het kon ook een soort val zijn.

'Weet ik,' zei Band onzeker.

Eigenlijk zou hij zelf moeten gaan kijken hoe het er daarachter voor stond! Vervolgens: doen? Wat moesten ze doen? Nu viel er een stilte. De BC voelde er evenmin iets voor om de verantwoordelijkheid voor de beslissing op zich te nemen. Hij wist niet hoe ze nu moesten handelen, zei hij slapjes. De overste zou over een uur wel terug zijn met instructies. Misschien eerder.

'Moeten we dan tijd verknoeien?' vroeg Band. Hij had die cynische, geamuseerde verachting van frontmilitairen voor figuren die achter de linies bleven. Hij luisterde laatdunkend, terwijl de plaatsvervangend BC hem vertelde dat als hij wilde wachten en aan de lijn zou blijven, hij van zijn kant zou proberen de overste te pakken te krijgen. De bespreking werd gehouden op een meter of vijftig van de plek waar hij nu stond en hij zou de radioman meenemen. Kon hij wachten? Band wachtte, en hij voelde dat hij zijn ogen wat dichtkneep, zijn hals uitrekte, z'n rug rechtte, zijn kaak naar voren stak en zijn lippen opeenperste – een frontmilitair op een heuvelrug. Hij staarde naar achteren, naar de staart van de Reuzengarnaal waar de hoge heren waren.

Toen de instructies kwamen, kreeg hij ze weliswaar van de BC, maar waren ze afkomstig van de regimentscommandant in hoogst eigen persoon. Die oude dronkenlap met zijn vlekkerige gezicht, zijn witte haar en reusachtige buikomvang, nam zelf de verantwoordelijkheid om beide bataljons te bevelen onmiddellijk naar voren door te stoten. De divisiecommandant had van de bevelvoerende generaal al toestemming gekregen om de divisiegrenslijn op rechts te wijzigen. Het plan was dat het derde bataljon vanaf de kop van de Reuzengarnaal naar rechts zou zwenken en zou aanvallen in de richting van het strand over een serie min of meer met elkaar verbonden onbegroeide heuvels. Het doel van de aanval was het strand bij het dorp Bunabala – het opperbevel had verwacht nog in geen weken of maanden zo ver te zullen komen – om aldus het Japanse leger in tweeën te kappen en de Japanners die nog weerstand boden van de divisie op het strand af te snijden. Band floot zachtjes. Dat was een stevige opdracht voor een enkel bataljon – zelfs voor twee bataljons. Alsof Band zijn gedachte hardop had uitgesproken, vervolgde de plaatsvervangend BC met te zeggen dat ze natuurlijk zo snel mogelijk versterking zouden krijgen van het tweede bataljon en het andere regiment.

Het eerste bataljon daarentegen, zei de BC, en Band knikte omdat hij al meende te weten wat nu ging komen, zou eveneens naar rechts zwenken, maar in een wijdere boog, langs de buitenlijn van het derde bataljon, om dit flankdekking te bieden. Ze moesten, eh, om het eens met beeldspraak te zeggen, de verdedigers afhouden van het derde bataljon terwijl zij het doel bedreigden. Maar aangezien ze niet over een rij onderling verbonden heuvels zouden kunnen manoeuvreren, werd hun situatie enigszins anders. Op de kaart konden ze een reeks ver uiteenliggende heuvels vinden op enige afstand ter linkerzijde van de aanvalsroute voor het derde bataljon. Deze heuvels liepen uit in de palmbossen even links van Bunabala en zouden hun aanvalsdoel zijn. Ze moesten deze veroveren, overal voldoende mensen achterlaten om ze te bezetten, en dan verder oprukken – tot ze ten slotte bij Bunabala waren. Daar moesten ze naar links doorstoten om de achterhoede van het derde bataljon te beschermen dat rechts van hen streed. Zodra het water, de rantsoenen en gewondendragers waren aangekomen, moesten ze vertrekken. Wat de toekomstige watervoorziening betrof, tijdens de mars zouden ze zelf voldoende water moeten vinden. Op de kaart waren verscheidene kreken en waterbassins in de buurt van hun route te zien. En ze hadden toch waterzuiveringspillen? Inderdaad, zei Band. Prachtig, dat was alles en veel succes, kerel, zei de BC opgewonden. Band stond op het punt om te schakelen, hem droogjes te bedanken en te sluiten, toen de ander hem weer opriep. Er was nog één ding.

'Wat? Wat zei u, kolonel?' hoorde Band hem onduidelijk zeggen en toen, harder en verstaanbaar: 'De regimentscommandant zegt dat jullie misschien van je eigen linies afgesneden zullen worden. In elk geval zullen het eerste en het derde bataljon tijdens de opmars niet aanleunen. Maar zelfs binnen het bataljon zullen jullie compagnieën misschien het contact verliezen.' De BC sprak langzaam, alsof de regimentscommandant het hem zin voor zin dicteerde. 'Dus moeten jullie jezelf beschouwen als onafhankelijk opererende eenheden, behalve wanneer er contact is. Duidelijk? Over.'

Bands mond was ineens droog van opwinding. 'Roger,' zei hij rustig. 'Over en sluiten maar.'

Toen hij de verbinding verbrak, schitterden zijn ogen achter de brillenglazen feller dan ooit tevoren. Onafhankelijke eenheden! Onafhankelijk opereren!

De plaatsvervangend BC had eerder gezegd dat overste Spine zijn best zou doen om zo dicht mogelijk bij hen in de buurt te blijven, maar Band wist wat dit betekende. Het hield in dat Spine in geen geval dichterbij zou komen dan het front van het tweede bataljon of van het andere regiment, als die naar voren kwamen om de terreinwinst te consolideren.

De CC van de Love-compagnie had ongeveer hetzelfde te horen gekregen, met één belangrijke uitzondering. Zijn overste ging wel mee. Band en zijn collega van de L-compagnie schudden elkaar weer eens de hand.

De Charlie-compagnie keek toe hoe de mannen van Love afmarcheerden. Er heerste nu overal een nerveuze, vreemd opgewonden sfeer. Het was onmogelijk te zeggen welk van de twee bataljons de moeilijkste opdracht had gekregen. De voorwaartse helling van de Reuzengarnaal liep geleidelijk af aan de rechterzijde van hun eigen opmars-as, en vormde zo het lange gezicht en de kleine 'baard' van de Reuzengarnaal, die op luchtfoto's zo duidelijk te zien waren. De laatste onderdelen van de L-compagnie staken de 'baard' over en verdwenen het oerwoud in terwijl de mannen van Charlie toekeken.

Band liet zijn officieren en het hogere kader bijeenkomen voor een bespreking. Onafhankelijke eenheden! Hij lachte zijn kleine glimlachje. Toen ze allemaal aanwezig waren, zei hij: 'Het ziet ernaar uit dat de verdediging misschien wel gekraakt is, heren. In elk geval kan niemand in onze sector het Keizerlijke Japanse Leger nog vinden. We hebben nu opdracht om net zolang door te stoten tot we weer Jappen aantreffen en dan aan te vallen om te zien hoe sterk ze zijn. Indien mogelijk moeten we het derde bataljon helpen met het veroveren van Bunabala. Misschien wordt het een doorbraak en zal het ons lukken ze af te snijden. Kom op, mannen, we gaan op weg. We hebben nog een heel stuk te lopen.' Hij zond hen weg en ze begaven zich weer naar hun pelotons. Hij was heel tevreden over zijn toespraakje. Hij vond het prettig om hier neer te hurken en het plan uiteen te zetten in deze gloeiend hete zonneschijn op een stoffige berghelling met oerwoud aan alle kanten, op dit eiland Guadalcanal, ver weg in de tropische Stille Zuidzee. Onafhankelijk opereren! Band was er absoluut zeker van dat zíjn compagnie er in elk geval bij zou zijn als Bunabala werd ingenomen.

Die naam was nieuw voor de hele compagnie. Hij was weleens opgedoken in gesprekken van heel lang geleden, nog op het strand, voor ze het gevecht in gingen. De mariniers hadden eens een expeditie uitgezonden om het dorp te veroveren, maar dat was op een fiasco uitgelopen. Nu deed de naam Bunabala in een oogwenk de ronde door de hele compagnie en natuurlijk was er meteen iemand die het dorp herdoopte in Boola Boola. Ze wisten dat het aan het strand lag, in de palmbossen. Tot deze dag was Boola Boola een verre luchtspiegeling geweest, een alleen in de toekomst bestaand dorp dat ze eens zouden moeten aanvallen en veroveren. Nu was het als bij toverslag hun doel geworden.

De gewondendragers, rantsoenen en het water arriveerden. Niemand droeg natuurlijk ransels, maar de paar blikjes van het C-rantsoen konden ze ook in hun zakken wel meenemen. Voor de eerste keer sinds het vertrek uit het bivak besloot vrijwel iedereen om zijn overgebleven whisky op te drinken, weg te geven of op de grond te gieten en de tweede veldfles met water te vullen. Welsh was een van de weinige uitzonderingen. Hij bleef bij zijn twee veldflessen gin. Toen ze zich zo goed mogelijk hadden voorbereid op de dingen die gingen komen, maakten ze zich klaar om te vertrekken.

Juist op dat moment, tijdens het laatste omhangen, rechttrekken en rondlopen, kwam Milly Beck – de fanatieke dienstklopper en vroegere groepscommandant, nu een even gewetensvolle pelotonssergeant – naar Band toe met hevig gefronste wenkbrauwen en het verzoek om zijn peloton terug te zetten als compagniesreserve. 'Mijn jongens hebben het zwaarder gehad dan alle andere pelotons, luitenant. Bij de Olifantskop ook al. Ze hebben meer verliezen geleden en van hun krachten is meer geëist dan van wie dan ook. Ze hebben nu weleens een halve dag rust verdiend.'

'Heb je hier met luitenant Tomms over gesproken?' vroeg Band, zijn bril rechtzettend om Beck eens goed aan te kijken.

'Met hem?' zei Beck, onverstoorbaar en zoals gewoonlijk recht op de man af. 'Nee. Wat weet die er nou van?'

'Dat is waar,' gaf Band toe. Hij hield niet van dit soort verzoeken. Maar Beck was altijd heel rechtvaardig – op zijn domme manier – en wat belangrijker was, hij was goed in zijn werk. Band dacht zwijgend na en duwde met zijn middelvinger tegen de brug van zijn montuur.

'Het is niet eerlijk als mijn jongens altijd die verrekte voorste positie krijgen,' onderbrak Beck de stilte, alsof dit argument voldoende was.

Later meende Band dat hij het verzoek misschien zou hebben ingewilligd, als Beck niet juist op dat ogenblik had gesproken. Nu hief hij met een ruk zijn hoofd op en keek hem aan. 'Eerlijk? Wat is dat, niet eerlijk? Wat heeft eerlijk zijn ermee te maken? Nee,' zei hij, 'het spijt me, maar ik moet je verzoek afwijzen, sergeant. Jouw peloton is het beste dat ik heb. Ze hebben meer ervaring, ze zijn harder, ze weten zich beter te redden. Ze horen thuis aan de spits.'

'Is dat uw finale beslissing, luitenant?' gromde Beck, hem recht in het gezicht starend.

'Het spijt me, sergeant, het is niet anders.'

'Met andere woorden, hoe meer er bij ons sneuvelen terwijl ze ervaring opdoen, des te meer er daarna sneuvelen omdat er van hun ervaring gebruik moet worden gemaakt?'

Band vond dat het tijd werd om zijn gezag te laten gelden, maar hij deed het niet grof of vernederend. 'Zoals ik gezegd heb, eerlijk heeft er niets mee te maken,' zei hij beslist. 'Hoe hard het ook klinkt. In een oorlog maken we gebruik van alles wat nuttig is. En ik ben hier degene die moet beslissen wat waar het nuttigst is.' Hij liet zijn ogen staalhard worden achter de brillenglazen. 'Zijn er verder nog vragen, sergeant Beck?'

'Nee, luitenant,' gromde Beck, razend.

'Dat is dan alles.'

'Zeker, luitenant!' Beck salueerde, maakte correct rechtsomkeert en marcheerde in de houding weg, met precies honderdtwintig passen per minuut. Het was de enige manier waarop hij zijn ongenoegen kon tonen. 'Mijn peloton!' blafte hij. 'Overeind komen en klaarstaan!'

Arme kerel, dacht Band, weer met zijn kleine glimlachje. Het speet hem. Niettemin was hij van mening dat hij de kwestie op de beste manier had afgehandeld. 'Sergeant!' riep hij, gehoor gevend aan een plotselinge inval.

Beck draaide zich om. Hij stond ongeveer vijf meter van hem vandaan. Er was niemand in de buurt. 'Ik wil je nog iets zeggen, sergeant,' zei Band, glimlachend achter zijn bril.

'Ja, luitenant?'

'Weet je waarom de Charlie-compagnie vandaag bij deze aanval de stoottroep van het bataljon is? Omdat ik ons daarvoor bij de nieuwe BC heb aangeboden.'

'*Wat*?!' riep Beck ongelovig uit en hij boog zich van verbazing voorover, alsof hij hem wilde aanvallen.

Band trok zijn wenkbrauwen op en wachtte. Beck liep al te lang mee om niet te weten wat dit betekende. 'U hebt wát gedaan?' zei hij met gesmoorde stem.

'Precies,' zei Band, 'en weet je waarom? Omdat naar mijn mening de Charlie-compagnie met zijn grotere gevechtservaring hier nuttiger zou zijn dan een andere eenheid. Nuttiger voor het regiment, voor de divisie, voor de aanval. Voor iedereen.' Hij bleef glimlachen in de hoop dat zijn bedoeling langzamerhand duidelijk zou worden. Beck ging weer rechtop staan, zijn gelaat volkomen uitdrukkingsloos. 'Verder nog iets, luitenant?' vroeg hij afgemeten en vol waardigheid.

'Dat is alles, sergeant.'

Beck salueerde, maakte rechtsomkeert en brulde weer: 'Mijn peloton! Overeind komen en klaarstaan!'

Met een somber lachje keek Band hem na.

Deze keer liet Beck Dales groep vooropgaan. Hij zag niet in waarom hij een idioot moest zijn alleen omdat Band er een was. Maar er werd in het peloton hoorbaar gemopperd omdat men weer voorop moest gaan. Zodra Beck dat hoorde begon hij fel en woedend te vloeken. Hij was niet van plan om kritiek van zijn peloton te dulden. Eerst verdween Dales groep tussen de bladeren, daarna volgden de andere drie. Toen was het de beurt aan het derde peloton, gevolgd door de compagniesstaf, daarna het eerste peloton en het ondersteuningspeloton. Terwijl ze een voor een verdwenen, trok de Baker-compagnie op naar de voorzijde van de heuvel, stelde zich op in formatie en volgde hen.

Toen de C-compagnie, genegeerd door lui van Baker die zich alleen zorgen maakten over zichzelf en heel blij waren dat zij in tweede positie optrokken, voorzichtig begon aan de eerste duizend meter van de junglemars, deden twee achterblijvers hun uiterste best zich bij de compagnie aan te sluiten. Mess-sergeant Storm en tijdelijk soldaat eersteklas Witt stelden, onafhankelijk van elkaar en om uiteenlopende redenen, alles in het werk om de compagnie te vinden.

Al had de Charlie-compagnie niet meer aan Witt gedacht sinds de nacht waarin hij dronken van de heuvel was afgerend, Witt had voortdurend over de compagnie lopen peinzen. De onverzoenlijke soldaat uit Kentucky werd gekweld door bezorgdheid vanaf het moment dat hij vernam dat zijn vrienden uit reserve waren genomen en een rol zouden spelen bij de aanval, terwijl hij wist dat hij niet met hen mee kon gaan gezien de gelofte die hij had afgelegd. Toen hij het nieuws hoorde, bevond hij zich in het achterland op Heuvel 209 en droeg waterblikken en rantsoenen. Men had de geschutcompagnie – die nog altijd werd beschouwd als een eenheid van mislukkelingen, zwervers en kneusjes, en bovendien nog steeds zonder geschut zat – ingeschakeld als voorraaddragers in plaats van als gewondendragers. De mannen verplaatsten voorraden tussen Heuvel 209 en 214, de voorpoten van De Olifant. Hierdoor had Witt nog niet gehoord dat overste Tall gepromoveerd was. Pas omstreeks het middaguur, toen hij terugkeerde van zijn zoveelste vrachtje naar Heuvel 214, hoorde hij secretarissen van de regimentsstaf praten over Talls salarisverhoging, zodat hij achter de feiten kwam. Hij pakte onmiddellijk zijn geweer en wat munitiebanden en sloop weg in de richting van Heuvel 214 via de jeepweg. Hij was pas enkele dagen daarvoor bevorderd tot tijdelijk soldaat eersteklas; alle rangen in de geschutcompagnie waren tijdelijk, omdat de compagnie nog steeds geen organisatiestaat had. Hij zou dus ongetwijfeld zijn streep weer verliezen. Daar stond tegenover dat hij in Charlie twee dagen dienst had gedaan als tijdelijk sergeant. Hij lachte opgewekt om al die dingen en stak de nieuwe weg door de wildernis over, die aangelegd was tussen Heuvel 214 en de Zeekomkommer. Daar zag hij Maynard Storm die zijn keuken had ingericht op de open richel, op het ogenblik dat Charlie de eerste onverdedigde heuvels in de wilderniszee had ingenomen.

Storm had zijn eigen moeilijkheden. In het hospitaal had hij gezworen dat hij voortaan mess-sergeant zou blijven en zich niet meer in de hel van de frontlijn zou begeven, maar hij had ook gezworen dat hij zijn arme, zwaarbeproefde eenheid ten minste één warme maaltijd per dag zou bezorgen, als dat menselijkerwijs mogelijk was. Daarom had Storm in het verlaten bivak, waar MacTae, de foerier, nu de enige man van gezag was, de beide jeeps van de compagnie opgeroepen en de foerier had hiertegen geen enkel bezwaar gemaakt. Storm had de jeeps volgeladen met koks, fornuizen en voorraden en was bij het aanbreken van de dag vertrokken om de Charlie-compagnie van voedsel te voorzien. Aangekomen bij de kop van De Olifant ontdekte hij echter dat de compagnie al weg was. Men vertelde hem dat de mannen zich als regimentsreserve ingroeven op de Zeekomkommer. Geduldig was hij teruggegaan, had de andere weg genomen en bereikte ten slotte de Zeekomkommer (na een langdurige discussie met de mannen van de militaire politie die de nieuwe sectie moesten bewaken) om te ontdekken dat ze alweer verdwenen waren. De mannen van het tweede bataljon trokken al in hun achtergelaten dekkingsgaten. En daar stond hij nu. Hij kon niet verder. Zelfs jeeps konden niet bij de Reuzengarnaal komen zolang er geen weg was aangelegd, alle voorraden werden naar voren gebracht door inlandse dragers. Trouwens, als er een weg was geweest, dan zouden andere transporten voorrang hebben gehad, want munitie, gevechtsrantsoenen en water hadden prioriteit. Nadat Storm in de moderne oorlogvoering eerst gewond was geraakt, maakte die het hem nu ook onmogelijk om zijn werk behoorlijk te doen. De moderne oorlogvoering interesseerde het geen snars of Storm wel of niet in staat was zijn compagnie warm eten te verschaffen. De moderne oorlogvoering was absoluut niet geïnteresseerd in een zelfstandige compagnieskeuken, die zijn best deed om ver genoeg naar voren te komen om de mannen van warm eten te voorzien, als daardoor transporten naar het front in de war zouden worden gestuurd; en niemand was bereid hem te helpen. Het warme eten was voor Storm een obsessie geworden. Alleen hiermee kon hij zich bevrijden van de schuldgevoelens over het feit dat hij niet meevocht. En daar zat hij nu, met één vinger in zijn reet en één in zijn mond, alsof hij een baby was. Een man van zwakker karakter zou zich gebroken voelen en hebben gehuild. Storm vloekte terwijl de tranen in zijn ogen sprongen.

Storms koks, daarentegen, waren blij. Geen van hen had iets opgehad met zijn waanzinnige idee. Het was allemaal veel te dicht bij het gevaarlijke front. Hij had ze gedwongen om met hem mee te gaan en had dit krankzinnige plan doorgezet ondanks hun gezamenlijke protesten. Ze hadden zelfs geen corveeërs voor het smerige werk. Ze sloegen hun bijna huilende baas dan ook vol leedvermaak gade en zeiden fluisterend tegen elkaar dat hij hen nu misschien wel terug zou laten gaan naar het bivak. Uiteindelijk schraapte een van hen al zijn moed bij elkaar en vroeg het hem op de man af. Storm gaf hem zo'n felle linkse directe tegen de zijkant van zijn hoofd dat hij tegen de grond sloeg en zijn kop twee uur later nog gonsde als een bijenkorf. Terwijl hij werkte. Want Storm had ze allemaal meteen aan het werk gezet.

Hij wist niet precies wanneer hij op het idee was gekomen. Het was eigenlijk heel logisch. Overal om hem heen lagen mannen die snakten naar warm eten en hij had immers de fornuizen en de voorraden. En dus had hij zijn keuken opgebouwd op een stukje min of meer vlak terrein, tien meter van de grote richel af. De fornuizen werden uitgeladen en aangestoken en de koks in ploegen verdeeld. De pannen waren al snel vol met dampend en sissend voedsel en Storm was klaar om het uit te delen. Hij had in de twee jeeps genoeg eten geladen om de compagnie een hele week wel drie warme maaltijden per dag te serveren. Het zou weleens een langdurige veldslag kunnen worden. Volgens dezelfde berekening zou hij ook zes compagnieën twee warme maaltijden per dag kunnen geven gedurende twee dagen. Of, als hij... Hij hield op met rekenen en ging weer aan het werk. Toen Witt arriveerde, had hij iedere man van de twee compagnieën van het tweede bataljon dat de Zeekomkommer bezet hield, al voorzien van warm eten voor ze verder trokken. En hij had ook de ene compagnie van het zusterregiment dat hen kwam aflossen, te eten gegeven. Toen hij daarna een onbekende compagnie zag die voorbijmarcheerde in de richting van de Reuzengarnaal, schoot hem een nog beter idee te binnen.

De mannen kwamen van de jungleweg naar Heuvel 214. Toen ze zagen dat koks van een onbekende compagnie een keuken hadden opgesteld vlak bij hun opmarsroute, een keuken waarin pannen sisten en dampten, puilden hun ogen uit het hoofd. Velen verlieten plotseling het gelid, renden naar de keuken toe en brandden hun handen aan de plakken hete Spam terwijl ze wegrenden om hun plaats in de formatie weer in te nemen. Storm had een hele lading brood meegebracht, dat hij nu liet aansnijden. Hij posteerde een wacht aan het eind van de jungleweg die vanaf Heuvel 214 hier naar toe liep. Als deze man een teken gaf, begonnen alle koks van Storms keukenbrigade zoveel Spam te braden als de pannen maar konden bevatten. De koks die niet in de werkploeg zaten sneden het brood, deden de hete Spam erop en deelden armen vol sandwiches uit aan de voorbijtrekkende soldaten, terwijl Storm brulde, schreeuwde en in zijn handen klapte om hen tot grotere activiteit aan te zetten. Hij leek een coach die zijn team naar de zege wilde drijven. Ze konden op deze wijze niet elke soldaat voeden, daar was geen tijd voor, maar af en toe – helaas zelden – was er een begrijpende compagniescommandant die tien minuten rust beval op de Zeekomkommer. En er trokken nu voldoende eenheden over de Zeekomkommer naar de Reuzengarnaal om Storm volop bezig te houden. En daarna zou hij het avondeten bereiden voor de vreemde compagnie die hier geposteerd lag. Zijn koks keken hem aan alsof hij gek was geworden, maar dat kon hem niet schelen. Ze konden allemaal naar de bliksem lopen. Iedereen kon naar de bliksem lopen! De mannen moesten eten!

Maar zo nu en dan moest hij aan de Charlie-compagnie denken.

De gezichten die hij zo goed kende, gleden aan zijn geestesoog voorbij. Op die momenten wist hij dat wat hij hier deed niets te betekenen had, dat het naar zijn eigen gevoel allemaal waardeloos was en hemzelf zeker niet hielp. En dan kreeg zijn gezicht weer die uitdrukking van woede, teleurstelling, schuld of pijn. O, de moderne oorlogvoering, je kon zelfs niet meer doen alsof dit alles nog menselijk was. En dan stortte hij zich weer op zijn werk.

Hij was nog steeds bezig met deze komische rol, emotionele uitbarsting gevolgd door emotionele werklust, toen Witt in zijn eentje de weg afkwam. Een eenzame figuur, voorovergebogen onder de zware gevechtsbepakking, met omgehangen geweer en munitiebanden, mager en tenger, z'n hoofd diep weggezonken onder de helm. Witt, de man uit Kentucky; Witt, de man die negers haatte omdat ze stemrecht wilden. Zelfs als een neger hem vertelde dat het hem persoonlijk geen reet interesseerde of hij mocht stemmen of niet, geloofde Witt dat beslist niet. Dan loog die vent. Van onder de helm staarden harde, onverzoenlijke ogen de wereld in; de ogen deden denken aan die van een klein roofdier, een fret of zo. Er werden vele handen geschud. De keuken had Witt niet meer gezien sinds de nacht waarin hij de helling was afgerend. Er werd een enorme maaltijd voor hem bereid. Storm zette hem net zoveel gebakken Spam, gedroogde, tot puree verwerkte aardappelen en gestoofde, gedroogde appeltjes voor als zijn kleine buik kon bevatten. Daarna haalde Storm een fles Australische whisky te voorschijn.

'Wat doe jij hier eigenlijk in je eentje? Waar ga je in godsnaam naartoe?'

'Ik ga terug naar de compagnie,' zei Witt en hij veegde zijn mond af met de rug van zijn hand.

'Wát zeg je?'

Witt grinnikte. 'Ik ga terug. Shorty Tall is gisteren bevorderd.'

'Jij bent stapelgek,' zei Storm.

Witts ogen draaiden langzaam rond in hun kassen onder de schaduw van de helm en staarden hem aan. 'Nee, gek ben ik niet.'

'In de eerste plaats weet niemand waar ze zijn. Ze zitten ergens in de jungle en niemand weet waar. Ze zijn niet eens meer op de Reuzengarnaal.'

Witt knikte. 'Ik vind ze wel. Iemand moet weten waar ze zijn.'

'Het laatste dat wij gehoord hebben is dat alle compagnieën van het eerste en het derde bataljon bevel hebben gekregen om als onafhankelijke eenheden te opereren en je weet wat dat betekent.'

'Natuurlijk, ze hebben geen contact meer met elkaar.'

'Man, je bent echt volledig gestoord!'

'Waarom?' vroeg Witt. 'Het is mijn compagnie, nietwaar? En ze moeten toch een spoor achterlaten. En Tall heeft promotie gemaakt!' Hij keek Storm recht in de ogen.

Storm staarde terug. 'Neem nog een slok,' zei hij.

'Heel graag, dank je,' zei Witt beleefd. En daarna glimlachte hij voorzichtig. 'Blij je te zien, Stormy. Maar wat doe jij hier eigenlijk? Waarom geef je al die vreemde kerels te eten?'

'Ik wilde me aansluiten bij de compagnie, maar we hebben ze gemist. En deze mannen waren hier nu eenmaal.' Storm haalde een beetje slapjes zijn schouders op. 'Ik dacht dat ik beter hun te eten kon geven dan helemaal niemand.'

'Een goede daad dus,' zei Witt. 'Mij kwam het in ieder geval prima uit.'

'Ach,' zei Storm en hij haalde opnieuw zijn schouders op. Hij keek om zich heen. 'Ik ga net zo lief met jou mee.'

Witt stond op. 'Nou, dan doe je dat toch gewoon.'

'Maar ik weet niet wat deze gozers zullen doen als ik er niet meer ben om voor ze te zorgen,' zei Storm.

'We zouden een hoop lol kunnen hebben.'

'Eerlijk gezegd,' zei Storm, 'ik hou er niet zo van als ze op me schieten.'

'Ach, ieder zijn smaak,' antwoordde Witt en hij lachte. 'Ik geloof dat ik het wel leuk vind. Maar eerlijk, ik had dit niet gedaan als het niet om de goeie ouwe compagnie ging.'

En daar lieten ze het bij. Witt was zich goed bewust van de indruk die zijn odyssee maakte en hij was heel trots op zichzelf. Hij bleef nog wat napraten, dronk nog een paar borrels en ging daardoor niet op weg richting de Reuzengarnaal voor het drie uur was geweest; het tijdstip waarop Charlie zijn tweede onverdedigde heuvel innam.

Storm keek de eenzame, glorieuze figuur na totdat hij uit het gezicht verdween, de wildernis in naar de Reuzengarnaal achter een stel inlandse dragers. Witt merkte dit niet; hij was te trots om om te kijken, maar hij vroeg zich wel af of er niet een paar mannen waren die hem nakeken. Omdat hij herhaaldelijk moest blijven staan om informatie te vragen aan mensen die niets wisten of alleen maar vage geruchten hadden gehoord, duurde het anderhalf uur voor hij de kop van de Reuzengarnaal bereikte. Daar wees men hem de richting waarin het eerste bataljon was verdwenen. Dit was ongeveer het moment dat Charlie de aanval op Heuvel 279 inzette. De vierde heuvel van die dag werd verdedigd door een Japanse eenheid ter grootte van een peloton.

Het was een hard gevecht en vreemd genoeg een vervelend gevecht. Voor bijna iedereen. Eén man verveelde zich echter helemaal niet: korporaal Geoffrey Fife. Hij hoorde sinds kort bij de tweede groep van het derde peloton. Fife doodde in dit gevecht zijn eerste Japanner.

De meesten konden zich niet eens meer herinneren hoeveel heuvels ze hadden ingenomen en weer achter zich gelaten. Alles liep hier in elkaar over, in een lange, moeizame, adembenemende mars tussen groene bladeren en koord-dikke lianen, waartussen op kale rotsige plekken de zon venijnig brandde; het kunaigras rook stoffig. Hoewel Band er met niemand over had gesproken, was hij vast van plan erbij te zijn als Boola Boola werd veroverd – hij noemde het dorp nu ook zo – en hij dreef z'n mannen zo genadeloos voort dat ze, op het moment waarop ze hun derde onverdedigde heuvel namen, meer dan zevenhonderd meter voor lagen op Baker in plaats van de afgesproken tweehonderd meter. Iedereen, ook hijzelf, verkeerde in een staat van verdovende uitputting, wat niets meer te maken kon hebben met de whisky die ze snel naar binnen hadden gegoten op de Reuzengarnaal, want ze hadden de alcohol allang uitgezweet. Al twee keer was het water op geweest en hadden ze langs het pad moeten zoeken naar de op de kaart aangegeven watergaten. Bij het tweede gat werd Big Un Cash gedood door een lichte Nambu. En al wisten ze dan niet meer precies hoe die heuvels ten opzichte van elkaar lagen, dat tweede watergat zouden ze niet snel vergeten.

Het bevond zich even buiten de marsroute, aan een klein zijpad dat de Japanners handig hadden gecamoufleerd door langs het hoofdpad, daar waar de zijweg begon een dik scherm van struiken te laten staan. Ze moesten er zo lang naar zoeken dat ze ernstig aan de juistheid van de kaart gingen twijfelen. Het watergat werd verdedigd door vijf Japanners, die al lange tijd honger hadden geleden. Ze beschikten over geweren en die ene Nambu. Dit was tussen de tweede en derde onverdedigde heuvel. Op een gegeven moment stootte iemand door stom toeval op het zijpad. Het leidde van de heuvel omlaag naar een diepe kom, waar bronnen een modderige, stinkende poel hadden gevormd. De jungle hield de poel voor eeuwig in de schaduw. Groen schuim dreef op het water. En ondanks dat zag het er toch aanlokkelijk uit. De groep van sergeant Thorne ging op dat ogenblik voorop. Cash – die tot korporaal was bevorderd na De Dansende Olifant en op zijn verzoek bij het tweede peloton was geplaatst – was ingedeeld bij Thornes groep als plaatsvervangend commandant. Toen die groep de leiding van Dales groep had overgenomen, was hijzelf aan het hoofd gegaan en daar liep hij nu nog.

De vijf Japanners hadden hun verdedigingsstelling handig ingericht, gezien de moeilijke omstandigheden. Ze hadden zichzelf en hun bivak verborgen achter een paar omgevallen bomen aan een kant van het zijpad, zodat ze eroverheen konden vuren. Ze vormden blijkbaar een zelfmoordeskader, achtergelaten om zoveel mogelijk Amerikanen mee het graf in te nemen, maar de enige die ze te pakken kregen was Cash. Hij liep ongeveer tien meter voor de tweede man uit toen ze afdaalden naar de poel. Hij viel voorover in de modder; de eerste vuurstoot trof hem in de heupen, het kruis en de onderbuik. Iedereen zocht onmiddellijk dekking. De groepen van Dale en Bell trokken naar rechts en links, terwijl twee mannen met een BAR de Japanners op hun plaats hielden; ze namen drie van de vijf Japanners met handgranaten te grazen. De twee overlevenden die opstonden werden meteen neergeknald en vielen in de poel. De twee groepen maakten contact in het centrum en overtuigden zich ervan dat alle vijanden dood waren. Daarna liepen ze terug naar Cash. Hij was bij bewustzijn en was erin geslaagd zich om te draaien en iets van de modder uit zijn gezicht te vegen.

Uit de twee doden vloeiden roze stroompjes in de poel die zich bijna onmiddellijk geheel oplosten, maar dat weerhield de Charlie-compagnie er niet van hun veldflessen te vullen. 'Iedereen moet in zijn leven eens wat bloed van de vijand drinken,' riep Charlie Dale opgewekt uit, waarop twee mannen gingen kotsen; maar ook deze twee vulden toch hun veldflessen. 'Je kunt het niet zien, maar het is er wél,' zong Dale. Diverse mannen zeiden hem dat hij zijn bek moest houden. Ze stonden in het rond en schudden heftig hun veldflessen op en neer om de zuiveringspillen te laten oplossen, terwijl de twee hospikken keken wat ze voor Cash konden doen.

Nadat ze de veldflessen hadden gevuld, zocht een kleine groep in het Japanse bivak naar buit en ontdekte zo de eerste bewijzen van kannibalisme. Ze hadden allemaal de geruchten gehoord, maar dit was geen gerucht. Een dode Japanner, die blijkbaar was gestorven aan scherfwonden in de borst, was aan zijn hielen opgehangen aan een tak en repen vlees van vijf centimeter breed waren uit zijn billen, het onderste deel van zijn rug en uit zijn dijen gesneden. Ze hadden hem waarschijnlijk met zich meegedragen vanaf de Reuzengarnaal, en nadat hij gestorven was hadden ze nuttig gebruik van hem gemaakt. De zwart geblakerde resten van een kampvuur, waarboven ze hem hadden gebraden, vonden ze op een meter of twee afstand. De andere vijf lijken waren in lompen gehuld, ongelooflijk smerig, hun schoenen waren zo'n beetje vergaan. Ze zagen eruit of ze uitgehongerd waren. Het was duidelijk dat ze vrijwel geen rantsoenen hadden gekregen. Vreemd genoeg was geen van de mannen bijzonder geschokt door dit bewijs van kannibalisme. In deze waanzinnige wilderniswereld van modder, eeuwig vocht, sombere schemering, groene lucht, stank en glibberige fauna, leek het eerder een normale dan een abnormale gang van zaken. Carrie Arbre prikte met zijn bajonet in een van de gelijkmatig in het vlees gesneden wonden en giechelde. 'Hij ziet er nog aardig vers uit.'

'Misschien was hij wel heel lekker,' zei Doll lachend.

'Iemand honger?' werd er geroepen.

Toen hij van het geval hoorde kwam Brass Band met zijn nieuwe plaatsvervanger, een venijnig uitziende Italiaan met een lange neus, eerste luitenant Creo, aanlopen. Charlie Dale vond twee gouden tanden in de mond van een van de lijken. Hij had langzamerhand ontdekt dat lang niet zoveel Japanners gouden tanden hadden als hem verteld was.

De twee hospikken hadden Cash neergezet tegen de stam van een boom. Daar leunde hij met zijn hoofd tegen terwijl hij zijn beide handen tussen zijn benen hield. De twee sergeanten, Thorne en Bell, waren zwijgend bij hem gaan zitten. Thorne was natuurlijk zijn groepsleider en was hier op zijn plaats. Maar John Bell begreep niet waarom hij zich met dit onaangename karwei bemoeide. Big Un was bezig inwendig dood te bloeden en dat wisten ze allemaal. Het duurde ongeveer een kwartier voor hij stierf.

'Hé, mannen, jullie schrijven mijn vrouw, hè?' gromde hij en hij hief zijn hoofd op om ze aan te kijken. 'Niet vergeten. Ik wil haar laten weten dat ik als een vent ben gestorven.'

'Natuurlijk,' zei Thorne. 'Maar niemand hoeft aan je vrouw te schrijven. Je overleeft dit wel. De bataljonshulppost is onderweg en de dragers zullen je heel snel bij de dokter afleveren.'

Big Un liet zijn hoofd weer tegen de boom zakken. 'Lul niet,' zei hij, 'lul niet, man.' En hij voegde eraan toe: 'Ik heb het koud.'

De vier mannen zaten naar hem te kijken. Het zweet gutste in stroompjes over zijn gezicht. 'Kom, kom,' zei Bell, 'maak je maar geen zorgen.'

'Mannen, vergeet niet aan mijn vrouw te schrijven dat ik als een vent ben gestorven,' zei Big Un weer. Toen zuchtte hij, het eerste teken van de grote bloeding die hem het ademhalen steeds moeilijker zou maken. 'We hadden niet verwacht dat hier Jappen zaten, hè, omdat er op al die heuvels geen een was. Wat zei die brave Keck ook weer? "Wat een stomme rekrutenstreek!"' Hij hief een arm op om met zijn mouw zijn gezicht af te vegen. 'Die klotemodder op m'n gezicht,' zei hij. 'Die klotemodder op m'n gezicht.'

Bell offerde zijn laatste zakdoek op, maakte die nat in de poel en veegde zijn gezicht af. Daardoor scheen hij zich beter te voelen. 'Jongens, vergeet niet aan de ouwe dame te schrijven dat ik als een vent ben gestorven.'

'Rustig nou maar,' zei Bell. 'Hou daar maar over op, je komt er wel doorheen.'

Big Un hief zijn hoofd op. 'Gelul,' zei hij, 'ik bloed vanbinnen dood.' Hij keek een van de hospikken aan. 'Waar of niet?'

De hospik knikte zonder iets te zeggen.

'Zie je wel? En dat is maar beter ook. Ze hebben mijn hele kruis aan flarden geschoten. Wat moet ik nog als ik nooit meer kan neuken? Maar vergeet niet aan mijn vrouw te schrijven dat ik als een vent ben gestorven.'

'Natuurlijk niet,' zei Thorne. 'Ik zal haar zelf schrijven. Wees maar kalm.'

Toen hij naar adem begon te happen wisten ze dat het niet lang meer kon duren. 'Jezus, kerels, wat heb ik het koud,' hijgde hij. 'Ik bevries.' Het laatste dat hij ademloos zei, kwam diep uit zijn binnenste: 'Vergeet niet... mijn vrouw... te schrijven... gestorven... als... vent...' Hij bleef nog een hele minuut naar adem happen en toen was het voorbij.

De vier mannen stonden op.

'Schrijf jij zijn vrouw?' vroeg Bell.

'Nee, godverdomme!' zei Thorne. 'Ik ken zijn vrouw niet. Dat is een taak van de compagniescommandant, niet van mij. Ben jij gek geworden? Ik kan niet eens brieven schrijven.'

'Maar je hebt het hem beloofd.' Bell keek neer op de man die nu niet meer Big Un was, die niets meer was.

'Ik beloof ze alles, als ze zo zijn.'

'Toch moet iemand die brief schrijven.'

'Doe jij het dan.'

'Ik heb het niet beloofd.'

Charlie Dale kwam bij hen staan. 'Afgelopen?' Thorne knikte. 'Ja.'

Een paar mannen begroeven hem aan de kant van het hoofdpad, staken zijn geweer in de grond met de helm erop en zijn herkenningsplaatje bonden ze vast aan de trekker. Niemand had een deken om hem in te wikkelen, maar dit was beter dan hem zomaar te laten liggen, want dan zou hij worden opgevreten door ratten of wat voor ongedierte er verder in deze struiken leefde. Toen ze eenmaal zijn gezicht en zijn blote handen met zand hadden bedekt, was de rest niet zo erg meer.

Ze plaatsten een pijl, zodat de Baker-compagnie zou weten waar het watergat was. Daarna trokken ze verder en ontdekten dat de derde heuvel eveneens onverdedigd was.

Maar de vierde niet, als het tenminste de vierde was.

Band had besloten verder te trekken en niet te wachten op de B-compagnie. Hij wilde nog steeds de volgende dag Boola Boola bereiken en de volgende heuvel lag hier volgens de kaart maar vierhonderd meter vandaan. Het bleek in werkelijkheid bijna zeshonderd meter te zijn toen ze er eindelijk aankwamen en dit keer moesten ze zich een weg door de jungle kappen. Tot nu toe hadden ze oude paden kunnen volgen. Het weghakken van struiken en lianen was een zware taak voor de reeds vermoeide mannen, die ook al in een snel tempo hadden moeten oprukken. Toen ze Heuvel 279 bereikten, misten ze acht man die in verschillende stadia van uitputting waren achtergebleven met het bevel zo snel mogelijk te volgen als ze weer wat waren bijgekomen of te wachten tot ze werden opgepikt door de patrouille die Band op de derde heuvel, als het de derde was, had gelaten om contact te maken met de Baker-compagnie.

Vlak voor ze de op een na laatste heuvel verlieten, de derde, vierde of vijfde, verzocht sergeant Beck Band weer om in plaats van het tweede peloton nu een ander voorop te laten gaan. En opnieuw weigerde Band, maar hij beloofde dat Becks peloton morgen – hij veranderde dat nog snel in morgenochtend – in reserve kon gaan. En zo ging het tweede peloton weer voorop toen de compagnie onder vuur kwam. Dit keer liep de groep van Bell aan kop.

Het was de vervelendste situatie en het vervelendste gevecht dat de mannen zich konden herinneren. En dat welke strijd dan ook echt alleen maar vervelend kon zijn, was ongelooflijk, maar waar.

Ze hadden scherp geluisterd terwijl ze zich met hun kapmessen een weg baanden door het oerwoud en hoopten dat ze niet vóór de heuvel al zouden moeten vechten en ze hadden inderdaad niets gezien of gehoord. Toen gilde een man in Bells groep en hij viel neer terwijl mitrailleurs en geweren het vuur op hen openden. Ze waren ongeveer vijftig meter van de top van Heuvel 279, op open terrein. De andere mannen van de groep die vooropging, verspreidden zich. De tweede groep kwam in positie op de linkervleugel. De lange vuurstoot was alweer een paar seconden voorbij. Nu volgde een tweede. De gewonde lag te huilen en te kreunen. De derde groep spreidde zich uit op de rechtervleugel. De mannen lagen met gespannen gezichten op de grond, keken naar elkaar en naar de top van de heuvel. Dit was allemaal gebeurd zonder dat er een bevel was gegeven en zonder dat er een woord was gesproken. Iedereen wist wat hem te doen stond. Sergeant Beck – met achter zich zijn nieuwe luitenant, Tomms – kwam aankruipen met de vierde groep, die van Thorne, die geen plaatsvervangend commandant meer had. Beck gaf met een handgebaar aan dat ze in reserve moesten blijven. Een hospik gleed langs Beck heen om de gewonde te bereiken, die nog huilend en krimpend van de pijn op de grond lag. Achter hen klom het derde peloton, onder leiding van Brass Band, door de dichte struiken onder een hoek die hen op een lijn zou brengen met de linkervleugel van het tweede peloton. Het eerste peloton onder Skinny Culn en zijn nieuwe luitenant, Payne, trok op om zich te verspreiden en positie in te nemen als compagniesreserve. Van het OST-peloton waren twee mitrailleursecties onderweg, een voor elk peloton aan het aldus gevormde front. De mannen van de twee mortiersecties lagen plat op hun buik. Alles bij elkaar had het sinds het afvuren van het eerste schot misschien vijfenveertig seconden geduurd. Vanzelfsprekend was iedereen bang, maar ze waren ook erg moe. Dit moest hun natuurlijk weer overkomen, juist tegen het einde van de dag. De verdoving van de strijd was sinds de vroege ochtend in elk van hen weer toegenomen. Het was helemaal niet opwindend en het gevecht van een halfuur dat nu volgde, deed ze niet veel meer.

Het kwam er ten slotte op neer dat ze steeds verder naar links trokken in hun pogingen om een opening te vinden. En zo kreeg de strijd vorm. Het werd snel duidelijk dat er geen tegenaanval zou komen. Band schatte de vijandelijke sterkte op iets minder dan een compagnie, en dat was aan de hoge kant. Hij zond het eerste peloton achterlangs door tot links van het derde peloton, maar ook deze poging leverde geen geschikte opening op. De drie pelotons verborgen zich achter bomen en reusachtige boomwortels en vuurden terug zonder merkbaar resultaat. Het was vermoeiend, zenuwachtig en allesbehalve inspirerend werk; iedereen wilde dat het zo gauw mogelijk achter de rug zou zijn. Maar de Japanners verdedigden hun heuveltje bekwaam en hardnekkig. Er waren nog twee mannen geraakt en hun gegil en gekreun vormden een klein, maar belangrijk aandeel in de algemene lawaai-orgie. Uiteindelijk besloot Band frontaal aan te vallen. Het was het enige dat hij kon bedenken, aangezien de mortieren gehinderd werden door de boomtakken boven hen.

Vóór het derde peloton liep een zacht glooiende geul naar de heuveltop en bood een soort psychologische toegangsweg. Het derde peloton werd de twijfelachtige eer gegund de frontale aanval in te zetten. Natuurlijk zouden ze niet gewoon opstaan en naar boven hollen.

Ze zouden zo ver mogelijk naar voren kruipen, dan tegelijk hun granaten werpen en daarna stormen. De mitrailleurs en de twee andere pelotons zouden dekkingsvuur geven en zich gereedhouden om achter hen aan te komen zodra zij binnen waren. Luitenant Al Gore, een magere, gekwelde jongeman met ingevallen wangen, en sergeant Fox, een zwaargebouwde, gekwelde man met ingevallen wangen, kropen naar voren om de boel te verkennen. Ze zouden de heuvel bestormen in twee aanvalsgolven van twee groepen elk. Korporaal Fife, die zich klaarmaakte in de groep van Jenks die met de eerste golf omhoog zou gaan, kon nauwelijks geloven dat dit hém overkwam. Hij had gemeend dat er altijd wel iets zou zijn dat verhinderde dat hij in een bajonet- of messengevecht oog in oog met Japanners zou komen te staan. Hij was er lang niet zeker van dat hij iemand zou kunnen doden die hem recht in de ogen keek. Terwijl ze naar voren kropen onder het vuur dat de twee andere pelotons van hen trachtten af te leiden, klappertandde hij en trilde over zijn hele lichaam van ontzetting en gebrek aan zelfvertrouwen.

Eerder in het gevecht, toen het vuur op hen was geopend en de man van Bells groep was gewond en zijn arm had gebroken, had Fifes groep zich vlak achter het tweede peloton bevonden. Terwijl de anderen hun snelle beweging naar links maakten, was Fife gewoon niet in staat geweest een voet te verzetten; hij stond daar maar, ineengedoken op de plek waar hij had gestaan toen het begon, tot Jenks hem geërgerd had toegeschreeuwd: 'Vooruit, jij, verdomme! Schiet op!' Toen had hij zich weer kunnen bewegen, maar zijn verstand weigerde te functioneren; hij kon niet nadenken. Hij wist dat zo'n aarzeling je dood kon zijn, maar het besef hielp hem niet verder. Trouwens, je kon op alle manieren gedood worden, op alle denkbare manieren zelfs. Het besef dat je altíjd kon doodgaan, wat je ook deed, had hem nooit meer verlaten sinds hij die keer zelf gewond was geraakt en nu ontnam het totaal onberekenbare van de hele zaak hem al zijn vertrouwen. Het gillen en kreunen van de gewonde maakte hem nog nerveuzer. Waarom kon hij zijn bek niet houden? Had hij soms ook zo gejammerd? Voor Fife was dit geen alledaags karwei, zoals Jenks het scheen op te vatten. Maar die was dan ook nooit geraakt. Als ze je een keer te pakken kregen, ging je inzien dat je...

Hij had zijn best gedaan om zich te herstellen, had Jenks geholpen de groep bijeen te houden, had voorgewend dat hij niet gedemoraliseerd was, niet alleen maar dacht aan de onberekenbare manieren waarop je kon doodgaan. Maar meer dan mechanisch was dit herstel niet geweest. En het ergst was nog wel de gedachte dat hij misschien niet in staat zou zijn een Japanner te doden als die hem bedreigde, zodat hij zelf gedood zou worden.

En deze gedachte kwelde hem nog steeds terwijl ze voortkropen. Plotseling, zonder dat hij wist waarom, herinnerde hij zich de jonge, dwaze, onwetende, goedgelovige korporaal Fife die voor hem nu een volkomen onbekende was, maar die eens bij het opkomen van de zon met uitgestrekte armen op Heuvel 209 had gestaan, bereid om ter wille van de mensheid en uit liefde voor de mensheid te sneuvelen. Nou, de mensheid kon barsten, dat zootje 'nobele' dieren. Ze konden in de stront zakken. Beter verdienden ze niet.

De mannen kwamen al overeind toen de granatenregen nog niet eens tot ontploffing was gekomen. Ze renden de heuvel op, schreeuwend en brullend. Fife holde met hen mee, hijgend en zwetend. Er was niets wat hem raakte. Rechts van hem liet de gewoonlijk onverstoorbare Jenks een lange, schrille, krijsende, sidderende, opstandige gil horen. Drie mannen vielen tijdens de stormaanval schreeuwend neer. Fife voelde niets. Toen waren ze in de stelling. De tweede golf van twee groepen kwam vlak achter hen. Fife schoot zonder moeite. Toen hij voor de eerste keer die magere, in vodden gehulde vogelverschrikkers van gele mannetjes ingespannen hun geweren en mitrailleurs zag afvuren, kon hij het nauwelijks geloven en was stomverbaasd. Hij zag een Japanner in een put zich bliksemsnel omdraaien met een granaat in zijn hand en terwijl de man hem met wijd opengesperde ogen aanstaarde, schoot hij hem door de borst en zag hem neergaan, terwijl hij merkte hoe hij opgetogen steeds weer bij zichzelf herhaalde: 'Ik kan het ook! Ik kan ze ook doodschieten! Net als de anderen! Ik kan het ook!' Toen keek hij om zich heen of er nog meer doelen waren en zag een Japanner weghollen in de richting van het oerwoud. Met het hoofd omlaag, de armen op en neer pompend, draafde hij in uiterste wanhoop, als een man op een veel te snelle tredmolen die merkt dat hij achteruit gaat in plaats van vooruit. Fife richtte een fractie voor hem uit en schoot hem in zijn linkerzij, even onder de oksel, en juichte uitgelaten toen de man op een meter van de veilige jungle met een gil vooroversloeg. Toen was het afgelopen. Het tweede en eerste peloton stroomden van beide kanten de stelling binnen.

Een aantal van de Japanners – misschien de helft – was ontsnapt, door verspreid weg te vluchten naar de jungle die naar het Amerikaanse achtergebied voerde. Tenminste, als je zo'n term nog zinnig kon gebruiken in deze krankzinnige militaire campagne. De rest, inclusief twee of drie kerels die zich wilden overgeven, werd van korte afstand neergeschoten door nerveuze mannen met vertrokken gezichten die geen flauwekul wensten. Het hele gevecht had iets minder dan een halfuur geduurd. Ze waren allemaal uitgeput, door de lange tocht in de jungle waarbij ze zelf hun pad hadden gekapt, door de lastige manoeuvres over het terrein met lage, dichte begroeiing, en door het gevecht zelf. Als ze een beetje op adem waren gekomen, moesten ze nu alleen nog de lijken opruimen, een rondomverdediging maken en zich ingraven voor de nacht. De C-compagnie had twee doden en acht gewonden. De Japanners hadden drieëntwintig doden, geen gewonden. Maar misschien waren er nog een paar met de anderen ontsnapt.

Terwijl hij daar samen met de overige leden van het peloton zwetend stond uit te hijgen, besefte korporaal Geoffrey Fife, eens de secretaris op de commandopost van de compagnie, dat hij tot zijn grote verbazing persoonlijk twee Japanners had gedood. Hij nam niet, zoals de meeste anderen, deel aan het betasten, bekijken of plunderen, omdat de lijken een gevoel van weerzin en schuld bij hem wekten. Maar hij keek wel toe. Hadden ze dit ook gedaan op De Dansende Olifant? En toen Charlie Dale zijn buigtangetje te voorschijn haalde en gouden tanden ging uitrukken, moest Fife zich omdraaien. Ook anderen schenen Dales tandentrekkerij met afschuw te bezien, maar niemand zei er iets van en niemand keek zo ontsteld als Fife, waardoor Fifes verbazing nog groter werd. Doll, bijvoorbeeld, stond breed grijnzend naar Dale te kijken. Wat mankeerde hem toch? Als de andere jongens zo ijskoud konden zijn, waarom deed hij dan zo overgevoelig? Hij had er zelf twee doodgeschoten, niet? – en een van die twee had hem recht in het gezicht gekeken.

Hij hervond de controle over zichzelf, draaide zich met tegenzin om en keek toe. Hij grijnsde zelfs een beetje. Doll lachte. Dus lachte Fife ook. Hij dwong zichzelf onverschillig – veel onverschilliger dan hij het voelde – naar een van de lijken te lopen en ernaar te kijken. Hij overwoog of hij er zijn bajonet in zou steken om te laten zien dat het hem niets deed, maar hij vreesde dat zoiets al te opzettelijk zou lijken. En dus deed hij iets anders, hij hurkte bij het lijk, nam de ongeschoren, vettige kin in zijn hand en draaide het gezicht naar zich toe. De ogen stonden nog open en een heel dun straaltje bloed was uit de half openhangende, verminkte mond gelopen waar Dale zijn werk had gedaan. Fife duwde het hoofd opzij, stond op en liep weg. Nu hadden ze het eens kunnen zien! Hij voelde een sterke neiging om zijn hand krachtig langs zijn broekspijp af te vegen, maar wist zich te beheersen. In plaats daarvan maakte hij zijn pioniersschop los uit het foedraal. Ze zouden wel gauw moeten graven, dat zat er dik in.

Fife had volkomen gelijk. Dat was het volgende grote karwei voor ze aan de nacht konden gaan denken. Graven. Het werk dat ze overal en altijd moesten doen. Graven. Zweten en hijgen van vermoeidheid. Graven. Bijna elke avond graven. Soms twee of drie keer op een dag. Een plek om te rusten. Alleen degenen met veel mazzel erfden de gaten van andere mannen.

Er werd een ploeg uitgestuurd om de resterende vijftig meter pad te kappen. Een patrouille werd naar achteren gezonden om de achterblijvers te verzamelen en de B-compagnie te berichten waar ze zich bevonden. De gewonden gingen met de patrouille mee. Van de acht gewonden waren er slechts drie die op een brancard moesten worden vervoerd. Dit betekende dat een van de vier brancardploegen bij de compagnie kon blijven. De patrouillecommandant zou om nieuwe brancarddragers vragen, die in de ochtend moesten aankomen, eventueel doorgestuurd door Baker. Nadat alles geregeld was, besloot Band geen verbinding te maken met het bataljon. Ten slotte hadden ze hem verteld dat hij als onafhankelijke eenheid kon opereren. Onafhankelijk opereren! En hij lag ruim op schema, hij had zelfs meer gedaan dan gepland.

Ongeveer een halfuur na het invallen van de duisternis – toen de werkploeg, de patrouille en alle achterblijvers alweer veilig binnen de rondomverdediging waren – werden de mannen die in de putten dicht bij het pad de wacht hielden aangeroepen door een stem die met een sterk aan Kentucky herinnerend accent riep: ‘Charlie! Hallo, Charlie-compagnie! Niet vuren! Loop omhoog! Hier is Witt! Hier is Witt! Tij-de-lijk eenpitter Witt!’ voegde de stem er in een geestige opwelling aan toe. ‘Van de geschutcompagnie!’

En het was inderdaad Witt. Hij had de laatste zeshonderd meter in het donker afgelegd vanaf de stelling die de B-compagnie op de heuvelrug achter hen had gemaakt. Hij had eerst de Able-compagnie gevonden, was weer doorgegaan, was even blijven staan om het identiteitsplaatje te bekijken dat aan het geweer van Big Un Queen hing, had toen Baker bereikt waar hij het wachtwoord had gekregen en de goede raad om niet in het donker verder te lopen, wat hij genegeerd had, en nu was hij er dus. Bijna iedereen was nog wakker en van alle kanten kwamen ze op hem af, sloegen hem op de rug, lachten vrolijk en schudden zijn hand. Het eerste dat hij wilde weten was hun indruk van de nieuwe bataljonscommandant. Iedereen was dolblij hem weer te zien en zeer vereerd dat hij zoveel moeite had gedaan om zich bij hen aan te sluiten. Iedereen, zelfs Brass Band, die juist had besloten buiten de rondomverdediging nog een wegafsluiting aan te leggen; het enige dat volgens hem nog ontbrak aan de strategisch perfecte opstelling van zijn compagnie.

Witt gaf zich natuurlijk meteen als vrijwilliger op.

Iedereen had zich afgevraagd waarom de Japanners hadden besloten Heuvel 279 te verdedigen en de andere niet. Het antwoord, dat ze op de kaart hadden kunnen vinden als iemand daaraan had gedacht, lag net aan de andere kant van de heuvel. Over een gewoonlijk droogliggende rivierbedding naar het palmbos en het strand liep een van de twee belangrijke junglepaden van het eiland in noord-zuidrichting precies aan de voet van Heuvel 279 door het oerwoud. Het Beaufortpad, een heel eind verderop, en het pad hier, door de inboorlingen Dini-Danu genoemd, maar door de Amerikanen onmiddellijk herdoopt in Ding Dongpad, waren de enige verbindingsroutes die dwars over het eiland liepen. Het was bekend dat de Japanners beide gebruikten als marsroutes voor de weinige aanvullingstroepen die snelle torpedojagers aan de overzijde van het eiland aan land zetten. Daarom wilde Band het pad afsluiten. Hij wilde, voor zover het in zijn macht lag, voorkomen dat de Japanners versterkingen kregen voor de strijd om Boola Boola van de volgende dag. Hij had geen instructies gekregen om iets met het Ding Dongpad te doen, maar hij was ervan overtuigd dat hij op deze wijze kon meehelpen.

Witt was de eerste man die zich aanmeldde, hoewel hij, zo zei hij, er ernstig aan twijfelde of het hele plan wel deugde. John Bell was de tweede, en hij had niemand kunnen uitleggen waarom. De derde was Charlie Dale, die nog altijd rondliep met het idee om een peloton te bemachtigen en vond dat de aandacht te veel van hem was afgeleid door Witts dramatische terugkeer. Dale kreeg echter geen toestemming; Band vond twee onderofficieren genoeg en redde daarmee waarschijnlijk Dales leven, omdat Witt en Bell de enige twee waren die de opdracht overleefden.

De overige vrijwilligers waren gewone soldaten en eenpitters. Enkele leden van Bells groep meldden zich als vrijwilliger omdat hun baas ook meeging. Een man die Gooch heette, een oude beroeps en bokskameraad van Witt, wilde mee omdat hij een goede vriend van Witt was en lang niet met hem gesproken had. Band wilde dat ze twee lichte mitrailleurs meenamen, en dus meldde Bells BAR-schutter zich ook. Daarna stapte Charlie Dales BAR-schutter als vrijwilliger naar voren. Zo waren er ten slotte twaalf soldaten en soldaten eersteklas. Geen van hen kwam levend terug.

Oorspronkelijk had Band zijn hele 'veteranenpeloton', het tweede, willen uitzenden, maar hij had zich bedacht en om vrijwilligers gevraagd toen hij zich het protest van Beck herinnerde. In zekere zin was dit een geluk, want uit het verloop van de gebeurtenissen bleek duidelijk dat een peloton niet veel meer had kunnen doen dan de veertien man die Band wegstuurde, al zouden er zeker meer overlevenden zijn geweest. Band wist nog niet dat de meeste mannen in zijn compagnie hem achter zijn rug om de Decoratiejager noemden, of dat zijn hogere kaderleden al bijna allemaal van Beck hadden gehoord dat hij de compagnie had aangeboden om aan de spits te gaan. En al had hij dat allemaal wél geweten, dan zou het zijn beslissing waarschijnlijk niet hebben beïnvloed. Witt wist er allemaal ook niets van. Had hij het wél geweten, dan zou hij zeker nog sterker hebben getwijfeld aan het idee van de wegafsluiting. Niettemin was zijn tegenstand nog fel genoeg om Band te verbazen.

'Ik wil mee,' zei Witt toen hij zich aanmeldde. 'Maar ik wil van tevoren zeggen dat het plan me helemaal niet bevalt. Als ze daar met iets meer dan een paar man doorheen komen, luitenant, dan schieten ze de hele troep aan flarden, al zou u er een peloton leggen. Maar ik wil wél mee.' Band keek hem stomverbaasd aan vanachter zijn brillenglazen. Even daarvoor had hij Witt weer in zijn oude rang van tijdelijk sergeant benoemd. 'Je hoeft niet te gaan, sergeant Witt,' zei hij zuur. 'Er zijn anderen.'

'Nee, ik wil mee,' zei Witt. 'Als er gedonder van komt, wil ik erbij zijn om te helpen. Bovendien, misschien loopt het wel goed af.' Maar toen het gebeurde kon hij niet veel doen om te helpen. Niemand kon helpen. Zodra het begon, was het al hopeloos. Het enige dat hem persoonlijk het leven redde was dat hij helemaal aan de linkerzijde zat, samen met Gooch die later in zijn armen was gestorven zonder een kik, om hem niet te verraden. Ze hadden zitten praten over het afgelopen boksseizoen in het regiment. Gooch was net geen kampioen van de vlieggewichtsklasse geworden, maar als tweede geëindigd. Hij was net bezig Witt nog eens uit te leggen waarom hij niet had kunnen winnen, toen het gebeurde.

Daar zaten ze, twaalf soldaten en soldaten eersteklas met twee sergeants, van wie eentje tijdelijk. Allemaal normale mensen in een normale situatie, allemaal normale militairen die een normale opdracht hadden aanvaard om een normaal karwei op te knappen, en die op normale wijze sneuvelden – behalve dan dat niemand op een normale manier sterft, althans niet op een manier die hij zelf normaal vindt. Maar het normale van de zaak maakte het juist allemaal zo absurd, na afloop, voor de beide overlevenden. De dood kwam tot hen in de vorm van een .31-mitrailleur, vastgebonden op de rug van een volkomen normale Japanse soldaat.

Overigens was hun tactische situatie nog zo kwaad niet. Ze waren in het vage maanlicht langs de heuvel afgedaald, hadden het pad zorgvuldig verkend over verscheidene honderden meters (tot groot gevaar van iedereen), en daarna was – in overleg tussen Witt en Bell – de beste plaats gekozen. Ze zochten een plek uit waar de droge, zanderige rivierbedding zich vernauwde tot een geul die zo smal was dat slechts één, hoogstens twee mannen zich er tegelijkertijd door konden wringen. Dertig meter voor deze vernauwing, aan de zeezijde heuvel afwaarts, verspreidden ze zich achter een groep bedauwde jonge boompjes die niet meer dan een psychologische dekking boden, met de twee BAR-schutters zo ver mogelijk naar voren. Eén man kreeg opdracht op te letten of er iets van de zeezijde naderde, maar ze wisten om een of andere reden allemaal dat, als er iets kwam, het vanuit het binnenland zou komen. Witt bevond zich helemaal aan de linkerkant en John Bell lag op rechts, al was hij wat verder verwijderd van de drie meter hoge oever.

Alles wat ze in dat zwakke maanlicht zagen, was één man die kwam aansjokken met een zware last op zijn rug. Hij moest hen op hetzelfde ogenblik hebben gezien, omdat hij op handen en knieën viel zodra hij door de nauwe opening kwam. De BARS haalden minstens een man achter hem neer, misschien wel meer, maar het hielp niets, want er waren massa's, massa's kerels om de trekker over te halen van de mitrailleur op zijn rug waarmee hij van links naar rechts door de bedding sproeide die voor hem steeds wijder uitliep. Het was alsof er op hen werd geschoten terwijl ze midden in een leeg zwembad zaten. Voor de Japanners was het vissen in een regenton. Kaatsende kogels suisden alle kanten op en raakten mannen die ze de eerste keer hadden gemist.

Van de Japanse mitrailleurs was bekend, althans in deze periode van de oorlog, dat de voorsteunen niet waren gebouwd op zijdelingse draaiing. De geoefende compagnie die op Charlies wegafsluiting stuitte, had dit probleem voortreffelijk weten op te lossen, eenvoudigweg door de man die het wapen droeg met zijn schouders heen en weer te laten draaien. Dit bleek inderdaad afdoende te zijn.

John Bells redding was dat hij zag wat er gebeurde, drie seconden eerder dan de mannen om hem heen overeind stond en naar de oever sprintte terwijl hij 'lopen! lopen!' brulde. Bovendien had hij geluk. Hij haalde het en sjorde zichzelf het kreupelhout in. Twee mannen vlak achter hem vielen met klauwende vingers tegen de oever aan, van onder tot boven met kogels doorzeefd zodat ze leken op vreemde, kronkelende, bloedige sponzen. Van de anderen was er niemand die zelfs maar zo ver kwam. En alles door één enkele mitrailleur op de rug van een doorgewinterde Japanse veteraan die zijn schouders heen en weer bewoog.

Witt daarentegen zag helemaal niets en had gewoon puur geluk. Nadat Gooch naast hem midden in een woord was neergeknald, nam hij in paniek een sprong naar de andere oever vlak achter hem. Precies in die seconde zwaaide de mitrailleur de andere kant op. Zuiver toeval. En daar lag hij dus. Hij had, geleid door een blind instinct, zijn geweer in de hand gehouden, maar hij kon niet schieten zonder dat het mondingsvuur hem zou verraden en ze hem zouden afmaken. Hij lag daar en telde honderddertig passerende Japanners, terwijl hij op zijn vingers beet en de tranen over z'n wangen liepen van woede en spijt dat hij geen granaten bij zich had. Al was het er maar eentje, één enkele granaat. Hij had in die beperkte ruimte ontzettend veel schade kunnen aanrichten. Maar de geschutcompagnie had nooit granaten uitgereikt en hij had er niet aan gedacht om er daar boven op de heuvel een paar te lenen. In het zwakke maanlicht keek hij toe terwijl ze voorbijkwamen, en als ze hier en daar maanverlichte plekken passeerden, kon hij zien dat deze gezichten heel anders waren dan die van de uitgehongerde, ontgoochelde mannen die de heuvel hadden bezet. Dit was blijkbaar een complete nieuwe compagnie met veteranen die onlangs ter versterking aan land waren gezet.

Hoe Gooch in zijn toestand de oever had kunnen opkruipen en hem vinden zou hij nooit te weten komen. Gooch vertelde het hem ook niet. Hij fluisterde twee keer: 'Alsjeblieft! Alsjeblieft!' hoewel hij overal kogels in zijn lichaam had, en toen legde Witt een vinger op zijn lippen.

Gooch begreep het, knikte en zweeg. Witt legde zijn hoofd in zijn schoot om hem duidelijk te maken hoe erg het hem speet en zo stierf de beste vlieggewicht die het regiment ooit had gehad in zijn armen, terwijl hij de Japanse compagnie langs zag komen. Een paar Amerikaanse gewonden die lagen te kreunen in de bedding van de rivier, werden meteen met pistoolschoten afgemaakt door de voorste Japanners. En Witt lag maar te denken: één granaat. Eentje maar, een handgranaat.

Allemaal normale kerels. Allemaal bezig met een normale opdracht. En nu allemaal dood.

John Bell, aan de overzijde van de droge rivierbedding, had evenmin granaten bij zich. Hij had alles afgegooid behalve zijn geweer en één draagband met clips, om zich gemakkelijker te kunnen bewegen. Maar hij besefte later dat hij geen granaten zou hebben gebruikt, al had hij ze bij zich gedragen. Want voor de eerste keer in deze oorlog was hij bevangen door een hysterische paniek. Ook voor hem was het absurde van de gebeurtenis het gevoel dat het allemaal zo normaal was gegaan, en zo gemakkelijk. Als een opgeschrikt jungledier kroop hij heimelijk weg door het kreupelhout, behoedzaam en listig, steeds verder de heuvel op, in de richting van de compagnie – naar zijn redding. Veilig zijn, veilig. Het kon hem niet schelen of er nog iemand leefde of niet. Deze gedachte zou hem later nog vaak kwellen. Het kostte hem meer dan een halfuur voor hij de klim van gewoonlijk vijf minuten had voltooid. Niemand, ook Witt niet, zou er ooit een woord over tegen hem zeggen. Er waren dingen – helaas meestal alleen de afschuwelijkste – die iedereen begreep.

In de ochtend gingen ze omlaag om de doden te halen. Maar toen was Witt al teruggegaan naar de geschutcompagnie.

Er ging meer dan een uur voorbij voor hij eindelijk de heuvel kon opgaan naar de rondomverdediging van de Charlie-compagnie. Het passeren van al die Japanse militairen had een halfuur geduurd. En daarna had Witt, omdat Gooch nu toch dood was en het geen zin meer had om haast te maken, nog bijna een halfuur gewacht om er zeker van te zijn dat ze geen achterhoede of valstrikleggers hadden achtergelaten. Maar er kwam niets meer. Hij kon nauwelijks genoeg durf opbrengen om naar voren te gaan, om de hoek te gluren en beide kanten op te kijken. Ten slotte sprintte hij door de bedding, zorgvuldig oppassend om niet op een van de doden te trappen. Toen hij terug was binnen de cirkel van de compagnie, ging hij rechtstreeks naar Band die naast Bell neerhurkte en nog steeds bezig was hem te ondervragen.

'Ik zou je kapot moeten maken!' zei Witt, met een stem die schriller klonk dan zijn bedoeling was geweest.

De venijnig uitziende plaatsvervangend commandant van Italiaanse afkomst liet zijn karabijn zakken en hield hem onder schot. Witt lachte hem uit.

'Wees maar niet bang!' Hij wendde zich weer tot Band. 'Jij bent een misselijke, waardeloze, domme, stompzinnige, verrekte klote-rotschoft! Er zijn net even twaalf van je jongens kapotgeschoten en naar de bliksem gegaan voor niks. Ab-so-luut voor *niks*! Heb je nou je zin? Ik ben nergens liever dan hier bij Charlie, maar ik wil in geen enkel onderdeel dienen waar zo'n smeerlap als jij het commando voert! Als je ooit wordt doodgeschoten of als ze je op een andere manier kwijtraken, dan kom ik misschien terug.'

Witt had nog steeds zijn geweer bij zich en dat hing hij nu aan zijn schouder. Hij draaide Band minachtend de rug toe, greep de rest van zijn uitrusting en vertrok. Hij ging zeshonderdvijftig meter terug door de nachtelijke wildernis, terug naar de B-compagnie, zoals hij eerder dezelfde afstand naar voren was getrokken. Bij de Baker-compagnie stopte hij net lang genoeg om wat water te lenen en de geschiedenis van het fiasco van de wegafsluiting te vertellen, en trok toen verder. Hij werd niet gedood. Voor de dag aanbrak, was hij weer bij de geschutcompagnie, die naar voren was gestuurd, naar de Reuzengarnaal, om meer rantsoenen en water aan te slepen. Toen hij zich bij zijn sergeant meldde, zei deze slechts: 'Verrek, jij? Ik dacht dat jij gesneuveld was,' draaide zich om en sliep weer in.

'Ik had het volste recht en alle reden om hem neer te schieten,' zei de langneuzige, Italiaanse plaatsvervangend commandant met de venijnige trek op zijn gezicht, nadat hij was vertrokken. 'Ik had hem moeten omleggen als een dolle hond.'

'Nee, het is beter zo. Ik vrees dat hij nogal hysterisch was door wat hij meegemaakt had,' mompelde Band. Band had zich niet bewogen en zat nog steeds op zijn hurken naast Bell. Hij knipperde met zijn ogen achter het stalen brilletje.

'Ik had hem neer kunnen schieten,' zei de Italiaanse luitenant verbitterd. 'Hij bedreigde zijn eigen compagniescommandant.'

'Nee, nee, het is beter zo,' mompelde Band. En hij bleef met zijn ogen knipperen.

Aan de andere kant van de rondomverdediging keken de sergeanten Skinny Culn en Milly Beck elkaar aan.

'En?' vroeg Culn.

Beck haalde zijn schouders op. 'Hij is nog altijd de compagniescommandant.'

Aan de overkant bij de officieren beëindigde Bell voor de tweede keer zijn verhaal van de gebeurtenissen. 'Ik geloof dat we beter kunnen wachten tot het aanbreken van de dag,' mompelde Band die nog altijd met zijn ogen knipperde.

Het was een naar gezicht. Twee mannen waren met pistolen in het achterhoofd geschoten terwijl ze in het zand lagen. Het leek wel alsof de droge bedding van de rivier met lichamen bezaaid was. Een van de anderen, Gooch, was erin geslaagd zonder dat de Japanners het merkten, tegen de oever op te kruipen om daar in het lage struikgewas te sterven. Ze droegen ze allemaal terug de heuvel op en begroeven ze bij de twee mannen van gisteren. Het werd zo'n beetje een complete begraafplaats. Ze deden al dat werk zodra er een spoortje licht was, en alles zo snel mogelijk. Band, die af en toe nog langzaam met zijn ogen knipperde als hij iemand rechtstreeks moest aanspreken, wilde nog steeds alles doen om Boola Boola te bereiken.

De Japanners hadden alle wapens en alle munitie meegenomen die ze in de rivierbedding hadden kunnen vinden. Gelukkig had een van de mannen die vlak achter Bell was gesneuveld, tegen de oever aan, zijn BAR toevallig voor zich uit geworpen, zodat die in het struikgewas terecht was gekomen, waar de Japanners het wapen niet hadden ontdekt. Die BAR vonden ze terug. Maar toen ze weer op mars gingen in de richting van Boola Boola misten ze één BAR en twaalf soldaten. De zon kwam met haar stralende schoonheid juist uit de zee omhoog. Maar ze konden nu het Ding Dongpad volgen en hoefden niet meer een weg te hakken, behalve misschien op de heuvels die ze onderweg zouden moeten veroveren. De B-compagnie verscheen op het toneel toen Charlie vertrok. Ze hadden nieuwe gewondendragers bij zich. En toen bevond de C-compagnie zich opnieuw in de wildernis. Uren en uren lang. Hitte. Hitte.

Ze namen twee onverdedigde heuvels in en lieten op elk daarvan een groep achter die moest wachten op de B- en A-compagnieën. Charlie bereikte de lage heuvels die omstreeks het middaguur overgingen in palmbossen, op het ogenblik dat het derde bataljon ter sterkte van twee compagnieën de aanval op Boola Boola inzette. Band zond zijn mannen onmiddellijk die richting uit, waarbij ze pelotonsgewijs optrokken.

Hij had de mannen eigenlijk eerst wat rust moeten gunnen, want ze zagen eruit als slordige, woeste, door de Wrake Gods op het ongelukkige land losgelaten sprinkhanen en adders, en dat waren ze eigenlijk ook. Bovendien waren ze dood- en doodop. De jungle eiste meer van een mens dan welke andere lichamelijke inspanning ook. De palmbossen waarin ze nu liepen, zagen er precies uit als die waarin ze kort na hun aankomst op het eiland hadden gebivakkeerd, daarginds aan de andere kant, enkele eeuwen geleden. Maar tegelijkertijd zagen de palmbossen er totaal anders uit, want dit was vijandelijk gebied. Band bleef zijn mannen voortdrijven. De gevechtsgeluiden van de kant van het derde bataljon op hun rechtervleugel zwelden aan. Maar lang voordat ze daar aankwamen, werden ze ontdekt en onder vuur genomen. Dit keer werden er mortieren op hen gericht, zware mortieren. De uitgeputte mannen wierpen zich plat op de grond en keken elkaar zwetend aan, met ogen waarin bijna alleen wit te zien was. Maar Band hield ze in beweging, met kleine, snelle sprongen en in kleine groepjes. Er lag een half waanzinnige glans in de schoolmeesterogen achter het stalen brilletje en hij had maar één gedachte in zijn hoofd: Boola Boola. In werkelijkheid was het mortiervuur veel minder zwaar dan destijds op De Dansende Olifant en het kreeg geen ogenblik het karakter van een echte barrage. De kracht van de Japanse verdediging nam snel af. Maar ze raakten nog steeds Amerikanen. Eindelijk maakte de compagnie contact.

Band had kapitein Task, de commandant van Baker, eerder die ochtend gezegd dat hij van plan was snel op te rukken en hij bevond zich nu meer dan achthonderd meter voor de B-compagnie, die nog niet uit de wildernis te voorschijn was gekomen. Kapitein Task had Band op zijn beurt verteld dat hij met de bataljonsstaf had gesproken, die zich grote zorgen maakte over de Charlie-compagnie omdat men niets meer van hen had gehoord. Ze wisten daar al iets van de ramp met de wegafsluiting en waren zeer bezorgd over de verliezen die de compagnie had geleden. Band had langzaam met zijn ogen geknipperd terwijl hij met Task sprak, maar of Task dat opmerkte of niet kon Band niet uitmaken. Hij had gezegd dat zijn verliezen niets te betekenen hadden, twaalf man om precies te zijn en dat was gezien de prestatie die ze hadden geleverd eigenlijk gering. Nu joeg hij zijn mannen nog harder op, terwijl hij terugdacht aan dit vreemde onderhoud. Hij wist dat in een oorlog alleen de resultaten telden. En hij hield wel degelijk van zijn compagnie, hartstochtelijk en wanhopig.

Hij zei tegen de twee groepen die hij op de onverdedigde heuvels achterliet, dat ze de compagnie moesten volgen zodra ze door de B- of A-compagnie waren afgelost. Dat deden ze natuurlijk niet. Ze verschenen pas op het gevechtsterrein toen de Baker-compagnie zelf arriveerde en het gevaar al geweken was. Maar ondanks hun afwezigheid en ondanks de twaalf gesneuvelden, bereikte de compagnie het doel.

De Japanners hadden om Boola Boola heen twee concentrische verdedigingslinies gelegd, met een onderlinge afstand van ongeveer honderd meter. Beide waren duidelijk zichtbaar en de vijand had zich goed ingegraven. De Japanners waren blijkbaar van plan hier zolang mogelijk stand te houden. Band naderde in de richting van de linker halve cirkel, terwijl het derde bataljon de rechterhelft aanviel. Het derde bataljon moest zijn aanval splitsen en optrekken om de Japanse stellingen in tweeën te splitsen en zelf het strand te bereiken. Het bataljon had hiervoor twee van zijn compagnieën naar de uiterste rechtervleugel moeten zenden om een nog grotere Japanse strijdmacht aan te vallen die al van de rest was afgesneden, zodat in feite slechts één compagnie het dorp aanviel. Het was meer een aanval om de vijand vast te zetten, dan een poging om het dorp te veroveren. Band wist van dat alles natuurlijk niets. Terwijl zijn tweede en derde peloton, versterkt met de twee mitrailleurs, de vijandelijke linies aftastten om een zwakke plek te vinden, trok hij zijn mortieren ver genoeg terug om vuur te kunnen geven. Hij beval de ene mortiereenheid op de eerste Japanse verdedigingslinie te vuren en de andere de tweede linie onder schot te nemen. Ondanks het feit dat ze werden aangevallen door een ronddwalende Japanse groep die daar niets te maken had, bestookten ze de Japanse linies goed en accuraat.

Ze gingen door tot de mortiereenheden al hun munitie hadden verbruikt. Maar toen waren ze plotseling ook binnen de Japanse linies, ze draafden snel maar heel voorzichtig door het korte gras tussen de kokospalmen. Ze sprongen over mitrailleursnesten en dekkingsgaten, waar ze vroeger vol eerbied en ontzag, hijgend en huilend naar hadden gestaard, terwijl ze stierven onder het vijandelijk vuur. Ze wisten niet dat deze plotselinge doorbraak geheel te danken was aan het feit dat de rechtervleugel ingestort was onder de felle aanval van de Item-compagnie. En dat kon hun ook niet schelen. Korporaal Fife rende mee met de groep van Jenks en schoot elke Japanner die hij zag neer. Hij was vervuld van een mateloze schrik en verrukking en die beide emoties waren hecht met elkaar vervlochten. Toen stortte Jenks neer, met een luide gil en een kogel door zijn keel. Nu had Fife de groep voor zichzelf, hij was de verantwoordelijke man. Hij ontdekte opeens dat hij het heerlijk vond; het kleine troepje mannen voelde als zijn trotse bezit. John Bell was de panische angst van de vorige avond vergeten en rende schreeuwend voor zijn groep uit, terwijl hij tegelijk alles deed om verliezen te voorkomen. Don Doll liep lachend met zijn geweer in de ene en zijn pistool in de andere hand, en toen het pistool leeg was, liet hij het gewoon aan het koord omlaag bungelen en gebruikte zijn geweer. Ze waren er! Ze waren erdoorheen! Toen ze bij het dorp zelf kwamen, zagen ze dat de meeste Japanners bezig waren om met handgranaten, pistolen en messen zelfmoord te plegen, hetgeen maar het beste was, omdat het overgrote deel werd neergeknald of aan een bajonet geregen. Er werden in totaal slechts achttien krijgsgevangenen gemaakt.

Toen het allemaal voorbij was, begonnen ze de kerels van de Item-compagnie de hand te schudden. Ze bekeken elkaars vuile, zwarte gezichten, stralend van vreugde en geluk. Een paar mannen gingen zitten en huilden. Charlie Dale verzamelde heel wat gouden tanden en een voortreffelijke stopwatch die hij later verkocht voor honderd dollar. Hij zag een Japanner terneergeslagen op de stoep zitten, met het hoofd in de handen, terwijl het prachtige horloge aan zijn arm opviel als een stralende diamant. Dale schoot hem door zijn hoofd en haalde het horloge van zijn pols. Dit was bijna de hele buit, want er verschenen al snel mensen van de intendance die op alles beslag legden. Daar kwam nog bij dat iedereen veel te moe, veel te uitgeput was om zich in die eerste ogenblikken te interesseren voor buit. Later hadden ze daar natuurlijk allemaal spijt van.

De hele volgende dag vielen ze langs het strand aan. En de dag daarna werden ze afgelost. Verse, schone, gladgeschoren, vriendelijk uitziende mannen van een totaal nieuwe divisie namen hun plaatsen in en moesten de aanval verder langs de kust naar Kokumbona voortzetten. Men beweerde dat het Keizerlijke Japanse Leger in volle terugtocht was. Net zo belangrijk als dit was het feit dat ze niet terug hoefden te lopen, maar opgepikt werden door vrachtwagens die hen langs de kustweg terugreden. Onderweg zaten de mannen elkaar stom aan te kijken of richtten hun ogen op het vredige zonovergoten landschap met de kokospalmen dat aan hen voorbijtrok, met daarachter de stralende zee – het geluid van de branding slechts enkele meters van hen af.

8

Drie dagen later werd Band van zijn commando ontheven.

Maar voor dat gebeurde, werd er een bacchanaal gehouden waarbij heel Charlie achtentwintig uur stomdronken en laveloos was en alle beschikbare whisky werd opgedronken, terwijl Band – gedeeltelijk als gevolg van deze enorme drankorgie – eindelijk ontdekte wat de compagnie waarvan hij zoveel hield van hem dacht. De eer deze onthulling te doen kwam toe aan iemand van wie niemand het ooit had verwacht: soldaat Mazzi van het ondersteuningspeloton, de bijdetijdse jongen uit de Bronx.

De orgie zelf was onbeschrijfelijk. Er kwam pas een eind aan toen, in dronkemanspaniek, de gruwelijke tot de angstvisioenen van een deliriumlijder behorende ontdekking werd gedaan dat er in de hele C-compagnie niet één fles, niet één druppel whisky meer voorradig was.

Het decor werd gevormd door een kokospalmenbos waar het nieuwe bivak was opgeslagen. De mannen waren nauwelijks uit de vrachtauto's gesprongen of de flessen, die hier lang geleden door anderen waren achtergelaten en die Storm zo zorgvuldig had geïnventariseerd, waren uitgereikt en opengetrokken. MacTae en zijn secretaris hadden, in een aanval van overdreven, op schuldgevoel gebaseerde genegenheid en met hulp van Storm en zijn mopperende koks, de achtmanstenten van de compagnie al opgezet en zelfs de veldbedden erin geplaatst, compleet met dekens en klamboes. De keukentent stond ook overeind en de fornuizen brandden. Het enige dat de vermoeide krijgers hoefden te doen nadat ze de flessen hadden gekregen die Storm had gemerkt en in afgesloten kisten bewaard, was er hun gemak van nemen en met het serieuze drinken beginnen.

Ze waren allemaal een beetje gek. De gevechtsverdoving die in hun starende blik en op de ingevallen gezichten lag, was nog niet verdwenen en zou ditmaal langer aanhouden dan de vorige keer. John Bell vroeg zich af of deze toestand een blijvend fenomeen zou worden, als de soldaten maar vaak genoeg in het vuur werden gezonden en als het telkens langer duurde voor ze uit hun verdoving ontwaakten. Maar voorlopig hielden de mannen dus een orgie, waarbij ze praktisch zonder uitzondering wel een of twee keer moesten overgeven. Een aantal van hen kroop op handen en voeten door het mooie, in sereen maanlicht badende, levensgevaarlijke palmenbos, en huilden als wolven of honden tegen de maan. Een groepje van tien of twaalf man trok alle kleren uit en rende dansend en huppelend spiernaakt over het open terrein naast het bivak om bij maanlicht te gaan zwemmen in de Matanikau. Er vonden minstens negen vechtpartijen plaats. En Don Doll deed een poging om Carrie Arbre te verleiden.

Maar de climax, het hoogtepunt van het feest, was het moment waarop de kleine Mazzi besloot George Band in zijn hol op te zoeken en hem eens precies te vertellen wat hij van hem vond. Wat zijn troep van hem vond.

Hij werd aangemoedigd door Carni, Suss, Gluk, Tassi en de rest van zijn New Yorkse kameraden. Ze zaten allemaal te drinken in de tent van Carni, die zelf ook dronk terwijl hij in bed lag met een stevige malaria-aanval. De aanval was al begonnen toen ze in de vrachtauto's naar huis reden. Naar huis? Natuurlijk praatten ze over de veldslag. Band had te veel van hen gevergd. Band had gevaarlijke risico's genomen. Band had hen niet naar Boola Boola moeten brengen, waar ze niet nodig waren geweest en niets te maken hadden, omdat dit hun doel niet was. En natuurlijk had de Decoratiejager nooit moeten proberen die noodlottige wegversperring te maken. Iedereen zat Band af te zeiken, tot Mazzi gromde dat ze het hem maar eens in zijn gezicht moesten zeggen; wat hadden ze aan al dat gelul hier? Carni, slap van de koorts en met telkens dichtvallende ogen, die de leider van de groep was, voor zover de New Yorkse groep van hippe jongens een leider had, keek in zijn richting en vroeg hem met een stem die toonloos was van cynisme en malaria, waarom hij dat dan verdomme zelf niet deed? Ja, zei iemand anders, waarom ging hij niet? Ja, viel Suss bij, waarom niet? Hij riskeerde alleen dat hij, als er weer een aantal mannen werd bevorderd, geen soldaat eersteklas zou worden, want, zo vervolgde hij glimlachend, je liep bij het ondersteuningspeloton wel minder risico, maar je kans op promotie was ook kleiner.

Mazzi kwam wankelend overeind en richtte zich in zijn volle lengte van een meter zestig op. 'Goed dan, in godsnaam, ik doet het!' kondigde hij aan.

Hij marcheerde de tent uit en liep struikelend door het palmenbos naar Bands tent; onderweg viel hij maar één keer. De anderen volgden hem onderdrukt grinnikend op veilige afstand; ze vonden het prima dat hij dit riskante karweitje alleen zou opknappen. De enige die achterbleef was Carni; hij was niet in staat zijn bed te verlaten.

Misschien zou Mazzi het niet hebben gedaan als hij nuchter was geweest of als wat hem in Boola Boola was overkomen, niet was gebeurd. Maar in hem woedden zo'n wanhoop, wrok en peilloze ellende, dat hij nu de drank zijn tong had losgemaakt, niet meer gaf om wat hij deed en alleen maar de behoefte voelde iets heel ergs te doen; hoe erger, hoe beter. Natuurlijk had die ellendige klootzak van een Tills hem gezien! Tot dusver had Tills gezwegen, maar dat betekende nog niet dat hij verder ook zijn mond zou houden. Mazzi was ervan overtuigd dat hij het zou vertellen. Als iemand je zo haatte als Tills hem, waarom zou je dan zwijgen? Vooral wanneer je altijd al overhoop met hem had gelegen? Steeds wanneer hij eraan terugdacht, kneep hij zijn billen samen en kreeg hij een brandend gevoel in zijn maag. Tijdens de aanval op Boola Boola, toen de mortiersecties hadden blootgestaan aan de tegenaanval van dat rondzwervende groepje Japanners, was hij zijn verstand verloren. De aanwezigheid van de Japanners had hen verrast, want volgens de berichten zaten hier helemaal geen Jappen meer. Ten slotte hadden ze zich genoodzaakt gezien om te vluchten. Hun taak was immers niet om een vuurgevecht op lange afstand te houden met rondzwervende Japanners, maar om Boola Boola met hun mortieren te beschieten. De Japanners hadden tussen de kokospalmen door op hen gevuurd en schenen niet van plan dichterbij te komen; ze bleven op veilige afstand en probeerden hen een voor een neer te leggen. Achter hen, een eindje naar rechts, bood het kreupelhout van een jungle-uitloper dekking. Twee van hun mensen waren al lichtgewond en nu gaf luitenant Culp, de Fullback, hun temidden van het lawaai, de rookwolken en de algemene verwarring (de Japanse mortieren deden nog steeds pogingen hen te vinden) opdracht de mortieren uiteen te nemen, waarop ze in een lange, onregelmatige, zwetende rij naar die struiken waren gevlucht. Ze zouden aan de overzijde ervan bijeenkomen en opnieuw in stelling gaan. En toen, bedacht Mazzi voor de tienduizendste keer wanhopig, was het gebeurd.

Met de grondplaat in de ene en de karabijn in de andere hand, had Frankie Mazzi, die zich ongeveer aan het rechteruiteinde van deze linie bevond, zich in volle vaart omgedraaid om met zijn rug eerst de struiken binnen te dringen, zodat de takken hem niet in het gezicht zwiepten. Zodra hij in dekking was wilde hij zich weer omdraaien, maar ontdekte plotseling dat hij werd gegrepen en vastgehouden. Hij wist wat de oorzaak was, maar hij was te zenuwachtig om zich te bevrijden. Een of ander ding had hem ter hoogte van zijn rechterheup bij zijn koppel gegrepen. Niet in staat deze gedachte te verwerken, bleef hij vloekend staan trappelen, luisterend naar de geweerkogels die om hem heen gluiperig insloegen, en nog altijd hield hij de grondplaat in zijn ene en het geweer in de andere hand. Als hij een van beide had laten vallen, had hij zich misschien kunnen bevrijden en het dan weer kunnen oprapen, maar dit idee drong slechts vaag tot hem door en hij was niet in staat ernaar te handelen. Met wijd opengesperde, bloeddoorlopen ogen, zijn mond een grot van tanden, bleef hij eeuwig rukken in een tijdloze wereld, waarin de enige normale momenten die ogenblikken waren waarop, als onregelmatige signalen van een onklaar geraakt lichtbaken, de klappen klonken van inslaande kogels. En zo stond hij, de grondplaat en de karabijn zinloos in zijn hand, en hij wist dat hij daar nog zou staan als ze hem kwamen halen, hem doodschoten, kookten en opaten.

Twee soldaten van zijn sectie waren haastig en zonder hem te zien langs hem gerend, en nu riep hij met uitgeputte, zwakke stem steeds hetzelfde woord: 'Help!' Zelfs in zijn eigen oren klonk de kreet belachelijk zinloos. 'Help!' jammerde hij zwak. 'Help! Help!'

Het was Tills geweest die terugkwam. Gehaast, met in zijn ogen een verwilderde blik, was hij in gebukte houding aan komen rennen, had gezien wat er aan de hand was en had Mazzi bevrijd. Mazzi had al rukkend en trappelend pogingen gedaan zich in voorwaartse richting los te trekken. Tills duwde hem simpelweg een halve meter achteruit, waardoor de koppel losschoot. Daarna renden ze allebei voorovergebogen verder, terwijl de verraderlijke kogels om hen heen suisden. Een keer wierp Tills van opzij een blik op hem, trok zijn bovenlip op in een spottende grijns, spuwde een straal bruin tabakssap uit en holde verder. Toen ze aan de andere kant van de struiken het zonlicht konden zien, waren de kogels opgehouden. Eenmaal in het op hen neerslaande verblindende licht zagen ze dat de anderen ongeveer dertig meter verder al bezig waren de mortieren op te zetten en ze waterpas af te stellen. Ze liepen wat langzamer in hun richting. Tills, die zijn karabijn over de schouder had hangen, droeg de mortierloop als een baby in beide armen. Mazzi sjouwde nog steeds met de grondplaat in de ene hand en de karabijn in de andere. Men gebaarde hun dat ze moesten opschieten.

'Als je maar niet denkt dat ik nou minder de pest aan je heb,' zei Mazzi nors.

'Denk jij maar niet dat ik nou minder de pest aan jou heb,' gromde Tills. Mazzi wist zeker dat hij het verder zou vertellen.

En nu, terwijl hij met zijn dronken kop voor de tent van luitenant Decoratiejager Band stond, was hij daarvan nog steeds overtuigd. Iedereen zou van zijn stommiteit horen en hem uitlachen. Een felle kramp sneed door zijn ingewanden.

'Kom eens naar buiten, schoft die je bent!' schreeuwde hij bij wijze van inleiding. De mannen die buiten stonden te wachten, zagen een zwak lichtstraaltje in de verduisterde tent. Het bleef doodstil daarbinnen.

'Kom naar buiten, laffe klootzak! Kom eens hier, dan kun je horen wat de mannen van jouw troep van je denken, Band! Wou je weten wat wij van je vinden? We noemen je de Decoratiejager, wist je dat? Kom naar buiten en probeer ons nog eens vrijwillig voor iets aan te melden! Kom naar buiten en probeer er nog eens een paar van ons kapot te maken! Word jij nou kapitein omdat je ons naar Boola Boola hebt gestuurd, Decoratiejager? Hoeveel medailles krijg je voor die wegversperring, Decoratiejager?'

Er waren steeds meer soldaten bijgekomen, hun grijnzende tanden glansden wit in het heldere maanlicht. Mazzi, die wist dat ze er stonden, raasde verder. Zwaaiend met zijn magere armen stapte hij heen en weer en bouwde met beledigingen en scheldwoorden heel vaardig het kaartenhuis van zijn fantasie op, dat steeds hoger werd. Twee keer klonken er gedempte toejuichingen op uit de groep grijnzende mannen die in het maanlicht bijeen stonden. Niemand anders trad echter naar voren. Wel klonk het gegorgel van whiskyflessen.

'Je bent een *lul*, Band! Een sukkel! Kom naar buiten, dan zal ik je een pak op je donder geven! Iedereen in de groep heeft de pest aan je! Wist je dat? Hoe voel je je nou, Band, hoe voel je je nou?'

Eindelijk ging het licht in de tent uit. Het voorpand werd opzij geschoven en Band stond in de tentopening, met zijn hand leunend tegen het canvas. Hij wiegde nauwelijks merkbaar heen en weer, want hij was ongeveer even dronken als zij. In zijn andere hand bungelde een fles. Achter op zijn hoofd stond de beschadigde helm die hij sinds de laatste dag op De Dansende Olifant als een trofee bewaarde en bijna aan iedere man van het onderdeel had laten zien. Het maanlicht scheen hem recht in het gezicht en glansde op het stalen montuur van zijn bril; zijn door de brillenglazen vergrote ogen staarden hen aan, traag knipperend en met die vreemde wazige blik. Hij zei niets. Achter hem was het donkere, venijnige Italiaanse gezicht opgedoken van de plaatsvervangend commandant, die ook nu weer zijn karabijn bij zich had.

'Dacht je dat die rothelm ook maar een greintje verschil maakte?' krijste Mazzi. 'Dacht je dat iemand onder de indruk was van die kloterige rothelm?'

Band zei nog altijd niets. Zijn blik ging naar Mazzi, en naar de rest, en hoewel hij hun recht in de ogen keek, knipperden zijn ogen weer op die vreemd trage manier, waardoor hij iets van een slaapwandelaar kreeg.

Langzaam, zich generend, verwijderden de mannen zich. De gein was eraf. 'Kom op jongens, laten we het weer op een zuipen zetten,' zei een van hen met gedempte stem. Even later was alleen de kleine, loyale groep van de hippe jongensclub uit New York bij de tierende Mazzi achtergebleven.

'Die rothelm van jou is toch zeker waardeloos vergeleken bij al die goeie mannen die werkelijk *dood* zijn?' gilde Mazzi.

'Kom nou, Frankie,' fluisterde Suss.

Mazzi rukte zijn arm los. 'En zo denken wij over jou!' besloot hij met luide stem. 'En daag me nou maar voor de krijgsraad!' Hij stapte trots weg.

Terwijl ze terug naar de tenten liepen, feliciteerden ze hem, de leden van zijn kleine, hechte clan uit New York; ze verdrongen zich om hem heen, ze sloegen hem op de schouder, ze vormden een soort kometenstaart van helmen met hem als de kop die de kern van het geheel was. 'Ik heb het hem gezegd.' Andere mannen met flessen in de hand doemden op uit de maanverlichte nachtelijke duisternis en lalden gelukwensen. Nu ze het zwijgende, traag met de ogen knipperende gezicht van Band niet meer voor zich zagen, kwam de gein terug. 'En hij heeft geen woord teruggezegd,' constateerde Mazzi grinnikend. Plotseling zag hij Tills' gezicht met de spottend opgetrokken lip vlak voor zich en voelde weer twijfel en apathie.

'Ik heb het hem goed gezegd,' zei hij zonder overtuiging tegen weer een andere man die hem kwam gelukwensen.

'Dat heb je zeker!' zei zijn nieuwe satelliet, Gluk.

Tills spuwde een bruine straal uit de hoek van zijn grijnzende mond. Hij was onveranderd sinds die eerste weken. 'Jij hebt niemand iets gezegd,' gromde hij honend. 'Niemand. Ik weet er alles van.' Mazzi voelde zich leeglopen.

Er was geen reden voor. In de loop van die lange, orgastische nacht en de daaropvolgende laveloze dag tot de whisky op was, hield Tills ongeveer iedere man in de compagnie aan en vertelde hem hoe Mazzi met zijn koppel in hulpeloze paniek achter een tak was blijven hangen. Iedereen lachte, maar zonder leedvermaak. Niemand dreef de spot met hem. Mazzi was een held. Toen dit in de loop van de volgende dagen tot hem doordrong, kon Mazzi zijn machteloze wanhoop vergeten en weer neerbuigend doen, zelfs tegenover Tills.

Het bacchanaal van meer dan een etmaal had nog meer gevolgen. Het ergste resultaat waarvan iedereen de dupe werd, was niet zozeer dat de whisky opraakte en ze het drinken moesten staken, maar dat ze terwijl ze langzaam nuchter werden, gingen beseffen dat er geen mogelijkheid was om aan nieuwe whisky te komen aangezien ze uit Boola Boola geen oorlogsbuit hadden meegebracht. Dit keer waren ze niet teruggekeerd met een loodzware vracht Japanse wapens, uitrustingsstukken en andere souvenirs. Hoe moesten ze nu aan whisky komen? Hier dreigde een catastrofe. Natuurlijk waren er in de C-compagnie wel een paar mannen die niet dronken. Enkelen van hen waren onontwikkelde baptistische predikanten uit de zuidelijke staten, anderen op geld beluste accountants die door een vergissing bij de infanterie terecht waren gekomen. En zo waren er nog een paar. Maar ze waren allemaal wel zo wijs hun mond te houden en niet te grinniken toen men zich van de ramp bewust was geworden, want ze voelden geen van allen voor een pak slaag.

Voor enkele soldaten had de orgie van achtentwintig uur ook persoonlijk consequenties. Voor korporaal Fife bijvoorbeeld. Korporaal Fife was nu sergeant Fife, groepscommandant van de tweede groep van het derde peloton. Jenks was dood, hij had een kogel precies door zijn strottenhoofd gekregen en was even zwijgzaam en gesloten gestorven als hij had geleefd – al lag dat misschien aan de aard van zijn verwonding – en Fife was door de Decoratiejager nog tijdens het gevecht tot zijn opvolger benoemd. En, wat belangrijker was, Fife voelde zich nu een echte militair. Hij besefte nog niet dat hij deze mening zou gaan herzien wanneer de verdoving (waarmee hij nog niet veel ervaring had) langzaam uit hem zou zijn weggetrokken. Van een van de negen vechtpartijen die in de loop van die nacht plaatsvonden, was Fife de aanstichter.

Fife had die avond whisky zitten drinken met Don Doll en enkele soldaten uit hun twee groepen. Hij had geen behoefte aan het gezelschap van anderen. Voor alle mannen in zijn groep voelde hij, nu hij het bevel over ze voerde, een hartstochtelijke beschermende tederheid. En de mannen voelden zich, nu Jenks was gesneuveld, de liefhebbende zoons van deze vader. Het sprak vanzelf, filosofeerde Fife, dat iedereen in oorlogstijd zo'n vader-zoonbinding van wederzijdse adoratie moest hebben, anders zou de oorlog gewoon onmogelijk worden. Hij voelde zich heel zelfverzekerd nu zijn verdoofde en getormenteerde zenuwen door de drank tot rust werden gebracht. Hij had minstens twee van hen eenmaal het leven gered en minstens drie mannen hadden zijn leven gered. Bij de dolle ren op Boola Boola had hij acht van die smerige Jappen kapotgemaakt, vier terwijl ze ongewapend op de grond zaten. En hij was twee keer door de explosie van een mortiergranaat tegen de grond geslingerd. Hij had ontdekt dat hij in werkelijkheid veel dapperder was dan hij ooit had vermoed en dit deed hem enorm goed. Het was toch niet zo moeilijk om een echte militair te zijn. Het was eigenlijk heel eenvoudig. Het enige dat je moest doen, was doen wat er moest gebeuren. Hij behandelde Doll nu als zijn gelijke en dat moest Doll maar pikken. Doll behandelde hem ook als zijn gelijke. Hij nam het Doll niet meer kwalijk dat die hem niet als korporaal van zijn groep had aangenomen, ook al had hij het beloofd.

Maar er was één ding waarover hij nog altijd wrok voelde, en dat was de manier waarop die vuile kontlikker Joe Weld hem in de compagniestent had ontvangen, toen hij met Storm uit het hospitaal was teruggekeerd. Dat was hij niet vergeten en had hij evenmin vergeven. Hem achter zijn rug om zijn baantje afhandig maken. En dan nog zo verrot schijnheilig doen. Met de whisky steeg de woede in hem op.

Ze hadden een gezellig plekje gekozen, dicht bij hun eigen tent, aan de rand van het bos, waar het grensde aan het open terrein dat doorliep tot de rivier. Het was een van de weinige plekken waar het gras welig groeide en de grond niet hobbelig was, en terwijl ze onder de hoge ritselende kokospalm zaten konden ze over het veld uitzien naar de rivier en de bomen erachter. Ze dronken en praatten over dingen die gebeurd waren tijdens de gevechten om het dorp. Allen waren op de lange, uitputtende, hete marsen minstens een keer flauwgevallen, en het drong nu pas goed tot hen door hoe afgebeuld ze waren.

Een eindje verder langs de linie stond de tent waar de compagniesstaf sliep en daarvoor zat ook een groepje te praten. Fife stond plotseling op, terwijl een van de anderen die iets vertelde midden in een zin was, en liep zonder een woord te zeggen die kant uit. Joe Weld en Eddie Train, de stotteraar, in wiens schoot Fife eens in dodelijke vrees was terechtgekomen, zaten daar te drinken met Crown, die nieuwe jongen, en twee van de koks. Ze praatten over de vermoeiendste mars en ze waren het erover eens dat het de tocht van de Reuzengarnaal naar Heuvel 279 was geweest. De secretarissen zouden het de koks weleens even vertellen! Fife kwam aanslenteren, zijn lippen getuit, zijn tong langzaam over zijn tanden glijdend, zijn armen slap afhangend. Op een meter afstand van Weld bleef hij staan, zwijgend. Het duurde bijna een minuut voordat zijn stille aanwezigheid werd opgemerkt.

'Zo, ben jij daar, Fife?' zei Weld op de neerbuigende toon die hij sinds die dag had gebruikt. Vroeger was hij slaafs en onderdanig geweest. 'We hadden het juist over...'

'*Sergeant* Fife, korporaal!' zei Fife. 'En waag het niet me ooit anders aan te spreken.'

Welds ogen achter de brillenglazen kregen een verschrikte uitdrukking, maar onmiddellijk daarop glimlachte hij honingzoet. 'Zeker sergeant, u hebt uw rang dubbel en dwars verdiend,' zei hij zalvend. 'In het gezicht van de vijand. En ik...'

'Hou je gladde praatjes voor je, kontlikker,' zei Fife.

'Hé, hé. Kijk eens...' zei Weld, overeind komend, 'ik wou alleen...'

Verder kwam hij niet want Fife deed een stap in zijn richting en sloeg hem zonder een woord te zeggen tegen de grond – geluidloos zelfs, afgezien van de dreunende smak van zijn vuist tegen Welds jukbeen.

'Hé!' riep Weld vanaf de grond. 'Hé zeg! Ik zat hier gewoon wat te drinken en te praten en ik deed niemand...'

'Sta op, lul! Sta op, kontkruiper! Officierenlikker, opstaan!' riep Fife. 'Dan zal ik je nog eens tegen de grond slaan!' Eerst vlakbij, toen verder weg, hoorde hij zonder dat het hem iets deed de juichkreet: 'Een vechtpartij! Hé, jongens, een vechtpartij!' Het geluid van rennende voeten.

'Welja,' zei Weld wrang, op één knie geleund. 'Welja. Voor jou is het gemakkelijk. Ik ben twintig jaar ouder dan jij. Ik ben oud genoeg om je...'

'Niet waar! Je bent vijftien jaar ouder!' riep Fife door het dolle heen. 'Ik heb het in je dossier gelezen! Je bent in de kracht van je leven!'

'En half zo groot als jij,' zei Weld. Hij had zijn bril afgezet en hield die voorzichtig wat opzij terwijl hij Fife in het oog hield. 'Je had mijn glazen kunnen breken,' zei hij beschuldigend. 'En dan had ik geen nieuwe kunnen krijgen. H-hier,' zei hij tegen Train, 'pak m'n bril aan. En zorg dat er niks mee gebeurt.'

'Ik p-pas op m-m-'n eigen b-bril,' zei Train. Hij had die al afgezet en behoedzaam opgeborgen in zijn brillenkoker zodra hij zag dat er geweld dreigde, en zat nu te turen als een geschrokken uil. Maar hij nam Welds bril aan.

'Ik wil niet met je vechten,' zei Weld. 'Ik heb jouw baantje niet gestolen. Luitenant Band en Welsh hebben mij tot korporaal bevorderd. Niemand vermoedde dat jij terug zou komen. Ik wil echt niet met je vechten, Fife,' herhaalde hij listig. 'Ik wil alleen...' Hij maakte zijn zin niet af maar deed een onbeheerste uitval en greep Fifes middel. Zijn poging had geen succes. Innig tevreden omdat Welds onbetrouwbare karakter duidelijk bleek uit deze onsportieve daad, rukte Fife zich los en gaf hem weer een linkse directe. Dit keer wat beter gericht, precies op de kaak. Weld rolde omver en bleef op de grond liggen; hij leunde op zijn ellebogen en schudde het hoofd. Toen hij wilde gaan zitten, plofte Fife boven op hem.

Het was alsof een verblindende explosie in Fifes schedel plaatsvond, waardoor hij zich nog slechts *man* voelde en genoot van zijn primitieve mannelijkheid. Boven op de verbijsterde Weld gezeten stompte en sloeg hij. Grommend, vloekend en met schril uitschietende stem steeds weer 'kontkruiper!' roepend, timmerde hij er met beide vuisten op los. Onder hem lag Weld te kreunen en te snakken naar adem; hij rolde heen en weer in vergeefse pogingen om zich te bevrijden. Ten slotte werd Fife van hem afgetrokken.

'La'me los! La'me los!' gilde Fife hijgend.

Iemand trok Weld overeind. Zijn neusbeentje was gebroken en er liep bloed uit zijn neus. Zijn beide ogen waren bijna dichtgeslagen. Het bloed druppelde over zijn stukgeslagen lippen, maar of hij tanden had verloren kon nog niet worden vastgesteld; later werd ontdekt dat dit niet het geval was. Hij was half verdoofd en keek wezenloos om zich heen.

Fife, die nu niet meer werd vastgehouden en tot zichzelf was gekomen, hoewel hij nog hijgde, voelde zich dolgelukkig, al schrok hij een beetje van de verwoesting die hij had aangericht. Hij was trots op zichzelf, maar hij had het niet zo erg bedoeld.

'En de volgende keer kan je weer zo'n portie krijgen,' zei hij zinloos en hij wreef over zijn vuist.

Train en Crown leidden de wankelende Weld weg.

'Hé,' riep Fife. 'Hé. Doe dat niet! Ga nog niet weg! Vooruit, laten we een borrel nemen. Zand erover!'

Van tien meter afstand bleef Weld staan en draaide zich om. Hij huilde maar deed zijn best zich in te houden. 'Jij... jij...,' zei hij gesmoord. Het was alsof hij in zijn benevelde brein zocht naar het kwetsendste scheldwoord dat hij Fife naar het hoofd wilde slingeren. 'Jij *secretaris*!' riep hij. Toen wendde hij zich af en liepen de drie mannen verder.

Fife staarde hem na, verbaasd, één ogenblik diep getroffen door het totaal onverwachte woord waarmee Weld hem had aangeduid na zo krampachtig te hebben gezocht: secretaris, wat hij zelf ook was. Maar Fife was ook nog altijd trots. 'Oké,' zei hij, demonstratief zijn schouders ophalend, 'dan niet, stommeling.' Hij wendde zich tot de twee koks, die zich al van de hele zaak hadden gedistantieerd. 'Wou een van jullie soms met me vechten?' vroeg hij grijnzend. Hoewel ze allebei forser waren dan Fife schudden ze zwijgend het hoofd.

Hij liep terug met Doll, die alleen de laatste momenten van het gevecht had meegemaakt. De toeschouwers begonnen zich te verspreiden nu er niets meer te zien was. Slechts enkele ogenblikken later klonk uit een andere richting alweer de kreet: 'Een vechtpartij! Hé, een vechtpartij!' en nu begonnen ze allemaal die kant uit te rennen. Fife en Doll liepen niet mee. Fife omdat hij zojuist de hoofdrol in een vechtpartij had gespeeld en er nu voorlopig wel genoeg van had. Doll uit overwegingen die hij voor zich hield. Ze gingen terug naar hun met gras begroeide plekje in het bos; Fife wreef over zijn gekneusde handen en Doll feliciteerde hem. Op dat moment was Fife zo in z'n eigen gedachten verdiept dat hem de vreemd pijnlijke uitdrukking op Dolls gezicht niet opviel en evenmin de gedwongen toon waarop hij sprak. Ook als hij het wel had bemerkt zou hij de reden ervoor nooit hebben geraden. Doll had net ontdekt, enkele minuten geleden, dat er in ieder geval één soldaat in de C-compagnie was, die meende dat hij, Don Doll, een actieve, praktiserend homoseksueel was. Een echte flikker.

Die soldaat was Carrie Arbre.

Toen Fife plotseling was opgesprongen en weggegaan, was dit een paar van de mannen die om hem heen zaten opgevallen. Een van hen had gezegd dat Fife kennelijk op zoek was naar ruzie. En toen even later de kreet 'een vechtpartij!' opging in de buurt van de staftent, had een soldaat uit Fifes groep gegrinnikt: 'Ik wed dat het Fife is!' Allen waren opgesprongen en erheen gerend. Maar Doll was blijven liggen. Carrie Arbre ook, en Doll had gevoeld dat zijn hart opeens met felle slagen klopte. Ze waren samen, alleen.

'Moet jij niet naar die vechtpartij kijken, Carrie?' had hij gevraagd.

'Ik vind er nooit veel aan,' zei Arbre met zachte, trage stem. 'En jij?'

'Ik ben te moe. Ik lig hier te lekker,' zei Doll, die zijn best deed zijn stem niet schor te laten klinken, hoewel het bloed in zijn keel dreunde. Hij leunde nog wat behaaglijker tegen zijn boomstam. Arbre lag vlak naast hem op een elleboog geleund. Doll was zich scherp bewust van zijn nabijheid.

Tijdens de gevechten om Boola Boola had Doll een vreemde ervaring opgedaan. Hij had tot zijn stomme verbazing ontdekt dat hij wilde vrijen met Carrie Arbre. Het was nog in het eerste stadium van de aanval geweest, toen ze pogingen deden door de twee verdedigingslinies in de palmbossen heen te breken en er nog veel mortiergranaten op hen neervielen. Doll was van de plaats waar zijn groep lag naar Band, Beck en luitenant Tomms gekropen, die samen overlegden wat ze moesten doen om een beeld van de situatie te krijgen. Hij was teruggekropen naar zijn groep en daar bijna aangekomen toen er weer mortiergranaten hun kant uit kwamen. Hij lag te zweten van angst en drukte zich zo dicht mogelijk tegen de grond aan. Ongelofelijk geconcentreerd vingen zijn oren ondanks al het gedaver om hem heen het zachte, twee seconden durende gefluister op, dat een projectiel aankondigde dat vlak bij hen zou ontploffen. Twee keer gaf de luchtverplaatsing hem een schok. Met wijd open ogen en opeengeklemde kaken lag hij te staren en hij deed zijn best aan helemaal niets te denken. Tien meter voor hem, achter een lage terreinplooi die door het vlakke deel van het bos liep, zag hij Arbre liggen, en met iets van dezelfde intense concentratie waarmee zijn oren naar de granaten luisterden, staarden zijn ogen naar die mooie billen. Die mooie meisjesbillen. Met een gevoel alsof hij bloed zweette, keek hij ernaar tot hij er bezit van had genomen, tot ze zijn eigendom waren. En hij wist in een verborgen laag van zijn bewustzijn waarin hij nooit eerder was doorgedrongen, dat hij ernaar verlangde ze te strelen, te liefkozen, ze te gebruiken voor seksuele spelletjes. Na wat een eeuwigheid leek was het mortiervuur verplaatst, maar wat zich in Doll had voltrokken was gebleven.

En waarom zou hij het eigenlijk niet kunnen doen? Hij wist dat mannen uit het oude beroepsleger in vredestijd ook zo hun vriendjes hadden gehad. Hij zou veel voor Arbre kunnen doen. Hem nooit uitkiezen voor de allergevaarlijkste missies. Zorgen dat hij uiteindelijk tot korporaal van de groep werd benoemd. Tot groepscommandant zelfs, als hij eenmaal pelotonssergeant was. Bij de marine gebeurde hetzelfde. Daar noemde ze een reep chocola ‘knapenaas’ omdat je er jongens mee kon verleiden. Als hij Arbre tot zijn vriendje maakte, was hij nog geen homoseksueel. Arbre wel, als die erop inging – en Doll was er zeker van dat Arbre zijn gunsten zou accepteren. Waarom had hij anders zulke rare dingen gezegd toen ze op weg waren naar de kop van de Reuzengarnaal? Arbre had hem toen een aanbod gedaan. Terwijl hij, nadat het mortiervuur was verplaatst, terugkroop naar zijn groep, herinnerde Doll zich met wellust hoe hij een eind voor de Zeekomkommer per ongeluk boven op Arbre was beland. En terwijl hij in het zilveren maanlicht tegen de stam van de kokospalm leunde en Arbre zo dicht bij hem lag, herinnerde hij het zich opnieuw.

Hij zou er geen homo door worden, alleen Arbre zou dan een homo zijn. En dat vond Doll best, daar had hij geen enkel bezwaar tegen, hij was niet bekrompen. Wat Doll wilde was een vriendschappelijke verhouding. Er waren homo’s genoeg op het eiland, onder de koks en bakkers, kerels die tot alles bereid waren en die iedereen kende. Maar je moest in de rij staan om van hun diensten gebruik te kunnen maken. In de rij staan, net als voor de bordelen op de bovenverdiepingen van Honolulu, waar de divisie een keer was geweest. En dat trok Doll niet aan. Hij wilde zijn eigen meisje.

Voorzichtig, na zich moed te hebben ingedronken en de fles te hebben neergezet, legde hij zijn rechterhand als bij toeval op Arbres enkel. Hij probeerde rustig adem te halen, maar hijgde. Arbre lag doodstil en zei geen woord.

'Het is een verdomd mooie avond,' zei Doll ten slotte, een beetje schor.

'Zeker,' zei Arbre met zijn muzikale, meisjesachtige stem. Doll hield opeens van hem. Die arme jongen had echt iemand nodig die voor hem zorgde en hem hielp.

Toen, als door een eigen wil bewogen en zonder dat hij het bewust had gedaan, ontdekte Doll dat zijn hand langs Arbres onbehaarde been naar diens onbehaarde knie was geschoven. Hij liet de hand daar liggen.

'Een machtig mooie avond om te vrijen,' zei hij met gesmoorde stem. 'Als we thuis waren.'

'Nou en of,' zei Arbre zoetjes. Plotseling bewoog hij zich. Zijn handen, die achter zijn hoofd hadden gelegen, gingen naar zijn gulp en hij maakte de knopen ervan los. 'Toe maar,' zei hij.

Doll was ontzet. Arbre had hem helemaal verkeerd begrepen. Hij was er vrij zeker van dat Arbre zijn gezicht niet kon zien, maar hij zag het in zijn verbeelding en hij wist dat het was verstard van schrik. Het duurde enkele seconden voor hij zich kon dwingen tot een stroef lachje. Hij had zijn hand weggerukt alsof hij die ergens aan brandde.

Arbre ging verder met wat hij deed. 'Toe maar,' zei hij zacht. 'Toe maar. Ik zal je niet verraden.'

Doll dwong zichzelf luid te lachen en stond op.

'Kom maar,' zei Arbre. 'Kijk er eens naar. Ik weet wat je wilt. Ik beloof je dat ik er nooit met iemand over zal praten.'

'Zeg, vergeet niet dat ik nog altijd je groepscommandant ben,' zei hij zacht maar moordlustig. 'Ik waarschuw je.' Daarna op veel gewoner toon, te gewoon in deze situatie vond hij zelf, zei hij: 'Ik ga maar eens bij die vechtpartij kijken.'

Arbre antwoordde niet. Misschien kreeg hij nu pas door wat Dolls bedoeling was geweest. 'Wat een rotvent ben jij,' zei hij even later. Doll hoorde het, maar was al op weg. Laat die smeerlap maar met zichzelf spelen, dacht hij woedend. Zijn hele hoofd was met zo'n vuurrode blos bedekt dat hij zich afvroeg of hij er in het maanlicht zwart zou uitzien. Dát had Arbre dus bedoeld met zijn dubbelzinnige praatjes op de Reuzengarnaal! Hij had gedacht dat Doll... en dat Doll hem tot korporaal zou bevorderen als... Goeie god! dacht Doll smartelijk. Hoe kon iemand dat denken van een vent die...

En terwijl hij na de vechtpartij met Fife terugliep, werd hij weer rood bij de herinnering. Geen wonder dat zijn stem onnatuurlijk klonk. Arbre lag nog altijd op het met gras begroeide plekje. 'Hallo, Carrie,' zei hij met kleurloze, kille stem. 'Hoi, Doll,' zei Arbre op dezelfde toon. 'Je had die vechtpartij moeten zien,' zei Doll luchtig. En toen gingen ze allemaal weer zitten om de whisky soldaat te maken, waarbij Doll misschien wel het meest zijn best deed.

Maar al betoonde Doll zich bij die gelegenheid de meest serieuze drinker, anderen deden in de loop van de nacht en de volgende alcoholische dag evenzeer of nog meer hun best. En toen de whisky de volgende middag om vier uur op was, heerste algemene consternatie. En niemand had ook maar iets als buit uit Boola Boola meegenomen dat bij de luchtmacht kon worden geruild.

Toen Band anderhalve dag later van zijn commando werd ontheven, was het drankprobleem nog niet opgelost en hierover maakte de compagnie zich heel wat meer zorgen dan over Bands vertrek. Er was een aantal oplossingen voorgesteld, de meeste geboren uit wanhoop: 's nachts in alle stilte ergens inbreken, een paar lui van de luchtmacht onder bedreiging met een pistool dwingen hun drankvoorraad af te staan; uitrustingsstukken van de compagnie verkopen, zoals wapens, kachels en dekens; een kartel oprichten dat aan bepaalde mannen uit Tennessee en Kentucky de grondstoffen zou leveren voor de clandestiene whisky die deze lieden vroeger thuis hadden gestookt. Geen van deze methodes was echter uitvoerbaar. Bij een nachtelijke diefstal zou nooit genoeg worden gejat; gewapende overvallen en het verkopen van staatseigendommen zou zonder twijfel tot arrestaties leiden. De stalen buisspiralen die een onmisbaar onderdeel van distilleerapparatuur vormden, waren nergens op het eiland te krijgen, evenmin als het graan. Toen de plaatsvervangende compagniescommandant, Johnny Creo met zijn venijnige gezicht en zijn lange neus, een toespraak hield waarin hij aankondigde dat hij de discipline zou aanscherpen en zou zorgen dat er een eind kwam aan wat er in de compagnie gebeurde, trok niemand zich hiervan iets aan. De mannen hadden een veel ernstiger probleem en iedereen wist toch wel dat een onervaren groentje als Johnny Creo niet lang CC zou blijven.

Niemand wist of vroeg zich af hoe het vonnis van de Decoratiejager luidde, of waar en door wie het was geveld. In feite was het de regimentscommandant zelf, de Grote Blanke Vader, die Band zijn congé gaf, niet overste Spine de bataljonscommandant, zoals indertijd met Jim Stein en Tall. Band had onwillekeurig het gevoel dat hem nog enige eer werd aangedaan.

Hij marcheerde correct het bureau van de aan drank verslaafde grijsaard binnen, zijn brillenglazen en stalen montuur fonkelden; hij droeg een schoon uniform, zijn schoenen en zijn distinctieven glommen. Band wist niet hoe hij het wist, maar hij wist het. Er werd altijd geroddeld en je kon aan de gezichten van je collega's in de mess en in het casino wel zien wat je te wachten stond. Hij was er voor zichzelf heel zeker van dat alles wat hij had gedaan juist, correct en aanvaardbaar was, dat hij bepaald geen fouten had gemaakt, maar in belangrijke mate tot het slagen van de hele operatie had bijgedragen. Wat zijn minderen ervan vonden was een andere zaak; zij zagen het totale beeld niet. Maar zijn superieuren!

De kolonel schraapte langdurig zijn keel. Men beweerde dat hij dankzij deze campagne binnenkort tot brigadegeneraal zou worden benoemd. De knappe, gedistingeerde overste Spine was ook aanwezig. En kolonel Grubbe, de plaatsvervangend regimentscommandant, een man uit Newport, New England, die een verrassende gelijkenis vertoonde met Johnny Creo, de plaatsvervangende commandant van de C-compagnie. De andere bataljonscommandanten waren er ook. Maar de Grote Baas met het Witte Haar deed het woord.

Wat hij te zeggen had, kwam erop neer dat Band twee grove fouten had gemaakt, die in combinatie zo ernstig waren dat de campagne op Guadalcanal er een hele week of nog langer door had kunnen worden vertraagd. De ene fout was dat hij geen radiocontact had gezocht met zijn commandant, dat hij uit wat de Grote Baas slechts als pure koppigheid en eigenwijsheid kon beschouwen, geen orders had gevraagd. Dat was onvergeeflijk. Zijn tweede fout betrof de hogere tactiek en kon hem dus eigenlijk niet worden aangerekend, maar hij had, toen hij de jungle verliet, naar links moeten gaan. Hij had Boola Boola moeten negeren, want dat was de taak van de I-compagnie geweest en naar links moeten gaan om langs de kust op te rukken en te proberen om de hele Japanse linie op te rollen, waar op dat moment de grootste chaos heerste. Als hij dat had gedaan zouden Baker en Able hem gevolgd zijn, terwijl de andere compagnieën die in het gebied achter Heuvel 278 waren doorgedrongen, hen gevolgd zouden zijn, waardoor het mogelijk zou zijn geweest een krachtige linie te vormen. Als het zo was gebeurd, zouden ze nu Kokumbona en Tassafaronga in handen hebben en daarmee het hele Japanse leger op Guadalcanal. Als Band radiocontact had gezocht, dan had men hem kunnen instrueren. Zowel de bataljonsstaf als de regimentsstaf had de hele ochtend vergeefse pogingen gedaan om hem op te roepen en hem dat te zeggen.

Band betoonde zich een man die de waarheid wel aankon. Hij zag in dat bijna alles wat die oude dronkelap zei volkomen juist was, al was hij een dronkelap. De tactiek was natuurlijk door scherpzinniger hersens dan de zijne uitgewerkt. Band wees er niet op dat het mogelijk was geweest de B-compagnie, waarmee wel radiocontact was, naar links te dirigeren en hem – hoe onjuist dat op zich misschien was – in Boola Boola te laten. Hij vergenoegde zich ermee te zeggen dat hem was verteld dat hij als onafhankelijk opererende eenheid zou moeten optreden. *Een onafhankelijke eenheid!*

'Aha!' De kolonel ontblootte lachend zijn vlekkerige gebit en viel op dat woord aan, zoals een valk op zijn prooi afschiet. 'Ja! Já! Maar ik heb erbij gezegd: *behalve wanneer er verbinding is*. In uw geval was die verbinding niet alleen mogelijk, maar heel eenvoudig tot stand te brengen. Nee, dat is geen excuus. Absoluut geen excuus.'

Het vonnis luidde dat hij van hier zou worden overgeplaatst naar een andere compagnie van een ander regiment. Hij zou er niet heen gaan als compagniescommandant. Zou hij plaatsvervangend commandant blijven? Of zou hij worden gedegradeerd tot pelotonscommandant? Nee, hij bleef zijn functie houden en zou dus plaatsvervangend commandant zijn van de nieuwe compagnie. Maar hij hoefde niet... eh..., zei de oude man, te verwachten dat hij promotie zou maken op grond van de verlieslijst of om andere redenen. Er zou ook daar voortdurend op hem worden gelet. Van een officiële degradatie was geen sprake. Maar een oorlog betekende teamwork, zei de oude baas, terwijl hij met zijn vuist in zijn handpalm sloeg. Teamwork, teamwork, *teamwork*. Ieder leger was een team. Een regiment was een team. Een compagnie, een peloton, een groep – allemaal *teams*. Geen enkel individu had het recht in zijn eentje iets te doen. Niet zolang het oorlog was. Je moest samenwerken. Er stonden te veel mensenlevens op het spel. Hij hoefde niet terug te gaan naar zijn onderdeel. Zijn bagage werd op last van de waarnemende commandant, luitenant Creo, al gepakt. En zo verdween ook George Band uit het leven van de C-compagnie. Er werd nooit meer iets van hem gezien of gehoord. Terwijl hij stram in de houding salueerde en de ruimte ongebroken verliet, was hij er weer volkomen zeker van dat hij absoluut geen enkele fout had gemaakt sinds hij het bevel over de compagnie had gekregen, zodat hij geen last had van gewetenswroeging. Het was ironisch, meende hij, dat zijn groep, die hem nu zo verkeerd begreep, zeker vijftig procent meer verliezen zou hebben geleden als hij had gedaan wat de Oude Baas wilde en naar links was gezwenkt.

Terwijl zich dit afspeelde, deden de mannen van Charlie in het bivak nog steeds wanhopige pogingen om een eind te maken aan het dranktekort. Er moest drank komen, meenden de meesten, whisky was van levensbelang geworden. Naarmate de dagen verstreken werd er aan de chaos in het regiment toen zij werden afgelost, geleidelijk een eind gemaakt; de normale situatie keerde langzamerhand terug. Er waren al werkschema's binnengekomen voor bepaalde projecten waaraan de mannen moesten meewerken, zodat de vrije tijd die ze nodig hadden om grote, gemakkelijk te bemachtigen voorraden drank op te sporen aanzienlijk werd bekort. Straks zouden oefenprogramma's, exercitie-uren en sport nog meer tijd opeisen. Het werd een vicieuze cirkel. En niemand had nog een methode ontdekt om aan alcohol te komen. Aan de enkele flesjes Aqua Velva die zo nu en dan in de kantine verkrijgbaar waren, hadden ze lang niet genoeg. Niemand beschikte over voldoende contanten om meer dan een of twee flessen whisky te kopen. Alleen gekke Welsh met zijn spottende grijns scheen nog over een angstvallig verborgen privévoorraad gin te beschikken. De andere mannen ergerden zich hieraan en tot overmaat van ramp begon de verdoving waarin zij na de gevechten hadden verkeerd te verdwijnen, en nu werden ze ook weer bang voor luchtaanvallen.

John Bell berekende dat de doorsnee man dit keer zes volle dagen nodig had gehad om uit zijn verdoving te ontwaken – deze periode had na de gevechten om De Dansende Olifant twee dagen geduurd. Bell kon slechts concluderen dat er sprake was van een cumulatief effect. Maar of dit nu juist was of niet, de angst voor de luchtaanvallen nam weer toe. In werkelijkheid waren de luchtaanvallen minder gevaarlijk dan voorheen en liepen ze nu veel minder kans te worden gebombardeerd. Het bivak bevond zich ten noorden van de Matanikau en op meer dan drie kilometer van de luchtbasis.

Dat maakte hun angst er niet kleiner op. Er kwam bij dat de Japanners de laatste tijd hoofdzakelijk bombardeerden om het moreel van de troepen te ondermijnen en hun bommen dus overal op het eiland konden uitgooien.

Geen soldaat van de C-compagnie had geloofd dat hij ooit weer bang zou kunnen zijn voor die onbeduidende luchtaanvallen, als hij maar niet meer in de voorste linie lag. Maar toen een man uit een naburige compagnie die op zijn veldbed had gelegen, door een misser van het afweergeschut zijn hele onderkaak had verloren, begon een aantal soldaten van Charlie enigszins gegeneerd scherfloopgraven buiten de tenten aan te leggen. Het zou immers te gek zijn om na alle getrotseerde gevaren om te komen bij zo'n luchtaanval. Niemand kon de gedachte verdragen dat hij door zo'n spottend, door God gegeven tikje aan zijn eind zou moeten komen. Binnenkort zouden ze weer wegzinken in het moeras van verveling, modder en vrees voor luchtaanvallen dat ze in een ander leven hadden gekend, voor ze aan de gevechten hadden deelgenomen. Er moest gewoon een alcoholbron gevonden worden.

Toen, op een ochtend, viel bij het appel soldaat eersteklas Nellie Coombs, de handige valsspeler, twee keer voorover omdat hij stomdronken was.

Nadat het de volgende dag opnieuw was gebeurd, namen enkele sergeants het initiatief Coombs' gangen na te gaan om zijn bron op te sporen. Dit bleek een oud biscuitblik te zijn, afgedekt met een stukje gaas, dat op een zonnig plaatsje in de uitloper van de jungle dicht bij het kamp was neergezet en dat door miljoenen gonzende insecten werd omringd. Nellie had net als veel beroepssoldaten voor deze oorlog zowel op de Filippijnen als op Hawaï gediend, toen de soldij maar net voldoende was om de clandestiene drank te kopen die door de inheemse bevolking uit fruit werd gestookt en 'swipe' werd genoemd. Hij had zijn kennis benut, enkele vier-literblikken kersen en perziken gestolen en die met gist en water in de zon laten gisten. De man die hem schaduwde, sergeant Beck, kwam dronken terug en rapporteerde dat het spul afschuwelijk smaakte maar sterk was, heel sterk! Waarom Nellie Coombs zijn ontdekking zo zorgvuldig geheim had gehouden, wist niemand. Het kwam overeen met zijn gesloten aard. Maar er werden onmiddellijk overvallen georganiseerd om biscuitblikken en blikken met vruchten uit de depots te stelen, waar enorme voorraden aanwezig waren. Dit was de oplossing! Deze bron zou nooit opdrogen. De mannen vonden hun geestelijk evenwicht terug, want nu konden ze 's avonds weer een borrel drinken en als ze dronken waren lachten ze om de luchtaanvallen.

Luitenant Johnny Creo had natuurlijk geen idee van wat er in de compagnie gebeurde of hoe de mannen aan drank kwamen. En iedereen was wel zo wijs er tegenover hem over te zwijgen.

De methode vond snel vele navolgers. Bij de compagnieën die in de buurt van Charlie lagen, ontstonden ook biscuitblik-stokerijtjes en de mannen daar gaven de techniek weer aan hun buren door. Het zou zinloos zijn het geheim te houden, want er was genoeg voor iedereen. Zolang het Amerikaanse leger vocht zou aan één ding nooit gebrek zijn: ingeblikt fruit. En, als zo vaak in de geschiedenis van de mensheid, had de behoefte aan een belangrijke uitvinding tot gevolg dat er gelijktijdig op ver van elkaar verwijderde punten aan werd gewerkt door vindingrijke lieden, die bijna op hetzelfde moment met hun ontdekking voor de dag kwamen. Vanuit deze centra verspreidde het bericht zich als kringen in een vijver, tot de steeds wijder geworden cirkels vervloeiden en iedere soldaat op de hoogte was. Toen twee man bij een onderdeel blind werden en gedeeltelijk verlamd raakten door iets als loodvergiftiging, werden de biscuitblikken afgeschaft en ging men massaal over op houten augurkenvaatjes, die twintig of veertig liter konden bevatten. Onverschrokken mannen zetten het experimentele werk rustig voort. Daarbij werd ontdekt dat de zure geur die in niet-uitgespoelde vaten achterbleef de wee zoete smaak van het fruit enigszins verdreef.

Juist in deze periode – toen de C-compagnie het eerste in augurkenvaatjes gestookte brouwsel proefde – dook tijdelijk soldaat eersteklas Witt van de geschutcompagnie weer op. Hij kwam informeren of hij in zijn oude onderdeel terug mocht komen. Hij had nu pas gehoord dat Brass Band geen commandant meer was. Die avond dronk hij zich met de jongens een stuk in de kraag met 'swipe'-volgens-nieuw-recept.

Natuurlijk wilde Johnny Creo niets met hem te maken hebben. En Witt kwam nooit tot de ontdekking dat Culp, de football-verdediger, een goed woordje voor hem deed en zo zijn overplaatsing mogelijk maakte. Toen Culp vernam dat Creo niet bereid was Witts verzoek door te zenden, had hij een onderhoud met de nieuwe commandant in de compagniestent; na eerst de secretarissen te hebben weggezonden, Weld met zijn gebroken neus nog in het verband voorop.

'Luister, Johnny,' zei Culp ernstig. 'Ik ben langer bij deze compagnie dan jij en ik ken de jongens dus beter. Als jij ooit met dit stel aan een actie moet deelnemen, dan zul je blij zijn als je een man als Witt bij je hebt.'

Creo perste zijn dunne lippen onder de lange kromme neus opeen. 'Ik ben erbij geweest toen hij zijn eigen compagniescommandant bedréigde!'

'Ach, gelul,' gromde Culp. 'Trouwens, ik kan het hem niet kwalijk nemen. Jij begrijpt deze kerels niet. Vergeet niet dat ik ook meer acties met hen heb meegemaakt dan jij. Ik was erbij toen Witt op de Olifantskop meeging met die aanvalspatrouille. Ik verzeker je dat je een ernstige fout zou maken als je hem niet weer aannam. Je laat een man schieten die een van je beste pelotonscommandanten zou kunnen worden.'

'Ik heb dat soort mensen in mijn troep niet nodig,' zei Creo stug.

De verdediger lachte spottend. 'Dadelijk zeg je nog dat je een liberaal bent en hem niet in je troep wilt hebben omdat hij de pest heeft aan negers. We voeren hier oorlog, man! Oorlog! Ik weet dat je mijn superieur bent en me hiervoor kunt straffen, maar dat kan me niet schelen. Je moet naar me luisteren!' En hij dwong hem te luisteren. Hij pleitte met dezelfde energie en nietsontziende kracht waarmee hij Jim Stein eens had overgehaald de Thompsons uit het mariniersdepot te stelen, en uiteindelijk won hij door zijn bruisende vitaliteit. Creo gaf toe. Het was zo ongeveer het laatste dat Culp voor de C-compagnie zou doen. Twee dagen later verloor hij bij het vissen het grootste deel van zijn rechterhand.

Het was niet de eerste expeditie die naar de Matanikau trok om vis te vangen en daarmee het eentonige dieet van blikvlees, gedroogde aardappelpuree en ingeblikt fruit te doorbreken. De mannen waren al drie keer uit vissen gegaan in de loop van de twee weken die voorbij waren gegaan nadat ze uit de voorste linie waren teruggekomen. Storm had steeds voor zo'n geweldig visfeest gezorgd dat de weekhartigsten tranen van heimwee in hun ogen kregen. Ditmaal namen ze slechts drie granaten mee, omdat twee gewoonlijk al voldoende was. Natuurlijk was het streng verboden en daarom gingen ze 's morgens bij het eerste licht. Enkele hoge officieren waren zo slim geweest hun visgerei mee te nemen naar Guadalcanal. Maar Culp en zijn jongens waren geen sportvissers; ze wilden alleen in de kortst mogelijke tijd zoveel mogelijk vis vangen en voor dat doel waren granaten ideaal. Een van hen, Skinny Culn, slingerde de eerste. Drie naakte zwemmers stonden klaar op de oever om de vis te verzamelen voordat die door de stroom zou worden meegevoerd. Eén minuut na de doffe explosie onder water dreven al vijftig vissen met de buik omhoog op de trage stroom.

'Twee is genoeg. Ik gooi de volgende!' riep Culp enthousiast. 'Een eindje verderop.' Hij liep enkele meters stroomopwaarts. Toen trok hij de pin uit de handgranaat en gooide. Er werd druk gelachen en gepraat. Een halve seconde nadat hij de granaat had losgelaten explodeerde deze in de lucht. Op een munitiefabriek had een of andere dame in een nauwsluitende spijkerbroek zo druk met haar buurvrouw aan de lopende band zitten praten over een nieuwe jurk of een nieuw vriendje, dat ze de lont te kort had genomen.

Hij kon van geluk spreken dat hij nog leefde. Hij was natuurlijk bewusteloos. Twee vingers waren geheel afgerukt, twee andere hingen er nog met een paar velletjes aan. In het roze licht van de nieuwe dag legden ze een tourniquet aan en verbonden de hele hand met een zakdoek, zodat de vingers niet los konden raken. Er werd een brancard geïmproviseerd van twee jassen met stokken door de mouwen, en zo gingen de mannen op weg naar het hospitaal. Twee bleven er achter om de vis te verzamelen. Onderweg hielden ze een jeep aan. De dokter in het hospitaal zei dat de twee vingers dankzij hun snel ingrijpen misschien behouden konden blijven. Nou ja, ze hadden heel wat ervaring opgedaan met het verlenen van eerste hulp. En dit was wel het minste dat ze voor de verdediger konden doen. Toen hij eindelijk bijkwam, grijnsde Culp wazig. 'Ik heb er niks van gevoeld,' verklaarde hij trots. 'Het deed helemaal geen pijn!' Zijn hand bevond zich toen al in een staketsel van staaldraad, dat aan een enorme handschoen deed denken. De volgende dag ging hij met een vliegtuig naar Nieuw-Zeeland.

Voor hij vertrok, vertelde de verdediger aan Culn en Beck wat hij over Witt had gezegd. 'En nu zorgen jullie ervoor dat hij Witt tot sergeant bevordert. Hij doet het nooit uit zichzelf. Daar wou ik pas later over beginnen.'

'Dat kan hij niet doen,' zei Skinny Culn. 'Bevorderen of degraderen. Ik heb een vriend die bij de S-1 van het regiment werkt en die heeft me verteld dat er bij Charlie niemand wordt bevorderd of gedegradeerd voordat Creo vast benoemd is of voordat we een andere commandant krijgen.'

'O juist,' zei Culp. 'Jij bent goed op de hoogte, hè? Nou, misschien komt het dan later wel in orde.' Hij zuchtte. 'Misschien zie ik jullie nog eens terug in een of ander hospitaal, hè?' Hij grijnsde. En zo was Culp de verdediger, de eeuwige student, ook weg. Ze zouden zijn goedhartig, ongecompliceerd normaal zijn missen.

Het duurde drie weken voor Witt officieel was overgeplaatst. Toen verscheen het mannetje uit Kentucky in volledige bepakking met al zijn aardse bezittingen, grijnzend van oor tot oor in het bivak. Hij werd onmiddellijk tot sergeant benoemd door de nieuwe compagniescommandant, kapitein Bosche, die een plaatsje voor hem open had gehouden. Bosche was niet de enige nieuwe ervaring die ze in drie weken hadden opgedaan. Maar misschien was hij in zeker opzicht wel de belangrijkste. In ieder geval drukte hij zijn persoonlijk stempel op alles wat er gebeurde. Het nieuwe oefenprogramma was echter minstens even belangrijk als Bosche. Het bereikte de compagnie nog voor Bosche en de kern ervan was de amfibietraining.

Er waren geruchten geweest dat de compagnie voor training en hergroepering naar Australië zou gaan, precies zoals de eerste mariniersdivisie. Maar zelfs de meest optimistische soldaten begrepen de eerste dag waarop ze buitengaats werden gebracht en een landing met LCI's moesten uitvoeren, dat daarvan niets zou komen. Ze gingen natuurlijk naar het noorden, naar New Georgia. Toen dit goed was doorgedrongen nam de consumptie van 'swipe' in opvallende mate toe.

De ene oefening volgde op de andere en toen Bosche er eenmaal was, kregen de mannen het meteen nog zwaarder. Er waren op het eiland schietbanen aangelegd en daar moesten ze dag in dag uit heen, zwetend in de barre zon op het veld waar nergens een schaduwplek was. Om de twee of drie dagen werd er een oefenmars gemaakt. De mortier- en mitrailleursecties – die nu onder bevel van Culps opvolger stonden – kregen ruim voldoende de gelegenheid zich te oefenen en nog wel met scherpe munitie. Geen kosten werden gespaard. Alleen de avonden – bij maanlicht in het gras zitten, de wee zoetige 'swipe' drinken, praten en denken over vrouwen – bleven onveranderd.

Toen Bosche het bevel van Johnny Creo had overgenomen hield hij onmiddellijk een toespraak over 'swipe'.

Hij was een spijkerhard baasje van een jaar of vijfendertig, wiens op maat gemaakte uniform strak om zijn lichaam spande. Zijn compacte buikje maakte de indruk dat het minstens even hard en stevig was als de buikspieren van meer atletische figuren. De koperen gesp van zijn koppel glansde als een ster. Op zijn linkerborst had hij een hele serie onderscheidingen, waarvan de Silver Star en het Purple Heart met de gesp meteen opvielen. Hij was twee keer gewond geraakt, had bij Pearl Harbor gevochten en was niet in West Point opgeleid. In plaats daarvan had hij zijn militaire kennis in de praktijk verworven. Hij was afkomstig uit een regiment van de Amerikaanse Divisie. Het was voor het eerst dat hij officieel als compagniescommandant optrad.

'Ik heb zeker even veel, en misschien meer, gevechten meegemaakt als jullie. Ik hou niet van oorlog. Maar we zijn in oorlog en we moeten vechten. Aan de andere kant kan ik niet zeggen dat ik een hekel heb aan alle kanten van een oorlog. Ik weet dat jullie die vervloekte "swipe" maken en drinken. Dat vind ik best. Iedere soldaat van mijn compagnie kan zich wat mij betreft iedere avond bezuipen, als hij maar op het ochtendappel aanwezig is en in staat om iedere taak die hem wordt opgedragen uit te voeren. Als hij dat niet kan, krijgt hij last met me. Met mij persoonlijk.'

Hij zweeg even en zijn blik ging over de mannen die dicht opeen gedrongen om de jeep stonden, waar hij op was geklommen om zijn toespraak te houden.

'Ik ben niet zo dol op het woord team. Alles is tegenwoordig een team. Je spreekt niet meer van een regiment, maar van een gevechtsteam. Goed, als het nodig is, zal ik die term ook gebruiken, al heb ik er een hekel aan. We vormen dus een team.'

Na dit te hebben toegegeven zweeg hij weer, dit keer vanwege het dramatische effect.

'Maar ik zie mezelf liever als het hoofd van een gezin. Want of we het nu prettig vinden of niet, dat zijn we hier. Ik ben de vader en' – hij zweeg weer even – 'majoor Welsh hier moet dan wel de moeder zijn.' Hierom werd gelachen.

'En of het jullie nu bevalt of niet, jullie zijn de kinderen. Nu kan er in een gezin maar één hoofd zijn en dat is de vader. Ik. De vader is het gezinshoofd en moeder regelt het huishouden. Zo moet het hier ook zijn. Als een van jullie me wil spreken, waarover dan ook, dan ben ik er altijd. Maar ik moet de kost voor mijn gezin verdienen en als het dus niet zo belangrijk is, dan kan moeder het wellicht regelen. Dat is alles, op één ding na.

Zoals jullie allemaal weten, wordt er weer geoefend. Jullie weten ook waarom we oefenen. Ik zal ervoor zorgen dat iedereen het zo zwaar krijgt als maar enigszins mogelijk is. Ikzelf ook. Maar hoe zwaar ik de training ook maak, gevechten zijn altijd zwaarder. Dat weten jullie ook. Hou er dus rekening mee. Dat was dan alles.

Nee, nog één ding. Jullie moeten weten dat ik, zolang jullie achter mij staan, ook achter jullie sta. Voor de volle honderd procent en tegenover wie dan ook. Tegenover ieder onderdeel en ieder leger. Het Japanse, het Amerikaanse of wat dan ook. Jullie kunnen op mij rekenen.' Hij zweeg weer. 'Meer heb ik niet te zeggen.' Het spijkerharde mannetje had niet eenmaal geglimlacht, zelfs niet bij zijn eigen grappen.

Iedereen vond hem aardig. Zelfs sergeant Welsh scheen hem wel sympathiek te vinden, of in ieder geval respect voor hem te hebben. Wat al heel wat was in het geval van Welsh. Hoe dan ook, hij scheen beter te zijn dan Decoratiejager Band of Johnny Creo. Dit was dus de man die hen naar New Georgia zou brengen. Alleen John Bell, die enigszins op de achtergrond had gestaan, vertrouwde hem nog niet helemaal, al vroeg Bell zich af of dat niet meer aan hemzelf lag dan aan kapitein Bosche. Welke eisen mocht je aan zo'n man tenslotte stellen? Je kon niet meer van hem vergen dan Bosche bereid was te geven. En als hij zijn beloften hield, viel er ook niet meer te vragen. Maar Bell kreeg plotseling de impuls als een gek te lachen en zo luid mogelijk te schreeuwen: *Ja, maar wat betekent dat allemaal?* Hij kon zich bedwingen. Bell had in de afgelopen drie weken zeventien brieven van zijn vrouw ontvangen, alle even liefdevol, maar hij werd geobsedeerd door het idee dat ze die misschien wel allemaal op één dag in een energieke bui had geschreven. Dat ze de enveloppen had geadresseerd en van postzegels voorzien en op haar bureau had gelegd om niet te vergeten er om de paar dagen een op de bus te doen. Dezelfde methode had hij vroeger in zijn studententijd weleens toegepast met brieven voor zijn ouders. Maar de toespraak van Bosche was in ieder geval beter dan die waarnaar ze enkele dagen later moesten luisteren.

Twee dagen nadat Bosche het bevel over de C-compagnie had aanvaard, kwam er een eind aan de campagne op Guadalcanal. De laatste Japanners waren gedood of gevangengenomen of door hun eigen mensen geëvacueerd. Toevallig viel de datum waarop de campagne officieel werd afgesloten samen met de benoeming van de regimentscommandant tot brigadegeneraal. Meer vanwege dit laatste kregen de mannen een vrije dag en werd er een bierfeest gehouden op kosten van de kolonel. Jammer genoeg was het bier warm en bleek er nauwelijks één blikje per man te zijn. Misschien werd de wijze waarop de toespraak van de brigadegeneraal werd ontvangen hierdoor beïnvloed.

Hij had hem natuurlijk al flink staan, net als alle hoge officieren die op het van schragen en planken gemaakte podium zaten. Ze hadden de promotie gevierd. En de Grote Blanke Vader was nooit een begaafd redenaar geweest. Nadat hij was ingeleid, stond hij op en terwijl zijn lijf onder het hoogrode vlekkerige gezicht licht heen en weer deinde, riep hij met commandostem: 'Mannen, jullie hebben die ster voor me verdiend!' Zijn hand ging even naar zijn schouder. 'En nu wil ik dat jullie er ook een verdienen voor kolonel Grubbe!' Daarna ging hij zitten. Het bleef doodstil.

Kolonel Grubbe, die als man uit New England een opvallende gelijkenis vertoonde met Johnny Creo die van Italiaanse afkomst was, vergenoegde zich ermee de hoop uit te spreken dat hij een even goede commandant zou worden als zijn voorganger. Hij verzocht de mannen om zijn woorden kracht bij te zetten met een hoeraatje voor de pas benoemde generaal. Dit keer werd er toegeeflijk en ironisch zwak gejuicht. John Bell wist hoe de anderen erover dachten, maar hij had het gevoel dat hij zou kunnen kotsen van woede en verontwaardiging, of misschien kwam dat door het lauwe bier. De volgende dag werd hij door Bosche benoemd tot pelotonssergeant.

Promoties dwarrelden als propagandapamfletten neer. Toen Bosche eenmaal was geïnstalleerd, werden de beperkingen op het personeelsbeleid opgeheven en kon hij naar believen rangen wijzigen en op door de strijd vacant geworden posten de mensen plaatsen die hij hiervoor het geschiktst achtte. Geheel in de geest van zijn toespraak liet hij zich adviseren door zijn pelotonssergeant. Ditmaal waren de verliezen veel minder hoog geweest dan na De Dansende Olifant. De twaalf man die bij de wegafsluiting van de Decoratiejager waren gesneuveld niet meegerekend, had de compagnie slechts zeven doden; in totaal dus negentien. Er waren ook minder gewonden, alles bij elkaar achttien, onder wie zeven sergeants. Een merkwaardige statistische bijzonderheid van de slag om Boola Boola en de gevechten die in het kokospalmbos hadden plaatsgevonden, was dat het aantal beenwonden veel hoger was dan normaal. De populaire verklaring hiervoor was dat de Japanners zo uitgehongerd en verzwakt waren dat ze niet in staat waren geweest hun geweren op te heffen en hoger te richten. Waar of niet, meer dan de helft van de getroffenen in de C-compagnie was gewond aan het been. Een van hen was pelotonssergeant 'Jimmy' Fox van het derde, en kapitein Bosche droeg de leiding van het derde peloton over aan John Bell. Dat er nóg een positie als pelotonssergant beschikbaar kwam, had niets te maken met de verlieslijst, maar met een ongewoon ingrijpen dat bijna iedereen zeer verbaasde. Er kwam een bevel van de divisiecommandant zelf, al zou de regimentsstaf wel de aanzet hebben gegeven, dat sergeant Skinny Culn werd bevorderd tot tweede luitenant. Het was praktisch voor het eerst, nee, het wás voor het eerst dat de soldaten van Charlie (behalve John Bell) een concreet geval meemaakten waarin de scheidslijn tussen manschappen en de officierenkaste werd overschreden. Het leger zoals zij het vroeger hadden gekend, veranderde onder de druk van de oorlog en Culn pakte verlegen maar vereerd zijn spullen om de eed van trouw af te leggen en bij een ander regiment te worden ingedeeld. Bosche droeg zijn eerste peloton over aan Charlie Dale, de voormalige tweede kok, die nu een grote glazen stopfles vol gouden tanden had als het begin van zijn verzameling. Beck bleef natuurlijk bij het tweede peloton. Maar zijn eventuele plaatsvervanger, de pelotonsgids, was bij Boola Boola gewond en dus niet meer beschikbaar. In deze functie benoemde Bosche sergeant Don Doll, die dus sergeant eersteklas werd. En in alle gelederen van de compagnie schoven mannen een plaatsje op om de gepromoveerden te vervangen.

Ondanks dit alles, al deze veranderingen, ging de training gewoon door. Nieuwe soldaten arriveerden op het eiland en werden over de compagnieën verdeeld. Voor het eerst in lange tijd was de C-compagnie weer bijna op volledige sterkte. De groentjes werden ingedeeld bij pelotons, deden mee aan schietoefeningen, tactieklessen, landingsmanoeuvres. 'Kanonnenvoer' werden ze genoemd, zoals de C-compagnie zelf ook eens was betiteld, en ze keken naar mannen als Beck en Doll en Geoffrey Fife met hetzelfde ontzag waarmee Beck en Doll en Fife, die nu alle drie een baard hadden, vroeger hadden gekeken naar de bebaarde mariniers. Zelf zouden ze hun baarden echter niet lang mogen behouden.

Dat was eigenlijk wel jammer. In de week na De Dansende Olifant hadden ze hun baard laten staan en die was voor hen een statussymbool geworden. Baarden symboliseerden de betrekkelijke vrijheid die de frontsoldaat genoot in vergelijking met zijn collega in het achterland, die aan de strakkere discipline van het kazerneleven gebonden was. Zelfs het dunste, vlassigste baardje van een negentienjarige was iets om trots op te zijn, want het symboliseerde de gevechten die de eigenaar had meegemaakt. Nu zou dit symbool hun op bevel van de divisiecommandant ontnomen worden. Naarmate de herinnering aan de gevechten en het enthousiasme en de hysterie waarmee ze gepaard waren gegaan, verbleekte – de gevechten waarop ze zo trots waren geweest en die hun recht gaven op enige dankbaarheid, meenden ze – naarmate die herinnering verbleekte, werd de discipline verscherpt, tot ze werden behandeld alsof ze gewone garnizoenstroepen waren die nog nooit een serieus schot hadden afgevuurd. Het ging er nu weer precies als in een kazerne aan toe: op zaterdag inspectie, op iedere werkdag waardeloze oefeningen, werk en corvee, 's zondags vrij. Iedereen wist dat de training grotendeels flauwekul was, dat alles tijdens gevechten heel anders zou gaan dan in de handboeken stond en dat al die rotoefeningen zinloos waren. Het enige dat ze werkelijk serieus namen waren de schietoefeningen op de baan, waarbij ze de ongelofelijk slecht getrainde groentjes eens konden laten zien hoe je moest schieten, maar de rest was onzin. En nu die baarden ook nog. Na enkele avonden waarop er tot diep in de nacht over was gepraat en er hartstochtelijke, door 'swipe' geïnspireerde toespraken waren gehouden, werd er besloten een officieel protest in te dienen bij kapitein Bosche. Milly Beck, die nu de oudste pelotonssergeant was, werd afgevaardigd om het standpunt van de compagnie naar voren te brengen. Het zou de eerste keer zijn dat Bosches verklaring – 'als jullie achter mij staan, dan sta ik achter jullie' – op waarde geschat zou worden.

'U weet ook wel dat de oefeningen grotendeels nutteloos zijn, kapitein,' zei Milly ernstig. 'We zullen er geen barst aan hebben als we weer moeten vechten.'

'Nee, sergeant Beck,' zei Bosche terwijl hij over zijn altijd onberispelijk geschoren, kleine ronde kaak wreef, 'laat ik meteen duidelijk maken dat ik het daar absoluut niet mee eens ben.'

'Nou ja, goed, kapitein. U hebt natuurlijk meer gevechten meegemaakt dan wij, maar we vinden het gewoon flauwekul. Behalve de schietoefeningen natuurlijk. We hebben echter bij alles ons best gedaan, niemand heeft zich gedrukt en niemand heeft gekankerd. Wij hebben bij alles wat er moest gebeuren achter u gestaan.'

'Dat weet ik, sergeant,' zei Bosche.

'Oké, maar nu willen ze ons onze baarden afnemen. Dat is een gemene, smerige rotstreek. Wij...'

'Het spijt me erg, maar er is een voorschrift waarin uitdrukkelijk staat dat het dragen van baarden in het leger niet toegestaan is. Ik geloof dat het nog stamt uit de tijd toen de cavalerie tegen de indianen vocht. De divisiecommandant heeft gemeend opnieuw aan dat voorschrift te moeten herinneren. Daar kan ik niks aan doen.'

'Maar wilt u dan voor ons een protestbrief schrijven?' vroeg Milly Beck ernstig. 'We...'

'Maar sergeant, je weet toch zelf dat je in het leger niet zomaar protestbrieven kunt gaan schrijven,' zei Bosche rustig. 'Als ik van een meerdere een bevel krijg dan moet ik dat uitvoeren, net als jullie.'

'Juist,' zei Beck. 'U wilt die brief dus niet voor ons schrijven?'

'Dat kan ik onmogelijk doen. Dat gaat echt niet.'

'Oké.' Beck woelde in zijn eigen verwarde struikgewas en dacht even na. 'En eh... hoe zit het met snorren, kapitein?'

'In het bevel staat niets over snorren. Voor zover mij bekend bestaat er geen enkel legervoorschrift dat een soldaat verbiedt een snor te dragen. Ik meen zelfs dat het in de voorschriften uitdrukkelijk wordt toegestaan.'

'Dat weet ik,' zei Milly Beck. 'Ik bedoel, ik meen zoiets weleens te hebben gelezen. Maar u wilt dus die brief over de baarden niet schrijven? Dat wij er zoveel waarde aan hechten?'

'Ik zou het graag doen,' zei Bosche eenvoudig. 'Met plezier. Maar ik kan het niet doen. Mijn handen zijn gebonden.'

'Oké, kapitein. Tot uw orders,' zei Beck en salueerde.

En dat was het enige waarover hij bij terugkomst verslag kon uitbrengen. Men was het erover eens dat Bosche met zijn 'ik-sta-achter-jullie-als-jullie-achter-mij-staan'-beleid een beetje was tegengevallen. Hij bleek dus toch zo te zijn als ieder ander en bepaald geen titaan. Als één compagniescommandant bereid was geweest de commandant van de divisie uit te leggen waarom de baarden zo belangrijk waren, dan zou die zijn bevel misschien hebben ingetrokken. Maar geen enkele compagniescommandant deed het. Van de ene op de andere dag verdwenen de baarden op Guadalcanal, behalve bij een Nieuw-Zeelands genie-onderdeel en enkele kleine eenheden van de Amerikaanse mariniers, die nooit gevechten hadden meegemaakt. De snorren bleven. De enige manier om tegen het offer van de baard te protesteren was de meest woeste, bizarre snor te kweken die maar mogelijk was en de mannen met voldoende gezichtshaar deden hun best. En de training werd voortgezet.

Een gevoel van naderend onheil groeide. Niemand voelde er iets voor om naar New Georgia te worden gezonden, zelfs de ijzervreters niet. Doll en Fife waren na de avond van Fifes vechtpartij goed bevriend geraakt en ze praatten er onder vier ogen over. De neerslachtige stemming die overal in de divisie merkbaar werd, had Fifes somberste voorgevoelens gewekt. Doll was hiervan niet onder de indruk, en al gaf hij toe dat het idee om naar New Georgia te gaan hem niet aanlokte, aan de andere kant had het toch wel iets opwindends. 'We zitten er nu eenmaal mee en we gaan toch. Er is niets aan te doen. Vooruit dan maar. En ik moet zeggen dat de strijd ook wel z'n aantrekkelijke kanten heeft.'

'Geloof jij eigenlijk in een leven na de dood?' vroeg hij even later.

'Ik weet het niet,' mompelde Fife. 'In ieder geval niet zoals het in de kerken altijd wordt voorgesteld. De Jappen geloven dat ze rechtstreeks de hemel in gaan als ze bij een gevecht sneuvelen. Dat is pas primitief! Maar zoals gezegd, ik weet het niet. Eerlijk niet.'

'Tja, ik weet het ook niet,' zei Doll. 'Maar soms vraag ik het me af.'

'Laten we nog eens naar het depot gaan en wat blikken fruit halen,' stelde hij een ogenblik later grijnzend voor.

Dit was sinds het stoken van 'swipe' was begonnen een geliefd tijdverdrijf van hen. Met z'n tweeën voorzagen ze bijna de hele C-compagnie van ingeblikt fruit. Fife had altijd weer het gevoel dat hij zijn leven erbij op het spel zette. Hij was niet zoals Doll. Maar hij ging toch trouw mee. Het was zoiets als in je eigen wond bijten.

In een uitdagende houding, hun hand op de klep van hun holster, stapten ze dan op het depot af. Zij waren de ijzervreters. Fife had nu ook een pistool, dat hij in Boola Boola een gesneuvelde Amerikaan had afgenomen, die voorover in het zand had gelegen. Ze waren inderdaad ijzervreters en Fife genoot van die rol. Want gedurende die paar momenten kon hij geloven dat hij echt datgene was waarvoor het kanonnenvoer hem aanzag. Een echte militair? Een soldaat? In ieder geval een ijzervreter. Zodra de bevelvoerende generaal had gehoord dat er clandestien drank werd gestookt, had hij opdracht gegeven bij alle levensmiddelendepots gewapende schildwachten te plaatsen. Ze hadden het bevel iedere inbreker dood te schieten. Daarom was het zo'n aardig spelletje.

Ze liepen naar zo'n depot toe. De gewapende schildwacht zat er met zijn geweer in de hand gewoonlijk bovenop, en hij behoorde altijd tot het kanonnenvoer. Wat ga je met dat schietijzer doen, jochie? vroeg een van hen dan. Wou je me soms neerknallen? Niemand van de ingewijden sprak meer van een geweer of een wapen. Gewoonlijk werd er geschreeuwd. Door het kanonnenvoer. Dan bleven ze rustig staan, de hand op de klep van hun pistoolholster. Daarna pakten ze wat ze nodig hadden en liepen vervolgens verder, waarbij ze de schildwacht minachtend de rug toedraaiden. Er werd nooit geschoten. Maar Fife was niet zoals Doll. En dat wist hij.

Het was tot hem doorgedrongen in de ellendige periode toen de gevechtsverdoving was geweken en ze nog niet hadden ontdekt hoe je swipe maakte. Hij had nooit kunnen denken dat hij weer doodsbenauwd zou zijn voor die onbenullige luchtaanvallen, maar dat was hij wel. En Doll was dat duidelijk niet. Fife had gemeend dat de gevechtsverdoving een nieuwe houding ten opzichte van gevaar was. En toen hij eruit ontwaakte en weer sidderde van angst, was hij daarop niet voorbereid geweest. Hij zag zich genoodzaakt hetzelfde feit onder ogen te zien waarmee hij al eerder geconfronteerd was: hij was geen echte militair. Hij voelde zich weer precies zoals in het begin. Hij moest al zijn moed bijeenschrapen om onder de kokospalm waar ze samen dronken te blijven zitten en niet haastig in een dekkingsgat te duiken als er een luchtaanval was. Het lukte hem, maar het vergde meer van hem dan van anderen, zoals Doll. Hij was gedwongen zich te verzoenen met het akelige feit dat hij altijd al had gekend: hij was een lafaard.

Misschien was dit inzicht er de oorzaak van dat hij gebruikmaakte van de kans die zich aan hem voordeed, en waarvan MacTae, de foerier, vond dat hij gebruik móést maken. Natuurlijk greep iedereen die er maar enigszins voor in aanmerking kwam die kans aan. Zelfs Doll probeerde ervan te profiteren, maar hij was zo walgelijk gezond dat hij niets bereikte. De kans was het pas ontdekte feit dat het divisiehospitaal tegenwoordig een veel soepeler evacuatiebeleid volgde.

Het was begonnen met Carni, het hippe New Yorkse vriendje van de kleine Mazzi uit het eerste peloton. Behalve een paar mannen, onder wie Doll, leed iedereen in de compagnie nu aan malaria. Maar Carni had het zo erg dat hij letterlijk tot niets in staat was. Dag in dag uit meldde hij zich op het ziekenrapport, kreeg een handvol atebrinetabletten en ging volkomen uitgeput weer op bed liggen. En nu had hij dankzij de atebrine ook geelzucht gekregen. Op een dag keerde hij niet terug van zijn bezoek aan de dokter. Twee dagen later hoorde men dat hij geëvacueerd was.

Hij was de eerste geweest. Onmiddellijk meldden bijna alle malarialijders zich op het ziekenrapport. Helaas schoot bijna niemand daarmee iets op. Maar geleidelijk, in de loop van de weken, kwamen de ernstige gevallen een voor een niet terug van de ziekenboeg. Ze werden – volgens de geruchten alleen voorlopig – op transport gesteld naar het marinehospitaal nummer 3 op Ephate, een eiland behorend tot de Nieuwe Hebriden, of doorgezonden naar Nieuw-Zeeland. Natuurlijk klonk Nieuw-Zeeland veel aantrekkelijker en in bijna ieder onderdeel werd met grote jaloezie gedacht aan vrienden die zich nu in Auckland bedronken of met een vrouw naar bed gingen. Op Ephate was maar één stadje, waar niets te beleven viel behalve dat de bewoners alle bezoekers en desnoods elkaar met de hand gesneden bootjes als souvenir probeerden te verkopen.

Toen Stormy Storm er eenmaal in slaagde zichzelf geëvacueerd te krijgen, was het hek van de dam. Storms geval was uniek, omdat er vóór hem niemand met een klein fysiek mankement was geëvacueerd; alleen mannen die malaria of geelzucht hadden. Zijn fysieke mankement was de hand waarin een scherfje was gedrongen. Omdat hij geen ander excuus kon aanvoeren en kennelijk een van de mannen was die nooit ziek werden en daarom zou moeten achterblijven, terwijl zijn vrienden een voor een werden geëvacueerd, had Storm besloten zijn hand nog maar eens te laten zien, nu het beleid zoveel soepeler was geworden. Tot ieders verbazing, ook die van hemzelf, werd hij onderzocht door dezelfde arts die hem tijdens de campagne om de Olifantskop had gedwongen weer dienst te doen en werd hij ditmaal geëvacueerd. Toen Storm het scherfje in zijn hand liet knarsen, klakte de dokter met zijn tong en zei dat degene die hem toen terug had gestuurd een ernstige fout had gemaakt. Het scherfje moest operatief verwijderd worden, verklaarde de arts, en omdat Storm maandenlang met zijn hand in het gips zou moeten lopen, stuurde hij hem naar Nieuw-Zeeland. Misschien zouden de artsen daar hem wel doorzenden naar de Verenigde Staten. Maar hij had nooit onbehandeld weer dienst mogen doen. Storm vertelde hem natuurlijk niet welke arts hem eerder had onderzocht. Bijna de hele compagnie kwam afscheid van hem nemen in het hospitaal, waar hij sigaren rookte, goed at en zich prima amuseerde omdat hij helemaal niet ziek was.

Na Storms succes ging iedereen het proberen. Binnen een maand, twee weken nadat Carni was geëvacueerd, was het vijfendertig procent van de veteranen in de C-compagnie – van de mannen die in vrachtauto's uit Boola Boola waren teruggekomen – gelukt zich om een of andere reden te laten evacueren. Veel meer mannen deden vergeefse pogingen en slechts een klein aantal probeerde het niet eens, omdat ze wisten dat ze kansloos waren. Eén man weigerde zich te laten evacueren, hoewel het hem was aangeboden.

Wie had dat anders kunnen zijn dan majoor Welsh, gekke Eddie Welsh? Terwijl de malaria bij John Bell na een bepaald punt niet verder was gegaan, was Welsh' toestand evenals die van Carni steeds verergerd. Toen hij op een dag bewusteloos achter zijn schrijftafel werd aangetroffen, het watervaste potlood nog in de hand, werd hij overgebracht naar het divisiehospitaal waar een arts besloot dat hij moest worden geëvacueerd. Toen hij bijkwam, lag hij in een speciaal zaaltje voor onderofficieren in een bed vlak naast dat van Storm. Aan zijn voeteneinde hing al het gekleurde kaartje dat aangaf dat hij in aanmerking kwam voor evacuatie.

'Jij, smerige klootzak!' brulde hij. 'Jij hebt me zeker hierheen laten slepen, hè?' Zijn fanatieke ogen glinsterden fel. Storm kon niet uitmaken of het van de koorts kwam of alleen maar van Welsh' persoonlijkheid.

'Kom, kom, majoor,' zei Storm die een sigaar rookte, voorzichtig. 'We zijn nou allebei patiënt en we worden allebei geëvacueerd.'

'Dat lukt je nooit!' tierde Welsh. 'Het zal jou nooit lukken mij m'n baantje af te troggelen, Storm! Ik ben veel slimmer dan jij! Bovendien kun je in de keuken wel goed werk doen, maar van de administratie weet je niks! Ik ken jou!'

Storm, die hem kende, kon zich niet voorstellen dat hij ijlde. De tengere jonge tweede luitenant die de arts van het zaaltje was, kwam al aanhollen met een ziekenverpleger.

'Rustig maar, majoor,' zei hij. 'U hebt veertig graden koorts.'

'Jullie zijn twee handen op één buik!' brulde Welsh.

Als antwoord duwde de luitenant hem terug in de kussens en stak een koortsthermometer in zijn mond, waarop Welsh de thermometer kapotbeet, uit bed sprong en terugrende naar de compagnie. De malaria velde hem niet, zoals de dokter had voorspeld. Welsh bleef, met zijn sluwe vreemde glimlach, de manschappen adviseren zich te laten evacueren nu het nog kon.

Tussen al deze gebeurtenissen door dook als een schim uit een andere wereld sergeant Big Queen plotseling op. Hij was precies zoals hij had beloofd als verstekeling teruggekeerd naar Guadalcanal. Om onnavolgbare redenen zou hij niet naar Ephate of Nieuw-Zeeland worden gezonden, maar naar een hospitaal in Nieuw-Caledonië, wat betekende dat hij, wanneer hij genezen was, zou worden ingedeeld bij een compagnie die naar Nieuw-Guinea ging. Maar omdat de kogel het bot enigszins had beschadigd, waardoor hij z'n arm minder goed kon gebruiken, waren de artsen ook bereid hem naar de VS te zenden, waar hij werk zou krijgen als instructeur van de dienstplichtigen. Queen had beide mogelijkheden afgewezen en was er ten slotte vandoor gegaan. Toen hij aan boord van het schip werd ontdekt en zijn verhaal had verteld, had hij de rest van de reis een koninklijke behandeling genoten. Maar toen hij de compagnie terugzag, was hij verbijsterd. Dit was zijn oude troep niet meer: Culn weg en officíer geworden? Charlie Dale, een ex-kók, nu sergeant van het eerste peloton? Jimmy Fox weg? Jenks dood? Stein van zijn commando ontheven? Soldaat John Bell ook pelotonssergeant? Fife, de secretaris, groepscommandant? Soldaat eersteklas Don Doll pelotonsgids? Queen, die het door zijn afwezigheid niet verder had gebracht dan groepscommandant, kon dit alles niet accepteren. Dit was te veel voor hem. Na twee dagen van 'swipe' drinken en herinneringen ophalen, meldde hij zich bij het hospitaal, en nadat zijn stijve arm was onderzocht, werd hij meteen naar Nieuw-Zeeland geëvacueerd.

Niemand scheen te weten waarom de artsen dit beleid voerden. Ze waren meedogenloos geweest toen de gevechten nog aan de gang waren. Nu vertelden de mannen die terugkwamen dat de dokters hen glimlachend hadden ontvangen, hadden gevraagd naar hun klachten en zelfs hadden geholpen bij het beschrijven en benoemen van de symptomen als ze geen woorden konden vinden. De divisiestaf kon hiertoe niet de aanzet hebben gegeven, daar ging alles er nog even nors aan toe als altijd. Blijkbaar hadden de artsen voor zichzelf uitgemaakt dat de veteranen genoeg hadden geleden en recht hadden op evacuatie als dat op medische gronden ook maar enigszins mogelijk was. De pas aangekomen groentjes werden zelden geëvacueerd, alleen de oude rotten.

Toen het Fifes beurt was deze schitterende kans te benutten, koesterde hij geen hoge verwachtingen. MacTae had hem zelfs moeten overhalen om het eens te proberen. Fife had een zwakke enkel, waarvan hij al last had sinds hij op de middelbare school bij een ongelukje tijdens een football-wedstrijd enkele pezen had gescheurd. Hij verzwikte nu steeds zijn enkel, maar was eraan gewend en steunde automatisch op de andere voet als hij voelde dat het misging. Bovendien droeg hij op marsen altijd een zwachtel, die hij met pleisters bevestigde, zoals de huisarts die hem toentertijd had behandeld, hem had geleerd. Hij dacht er bijna nooit meer aan. De enkel hoorde evenzeer bij hem als zijn slechte gebit en zijn zwakke ogen. Maar toen hij op een dag MacTae toevallig tegenkwam en met hem opliep om te gaan eten, ging hij door zijn enkel. Hij struikelde over een half opgedroogd wagenspoor in de modder, maakte nog een sprong om de enkel te sparen, maar dat lukte niet helemaal. Het deed afschuwelijk pijn.

'Zeg, jij bent doodsbleek!' zei MacTae. 'Wat gebeurde er, verdomme?'

Schouder ophalend legde Fife het hem uit. Na de eerste ogenblikken deed het altijd veel minder pijn, zolang hij zijn voet maar volkomen recht neerzette.

MacTae keek geïnteresseerd. 'En, ben je daarmee al naar de dokter geweest? Wat zegt-ie ervan? Heb je het niemand laten zien? Echt niet? Man, jij bent stapelgek! Voor zoiets word je geëvacueerd!'

'Zou je denken?' Fife had de mogelijkheid nooit overwogen.

'Nou en of!' zei MacTae overtuigd. 'Ik ken lui die ze voor heel wat minder hebben weggezonden.'

'Maar als ze het nu niet doen?'

'Wat dan nog? Dan ben je toch niet slechter af dan nu, of wel?'

'Dat is waar.'

'Man, als ik zoiets had ging ik er als een haas heen! Maar ja, ik ben zo ellendig gezond dat ik geen schijn van kans maak om weg te komen.'

'Geloof je het echt?'

'Ik zou nog geen seconde aarzelen!'

Voornamelijk vanwege MacTaes enthousiasme, ging Fife naar de dokter. Nu hij zichzelf opnieuw als een lafaard beschouwde, had hij wat de meeste dingen betrof even weinig zelfvertrouwen als vroeger. Maar in sommige opzichten was hij toch veranderd. Wat vechten betrof, bijvoorbeeld. De oude Fife had de strijd verafschuwd, omdat hij altijd bang was geweest dat hij zou verliezen. De nieuwe Fife was er gek op en had nog een stuk of zeven vechtpartijen doorstaan nadat hij korporaal Weld had afgetuigd. Winnen of verliezen was voor hem niet meer zo belangrijk als vroeger. Iedere stomp die hij gaf en iedere klap die hij incasseerde, gaven hem een enorme voldoening omdat ze hem van een of andere druk bevrijdden. En hij durfde zich met iedereen te meten. Dat was duidelijk geworden bij zijn eerste ontmoeting met Witt, toen het mannetje uit Kentucky weer bij de compagnie was. Witt was twee dagen terug en had twee nachten gedronken en Fife had in die tijd één vechtpartij gehad, toen ze tegen elkaar opbotsten. Fife stak hem na de botsing glimlachend de hand toe. Hij kneep zijn ogen half dicht, grijnsde met schuin gehouden hoofd en zei: 'Ha die Witt. Of wil je nog altijd niet met me praten?' Witt had teruggegrijnsd en zijn hand geschud. Hij scheen intuïtief aan te voelen dat Fife was veranderd op een manier die hem wel beviel. 'Nee, ik geloof dat ik wel weer met je wil praten.'

'Als je nog niet wilt, kunnen we het nu wel even uitvechten,' zei Fife grijnzend.

Witt, die ook nog grijnsde, knikte hem toe. Hij had de vechtpartij blijkbaar gezien. 'Ach, dat kunnen we doen. Ik geloof nog altijd dat ik jou best aankan. Maar die rechtse van je is niet slecht. Als je daarmee mazzel hebt, zou je me misschien tegen de grond kunnen slaan. Maar 't is natuurlijk altijd mogelijk dat ik je stoot zal ontwijken, snap je?'

'Maar we hoeven eigenlijk niet te vechten,' zei Fife. 'Je praat nu toch weer tegen me. Nietwaar?'

'Nee, het is niet nodig,' zei Witt. 'Weet je wat, zullen we in plaats daarvan samen wat swipe gaan drinken?' En dat deden ze, kameraden op een enigszins cynische manier. En het was die eigenschap – zijn cynisme, of hoe je het ook noemt – waaraan hij zijn succes dankte, toen hij, zoals MacTae hem had aangeraden, naar het hospitaal ging om zijn enkel te laten onderzoeken.

Toen hij vooraan in de rij stond en de onderzoekstent werd binnengeroepen, zag hij dat de officier die hem zou onderzoeken overste Roth was; dezelfde forse, vlezige, opgeblazen overste Roth met het golvende, spierwitte haar, die zijn hoofdwond had bekeken en zo smalend had gedaan over zijn bril. Op dat moment zag Fife alles al misgaan. Maar Roth glimlachte ditmaal. 'En, soldaat, wat scheelt eraan?' vroeg hij en in zijn glimlach lag iets van verstandhouding. Hij herkende Fife dus blijkbaar niet. En Fife besloot hem vooral niet wijzer te maken.

Het ogenblik dat voor Fife beslissend zou zijn, kwam pas later. Hij beschreef zijn klachten en liet zijn enkel zien. Die was nog dik. Overste Roth onderzocht de voet grondig, kneep hier en drukte daar en Fife kromp ten slotte ineen van pijn. Tja, dat was wel een heel zwakke enkel, vond Roth. Het was hem een raadsel hoe iemand daarmee marsen kon maken en vechten op hobbelig terrein. Hoe lang had Fife dat al? Fife vertelde hem de waarheid en beschreef hoe hij de enkel inzwachtelde en daarom altijd pleisters bij zich had. Overste Roth floot bewonderend en nam Fife toen scherp op.

'Maar waarom kom je er nu pas mee?' vroeg hij streng.

Dit was Fifes moment en hij was zich daarvan vaag bewust. Zijn reactie was zuiver instinctmatig. Hij keek niet schuldig of smekend, maar glimlachte cynisch en afstandelijk. 'Overste, ik heb er de laatste tijd meer last van dan vroeger,' zei hij en hij grijnsde even.

Roths lippen trilden, zijn ogen fonkelden en diezelfde cynische glimlach van verstandhouding trok vluchtig over zijn gezicht. Hij bukte zich en betastte de enkel nogmaals. Tja, dat zou wel een operatie worden en een paar maanden in het gips. Was Fife bereid maandenlang een gipsverband te dragen?

Weer grijnsde Fife voorzichtig. 'Als u denkt dat ik daarmee geholpen ben, dokter... ja, dan wel.'

Overste Roth boog zich weer over de enkel. Misschien zou hij nooit meer normaal worden, zei hij, maar er was wellicht wat aan te doen. In marinehospitaal nummer 3 op Ephate was een orthopeed, een van de bekwaamsten ter wereld, die dol was op dit soort moeilijke operaties. Daarna zou Fife, als hij het gips lang moest dragen, worden doorgezonden naar Nieuw-Zeeland. En daarna... Roth haalde zijn schouders op, maar zijn ogen lachten. Hij wendde zich tot de verpleger. 'Deze man wordt geëvacueerd,' zei hij.

Fife durfde het niet te geloven, omdat hij bang was dat het dan niet door zou gaan. Zomaar. Zomaar even een paar woorden en hij was ervan af. Ervan af. *Ervan af!* Zonder iets te zeggen bukte hij zich en begon zijn sok en zijn laars aan te trekken.

Toen hij weg wilde gaan riep Roth hem terug. Nadat hij zich had omgedraaid, zei de overste: 'Ik zie dat je nu sergeant bent.'

'Wat?' zei Fife.

Roth grijnsde. 'Die eerste keer was je korporaal, is het niet? Is er al wat gedaan aan die bril van je? Nee? Als je daarginds bent, zeg dat dan ook. Dan krijg je een nieuwe.'

Het was onbegrijpelijk. Waarom was hij die ene keer zo geweest en nu totaal anders? Was een man als overste Roth, die over dood en leven van eenvoudige infanteristen kon beschikken, dan even wispelturig als ieder ander mens? Het was een angstaanjagende gedachte. Hij moest drie dagen wachten voor het volgende hospitaalschip vertrok. Alleen ernstige zieken en spoedgevallen gingen per vliegtuig. Het waren drie dagen vol onzekerheid en melancholie. Nu hij zeker wist dat hij wegging, dat hem niets meer kon gebeuren, vroeg Fife zich af of hij wel mocht gaan. Moest hij niet weglopen uit het ziekenhuis en teruggaan naar de compagnie zoals Welsh had gedaan? Hij deed zijn uiterste best te denken aan de verstandige, nuchtere MacTae. Maar de vraag bleef door zijn hoofd spoken. Ten slotte sprak hij erover met Welsh zelf, toen die de spullen kwam brengen van een andere soldaat die wegging.

'Je hebt dus eindelijk je zin, hè, jochie?' zei Welsh spottend toen hij hem zag. Zijn donkere ogen stonden minachtend.

'Ja,' zei Fife bedroefd. Hij voelde zich onwillekeurig gedeprimeerd.

'Maar ik heb er nog eens over nagedacht, majoor. Misschien zou ik moeten blijven.'

'Wat zeg je?' gromde Welsh.

'Nou... Weet u, ik zal de compagnie zo missen. En... ik voel me een wegloper. In zeker opzicht, tenminste.'

Welsh zat zonder een woord te zeggen honend naar hem te kijken, een troebel licht in zijn felle ogen. 'Natuurlijk, jochie. Als je er zo over denkt, moet je zeker blijven.'

'Ja, hè? Ik dacht erover hier vannacht de benen te nemen.'

'Moet je doen,' zei Welsh en glimlachte traag, sluw. 'Zal ik jou eens wat zeggen, jongen?' zei hij zacht. 'Wou je weten waarom ik ervoor heb gezorgd dat je je baantje bij het compagniesbureau kwijtraakte? Jij dacht dat we jou niet terug verwachtten, hè?' Voor Fife iets kon zeggen, vervolgde hij: 'Nou, dat was de reden niet. Ik heb het gedaan omdat jij zo'n verdomd slechte secretaris was dat ik geen andere keus had!'

Fife had hem wel kunnen aanvliegen, zo razend was hij. Hij wist dat hij altijd goed was geweest in zijn werk. Maar hij lag in bed en voor hij kon opstaan was Welsh al weg en viel het voorpand van de tent achter hem dicht. Hij had niet eens omgekeken. Fife zag hem niet meer terug. Die nacht ging hij er niet vandoor en het hospitaalschip voer de volgende dag uit. Het was triest, maar toen het landingsvaartuig hem aan boord van het schip had gebracht, voelde hij zich niet schuldig. Hij was blij dat hij zulke van haat vervulde mensen achter zich kon laten. Het was een mooie, zonnige dag.

Diezelfde dag kreeg sergeant John Bell de brief van zijn vrouw die hij al had verwacht. Het was bijna twaalf uur en ze zouden net gaan eten, toen korporaal Weld de post kwam brengen. Er waren drie brieven voor Bell. Zoals steeds rangschikte Bell ze volgens de datum van het poststempel en las de oudste het eerst. Zo kwam het dat hij de meest recente brief het laatst onder ogen kreeg. Toen hij hem opende en de aanhef 'beste John' las, wist hij dat ze een ander had. Met zijn etensblik, deksel en beker samen in zijn slap afhangende hand liep hij weg om alleen te zijn. *Beste John.* Anders begon ze altijd met 'lieveling' of 'liefste' of 'mijn schat', of zoiets, waarvan ze natuurlijk geen barst meende. Ze had het gedaan. Ze had het gedáán. En hij had geen vrouw met één vinger aangeraakt sinds hij weg was. Wat een goedgelovige gek was hij geweest zich te verbeelden dat het verschil zou maken! Hij was na de oefening van die ochtend uitgehongerd, maar kon nu niet eten. Hij had een wee gevoel in zijn hele lichaam. Zijn benen trilden, zijn handen en zijn armen beefden. Hij ging op een omgehakte kokospalm zitten.

Toen hij er eindelijk toe in staat was, las hij de brief voorzichtig en nuchter, en niet meer met nerveuze stukjes en beetjes hier en daar. Hij was zorgvuldig en met aandacht geschreven. De vent was kapitein bij de luchtmacht, gestationeerd in Patterson. Ze hield veel van hem. Hij deed wetenschappelijk onderzoek op het gebied van de aerodynamica en zou dus nooit worden uitgezonden. Ze wilde scheiden om met hem te kunnen trouwen. Ze wist dat hij kon weigeren hierin toe te stemmen. Maar ze wilde het hem toch vragen – vanwege wat zij voor elkaar hadden betekend. Het einde van de oorlog was nog lang niet in zicht. En Joost mocht weten wat er zou gebeuren als het eenmaal vrede was. Ze had een nieuwe liefde gevonden en ze wilde daarvan genieten zolang het nog kon. Ze meende dat hij dit zou kunnen begrijpen. Tussen de noodzakelijke feiten door stonden steeds herhaalde smeekbeden om begrip, om vergiffenis. Ach, het stond er allemaal in. Het was een verstandige, weloverwogen brief, kalm, een tikje droefgeestig. Een nette, redelijke brief. Een beetje al te netjes zelfs. Wat ze vroeger samen met elkaar hadden gedaan – daarover werd niet gerept. Dat ze samen het bed hadden gedeeld, wat ze daar hadden gedaan. Wat voor andere dingen er tussen hen waren geweest. Geen woord over zijn prestaties, vergeleken bij die van Bell. Dat was nu natuurlijk verboden terrein, iets tussen haar en die vent. Daarmee had Bell niets te maken. Maar hij kon het zich voorstellen. En, wat nog erger was, hij had zijn herinneringen. God, die brief kon de indruk wekken dat ze nooit met elkaar naar bed waren geweest, zo keurig, zo netjes, zo beleefd en zo koel. *Hé, schat, ik heb je geneukt hoor; en meer dan eens!* Hij zat met de brief in zijn hand, bevend over zijn hele lichaam, en, omdat hij beroepssoldaat was, volkomen bereid om te sterven. Marty! Marty!

Hij kon niet eten. En tijdens de middagoefening was hij bepaald niet zo rustig en competent als anders. 'Wat is er met jou aan de hand?' vroeg sergeant Witt, die nu een van zijn groepscommandanten was. 'Heb jij je verstand verloren?' Toen ze terug waren in het bivak en konden inrukken, liep hij in zijn eentje naar de uitloper van de jungle en probeerde haar beeld nog eens op te roepen; het beeld dat zo vaak, op allerlei plaatsen op het eiland, doorschijnend en toch natuurgetrouw voor zijn ogen had gezweefd. Het lukte niet. Hij ging met de brief naar kapitein Bosche.

'Ja? Kom binnen. Wat is er, Bell?' zei de compagniescommandant. Zijn harde, bolle buikje drukte tegen de rand van zijn bureau terwijl hij zich over zijn werk boog. Bell overhandigde hem zwijgend de brief. Het was zo'n keurige, onpersoonlijke brief dat je hem aan iedereen kon laten zien. Je zou hem aan je eigen moeder kunnen tonen.

Ondanks zijn ontreddering was hij stomverbaasd over Bosches reactie. Onder het lezen begonnen de handen van de kapitein te trillen tot het papier ervan ritselde. Zijn gezicht werd zo wit als het vel papier dat voor hem lag en zijn kleine, ronde gezicht kreeg een harde, woedende uitdrukking. Het was alsof zijn hoofd een granieten bol van gelijke grootte zou kunnen verpulveren alleen door erop te vallen. Na wat een hele tijd scheen maar in werkelijkheid slechts enkele ogenblikken duurde, was kapitein Bosche erin geslaagd zijn zelfbeheersing terug te krijgen. Bell had geen idee waarom de brief hem zo van zijn stuk bracht.

'Je weet natuurlijk dat je niet verplicht bent met dit verzoek akkoord te gaan,' zei Bosche met harde, klankloze stem. 'En je vrouw kan geen echtscheiding en zelfs geen scheiding van tafel en bed krijgen zonder jouw formele toestemming.'

'Dat weet ik,' zei Bell zwakjes.

'En nog iets; met deze brief heb je het recht alle betalingen aan je vrouw en uitkeringen waarop ze eventueel recht heeft te laten inhouden.' De stem van Bosche was nog harder geworden.

'Dát wist ik niet,' zei Bell.

'Nou, het is zo,' zei Bosche. Zijn kleine, bolle kaak scheen zo hard als staal.

'Maar ik wil haar wel toestemming geven om te scheiden,' zei Bell mat. 'Ik wilde u vragen of u daarvoor een officiële brief voor mij zou willen opstellen.'

De kapitein zweeg één seconde als verdoofd. 'Dat begrijp ik niet,' zei hij stijfjes. 'Waarom wil je dat doen?'

'Tja, het is een beetje moeilijk uit te leggen,' zei Bell en hij zweeg even. Hoe moest hij het formuleren? 'Kijk, ik vraag me, geloof ik, af wat het voor zin heeft getrouwd te zijn met een vrouw die liever niet met mij getrouwd is.'

Kapitein Bosche had zijn ogen half dichtgeknepen en staarde Bell door die spleetjes aan. 'Och ja, er zijn natuurlijk allerlei standpunten en principes, neem ik aan,' zei hij nadenkend. 'Het zou niet goed zijn als iedereen hetzelfde was.'

'Wilt u die brief voor me schrijven, kapitein?'

'Ja, zeker wel,' zei Bosche en Bell maakte aanstalten om weg te gaan.

'O, Bell!' riep hij en toen Bell zich weer omdraaide, hield hij enkele formulieren omhoog. 'Dit is gisteren voor jou gekomen. Ik heb er nog niet met je over gesproken omdat ik eerst mijn eigen aanbeveling wilde schrijven. Die ligt nu klaar. Misschien is dit wel het juiste moment om je deze order te laten zien. Je wordt benoemd tot eerste luitenant bij de infanterie.' Hij zei het met onbewogen stem, maar Bell merkte de lichte nadruk op *eerste* wel op. Hij glimlachte. 'Echt waar?' zei hij. Bell voelde zich een dwaas.

Bosche grijnsde breed. 'Ja zeker. Ik heb aangenomen dat je ermee akkoord gaat en mijn warme aanbeveling dus maar vast geschreven.'

'Mag ik er nog even over nadenken?'

'Natuurlijk,' zei Bosche onmiddellijk. 'Neem zoveel tijd als je wilt. Je hebt vandaag al heel wat te verwerken. En als je nog van mening wilt veranderen wat die andere kwestie betreft, dan is dat ook prima.'

'Dank u, kapitein.'

Buiten ging hij weer op dezelfde stam zitten. Of was het een andere? Het was moeilijk te zeggen. Zou ze het allemaal zo gepland hebben? Had ze de brief zo opgesteld dat hij er wel op moest reageren zoals ze hoopte? Waarschijnlijk wel. Ze kende hem goed genoeg, of niet soms? Zoals hij haar goed genoeg kende om te weten dat wat er met haar ging gebeuren ook zou gebeuren. En het was immers gebeurd. Mensen konden niet zolang met elkaar getrouwd blijven zonder elkaar vrij goed te leren kennen. Of leerde je elkaar nooit echt kennen? Bosche zou zijn vrouw nooit toestemming hebben gegeven om te scheiden. Waarom had hij zo heftig gereageerd? Zou hem hetzelfde zijn overkomen? De pijn als hij terugdacht aan zijn ervaringen met Marty in bed en zich haar dan voorstelde met die andere vent, werd ondraaglijk. Hij dwong zijn hersens zich op het andere probleem te concentreren.

De promotie. *Eerste* luitenant bij de infanterie! Met een melancholiek lachje kwam Bell tot de conclusie dat hij daar waarschijnlijk even weinig kwaad kon doen als ergens anders. In de invallende duisternis stond hij op om de kapitein te zeggen wat hij had besloten. De dag daarop ondertekende hij de voor hem opgestelde brief waarin hij toestemming gaf voor de echtscheiding en pakte zijn spullen. Hij vertrok om de eed van trouw af te leggen en te worden overgeplaatst. Weer verdween er iemand uit de Charlie-compagnie. Toen Bosche hem vroeg wie hem zou moeten opvolgen, stelde Bell Thorne van het tweede peloton voor, omdat hij de indruk had dat Witt een beetje onvoorspelbaar was als hij zich boos maakte.

En daar bleef het bij. De Charlie-compagnie was niet meer die compagnie die op het eiland was geland, nu er zoveel nieuwelingen waren dat Charlie bijna op volledige sterkte was. Het was een heel ander onderdeel geworden, met een geheel andere sfeer. Drie dagen na Bells vertrek kwamen de nieuwe instructies en werd alles weer geblokkeerd. Geen overplaatsingen meer, geen promoties waardoor soldaten de compagnie zouden verlaten, helemaal geen veranderingen meer. In de instructies, die zeer vertrouwelijk waren en praktisch bij iedereen al bekend toen ze arriveerden, stond dat de compagnie zich gereed moest houden om over ongeveer tien dagen te vertrekken. De training moest worden afgebroken en de voorbereidingen voor het vertrek moesten onmiddellijk in gang worden gezet. De instructies vermeldden niet waar de divisie heen zou gaan.

Natuurlijk hoefde dat ook niet te worden vermeld. Iedereen wist het. Don Doll, die nu Fife weg was, dikke vrienden was met zijn directe superieur Milly Beck, praatte met hem over New Georgia. Doll werd in de compagnie algemeen als de beste pelotonsgids beschouwd en men nam aan dat hij, zodra promoties weer werden toegekend, de leiding over een peloton zou krijgen. De tengere Carrie Arbre was nu commandant van Dolls vroegere groep. Hij en Doll deden nog altijd een beetje stijfjes en afstandelijk tegen elkaar.

Vóór de mannen vertrokken bereikte hun nog een geschenk van het dankbare volk: de medailles. Toen die lang op zich lieten wachten, waren de mannen cynisch geworden en hadden er niet meer aan gedacht, maar nu kwamen ze dan toch, compleet met motiveringen. Ze werden plechtig uitgereikt. Alle leden van kapitein Gaffs aanvalspatrouille op De Dansende Olifant kregen een Bronze Star of iets hogers. Die van Big Un Cash werd natuurlijk postuum verleend, terwijl die van John Bell hem werd toegezonden. Skinny Culn, die door Bugger Stein was aanbevolen voor een Bronze Star, kreeg die ook. Don Doll, voor wie kapitein Gaff een Distinguished Service Cross had willen hebben, kreeg in plaats daarvan een Silver Star. Charlie Dale, die zowel door Stein als door Decoratiejager Band voor het Distinguished Service Cross was voorgedragen, vanwege de dappere daden die hij op De Dansende Olifant had verricht, kreeg een Distinguished Service Cross en was daarmee de enige in het hele bataljon. Er werd wel over gekankerd, maar een grappenmaker merkte meteen op dat het ding mooi paste bij zijn collectie gouden tanden. Iedereen deed alsof medailles hem niet interesseerden, maar iedereen die er een ontving was er in zijn hart heel trots op.

Twee dagen voor vertrek hoorden de mannen nog iets over de legendarische kapitein Gaff. Iemand van de C-compagnie had een vrij recent nummer van *Yank Magazine* in handen gekregen en daarin stond een paginagrote foto van de vroegere waarnemende commandant van het bataljon. Gekleed in zijn op maat gemaakte wintertenue met de Medal of Honor aan het erbij behorende lint om zijn hals was de kapitein gefotografeerd voor *Yank*, terwijl hij een toespraak hield om de burgers aan te sporen tot het kopen van nog meer oorlogsobligaties. In het onderschrift stonden de nu wereldberoemde woorden waarmee hij zijn uitgeputte, maar ongebroken infanteriepatrouille op Guadalcanal had aangespoord: 'Nu zullen we eens zien wie echte mannen zijn en wie moederskindjes!' Het was de nationale slogan geworden en stond overal waar je kwam op spandoeken met dertig centimeter hoge letters. Twee platenproducenten hadden patriottistische songs gemaakt met deze woorden als titel; een ervan was een groot succes geworden en stond in de hitlijsten.

Natuurlijk moesten ze lopend naar het strand, omdat er op dat moment geen vrachtwagens waren. Hun wandeling leidde langs het nieuwe kerkhof. Terwijl ze in de overvochtige lucht naar adem hapten en struikelden over modderbergjes en graspollen, leek dat kerkhof zeer groen en koel. Het stuk grond was goed gedraineerd en men had er blauwgras op geplant. Grote sproeiers zonden glanzende stralen waterspetters de lucht in boven de witte kruisen, die heel mooi in lange, harmonische rijen stonden. Mannen van de intendance liepen over het terrein om alles tot in de puntjes te verzorgen.

Achthonderd meter verder kwamen ze langs het roestende wrak van een Japanse landingsboot; daarop zat een man een appel te eten. Hij zat hoog op de boeg van de boot en kon op hen neerkijken, terwijl hij op zijn gemak van zijn appel genoot. Een appel. Op een of andere manier was door een merkwaardige vergissing in de vijfvoudige ladingsformulieren en vervoeropdrachten een grote fout geslopen, waardoor een anders toch zeer nauwkeurige functionaris ervoor had gezorgd dat tussen de blikken, drums, vaten, kratten en kisten met voorgekookte, gedroogde en gestoomde etenswaren zich een verse, rode appel had bevonden die in een ongecontroleerd hoekje de lange zeereis had meegemaakt. Door een waanzinnige meevaller had deze man de appel te pakken gekregen en daar zat hij nu hoog op de boeg er lekker aan te knagen. Als deze onbekende hen had gekend, had hij hun namen een voor een kunnen opnoemen terwijl ze aan hem voorbijtrokken in een macaber defilé, hun jaloerse blikken hongerig op zijn appel gericht. Kapitein Bosche, zijn officieren, majoor Eddie Welsh, de pelotonssergeants Thorne, Milly Beck, Charlie Dale, sergeant eersteklas Don Doll, korporaal Weld, sergeant Carrie Arbre, soldaat eersteklas Train, soldaten Crown, Tills en Mazzi. Allemaal keken ze naar hem op terwijl ze voorbijliepen. Maar hij kon hun namen niet noemen, ze waren vreemden voor hem.

Gekke Welsh, die achter de stevige rug van kapitein Bosche marcheerde, gaf geen zier om appels. Hij had immers zijn twee veldflessen met gin. Dat was alles wat hij dit keer kon meenemen, en hij tastte er af en toe heimelijk naar. In gedachten mompelde hij steeds weer de oude vertrouwde woorden die alles voor hem samenvatten; 'Bezit, bezit, alles voor het bezit.' Nou, dit was nogal een bezit, dit eiland, of niet soms? Hij had de verdoving van de strijd leren kennen – voor het eerst, bij Boola Boola – en hij hoopte en vertrouwde erop dat, als hij bewust en hardnekkig naar die toestand bleef streven, deze voor hem nog eens een blijvende, genadige en gezegende toestand zou worden. Meer vroeg hij niet.

Voor hen uit lagen de landingsvaartuigen te wachten om ze aan boord te brengen en langzaam stelden ze zich in rijen op om naar zee te worden gebracht en daar via de netten omhoog te klimmen naar de grote schepen. Een van hen zou eens een boek schrijven over dit alles, maar niemand zou geloof hechten aan dat boek, want niemand zou het zich op deze manier herinneren.

James Jones
From Here to Eternity

From Here to Eternity is de beroemdste roman die ooit over de Tweede Wereldoorlog is geschreven. De gelijknamige film (met o.a. Frank Sinatra) brak alle records, kreeg vele oscars en maakte dit onvergetelijke verhaal tot een bestseller die iedereen gelezen moet hebben.

Diamond Head, Hawaï, 1941. In de laatste maanden voor de aanval op Pearl Harbor gaat soldaat Prewitt zijn eigen weg. Zijn rebelse houding maakt zijn meerderen vastbesloten hem te breken. Maar ook Prewitts sergeant houdt zich niet aan de regels: hij heeft een gepassioneerde relatie met de vrouw van de commandant. Om hen heen leveren anderen hun eigen kleine strijd – aan de vooravond van die onverwachte aanval...